EUROPAVERLAGBE

Ihr persönliches,
UNVERKÄUFLICHES
LESEEXEMPLAR

Der Titel erscheint im Februar 2015.
Bitte besprechen Sie dieses Buch
nicht vor dem 19. Februar 2015.

Schreiben Sie uns Ihre Meinung per E-Mail an
ak@europa-verlag.com
oder per beiliegender Postkarte.

Thore D. Hansen

Quantum Dawn

EUROPAVERLAG**BERLIN**

»Dieser Roman ist ein fiktionales Werk, auch wenn er reale Gegebenheiten aufgreift. Die Personen und die Handlung sind frei erfunden, sodass etwaige Ähnlichkeiten mit lebenden oder verstorbenen Personen zufällig wären. Das gilt auch, wenn die Namen der fiktiven Personen und Institutionen den Namen realer Personen und Institutionen ähnlich sein oder mit diesen übereinstimmen sollten.«

FSC
www.fsc.org
MIX
Papier aus verantwortungsvollen Quellen
FSC® C083411

Umschlaggestaltung: Hauptmann & Kompanie Werbeagentur, Zürich
Umschlagmotiv: © plainpicture/Millenium
Satz: BuchHaus Robert Gigler, München
Druck und Bindung: cpi Clausen & Bosse, Leck
ISBN 978-3-944305-79-0

www.europa-verlag.com

»Geld ist der Gott unserer Zeit und Rothschild sein Prophet.«
Heinrich Heine

»Die wenigen, die das System verstehen, werden so sehr an seinen Profiten interessiert oder so abhängig sein von der Gunst des Systems, dass aus deren Reihen nie eine Opposition hervorgehen wird. Die große Masse der Leute aber, mental unfähig zu begreifen, wird ihre Last ohne Murren tragen, vielleicht sogar ohne zu mutmaßen, dass das System ihren Interessen feindlich ist.«
Gebrüder Rothschild

»Die Menschheit wird nach dem Niedergang des Kommunismus das skrupelloseste und menschenverachtendste System erleben, wie es die Menschheit noch niemals zuvor erlebt hat, ihr Armageddon.«
Carl Friedrich von Weizsäcker

EINS

LONDON, 23. OKTOBER

»Das Geld fließt schon bald«, versicherte Jarod Denver seinem Spiegelbild mit einem zuversichtlichen Nicken. Er rückte das Sakko zurecht, legte eine rote Seidenkrawatte mit Schwung um den hochgeklappten Hemdkragen und band sie ohne Hast. Erst gegen Mitternacht wollte er einen Mitarbeiter von Goldman Sachs treffen, der Informationen über ungewöhnliche Transfers der Bank hatte. Das Klopfen an seiner Wohnungstür konnte nur eines bedeuten: Naravan hatte doch wieder etwas vergessen. Warum können manche Leute nirgendwo hingehen, ohne etwas liegen zu lassen? Wie kann einer Programmierer werden, komplexe Algorithmen schreiben, komplizierte Verschlüsselungen entwickeln, wenn er selbst den eigenen Haustürschlüssel nicht unter Kontrolle hat? Selbst wenn er ihm wichtige Dienste geleistet hatte, war es an der Zeit, diesen Freak endlich loszuwerden.

Denver riss die Tür auf. Im nächsten Augenblick wurde er niedergestoßen, die Dielen vibrierten unter der Wucht seines Aufpralls. Zwei maskierte Männer in schwarzer Montur, einer mit schallgedämpfter Pistole im Anschlag, hockten über ihm.

Ein Knie presste sich auf seine Brust, Denvers Arme waren fest auf dem Boden fixiert, das Gewicht nahm ihm die Luft. Arme und Beine wurden blitzschnell gefesselt, am rechten Knöchel spürte er kurz einen brennenden Schmerz.

Polizisten waren das nicht. Um Hilfe zu schreien, war gefährlich, denn die Polizei war ihm längst auf den Fersen. Angesichts des Drucks auf seiner Brust hätte er ohnehin nur ein Keuchen hervorgebracht. Einer der Männer packte ihn an den Haaren, zerrte seinen Kopf, bis der Schmerz auf seiner Kopfhaut fast unerträglich wurde. Schließlich zog er Denver ganz hoch, schleifte ihn ins Wohnzimmer und knallte ihn auf den Schreibtischstuhl. Er konnte nur kurz die Augen seines Angreifers erblicken, die, wie seine Stimme, Eiseskälte ausstrahlten. Der andere Mann, etwas kleiner, aber umso stämmiger, brüllte ihn an.

»Sie übergeben uns sofort die Daten!«

Denver brach der Schweiß aus. Diese Scheißsituation hatte er sich selbst zuzuschreiben. Ein Moment der Unaufmerksamkeit. Jede Tarnung, alle Bemühungen des letzten Jahres, nicht gefunden zu werden, zerschlagen, weil er für den Bruchteil einer Sekunde nicht nachgedacht hatte. Als der eine Peiniger endlich von seinem Schädel abließ und zur Seite trat, setzte der andere die Waffe an seine Stirn. Unvermittelt wurde ihm von hinten ein schwarzer Sack über den Kopf gestülpt. Blanke Panik packte ihn.

»Ganz ruhig, und es geschieht Ihnen nichts!«, zischte der Größere und stieß Denvers Kopf nach vorne.

Denver fürchtete, jeden Augenblick ohnmächtig zu werden. Seine durch die ständige Flucht geschundenen Nerven gerieten nun an ihre Grenzen, sein Magen verkrampfte sich, sein rechtes Augenlid begann zu flattern. Die Gedanken rasten. Wie konnte man ihn hier finden? Er hatte nie von seiner Wohnung aus telefoniert, mit seinem Rechner war er kein einziges Mal von hier aus im Netz gewesen, hatte jede digitale Spur vermieden. Seit Wochen hatte er mit den *Herren* und seinem unberechenbaren Auftraggeber Dan Former nur noch über sichere Verbindungen Kontakt aufgenommen. Wenn überhaupt, konnte nur Former wissen, dass er und Naravan in London waren – irgendwo in London, mehr nicht. Ein Bewegungsmuster ließ sich sicher nicht erkennen, jedenfalls keins, aus dem Former, die Polizei oder sonst wer irgendwelche vernünftigen Rückschlüsse hätten ziehen können. Obwohl er sich stets auf alle erdenklichen Bedrohungen vorbereitet hatte, war Jarod Denver nun völlig hilflos.

Die Männer sprachen kein Wort. Unter seinem Sack lauschte er ihren Bewegungen. Einer schien sich direkt vor ihm am Schreibtisch zu bewegen, der andere verließ das Zimmer. Der Laptop wurde hochgefahren, Schubladen wurden geöffnet, etwas in der Küche fiel zu Boden, Papiergeräusche neben ihm, in der Küche das Klacken von Schranktüren, das Knarzen der Ofenklappe, der Schnappverschluss der Kaffeedose, dann Schritte ins Schlafzimmer. In ihre Gründlichkeit mischte sich Ungeduld.

»Beeil dich. Wir haben nicht viel Zeit!«

Denver hatte alles gut versteckt. Er konnte nur hoffen, dass es gut gehen würde. Oder sollte er nachgeben und endgültig alles verlieren? Diese Männer wussten ganz genau, was sie wollten.

»Sie werden hier nichts finden!«, sagte er, seine Stimme klang überraschend fest in seinen Ohren.

»Lügen Sie nicht!«

Er wurde vom Stuhl hochgerissen. Der erste Schlag traf ihn in die Nieren, der nächste in den Magen. Sein Körper bäumte sich auf, er japste nach Luft.

»Das können Sie gleich jemandem erklären, der schon ungeduldig darauf wartet, Ihre Bekanntschaft zu machen. Ich würde mir das an Ihrer Stelle gut überlegen«, sagte einer der Männer.

Übelkeit breitete sich in Denvers Magen aus. Was hatte man mit ihm vor, und von wem redeten diese Männer? Für einen Moment war er sich nicht sicher, ob vielleicht Dan Former hinter diesem feigen Anschlag stecken würde. Doch das war nicht sein Stil. Wer zum Teufel waren diese Leute? Der andere Kerl mit der etwas heiseren Stimme machte sich weiter an Denvers Laptop zu schaffen. Das Stromkabel fiel hinunter.

»Da ist nichts drauf!«

Die Tatsache, nichts sehen zu können, ohne Vorbereitung vielleicht nächsten Schlägen ausgesetzt zu sein, war unerträglich. Nur die wahrnehmbaren Geräusche verrieten, dass jemand umherging und schließlich die Tasche in seinem Schlafzimmer mit einem Klicken öffnete. Als er zurückkam, hatte sich seine Stimme aufgehellt.

»Hier. Die Festplatte war in einer Tasche!«

Denver hörte, wie an seinem Rechner getippt wurde. Die Schmerzen von dem Nierenschlag quälten ihn noch immer. Der Sack über seinem Kopf verstärkte das Gefühl, völlig ausgeliefert zu sein. Wie einem räudigen Straßenköter trat ihn einer der Männer erneut in die Nieren.

»Rücken Sie das Passwort raus!«

Denver wusste nicht, was er tun sollte. Schweigen? Um sein Leben reden? Eine Geschichte. Er brauchte eine Geschichte! Doch er hatte keine, nichts, was ihm aus der Situation half. Besser schweigen. Wie lange würden die brauchen, um das Passwort aus ihm herauszuquetschen, zu prügeln, zu …? Das war ihr Terrain, ihr Beruf, nicht seiner, er war Investmentbanker, er konnte sich ihre Methoden dennoch nur zu gut ausmalen. Sein Schlachtfeld waren Kursschwankungen, Information und

Desinformation, das Zuschlagen per Tastendruck, er wusste, wie man Anleger und Banken barbierte, aber er hatte keine Ahnung, wie man physische Schmerzen ignorierte.

Doch noch hatten sie die entscheidende Festplatte nicht gefunden. Er musste Zeit gewinnen, kooperieren, nur so hatte er später vielleicht noch eine Verhandlungsbasis.

»Quantumdawnxp2015codeblack.«

Der Mann am Laptop schlug das Passwort förmlich in die Tasten. Sekundenlang war es totenstill.

»Das ist niemals alles! Sie werden uns jetzt zu Ihrem Programmierer führen, ist das klar?!«

Denvers Augenlid begann jetzt so stark zu zucken, dass er es sich am liebsten herausgerissen hätte. Er war völlig ratlos, woher sie wissen konnten, dass Bill Naravan mit ihm zu tun hatte. Vielleicht hatten sie ihn sogar im Treppenhaus gesehen, und er war ihnen entwischt. Bevor er etwas sagen konnte, riss ihm einer der Männer den Sack vom Kopf und streifte ihm ein Klebeband über den Mund. Er konnte ohnehin kaum atmen. Seine Angst steigerte sich ins Unermessliche. Er wurde durch den Flur ins Treppenhaus gezerrt.

Unten angekommen hörte er, wie sich draußen auf der Straße eine Wagentür öffnete. Es folgte ein weiterer Schlag, der all seine Sinne betäubte.

ZWEI

LONDON, SALTWELL STREET, 24. OKTOBER

Rebecca Winter spürte bleierne Müdigkeit, als sie morgens gegen halb sechs in ihrem Ohrensessel erwachte. Wie ein Relikt aus dem 19. Jahrhundert beherrschte er mit seinem roten Samt, fixiert von Messingnägeln, ihr kleines Wohnzimmer. Er war bequem, aber ihr Schlaf war zu kurz gewesen. Sie hatte bis spät in die Nacht einen Bericht über eine Manipulation im Hochfrequenzhandel studiert, bevor sie mit dem *Medicus* in den Händen, umhüllt von einer Wolldecke, in ihrem kleinen Apartment in der Saltwell Street, ganz in der Nähe des Londoner Wirtschaftszentrums Canary Wharf, eingenickt war.

Sie schob das Buch von ihrem Schoß neben sich auf den Sessel, streckte sich, gähnte ausgiebig, ging zum Fenster und blickte in den kleinen verwilderten Garten, der zu ihrer Wohnung gehörte. Wieder einmal dachte sie daran, sich mehr um ihn zu kümmern, Gemüse und Kräuter anzupflanzen, doch die Zeit fehlte, wie für vieles in den vergangenen Jahren. Sie zupfte einen Wollfussel von ihrem Jogginganzug und trottete in die Küche. Dort holte sie ein paar Muffins aus dem Schrank, legte sie auf einen Teller, machte sich einen Tee und überlegte, wie sie den Tag mit so wenig Schlaf in den Knochen durchstehen sollte. Vielleicht wäre jetzt der richtige Augenblick, ihr Überstundenkonto etwas abzubauen und später ins Büro zu fahren. Im Kühlschrank war keine Milch. Es war sicher zu früh, ihre Nachbarin zu fragen, obwohl die gern zu ungewöhnlichen Zeiten herumgeisterte. Sie würde den Tee heute mal ohne Milch trinken.

Auf dem Rückweg ins Wohnzimmer vermied sie es, in den Wandspiegel im Flur zu blicken. Sie wusste, wie sie zu so früher Stunde aussah.

Kaum hatte sie sich wieder in ihren Ohrensessel fallen lassen, einen Biss in den Muffin genossen und mit geschlossenen Augen den ersten Schluck Tee geschlürft, klingelte das Telefon. Sie blickte auf ihren Wecker im Bücherregal. Noch nicht mal sechs!

Es war Robert Allington, der Leiter der Abteilung für schwere Wirtschaftsdelikte bei Scotland Yard – ihr Chef. Um diese Uhrzeit! Seit Wochen traktierte er sie, sie solle doch ihren Eifer etwas zurückschrauben und kürzertreten, und nun rief *er* zur Unzeit an. Vermutlich würde er sich jetzt sogar wundern, dass sie nicht gleich abhob. Sie zögerte, trotzte für einen Moment. Dann siegte ihr Pflichtgefühl.

»Guten Morgen, Rebecca, entschuldige die frühe Störung. Ich habe keine gute Nachricht: Denver hängt im Park!«

»Waas?!« Winters Stimme überschlug sich. »Wo?«

»Mudchute Par …«

Noch bevor Allington zu Ende sprechen konnte, hatte sie aufgelegt. Die Nachricht war ein Schock. Alles hatte sie in den letzten Monaten darangesetzt, den Wertpapierbetrüger Jarod Denver zu fassen. Und nun war er tot! Ihre Müdigkeit war wie weggebeamt. Sie stürzte zum Schrank, um ihre alte Jogginghose gegen eine schwarze weite Stoffhose zu tauschen und zog einen ihrer zahlreichen bunten Pullover über. Rebecca Winter mochte es immer bequem. Sie schnappte sich ihr Handy. Beim Hinausgehen riss sie ihren weiten Wollmantel so energisch vom Haken, dass das Innenfutter riss. »Verdammte Scheiße!« Mit der Wucht ihrer Verärgerung knallte sie die Tür ins Schloss.

Seit drei Jahren arbeitete Winter als Inspector in enger Kooperation mit dem Serious Fraud Office für eine Sonderabteilung von Scotland Yard. Der Ausbruch der Finanzkrise war Jahre her. Einige Banken waren inzwischen zu immensen Strafen verurteilt worden. Aber dass es gelang, einzelne Banker, wie den ehemaligen Goldman-Sachs-Manager Fabrice Tourre, auch »Fabulous Fab« genannt, hinter Gitter zu bringen, war die Ausnahme.

Seine Verurteilung war einer ihrer größten Erfolge. Sie hatte der US-Börsenaufsicht und dem FBI die entscheidenden Hinweise geliefert, um das Verfahren gegen den 34-Jährigen auf den Weg zu bringen. Aber er war nur ein mittelgroßer Fang gewesen, nicht einer der Killerwale, und nun sollte ihr ausgerechnet nur ein toter Fisch ins Netz gehen, der vielleicht einige Wale hätte beißen können?

Während sie in den Manteltaschen nach ihrem Autoschlüssel fingerte, rannte sie zu ihrem Wagen. Ihre Gedanken überschlugen sich. Schon mehrfach hatte sie mitansehen müssen, wie nach monatelangen Recherchen Anwälte den Richtern hieb- und stichfeste Beweise madig redeten. Doch die Fakten rund um diesen Jarod Denver hatte sie äußerst akribisch recherchiert. Der nicht mal 30-jährige Investmentbanker, aufgewachsen in Tottenham, stand im Verdacht, in mehreren Fällen mit Insiderwissen und anderen Tricks gearbeitet zu haben. Ein gerissener Emporkömmlimg, der nach seinem Studium schnell zu den Händlern in Canary Wharf aufschloss. Jetzt hatte sie nur noch den Lohn kassieren, Denver im Verhör mit den Ergebnissen ihrer Ermittlungen so unter Druck setzen wollen, dass er keinen Zweifel daran haben würde, eine Milderung beim Strafmaß zu bekommen, wenn er sofort und umfassend über weitere Verstrickungen an der Londener Börse und seine Hintermänner auspacken würde.

»Acht Monate Arbeit für eine verdammte Leiche. Ich werde irre.« Sie schwang sich in ihren schwarzen Mini, riss das Blaulicht aus der Innenlade, knallte es aufs Dach, wendete vorsichtig und gab dann Vollgas.

Chief Inspector Allington sprach gerade mit den Ermittlern vor Ort, als er Rebecca Winter über das Gras heranhetzen sah. Ein Geist in einem wehenden Mantel, einen Kopf größer als er, was ihn immer wieder irritierte. Die Frau war gerade mal 28 Jahre alt und verfügte mit ihren hohen Wangenknochen und der feinen länglichen Nase in ihrem von dunklen Locken umrahmten Gesicht über ein eigentlich ganz interessantes Aussehen. Sie legte, zumindest im Vergleich zu ihren Kolleginnen, keinen Wert auf modische Kleidung. Und nicht selten wunderte sich Allington über die Art und Weise, wie sie auftrat. Lediglich bei Gerichtsterminen erschien sie, offenbar widerwillig, in einem Kostüm.

Dennoch zog sie den einen oder anderen Blick manch eines männlichen Kollegen auf sich. Dabei verblüffte ihn die kühle Art, wie sie Flirtversuche im Keim erstickte, ohne auch nur den Ansatz einer Gemütsbewegung preiszugeben. Als ob sie auf der zwischenmenschlichen Ebene quasi null wahrnehmen würde. Ganz anders verhielt es sich, wenn es um ihre Fälle ging. War sie gut gelaunt, schienen ihre Augen von innen heraus zu leuchten, doch bei den meisten Gelegenheiten, wie an diesem Morgen, sah Allington sie mit ernster Miene herbeieilen. Selten hatte er jemanden in seiner Abteilung gehabt, der so engagiert war. Bis dato hatte er es jedoch nicht vermocht, tiefere Motive für diesen Einsatz herauszufinden.

»So sehr hättest du dich nicht beeilen müssen, schließlich ist er schon tot. Eine alte Dame hat ihn bei ihrem Morgenspaziergang mit dem Hund gegen fünf Uhr 15 gefunden«, sagte Allington und hustete kräftig in die Hand. Seine Nase war gerötet, die Gesichtshaut blass und die Augen leicht geschwollen.

»Ja klar! Ich hätte also noch in Ruhe frühstücken sollen, so siehst du aus!«, giftete Winter mit einem Blick auf Denver, der noch an einem Ast hing. Mit leerem Magen vor einer Leiche zu stehen, gehörte nicht zu ihrem Alltag und gefiel ihr gar nicht. Auch wenn diese bestens gekleidet war, selbst die rote Seidenkrawatte saß unter dem Strick noch relativ ordentlich.

»Ziehen Sie nicht so ein Gesicht, junge Frau«, mischte sich der Forensiker ein, der Jarod Denvers Leiche seelenruhig inspizierte. »Ist doch die beste Zeit für einen erfrischenden Morgenspaziergang zwischen Herbstlaub und aufgehender Sonne!«

Rebecca blinzelte durch die bunte Baumkrone in den dunklen Himmel. Es war selbst für das gewöhnlich raue Inselklima ungewöhnlich kalt. Auf den erfrischenden Morgenspaziergang hätte sie gut verzichten können. »Wie lange hängt der da?« Winter wandte das Gesicht von dem Toten, als sie sprach.

»Alles in Ordnung, Rebecca?« Allington sah ihr an, wie betroffen sie war. Selbst für ihn waren Leichen in den letzten Jahrzehnten eher die Ausnahme.

Winter war für den Moment nur froh, die Muffins nicht im Magen zu haben, vergrub ihre Hände in den weiten Manteltaschen und blickte auf die vom gestauten Blut blau gefärbten Ohren der Leiche. An Denvers offenem Mund klebte getrockneter, blutversetzter Speichel. So etwas hatte sie als Spezialistin für Wirtschaftsdelikte noch nie gesehen. Sie war überhaupt noch keinem Toten so nahe gekommen. Der Anblick ekelte sie, und rasch wanderte ihr Blick wieder ab zu Allington. »Besser könnte es mir gar nicht gehen. Fehlt nur noch der Picknickkorb.«

»Ich bitte um Ihre Aufmerksamkeit.« Der Forensiker klatschte in die Hände, als wolle er sein Auditorium zur Ordnung rufen. »Der Zustand der Leiche lässt auf zwölf bis maximal 24 Stunden schließen. Zudem ist der Mudchute Park zu dieser Jahreszeit noch recht gut besucht. Also ist es unwahrscheinlich, dass der Mann hier länger als zwölf Stunden hängt.«

Rebecca Winter trat zurück, während zwei Beamte von Scotland Yard Denvers Leiche herabließen und zu Boden legten. »Haben Sie etwas gefunden, einen Abschiedsbrief, irgendwas?«

»Nur eine Geldbörse mit ungewöhnlich viel Bargeld und ein Prepaid-Handy«, berichtete der Forensiker.

Das war zu erwarten, dachte Winter. Die letzten Spuren, die Scotland Yard von Denver hatte ermitteln können, waren seine Kreditkarten, die er nach seiner Flucht vor zehn Monaten nur noch zweimal in Wien und Brüssel benutzt hatte.

»Moment.« Der Rechtsmediziner hatte das rechte Hosenbein hochgezogen und am unteren Fußgelenk eine Schürfwunde entdeckt.

»Was?«

»Ich möchte keine voreiligen Schlüsse ziehen, aber …« Mit einer Pinzette zupfte er etwas von der Haut und betrachte sie unter einer Lupe. »Schon gut. Ich schicke Ihnen die Ergebnisse am Nachmittag.«

»Okay, geben Sie mir das Handy. Vielleicht finden wir so …«, setzte Winter an.

»Ist gut, Rebecca, wir machen den Rest. Ich weiß, was dir der Fall bedeutet, aber jetzt wartest du bitte erst mal die Auswertung ab«, sagte Allington in einem für ihn ungewöhnlich scharfen Ton, der ihm sofort leidtat, als er seine Mitarbeiterin ansah. »Ist dir eigentlich bewusst, was an diesen Ermittlungen alles dranhängt?«

Winter presste die Lippen zusammen und schlug den Kragen ihres Mantels hoch. Mit einem gequälten Lächeln drehte sie sich um und ging zu ihrem Wagen.

Allington hatte recht. Sie hätte sich die Eile sparen können. Sie war natürlich sofort von Mord ausgegangen. Motive gab es genug. Jarod Denver war einer von der ganz miesen Sorte. Mit einem geschickt ausgearbeiteten Prospekt für die Investition in einige Tausend Hektar rumänischen Wald und Wärmekraftwerke hatte er eine rentable und ethisch korrekte Anlage versprochen. Keine Rede davon, dass die Verhandlungen mit den Rumänen auf sehr wackeligen Beinen standen und bereits Unmengen von Schmiergeldern verschlungen hatten. Er hatte einige grünschnabelige Investmentbanker in seinem Büro versammelt und diese wochenlang vor allem Senioren abtelefonieren lassen. Sie häuften in wenigen Monaten rund 25 Millionen Pfund auf. Als das ganze Gebäude einzustürzen drohte, zockte Denver mit Derivaten und Währungen, vergaloppierte sich, zweigte noch mal ein paar Millionen für sich ab und verschwand schließlich von der Bildfläche.

Wäre es wirklich ein Selbstmord, würde er sich vielleicht in diese unheimliche Serie einreihen, grübelte Winter. Sie nahm ihr Smartphone und öffnete eine Datei. Sie und Allington hatten mehrfach in den letzten Monaten über die Hintergründe dieser Selbsttötungen spekuliert. Ihr Chef hatte es vor Kurzem trotz seiner sonst sehr zurückhaltenden Art auf den Punkt gebracht: Wenn es keine Freitode waren, dann waren sie Aktivitäten einer höchst professionellen Mafia oder sogar die Arbeit von Geheimdiensten, von der sich eine junge Scotland-Yard-Beamtin in ihrem eigenen Interesse besser fernhalten sollte. Geschehen Dinge, die die Staatsräson berühren, gibt es keinen Rechtsstaat mehr, hatte er gepredigt. Diese Haltung hatte Winter schockiert. Aber auf jede Nachfrage, ob Allington denn schon einmal so etwas erlebt habe, war nur ein Kopfschütteln gefolgt.

Hatte er vielleicht recht? Konnte es sein, dass sie angesichts der Masse dieser Fälle gegen Windmühlen kämpfte? An den falschen Stellen recherchierte?

Fast 20 Topleute der Finanzbranche hatten sich im Frühjahr 2014 anscheinend umgebracht oder waren unter ungeklärten Umständen ums Leben gekommen – Denver war vielleicht nur der neuste Fall dieser Serie. Winter blickte auf ihr Handy und sah die Namensliste. Hatte der Investmentbanker mit einem dieser Toten in Kontakt gestanden? Gab es Überschneidungen? Die Serie dieser Todesfälle war wirklich merkwürdig. Der Kommunikationsdirektor der Rückversicherungsgesellschaft Swiss Re, Tim D., starb Mitte Januar 2014 unter nicht geklärten Umständen. Am 26. Januar 2014 wurde der frühere hochrangige Manager der Deutschen Bank William B. im Alter von 58 Jahren in seinem Privathaus im Londoner Ortsteil South Kensington erhängt aufgefunden. Auch Gabriel M., der hochrangige JPMorgan-Mitarbeiter, stürzte sich im Alter von 39 Jahren am 27. Januar 2014 vom Dach der Europa-Zentrale von JPMorgan in London. Kurz darauf wurde Mike D., der Chef-Ökonom einer amerikanischen Investmentbank, im Alter von 50 Jahren tot in der Nähe einer Brücke im Bundesstaat Washington aufgefunden.

Nach einer kurzen Unterbrechung wurde JPMorgan von einem weiteren mysteriösen Todesfall überrascht, als Li J. im Alter von 33 Jahren am 18. Februar 2014 vom Dach der JP-Morgan-Zentrale in Hongkong sprang.

Danach schien für eine Zeit eine gespenstische Ruhe eingekehrt zu sein. Dennoch hatte der Tod von zahlreichen Bankern vielen zu denken gegeben. Dass aber Banken und Finanzinstitute wirklich vor einem so riesigen Abgrund standen, an dem viele Mitarbeiter nur noch den Freitod für sich sahen, hatte weder Rebecca Winter noch anderen in der Abteilung einleuchten wollen. Weitaus plausibler erschienen ihr Spekulationen, dass unter diesen Leuten Wissen kursierte, dessen Brisanz Winter nur erahnen konnte, ohne sich irgendwelchen Verschwörungstheorien hinzugeben. Für Derartiges war sie gänzlich unempfänglich. Man könnte die jüngste Verkettung der Banker-Selbstmorde als einen Zufall abtun – aber was, wenn mehr dahintersteckte? Schließlich hatte der Vizepräsident von JPMorgan, Gabriel M., kurz vor seinem angeblichen Selbstmord seiner Freundin gemailt, er verlasse gerade das Büro und sie würden sich bald sehen.

Die Polizei hatte behauptet, beim Ableben von M. handelte es sich um einen unverdächtigen Todesfall. Was aber, wenn die vielen Todesfälle unter Bankern das Ergebnis einer Säuberungsaktion wäre? Gegen Insider, die zu viel wussten und eine Bedrohung für die allumfassende Agenda der Banken waren? War der Tod Jarod Denvers der Auftakt zu einer weiteren Serie von Freitoden? Und was heißt schon Freitod? Wenn ich jemanden so weit in die Enge treibe, dass er vom Hochhaus springt, ist das noch ein freier Tod?, fragte sich Winter. Aber es gab eben zu wenig Beweise.

Wut kochte in ihr hoch. Sie hatte das Gefühl, dass Allington das Ganze vielleicht nicht leichtnahm, aber doch zu abgeklärt betrachtete.

Kurz vor ihrem Wagen machte sie so entschlossen kehrt, dass sie auf dem feuchten Laub ausrutschte. Sie konnte sich gerade noch abfangen, unterdrückte jede Schreckäußerung, vergewisserte sich, dass niemand ihr Straucheln gesehen hatte, und setzte sich mit dem Schwung der Verärgerung über ihr Missgeschick in Bewegung, um schnurstracks auf Allington zuzusteuern und ihn am Ärmel zu packen.

»Ja, mir ist bewusst, was an diesen Ermittlungen alles dranhängt, Rebecca«, erklärte Allington. »Und Denver war in eine ganz andere Dimension verwickelt. Nämlich Kursmanipulation und Wertpapierbetrug im großen Stil – und vielleicht noch mehr. Und ich habe keine Zeit zu verlieren.« Allington hob beide Hände zu einer beruhigenden Geste. »Mach, was du willst, Rebecca, aber hier kannst du nichts mehr ausrichten.«

Dann drehte er sich zu dem Forensiker um, der gerade dabei war, seine Utensilien einzupacken. Allington wusste selbst, dass Denver einiges auf dem Kerbholz hatte. Er stand unter anderem im Verdacht, dem Investor Dan Former geholfen zu haben, zahlreiche kleine Unternehmen an die Börse zu bringen, um die Aktien im Anschluss weit über Wert an vier Hedgefonds zu verkaufen. Der Wert der Hedgefonds, natürlich auch im Besitz von Former, wurde künstlich um Milliarden gesteigert. Auch dieses Kartenhaus war zusammengefallen und hatte Tausende Anleger um ihr Geld gebracht. Einige Manager des Fonds waren bereits abgetaucht, um, so der Verdacht, über Mittelsmänner an asiatischen Börsen zu wetten, und der SEC, die US-Börsenaufsichtsbehörde, ermittelte zudem wegen der Anwendung illegaler Handelssysteme. Doch Former hatte sich bislang mit Anwälten erfolgreich zur Wehr setzen können, ja, ihm war es sogar gelungen, sich als Opfer zu stilisieren. Denver war der letzte relevante Kronzeuge gewesen. Hatte Former ihn am Ende auf dem Gewissen? Motive hätte er, aber immer noch zu viel Geld, um sich Rachegefühlen hinzugeben. Außerdem müssten sie ihm einen Auftragsmord nachweisen, da solche Männer sich wohl kaum selbst die Hände schmutzig machten. Auf jeden Fall war mit Denvers Tod Rebecca Winters wichtigster Zeuge dahin.

Der Forensiker blickte Winter hinterher, die kopfschüttelnd wieder ihrem Wagen zustrebte. »Wo haben Sie denn *den* bunten Vogel her?«, warf er Allington zu.

Der Chief Inspector klopfte ihm auf die Schulter. »Sie werden's kaum glauben, aber der bunte Vogel ist im Moment meine beste Ermittlerin. Sie ist eben nicht bei der Mordkommission, wo man so was hier jeden Tag sieht. Wie war denn *Ihre* erste Leiche?«

Der Rechtsmediziner versetzte seinem Koffer einen beherzten Tritt, sodass der Verschluss einrastete. »Tja, das war ein zertrümmerter Schädel, Vorschlaghammer, weitere Details erspare ich Ihnen. Ich habe eine Stunde gekotzt. Danach habe ich begonnen, meinen Beruf zu lieben«, sagte er und verabschiedete sich mit einer eleganten Verbeugung.

Rebecca Winter hatte sich in ihren Wagen gesetzt und trommelte wütend mit den Fingern auf dem Lenkrad. Ihrer Ansicht nach verstand Allington einfach nicht, dass sich in den letzten Monaten etwas verändert hatte. Bis vor Kurzem hatten sich die meisten Betrüger im Recht gewähnt. Nur die wenigsten hatten sich eingestanden, dem asozialen Rausch des Zockens verfallen zu sein.

Diese gestörte Selbstwahrnehmung hatte Verhaftungen bis dato leicht gemacht, da die Täter kein Unrechtsempfinden gehabt hatten. Sicher, der Ermittlungsdruck war inzwischen so hoch, dass ihr ein Selbstmord bei Denver für einen kurzen Moment plausibel erschien – wäre da nicht diese dubiose E-Mail an einen Mitarbeiter der Weltbank und den gesuchten Hedgefondsmanager Dan Former, die ihr während der Ermittlung von Unbekannten zugespielt worden war. Neben nebulösen Drohungen gegenüber Former, die nur schwer zu deuten waren, stand in dieser Mail, Denver würde den großen Plan der

»White Knights« durchkreuzen, wenn sie ihn fallen ließen. Was für Pläne waren das?

Als weiße Ritter bezeichnete man nicht die unersättlichen Bank- und Industriemanager, wusste Rebecca Winter, sondern Leute wie den amerikanischen Investor George Soros, gegen den inzwischen selbst ermittelt wurde. Auch den bereits verstorbenen James Goldsmith oder die Wirtschaftstycoone Bill Gates und Warren Buffett, die vorgaben, mit einem Teil ihres Vermögens die Welt verbessern zu wollen. Aber der Begriff »White Knights« bezeichnete an den Finanzmärkten auch Großinvestoren oder Unternehmen, die von einem anderen Unternehmen größere Anteile kauften, um es dadurch vor einer feindlichen und ungewollten Übernahme zu schützen.

Winter hatte Denver überall, aber nicht mehr in Europa vermutet. Wie konnte er so dumm sein? Irgendetwas passte hier überhaupt nicht zusammen. Für einen Moment ließ sie ihren Kopf auf das Lenkrad sinken. Bevor das forensische Gutachten am Nachmittag Klarheit bringen würde, hätte es keinen Sinn mehr, mit Allington zu diskutieren. Aber wenn er glaubte, mit Denvers Tod wäre alles erledigt, hatte er sich getäuscht. Die Übelkeit beim Anblick der Leiche und der eingebluteten Ohren war dem Knurren ihres Magens gewichen. Sie startete den Motor und steuerte den nächsten Imbiss an.

DREI

AN EINEM GEHEIMEN ORT IN DER BRETAGNE, 24. OKTOBER

Die üblichen Karossen parkten vor dem massiven Holztor der mittelalterlichen Burg: Bentleys, Daimlers, Rolls-Royces und, die gediegene Harmonie brechend, ein roter Maserati. Die Chauffeure unterhielten sich, lässig an die Wagen gelehnt, oder polierten ihre chromblitzenden Limousinen. Sie wussten, dass es dauern konnte bei den *Herren* und sie ihre Wartezeit irgendwie totschlagen mussten. Hier draußen gab es außer ihnen nichts und niemand. Der nächste Ort war gefühlte Lichtjahre weit entfernt. Und die massiven Natursteinmauern ließen nichts nach außen dringen. Drinnen allerdings, in einem der riesigen Festsäle, hallte eine knarrende Stimme durch den Raum.

Wäre der Hedgefondsmanager Dan Former ein Mann, der zu etwas mehr Selbstbeobachtung neigen würde – was leider nicht der Fall war –, wäre ihm klar geworden, dass die *Herren* vor ihm langsam aber sicher die Konzentration verloren. Aber an diesem Tag mussten Entscheidungen getroffen werden, dieses letzte Treffen musste die *Herren* überzeugen, ihn und Lascaut bedingungslos zu unterstützen. Am Ende dieses Tages würden alle auseinandergehen und sich nie wieder in dieser Runde sehen.

Mit einem erleichterten Blick registrierte sein alter Weggefährte, der Unternehmer und Lobbyist Patrice Lascaut, dass Dan Former schließlich seine Papiere zusammenrollte, die in Mahagoni gefasste Lesebrille abnahm, sich durchs grauweiße Haar strich und wohl langsam zum Ende kommen wollte. Eine Stunde hatte er sich in Rage geredet. Trotz der Länge war sein Auftritt ein fesselnder Drahtseilakt gewesen. Former wirkte professoral und im nächsten Augenblick revolutionär. Er hatte den Anwesenden prophezeit, dass an den internationalen Märkten alles kurz vor einer neuen Eskalation stünde. Mit leuchtenden Augen forderte er die Aufmerksamkeit seiner Zuhörer. Wie blinde Hunde hätten sie in den vergangenen 20 Jahren nicht bemerkt, dass sich längst ganz andere über den großen Fressnapf hergemacht hatten.

Hätte Lascaut nicht die Motive Dan Formers gekannt, wäre er vielleicht von seinem Vortrag ebenso gebannt gewesen wie die übrigen *Herren*, die seine ultimativen Prophezeiungen mit Spannung und Schrecken zugleich aufnahmen.

Dan Former war der Sprössling einer alten Londoner Bankiersfamilie, ein gewaltiges Bündel von Meinungen und Überzeugungen, von denen er einige lange verschwiegen mit sich trug. Wie Lascaut hatte er über Jahrzehnte als Unternehmer und Investmentbanker ein selbst für heutige Verhältnisse immenses Vermögen anhäufen können. Doch in letzter Zeit machte sich Lascaut Sorgen um seinen Freund. Er strebte plötzlich nach politischem Einfluss. Er postulierte, dass ihn seine Geldmacht und sein Wissen dazu legitimierten und nunmehr sogar verpflichteten. Dass er sich mit diesem Anspruch automatisch in Widersprüche begab, störte ihn nur wenig. Seit einem Jahr zerrten Ermittlungen der amerikanischen Börsenaufsicht

SEC gegen seinen Fonds *Former Global Investments* an seinen Nerven und seinem Image als knallharter, aber sauberer Geschäftsmann. Former witterte Verrat von Konkurrenten. Fonds, die nicht zu sättigen waren und alle Mittel einsetzten, um sich ein noch größeres Portfolio einzuverleiben. Die Verluste der letzten Jahre waren, wie er Lascaut in einer langen Nacht in Monaco anvertraut hatte, wie ein Wendepunkt, der ihn persönlich zutiefst verletzt hatte.

In Wirklichkeit empfand Lascaut seinen alten Weggefährten als ein Puzzle aus Widersprüchen. Ein Nimmersatt, wie es nur große Spieler sein können. Während er sich in der Öffentlichkeit gerne als Mäzen aufspielte, zerschlug er im nächsten Augenblick profitabel ganze Unternehmen. Er lockte Menschen geschickt mit seinem Macherimage an, lullte sie mit Lobesreden ein. Doch brachten sie ihm nicht den gewünschten Erfolg, ließ er sie eiskalt wieder fallen. Lascaut hatte sich im Laufe der Jahre gut darauf eingestellt, ja, er schätzte sogar Formers Kaltschnäuzigkeit, spielte er doch in der gleichen Liga. Gerne erzählte Former Lascaut die Geschichte, wie er bereits als 15-Jähriger mit einem 6000-Pfund-Gewinn auf einer Pferderennbahn seinen Sinn für das Risiko unter Beweis gestellt hatte. In den Casinos von Cannes und Nizza hatte er dann seine Raubtiermentalität verfeinert. Und doch unterschied er sich, wie er immer wieder gerne betonte, von diesen Raufbolden an den elektronischen Börsen, die nur Geld vernichteten und keine Werte mehr schufen.

Obwohl Dan Former es nach seinem unfreiwilligen Rückzug aus seinem Hedgefonds und der Öffentlichkeit vorzog, in luftiger Freizeitkleidung durch den Tag zu gehen, hatte er seinen immer gebräunten, schlanken Körper heute in einen grauen Anzug mit Weste und goldener Seidenkrawatte eingepackt. Als er das Rednerpult aus Eiche, verziert mit einem Messingsextanten, verließ, klackten die beschlagenen Absätze seiner handgefertigten Schuhe von Rudolf Scheer & Söhne laut auf dem Marmorboden, widerhallend von den Wänden des großen Festsaales. Erste Signale der amerikanischen Börsenaufsicht entlasteten ihn. Dennoch vermied er es, bis zu einer endgültigen Entscheidung öffentliche Termine anzunehmen, um erneuten Vernehmungen zu entgehen oder gar einer Verhaftung. Noch waren die Verhandlungen mit der SEC, die Ermittlungen gegen ihn und seinen Hedgefonds einzustellen, nicht abgeschlossen.

Doch der Anlass dieses Treffens in der Bretagne war alles andere als öffentlich. Lascaut hatte Former am Vorabend mittels eines Diplomatenpasses aus seinem Exil in Monaco geholt. Vor ihm saßen die rund 50 *Herren*, ebenfalls in bester Garderobe, der eine oder andere Zigarre rauchend oder einen Single Malt in der Hand. Nur drei oder vier Anwesende waren unter 60 Jahre alt, ein grauer Kopf reihte sich an den anderen. Es waren Unternehmer, ältere Investmentbanker, ehemalige Bankvorstände, Makler und Politiker, von denen nicht wenige mit besorgten Mienen dreinschauten. Andere hatten es sich in Ledersesseln bequem gemacht und waren den Worten Formers gelassen gefolgt. Sie gehörten zu einem Zirkel, der sich zwar nicht als Opfer der Finanzkrise sah, aber sie wussten, dass in Brüssel, Washington und London Interessengruppen ein Spiel trieben, das die gesamte Weltwirtschaft gefährdete. Ein Spiel, das weitaus dramatischer war als alles, was es zuvor gegeben hatte. Bevor Former das Podium verließ, wandte er sich noch ein letztes Mal direkt an sein Publikum.

»Meine Herren, wir müssen jetzt handeln, sonst sind wir alle bald weg vom Fenster. Die Manager dieser Unternehmen wollen nicht nur an unser Geld. Sie wollen uns entmachten! Sie wollen einen autoritären Kapitalismus und keinen demokratischen.«

Der bald 68-jährige Former fixierte seine Zuhörer mit seinen hellblauen Augen und wartete ab. Mit verschränkten Armen ließ er seinen Blick durch die mittelalterliche Halle wandern. Durch die Fenster unter den Rundbögen drangen ein paar Sonnenstrahlen und tanzten mit den Rauchschwaden. Es begann ein leises Gemurmel.

Einer der *Herren* stand auf. »Danke für deinen apokalyptischen Vortrag, Dan«, sagte er. Leises Gelächter durchzog den Raum. »Aber was mehr als all die gelieferten Informationen brauchst du noch von uns?«

Former wartete mit seiner Antwort. Er war sich nicht sicher, wie viele der *Herren* ihm folgen würden. Sicher war hingegen, dass die meisten sich in Schweigen hüllten, auf keinen Fall noch mehr preisgeben wollten, von dem, was sie wussten. Seitdem sich unlängst diverse Freunde und Kollegen umgebracht hatten, waren die *Herren* gefangen zwischen Aufruhr und Zweifel, und ebensolche Regungen erblickte Former in den Gesichtern vor ihm.

Er wusste, dass es eine unausgesprochene Regel gab: Wer über die internen Vorgänge im Geldsystem zu viel Kenntnis hatte, wer in der Pyramide weiter oben war, wurde von einer unsichtbaren Macht beobachtet. Niemand wusste, was die wahren Motive für die Freitode der Banker waren, und viele befürchteten sogar, dass hier nachgeholfen wurde. Aber von wem? Deswegen musste er den *Herren* Sicherheit verschaffen, absolute Diskretion liefern, keiner hier wollte zum Club der toten Banker gehören.

»Ich brauche jetzt vor allem Ihr Vertrauen«, sagte Former. »Dass sich die Banken und Händler mit ihren Algorithmen einen nicht zu rechtfertigenden Vorteil verschaffen, ist inakzeptabel, aber es geht ja noch viel weiter. Der gesamte Aktienmarkt, das ganze Geldsystem ist nach Lehman komplett manipuliert worden, alle Regeln werden mittlerweile gebrochen. Mit Ihrem Wissen kommen wir aber weiter«, resümierte er.

Einer der *Herren* widersprach Former, während das Getuschel aller Anwesenden lauter wurde. Einige stützen ihre Köpfe ab oder machten sich Notizen. Jeder schien die markigen Worte Formers und seine Warnungen anders aufgenommen zu haben.

»Dan! Die SEC hat doch längst Ermittlungen eingeleitet, um diesen Parasiten das Handwerk zu legen. Die NASDAQ steht im Fadenkreuz. Wir müssen uns nur noch etwas gedulden.«

Former baute sich noch einmal auf, schüttelte den Kopf und bedeutete seinem alten Weggefährten, zu übernehmen.

»Patrice, das ist dein Moment«, sagte er überdeutlich.

VIER

LONDON, 24. OKTOBER

Nach dem Schock über Denvers Tod brauchte Rebecca Winter ein paar Stunden zum Durchatmen. Deshalb fuhr sie erst am Nachmittag über die Dacre Street in das alte Monster, wie sie ihre Dienststelle immer nannte. New Scotland Yard liegt unweit der Westminster Abbey, mit Betonschwellen und Eisenbarrieren geschützt. Der riesige Block aus Glas und Stahl war seit 1967 Heimat der berühmten Polizeibehörde.

Im Lift zupfte sie ihr lockiges mittellanges Haar auseinander, ohne einen Blick in den Spiegel zu werfen. Wie jeden Tag herrschte auf ihrer Etage reger Betrieb. Beamte huschten durch die Flure. Manche trugen Papierstapel mit sich, andere tippten im Gehen auf ihren Tablets herum oder erkundigten sich nach neuen Ergebnissen ihrer Recherchen. Heute erschien ihr das übliche Treiben zu hektisch, zu laut. Im Bereitschaftsraum hatten sich einige Kollegen mit Kaffeetassen in der Hand zusammengefunden und beäugten Winter, die grußlos die Tür passierte.

Den Zusammenstoß mit einem Kollegen und dessen Entschuldigung registrierte sie kaum. Viel zu sehr kreisten ihre Gedanken um das anscheinend unvermeidliche Ende ihrer Ermittlungen im Fall Denver.

Robert Allington hatte gerade ein Stück Kuchen in sich hineingestopft, als er Winter an seinem Büro vorbeihuschen sah. Er war verärgert, weil ihm, kaum dass er sein Büro betreten hatte, Rupert Meldon, ein 30-jähriger Ermittler, Waffe, Dienstmarke und seine Kündigung auf den Tisch geknallt hatte und damit eine nur schwer zu füllende Lücke hinterließ.

Nach fünf 18-Stunden-Tagen hatte Meldon am Vortag eine Manipulation im Hochfrequenzhandel nachweisen können, was angesichts der zu prüfenden Menge an Orderaufträgen eine Sensation war. Er hatte Winter die Daten stolz präsentiert, aber vergessen zu ermitteln, wer zu dem Zeitpunkt die Aufsicht im Handelsraum der Londoner Börse gehabt hatte. Anstatt die Leistung Meldons zu würdigen, hatte Winter das respektable Ergebnis vor der versammelten Mannschaft nur mit einem trockenen »Danke« quittiert und ohne ein weiteres Wort den Rest übernommen. Das hatte Allington von einer Kollegin erfahren. Dennoch wollte er die »Nervensäge«, so der durchgehende Ruf Rebecca Winters in der Abteilung, nicht noch mehr unter Druck setzen. Er wusste, dass sie freiwillig bis zu 14 Stunden am Tag arbeitete. Entweder hing sie am Rechner, um Konten und Transfers von Milliarden auf Spuren zu untersuchen, die auf eine Börsenmanipulation schließen ließen, studierte Derivate und andere Produkte, die kaum einer verstand, forschte, wer, wem, was, wohin und unter welcher Prämisse transferierte oder versuchte digitale Spuren zu finden, um den Aufenthaltsort von aktenkundigen Betrügern zu ermitteln.

Und wenn sie nach 21 Uhr nicht mehr im Büro war, trieb sie sich zur Verwunderung Allingtons aus Recherchegründen auch mal in den Edelbars des Bankenviertels herum, um, wie sie beteuerte, rein dienstlich mit Escortgirls zu plaudern. Sie wollte nichts unversucht lassen, um an Informationen zu kommen. Nicht selten waren Investmentbanker oder Bankmanager selbstherrlich genug, bei ihren Freizeitbeschäftigungen mit ihren Erfolgen und ihrem Trickreichtum zu prahlen und dadurch Insiderinformationen auszuplaudern. Rebecca Winter hatte irgendwie einen Draht zu diesen Frauen. Erst vor Kurzem hatte sie erzählt, wie sich einige Ladys über ihre Freier und deren eigenwillige Wünsche bei ihr ausheulten, als wäre sie ihre Therapeutin, und dabei das eine oder andere ausplauderten. Das Vertrauen gewann sie wohl auch durch ihr Auftreten in ihrem asexuellem Outfit aus überweiten Klamotten, einem stets ungeschminkten Gesicht und ihrem Desinteresse an männlichen Avancen. Wie auch immer, dachte er, es zählt, was rauskommt. Selbst ein paar Cocktails bis spät in die Nacht hinderten sie nicht daran, am nächsten Morgen in stoischer Pünktlichkeit im Büro oder an einem Einsatzort zu erscheinen. Sein erster Instinkt, dass es diese Frau weit bringen würde, hatte ihn bis heute nicht getäuscht. So wie sie ihr Studium mit Auszeichnnung absolviert hatte, hatte sie ihre Ausbildung bei Scotland Yard genutzt, um rasch auf sich aufmerksam zu machen und sich bei Allington zu bewerben. Doch bei aller Wertschätzung für ihre akribische Arbeit – langsam sollte er sie an die kürzere Leine nehmen, denn das vorläufige Ergebnis des Forensikers bot eine Überraschung, die ihn trotz seines Ärgers in Rebecca Winters Büro trieb.

Winter warf ihre Schlüssel auf den Tisch, ließ sich auf den ledernen Bürostuhl fallen, packte aus einer zusammengerollten Zeitung eine Portion Fish and Chips aus und starrte vor sich hin. Ihr Büro glich dem Lebensbereich eines Messies. Während sich die meisten Kollegen mit digitalen Archiven zufriedengaben, hatte sie an jeder Wand Regale voller wild durcheinandergepackter Papierstapel und verschiedenfarbiger Aktenordner. Auf ihrem Schreibtisch war gerade mal Platz für eine Kaffeetasse. Persönliches – Fehlanzeige. Noch nicht mal eine Zimmerpflanze durfte ein einsames Dasein fristen. Nur auf dem Bildschirm saß ein kleiner Stoffteddy und blinzelte verloren in den Raum.

Allington verzog die Nase, als er sich in die Tür lehnte. »Na, schmeckt's wieder?«

Sie hielt im Kauen inne. Oh Gott, kann der mich nicht mal fünf Minuten in Ruhe lassen?, dachte sie. Seit Monaten hatte Rebecca Winter das Gefühl, ihr Vorgesetzter verwechselte seinen Job mit dem eines Vaters. Selbst wenn sie die Jüngste in der Abteilung war, gab es dafür keinen ersichtlichen Grund. Im Gegenteil. Sie leistete weitaus mehr als die meisten ihrer Kollegen, die streng nach der Uhr arbeiteten und nicht bereit waren, auch nur eine Stunde länger zu bleiben, wenn es mal eng wurde.

»Ich hasse es, wenn sich jemand seiner Verantwortung einfach durch einen Selbstmord entzieht. Wer weiß, was uns jetzt alles durch die Lappen geht«, machte Winter ihrem Ärger über die Ereignisse des Morgens Luft.

Allington wagte etwas, dass er sonst nie tat. Er schob einen Papierstapel beiseite, setzte sich auf die Tischkante direkt neben Winter und beugte sich zu ihr. Die Ermittlerin rückte mit ihrem Stuhl ein Stück nach hinten.

»Robert, du brauchst ein anderes Aftershave, und weniger ist mehr«, sagte sie. Diese Art von Nähe überschritt eindeutig ihre Grenzen.

»Es war kein Selbstmord. Hier ist der vorläufige Bericht.«

Sie zupfte ihm das Papier aus der Hand, schob ihr Essen beiseite und las die ersten Ergebnisse des Forensikers. Die Erklärung war verblüffend einfach. Denver musste vor seinem Ableben relativ unsanft gefesselt worden sein. An der Schürfwunde am rechten Fußknöchel hatte der Rechtsmediziner

Fasern des Stranges gefunden, an dem Denver hing. Um seinen Mund waren zudem Spuren eines Klebebandes, und das Genick war nicht gebrochen, was angesichts der Höhe, aus der sich Denver vom Baum gestürzt haben müsste, unmöglich war. Schließlich hatte der Gerichtsmediziner bei der Leichenschau noch Nierenschwellungen festgestellt.

»Das war eine Hinrichtung«, erklärte Allington. »Wir haben durch Metadaten seines Handys außerdem eine Wohnung entdeckt, die Denver auf einen anderen Namen angemietet hatte. Offensichtlich war er der Meinung, dass wir ein abgeschaltetes Handy nicht orten könnten. Die Kollegen von der Spurensicherung sind schon vor Ort.«

Statt sofort aufzuspringen, wie es ihre Art war, blieb Winter grübelnd sitzen. Hatte man an Denver quasi wie bei einem Mafiamord zur Abschreckung bewusst diese Spuren hinterlassen? Das passte nicht in diese Finanzszene. Wirtschaftsverbrecher von der Couleur Denvers oder Formers kämpften mit Derivaten oder Devisen. Und dass ein paar Rentner, die Denver über den Tisch gezogen hatte, sich zu einer schlagkräftigen Rachevereinigung anstatt einer aussichtslosen Sammelklage versammelt hatten, war auch auszuschließen. Wie sollte sie jetzt weiterkommen? Der einzige Mann, der sie vielleicht noch ans Ziel bringen könnte, wäre der abgetauchte Dan Former, für den Denver gearbeitet hatte. Er hatte Denver vor einem Jahr nach einem Insiderhandel entlassen. Für Winter sah das nach einem Bauernopfer aus. Die bedrohlichen Mails zwischen beiden rückten ihn zwar in den Kreis der Verdächtigen, aber der Schaden war für Former bisher zu gering, und die Ermittlungen der Börsenaufsicht traten ohne einen Kronzeugen wie Jarod Denver auf der Stelle.

»Dann gib mir mal die Adresse dieser Zweitwohnung«, sagte sie zu ihrem Chef, während sie sich erhob und in ihren Mantel schlüpfte.

»Rebecca, das ist jetzt Sache der Mordkommission.«

»Mag sein, aber es ist auch immer noch mein Fall.« Sie bemühte sich, sachlich zu klingen, obwohl sie innerlich schäumte. »Also bitte, die Adresse.«

Widerwillig kritzelte Allington die Anschrift auf einen Zettel. Ohne ein weiteres Wort steckte sie ihn in ihre Manteltasche, nahm die Schlüssel vom Tisch und ging Richtung Tür. Vielleicht richtete sich ihre Wut gegen den Falschen, aber sie fühlte sich nicht verstanden. Als würde sie dafür bestraft werden, dass sie sich so gewissenhaft eingesetzt hatte. Für einen kurzen Moment fürchtete sie, dass Allington mehr über sie in Erfahrung gebracht hatte, dass er sich durch ihr beharrliches Schweigen zu ihrem Privatleben provoziert fühlte und Nachforschungen angestellt hatte. Seit Wochen faselte er immer wieder von seiner Verantwortung als Vorgesetzter, und dass er sich sicher sein müsste, dass sie nicht aus persönlichen Gründen zu große Risiken bei ihren Ermittlungen einginge. Persönliche Gründe – wer konnte die schon beurteilen? Und was glaubte er überhaupt? Dass ihr irgendein Banker eine Kugel durch den Kopf jagen würde? Das Schlimmste, was sie sich vorstellen konnte, war schon eingetreten: Ihr Kronzeuge war tot.

Kurz vor der Tür blieb sie stehen, drehte sich um und sah, dass Allington gerade mühsam einen Hustenanfall unterdrückte. »Fängst du an, mich bewusst auszubremsen? Ich meine, hier zählt für mich jede Minute. Dass es Mord war, verändert alles in diesem Fall, und ich erfahre es vermutlich als Letzte!«

Allington atmete tief durch. Er war langsam an einem Punkt, an dem er nicht mehr wusste, wie er mit Rebecca Winter umgehen sollte. Seit einigen Wochen, nach dem Ausbleiben gewohnter Erfolge, war sie immer rastloser geworden. Das Gutachten war gerade erst vor einer halben Stunde eingetroffen, ohnehin hatte der Forensiker den ersten Bericht ungewöhnlich schnell geliefert. Er erhob sich von der Schreibtischkante und kickte mit dem Fuß ein am Boden liegendes Papierknäuel gegen die Wand.

»Ja, genau, Rebecca. So schnell wie möglich, bloß nicht die Letzte sein!«

Allington sah erstmals so etwas wie Traurigkeit in Winters Gesichtszügen. War das wirklich ihr wunder Punkt? Die Angst, nicht die Erste zu sein? War das ihr einziger Antrieb? Musste sie immer einen Schritt voraus sein? Dass ein Fall, egal wie viel Zeit man darin investiert hatte, von einer Sekunde auf die andere auch mal in sich zusammenfiel, gehörte einfach dazu. Könnte ihr vielleicht eine Lehre sein, dass auch sie einmal an die Grenzen des Machbaren stößt, dachte Allington. So niedergeschlagen wie heute hatte er sie allerdings noch nie erlebt.

»Die Spuren warten«, sagte Allington.

Winter ging zwei Schritte auf ihn zu. »Robert, ich weiß nicht, ob du kapierst, was ich da draußen mache. Da tobt ein Krieg. Jedes Imperium breitet sich durch Krieg aus, auch das unsichtbare des großen Geldes. Es … es ist, als würden rund um den Planeten riesige Waffenmengen in den Depots zusammengezogen werden. Hast du dich eigentlich mal gefragt, was die Superreichen mit diesen Machtmitteln noch vorhaben?« Winter zerrte an ihrem Mantelkragen und trat noch einen Schritt näher.

»Bitte, Rebecca, spar dir das Pathos. Ich weiß, dass dich diese Frage zermürbt, aber du jagst mir die ganze Abteilung in die Luft. Egal, wie gut du bist, du musst runterkommen und lernen, auch auf das Team Rücksicht zu nehmen. Du bist in der letzten Zeit nicht wiederzuerkennen.«

»Mir geht es gut. Aber wenn ich das Gefühl habe, nicht mehr unterstützt zu werden, muss ich in der Tat darüber nachdenken, ob ich hier noch richtig bin. Loyalität braucht zwei Seiten, auch die meines Vorgesetzten.«

»Du weißt ganz genau, dass ich dich mehr unterstütze als jeden anderen hier.«

»Vielleicht solltest du genau das lassen«, sagte Winter und ging zur Tür. Beim Hinausgehen drehte sie sich noch einmal um. »Tut mir leid, ich will dich nicht kränken, aber ich brauche keinen Vaterersatz!«

Allington trat ans Fenster. Er wusste, dass da draußen vieles schieflief. Vielleicht war er nach über 30 Jahren im Beruf und vielen Rückschlägen selbst schon zu zermürbt. Er sah sein Spiegelbild in der Scheibe. Angeschwollene Tränensäcke nach einer schlaflosen Nacht mit leichtem Fieber und Hustenanfällen, tiefe Wangenfalten, gnädig kaschiert von einem Dreitagebart. Er blickte auf das Foto von Warren Buffett, das direkt über Rebecca Winters Schreibtisch hing. Sie hatte es nach einer kurzen Begegnung mit dem Großinvestor nach einem Vortrag an der London School of Economics aufgehängt. Das Zitat in fetten Lettern darunter war wohl ihr Antrieb, spiegelte die ganze Schizophrenie dieses globalen Spieles für sie wider. »Es herrscht Klassenkrieg, richtig, aber es ist meine Klasse, die Klasse der Reichen, die Krieg führt, und wir gewinnen.«

Allington erinnerte sich an ihren Bericht von der Begegnung mit Buffett. Sie hatte die Gunst der Stunde genutzt und ihn mit der fehlenden Konsequenz einer solch drastischen Aussage konfrontiert. Warum er selbst weiter bei diesem Klassenkampf mitmache, hatte sie wissen wollen, schließlich zog Buffett aus seiner Erkenntnis, Teil eines Klassenkampfes zu sein, ganz offensichtlich keinerlei Konsequenzen. Im Gegenteil. Er zockte weiter an den Weltbörsen, investierte in fragwürdige Unternehmen, was über das Schicksal von Millionen Menschen entscheiden konnte. Seine Teilhabe an »The Giving Pledge«, dem Club der großen Spender, den Bill Gates ins Leben gerufen hatte, war für Winter daher nur ein Feigenblatt.

Wer einer Bank wie Goldman Sachs half, war bei Winter unten durch.

Buffett hatte sie nicht einmal eines Blickes gewürdigt und weiter die Autogrammkarten seiner Fangemeinde unterzeichnet, die sich um den Finanzguru tummelten, als wäre der Dalai Lama im Saal. Diese Begegnung mit dem unnahbaren Großinvestor war anscheinend die Initialzündung für Winter gewesen, die Ursachen dieser »Krankheit«, wie sie die Zockerei nannte, zu bekämpfen. Alle, gegen die Winter ermittelte, schienen von der gleichen Gier befallen zu sein. Und waren sie nicht so erfolgreich wie Buffett, blieb ihnen nur die Trickkiste, mit der sie weltweit unzählige Kleinanleger, Sparer und Arbeiter um ihre Vermögen brachten. Und Winter wollte diese Zocker verstehen. Sie zog sogar psychologische Studien heran, um zu analysieren, was in den Köpfen ihrer Kontrahenten vorging.

Für Allington war die Sache denkbar einfach. Er stufte diese Klientel als relativ berechenbar ein. Die meisten Händler verhielten sich egoistischer und risikobereiter als eine Gruppe von Psychopathen im Knast. Die meisten versuchten gar nicht mehr, einfach Gewinn zu machen. Statt sachlich und nüchtern auf den höchsten Profit hinzuarbeiten, ging es vielmehr darum, mehr zu bekommen als ihre jeweiligen Gegenspieler. Und um diese zu schädigen, gingen sie alle Risiken ein. Allington konnte die Hartnäckigkeit Winters dennoch nicht nachvollziehen, aber er nutzte sie, denn ihre Erfolge waren ein Ausshängeschild für die ganze Abteilung, wenn er auch fürchtete, dass sie eines Tages zu weit gehen könnte.

FÜNF

LONDON, 24. OKTOBER

Sturm war aufgezogen. Das Klappern des leicht geöffneten Fensters weckte Bill Naravan in seinem Zimmer im Hotel *Sanctuary* an der Londoner Tothill Street. Denver hatte ihn hier untergebracht. Die Underground-Station St James's Park war nur eine Gehminute vom Hotel entfernt, der Buckingham Palace lag quasi um die Ecke. Während er sich leicht fröstelnd noch einmal die Decke über den Kopf ziehen wollte, erblickte der Programmierer die Uhr auf dem Nachttisch.

»Ach, du Scheiße!«

Es war bereits Nachmittag. Bis in die späte Nacht hatte er sich im Bett hin und her gewälzt. Gähnend schlurfte er zum Schreibtisch, rieb sich das blasse Gesicht und öffnete seinen Laptop. Sein Magen knurrte. Erste Hilfe fand er in einem Korb über der Minibar. Schokoriegel und Kekse, genau das Richtige für ihn, wenngleich er alles andere als so aussah, als würde er je Süßigkeiten im Übermaß essen. Seit Jahren kämpfte er mit seinem Untergewicht, verbrannte sich in Nächten vor seinen Rechnern. Während er in den Schokoriegel biss, widmete er sich seinen Mails im Darknet, einem sicheren IRC-Chat.

Etwas stimmte nicht. Denver hatte sich noch nicht gemeldet. So chaotisch er war, bei Verabredungen war er immer zuverlässig. Naravan schob sich den restlichen Schokoriegel in den Mund und durchforstete wie üblich die Nachrichtenportale und wichtigsten Onlineausgaben der Tageszeitungen. An einer Meldung des *Daily Telegraph* blieb er hängen und erstarrte mit offenem Mund vor dem Bildschirm.

Am Morgen wurde der international gesuchte Wertpapierbetrüger Jarod Denver tot in London aufgefunden. Der ehemalige Mitarbeiter des Hedgefonds »Former Global Investments« wurde unter anderem wegen Insiderhandels und weiterer Machenschaften gesucht, die auch im Zusammenhang mit den Ermittlungen gegen den Inhaber des Hedgefonds, Dan Former, stehen …

Neben dem *Telegraph* brachte nur noch die *Financial Times* einen Kurzbericht zwischen weitaus dramatischeren News aus der Finanzwirtschaft, ohne auf nähere Hintergründe einzugehen. Und in zwei Internetforen waren kurze Debatten angestoßen worden, die Denvers Tod mit der jüngsten Selbstmordserie unter Bankern in Verbindung brachten und wildeste Verschwörungstheorien aufstellten.

Naravans Hände begannen zu zittern, er sprang auf, hastete im Raum umher, sammelte fahrig seine Socken auf, zog seine Klamotten an und begann, eilig seine Sachen in einen grauen Rucksack zu stopfen.

»Scheiße, scheiße, verdammt!«

Er öffnete eine Seitentasche, zog zwei alte Handys heraus. Aus einer kleinen Plastikhülle fummelte er zwei von etlichen SIM-Karten heraus und bestückte die Handys damit. Er schaute sich ein letztes Mal im Raum um und verließ sein Zimmer.

Unbemerkt passierte er die Rezeption und stand auf der Straße. Der Wind blies kräftig. Blätter wirbelten um seine Füße. Für einen Moment blieb er stehen, schaute die Straße hinauf und hinunter und hielt sich an seinem Rucksack fest.

»Scheiße, was mach ich jetzt?«, murmelte er. »Was mach ich jetzt bloß?«

Das alles durfte nicht wahr sein. Was hatte Denver getan? Unzählige Fragen rotierten in Naravans Kopf. In der Meldung stand nur, dass er tot aufgefunden wurde, aber an Selbstmord glaubte er nicht. Dafür war Denver viel zu motiviert gewesen und sicher, noch alles im Griff zu haben. Andererseits hatte es zwischen ihm und Dan Former einen handfesten Streit gegeben. Denver hatte sich über die Hintergründe beharrlich ausgeschwiegen, aber er hatte wochenlang recherchiert, vermutlich, um Former unter Druck setzen zu können. Aber eigentlich hatte Naravan keinen blassen Schimmer, was da wirklich ablief, und es interessierte ihn auch nicht, er wollte nur mit der Programmierung der verschiedenen Algorithmen seinen Schnitt machen. Denver und Former hantierten mit Millionen, um an möglichst viele Geheimnisse gegnerischer Handelssysteme heranzukommen. Warum Former Denver aber plötzlich das Geld für ihre Arbeit nicht mehr überwiesen hatte, war ihm auch nicht klar, doch seit vor ein paar Wochen die letzten Zahlungen von Former ausgeblieben waren, drehte Denver fast täglich durch. Er schüttete massenweise Wein in sich hinein und lamentierte über den Mangel an Respekt, den Former ihm entgegenbrachte. Naravan wusste nur, dass genau der Algorithmus, an dem er zuletzt gearbeitet hatte, der Auslöser für den Streit zwischen beiden war. Langsam wurde ihm klar, dass er wohl zu fahrlässig seine Dienste verkauft hatte.

Er ging ratlos die Straße hinunter und bog ab Richtung St James's Park. Er war sich nicht sicher, aber möglicherweise hatte Denver sich nicht nur mit Former angelegt. Der Programmierer spürte einen schweren Druck im Magen. Wenn man bei Denver die Daten, Mails und anderen Hinweise gefunden hatte, würde man wohl auch auf ihn kommen, vielleicht entdecken, was er bereit war zu programmieren. Sein Herz raste noch stärker als zuvor. Er griff sich an die Brust, um sich wieder zu beruhigen. Wären seine Eltern nicht vor einem Jahr bei einem Autounfall ums Leben gekommen, hätte er einfach alles stehen und liegen lassen können, wäre zu ihnen geeilt und abgetaucht. Die Tatsache, dass da niemand mehr war, an den er sich im tiefsten Vertrauen wenden konnte, schmerzte, dämpfte seinen Fluchtinstinkt.

Für einen Moment schien die Zeit stillzustehen. Ohne zu wissen, wohin mit sich selbst, schlich er sich in eine Nebenstraße des Parks, setzte sich auf eine Bank und starrte auf seine Schuhe.

Du bist ein verdammter Idiot gewesen, Bill Naravan, ein verdammter Narr. Er griff in seine Jackentasche und zog das Handy heraus. Hektisch tippte er die Nummer von Patrice Lascaut ein, dem Mann, der versucht hatte, zwischen Denver und Former zu vermitteln. Seit Former abtauchen musste, war dieser geschniegelte alte Mann sein Ansprechpartner. Einen Moment zögerte er, die letzte Ziffer einzugeben. Wer war wirklich bereit, Denver umzubringen? War er selbst nur noch am Leben, weil er Denver hintergangen und Lascaut seinen Teil des Codes bereitwillig ausgehändigt hatte, um zumindest schon mal eine Anzahlung zu bekommen? War es nicht völlig töricht zu glauben, dass Männer wie Former sich unter Druck setzen ließen? Warum hatte sich Denver mit Former nicht über die Summe einigen können, die der Algorithmus wert war? Er selbst wusste eigentlich gar nicht, wie viel der Code wert war, aber offensichtlich ein Leben. Und seines? Mit zitternden Händen durchwühlte er seine mittellangen Haare. Er stand auf, machte sich schnellen Schrittes auf den Weg nach St Pancras. Vielleicht könnte er mit dem Eurostar die Insel in Richtung Brüssel verlassen?

SECHS

AN EINEM GEHEIMEN ORT IN DER BRETAGNE, 24. OKTOBER

Eine ungeplante Debatte unter den *Herren* hatte Lascauts Auftritt verzögert. Er rückte seine Krawatte zurecht und richtete sich in dem schweren Ledersessel auf. Das Gemurmel nahm ab. Dann erhob er sich und nahm ein Bündel Unterlagen, das er aus seinem Aktenkoffer geholt hatte. Er machte sich die Mühe, jedem Einzelnen persönlich die Papiere zu geben. Jedem schaute er dabei in die Augen. Lascaut war schon lange Jahre mit Dan Former befreundet, und als er ihn erreichte, klopfte er ihm leicht auf die Schulter.

Former lächelte und beobachtete seinen gealterten Freund. Lascauts Habitus wirkte noch immer wie der eines altgedienten Kämpfers, der alles in seinem Leben erreicht hatte. Nun ging er drahtig und scheinbar gesund um die Tische und verteilte eine Studie, deren Brisanz einigen ziemliche Bauchschmerzen bereiten würde.

Alles, was Former und Lascaut in den letzten Monaten an Insiderwissen zusammengetragen hatten, sollte dem Zweck dienen, die Gruppe weiter einzuschwören, um den Mut aufzubringen, sich unter herben Einschnitten gegen eine Finanzindustrie zur Wehr zu setzen, die selbst diesen hartgesottenen Unternehmern nicht mehr geheuer war.

Lascaut war in Paris der Grandseigneur unter den Geschäftsleuten. Sein ganzes Handeln war von einer unerbittlichen Disziplin geprägt, nichts ließ er andere machen. Er kontrollierte rund 15 Unternehmen in der Stahl- und Autozulieferindustrie, investierte an der Börse ausschließlich in solide Werte und war lange Zeit einer der einflussreichsten Lobbyisten in Brüssel und Paris gewesen. Auch wenn dieser Zugang in den letzten Jahren schwand, hatte das nichts an seinem Auftreten geändert. Dafür war er, wie Former ihm immer wieder vorwarf, viel zu eitel. An Aufhören war nicht zu denken, und seit die Regeln an den Finanzmärkten über Bord geworfen wurden und die Politik von Heuschrecken unterwandert worden war, kümmerten sich Lascaut und Former tagtäglich darum, dass sie nicht vom Spielfeld gekickt wurden.

Former sorgte sich um seinen alten Freund. Der Anschein von guter Gesundheit trog zumindest etwas, auch wenn er seinen Herzinfarkt vor einem Monat relativ gut weggesteckt hatte. Dieser Schlag nagte an ihm. Das war Former nicht entgangen. Er hatte Lascaut vor bald 25 Jahren bei einer Auktion im Pariser Sotheby's wiedergetroffen, als er nach einem gescheiterten Versuch, einen frühen Rembrandt zu ersteigern, mit rot angelaufenem Gesicht den Saal verließ. Dabei war die erste Begegnung nach dem gemeinsamen Studium an der London School of Economics alles andere als freundschaftlich gewesen. An der Universität waren sie sich weitestgehend aus dem Weg gegangen, zu nassforsch und raubeinig erschien ihm Lascaut seinerzeit. Er trank, war nicht selten in Streitigkeiten mit anderen Studenten verwickelt. Former hatte ihn als einen Mann in Erinnerung, der sich mit allen Mitteln nach oben arbeiten wollte, er schien neben dem Interesse an Geld und einer Karriere als

Banker über wenig Kultur und Allgemeinbildung zu verfügen. Sein gesamtes Auftreten ließ kaum auf gemeinsame Interessen schließen. Aber sie hatten beide am Ende den Abschluss mit Auszeichnung in der Tasche und starteten zur gleichen Zeit ins Berufsleben. Jahre später konnte Former die Karriere von Lascaut nicht übersehen, als er in Frankreich zu einem Großunternehmer aufstieg.

Former hatte seinen alten Studienkollegen am Ausgang des Pariser Auktionshauses mit einer eher arroganten Bemerkung angesprochen, ob denn Lascauts Börse zu klein sei, um bei einer solch exklusiven Versteigerung mithalten zu können. Lascaut hatte lauthals vor sich hingeschimpft, dass einer seiner Intimfeinde ihm seit Jahren mit völlig überzogenen Geboten immer wieder Objekte vor der Nase wegschnappte und er nicht gewillt sei, sich von solch einem Irren treiben zu lassen. Und so kamen sie ins Gespräch über Kunst, Geld, Politik und Börsen, entdeckten ungeahnte Gemeinsamkeiten ihrer Karriere, gemeinsame Feinde und ganz anders als in Formers Erinnerung, hatte sich Lascaut zu einem umfassend gebildeten Macher entwickelt und seinen Respekt geerntet. Von diesem Zeitpunkt verband beide eine seelenverwandte Freundschaft und die gleiche Leidenschaft: Beide liebten sie das Spiel und den Reiz des Erfolges, egal ob es um Unternehmen, Aktien, Autorennen oder Golf ging. Nur der Sieg war letztlich befriedigend.

Einige Tage nach ihrer Begegnung in Paris hatte Former ihn in seinem Londoner Büro besucht. Neugierig hatte er verfolgt, wie Lascaut gerade erfuhr, dass ein Freund versuchte, vertrauliche Informationen für eine feindliche Übernahme eines seiner Unternehmen zu nutzen. Lascaut hatte nur kurz die Stirn in Falten gezogen, dann zum Hörer gegriffen und telefoniert, einen großen Rückkauf von Aktien organisiert und das Blatt an nur einem Tag gewendet. Doch als er am selben Nachmittag gegen Former beim Golf verloren hatte, hatte er auf seinen Golftrolley eingedroschen und sich erst Stunden später nach einem Glas Whisky beruhigt. Von da an waren ihre Begegnungen immer wieder von Spiel und gegenseitiger Neugier, aber auch einer subtilen Konkurrenz geprägt.

Die Entwicklung der letzten Jahre nach dem Finanzcrash hatte sie noch mehr zusammengeschweißt. Former war bereit, zu handeln. Und Lascaut, in einem für ihn ungewöhnlichen Pathos zu reden.

»Viele von uns denken, sie wären etwas Besonderes, und wir wären immun gegen diese Kräfte wie den Arabischen Frühling oder eine neue Französische Revolution. Doch jeder Geschichtsstudent weiß, wie so etwas passiert. Revolutionen, Konkurse kommen nach und nach, die Herrschenden gehen bis an den Rand des Erträglichen und wundern sich, dass die Menschen plötzlich die Paläste stürmen. Und bevor sich die Eliten versehen, steht das ganze Land in Flammen. Dann werden wir keine Zeit mehr haben, zum Flughafen zu fahren, in unsere Gulfstreams zu steigen, um auf eine Insel zu fliehen. Wenn die soziale Ungleichheit weiterhin so zunimmt, wird es auch hier passieren, und wenn es passiert, wird es schrecklich. Vor allem für uns. Am Anfang schützt uns der Staat, aber dann kommen die großen Aufstände.«

Lascaut hatte dem letzten Herrn die Papiere auf den Tisch gelegt und strich sich kurz mit der Hand über seine Brust.

»Was wir jetzt umsetzen, erfordert großen Mut, und jeder von Ihnen muss Geld, sehr viel Geld riskieren, um diese Strukturen, die illegale Vernetzung der globalen Finanzelite an einer weiteren Machtausdehnung zu hindern«, sagte er mit einer Strenge, die der eines Generals vor der Entscheidungsschlacht glich, und fuhr fort, während er sich vor dem Rednerpult postierte: »Meine Herren, wenn ein humanistisches System erhalten werden soll, in dem der Mensch von seiner Leistungsfähigkeit noch profitieren und sich frei entfalten kann, ist es höchste Zeit zu handeln!«

Dan Former konnte sich ein Grinsen nicht verkneifen. Solche Worte aus Lascauts Mund waren vor Jahren undenkbar gewesen. Er hatte sich nie um Sozialpolitik gekümmert, Betriebsräte waren für ihn die Pest und Marktregulierungen die Cholera. Wie die Zeiten sich ändern, wenn der eigene Arsch auf Grundeis geht, dachte er mit einem inneren Grinsen.

»Wir alle sind mit unseren Milliarden auf diesem Markt nur noch Schattenspieler. Jetzt geht es um Billionen. Die Hedgefonds kreieren Aktienwerte nach ihrem Belieben. Es sind selbst ernannte Götter, ohne Skrupel, ihren Plan von dieser neuen Weltordnung umzusetzen. Sie haben einfach zu viele Mittel. Wenn in einigen Wochen der Hochfrequenzhandel reguliert wird, verlieren wir einen wichtigen Punkt, an dem das System noch verwundbar ist«, schloss Lascaut und kehrte wieder an seinen Platz zurück.

Jedem im Raum war das Problem bekannt. Angesichts der Handelsalgorithmen der großen Hedgefonds, die sich einer Kontrolle durch die Börsenaufsichten weitestgehend entzogen, hatten andere Anleger das Nachsehen, da sie weder mit der Geschwindigkeit noch mit den Tricks dieser Algorithmen mithalten, geschweige denn diese Manipulationen nachweisen konnten.

Nun übernahm Dan Former erneut das Zepter, stand auf und reichte auf dem Weg zum Rednerpult einem betagten Mann mit Hornbrille und Gehstock die Hand, der erst während Lascauts Vortrags in den Saal getreten war. Former half dem Mann, sich zu setzen. Eine Geste des Respekts, die unter den *Herren* selbstverständlich war.

»Das Primat der Politik ist im Begriff, sich gänzlich aufzulösen«, begann Former seine Schlussworte. »Wir haben Vorkehrungen getroffen. Sehen Sie sich das gerne noch mal in Ruhe an.«, Er klopfte auf das Papier, das Lascaut auch ihm überreicht hatte. »Jetzt aber brauchen wir die Mittel, Ihre Zusagen und absolute Verschwiegenheit.« Er registrierte die zum Teil entsetzten Blicke, die sich von der Studie lösten. Andere Zuhörer wirkten hingegen entschlossen. Ein etwas dicklicher Mann in einem grauen Anzug, dessen Hemd jeden Moment aus der Hose zu rutschen drohte, durchbrach die bedrückte Stimmung.

»Dan, Sie sind ein Wahnsinniger, aber ich mache mit! Es scheint mir ein gefährliches Spiel, aber Sie alter Zocker werden schon wissen, was Sie tun!«

Erstmals an diesem Tag durchbrach lautes Gelächter die trübe Atmosphäre.

Former blieb ernst. »Der Welt wurde ein geheimer Krieg erklärt. Und wir werden ihn ebenso geheim führen, aber wir haben einen Vorteil. Mit uns rechnet niemand. So, nun ist es Zeit zum Essen, meine Herren, und an etwas anderes zu denken, aber vergessen Sie nicht: Nur wer spielt, kann auch gewinnen, und wenn man uns schon die Butter vom Brot nehmen will, dann sollen alle wissen, was da im Hintergrund wirklich geschieht«, schloss er, bedankte sich für die Aufmerksamkeit und durchschritt den Saal.

Er sah, wie Lascaut mit gerötetem Kopf und dem Handy am Ohr zur Tür strebte. Langsam folgte er seinem Partner in den Innenhof. Ein kräftiger Wind blies ihm entgegen. Etwas an Lascauts Gesichtsausdruck sagte ihm, dass etwas Schreckliches vorgefallen sein musste.

SIEBEN

LONDON, 24. OKTOBER

Bill Naravan war sich nicht sicher, ob es ein Fehler gewesen war, Lascaut zur Rede zu stellen. Fahrig ging er ganz in der Nähe des Bahnhofs St Pancras vor einem Taxistand auf und ab. Ein paar Tauben flüchteten sich vor ihm in die trübe Londoner Luft.

»Was ist mit Denver geschehen?«, zischte er ins Telefon.

Es war still am anderen Ende.

»Was ist los?«, schrie Naravan nun so laut, dass die wartenden Taxifahrer aus ihren schwarzen Karossen zu ihm rüberblickten. »Sagen Sie etwas! War das Formers Werk? Ich habe euch gegeben, was ihr wolltet!«

»Bleiben Sie um Gottes willen bloß in London. Wir haben damit nichts zu tun. Ich versuche Sie morgen da rauszuholen!«

Naravan unterbrach die Verbindung. »Fick dich, du Arsch!«

Er nahm den Akku aus seinem Handy, zerbrach die SIM-Karte und warf alles in den nächsten Mülleimer. Sein Geld würde noch eine Weile für Hotels, stets neue SIM-Karten, Handys und Verpflegung reichen, aber der Gedanke, in einer der am besten überwachten Städte der Welt zu bleiben, löste Panik in ihm aus. An jeder Ecke lauerten Videokameras, kein Schritt blieb hier unregistriert.

ACHT

AN EINEM GEHEIMEN ORT IN DER BRETAGNE, 24. OKTOBER

Lascaut stand inmitten des von vier Türmen und Arkaden eingeschlossenen Burghofs, das Handy in der Hand, und schaute reglos in den Himmel. Freundschaft hin oder her, dachte er. Former musste klar gewesen sein, dass er mit seiner Beziehung zu Jarod Denver das ganze Projekt gefährdete. Dafür hatte er, Lascaut, nicht all die Mühen auf sich genommen. Als er Schritte hinter sich hörte, drehte er sich erschrocken um. Former war ihm wohl instinktiv gefolgt, wie ein Spürhund mit dem richtigen Riecher. Lascaut ging auf ihn zu und zeigte ihm eine Nachricht auf dem Display.

»Wir haben ein riesiges Problem, Dan!«

Former blickte auf die Meldung des *Daily Telegraph* und erbleichte.

NEUN

LONDON, 24. OKTOBER

In der Wohnung Jarod Denvers hatte ein Dutzend Beamte der Spurensicherung gerade die Arbeit beendet und packte seine Sachen. Es war später Nachmittag, und die Männer wollten spürbar nach Hause. Rebecca Winter steckte die kurze Nacht noch immer in den Knochen, und sie musste sich für einen Moment orientieren.

Die Wohnung war im japanischen Stil eingerichtet, sehr spartanisch, aber durch die Präsenz der seltenen Einzelstücke wirkte sie fast surreal. In einem Raum stand nur ein schwarzes Bett, dessen Rahmen mit Klavierlack veredelt war. Gegenüber ein dazu passender Kleiderschrank. In den ebenfalls schwarz lackierten Fächern befanden sich nur zwei weiße Hemden, zwei Paar Socken, zwei Boxershorts und ein nagelneuer Anzug. Winter schaute sich seine Marke an. Kilgour, French & Stanbury. Ein großer Name in der Londoner Savile Row, der goldenen Meile des guten Geschmacks, wie ihr Vater einmal geschwärmt hatte, als er noch über Geld, sehr viel Geld verfügte. Von gekrönten Häuptern bis zur Hollywood-Prominenz ließ sich alles, was Rang und Namen hatte, dort die Kleider auf den

Leib schneidern – einschließlich Jarod Denver. Er hatte also tatsächlich noch die Nerven besessen, dort einzukaufen? Für einen Moment fröstelte es sie bei dem Anblick seiner Habseligkeiten. Ein großer Flatscreen dominierte das Wohnzimmer. Eine schwarze Ledercouch und ein Schreibtisch mit Stuhl. Das war alles.

Der Kühlschrank in der Küche war offen, bis auf eine Champagnerflasche und ein Glas Oliven aber leer. Alles deutete auf eine kurzfristige Anmietung, ein Asyl auf Zeit. Auf dem Schreibtisch war an einem leichten Staubrechteck zu erkennen, dass hier bis vor Kurzem ein Laptop genutzt wurde. Sämtliche Schubladen waren geöffnet und ausgeräumt. Auf dem Tisch lag ein Montblanc-Füller, und am Lederstuhl klebte hinten noch ein Firmenetikett. Alles wirkte wie soeben erst gekauft. Jemand, der so lebt, hat keine Freunde, dachte Winter und ging auf einen Beamten zu.

»Guten Tag, Rebecca Winter, Scotland Yard. Chief Inspector Allington hat mich geschickt. Was haben Sie gefunden?«

»Madam, John Bellham, ich leite die Spurensicherung. Ihren Ausweis, wenn ich bitten darf. Sonst darf ich Ihnen keine Auskunft geben.« Der bullige Mann mit leicht fettigen dunklen Haaren und einem zerknitterten Sakko, musterte sie von oben bis unten. In ihrer ausladenden Hose und dem unförmigen Pullover schien sie nicht dem Bild zu entsprechen, das der Mann von einer Scotland-Yard-Beamtin hatte.

Winter tastete vergeblich nach Ihrem Portemonnaie, wo sie ihren Dienstausweis aufbewahrte. »Ach, der liegt im Auto«, sagte sie schließlich entschuldigend.

»Dann würde ich vorschlagen, Sie holen ihn.«

Winters Gesichtszüge verfinsterten sich. Was sollte das Spiel? Der Leiter der Spurensicherung wusste ganz genau, dass Allington sie geschickt hatte. »Ich habe nicht die Zeit, noch einmal runterzugehen. Sie können ja meinen Vorgesetzten anrufen, wenn Sie eine Rückversicherung brauchen. Also, was haben Sie gefunden?«

Der Mann behielt seinen prüfenden Blick bei. »Dann mache ich mal eine Ausnahme, aber gewöhnen Sie sich so etwas nicht an. Wir haben nur eine Festplatte gefunden. Sie war relativ schwer einsehbar im Rahmen des Kleiderschranks angeklebt. Wir hätten sie fast nicht entdeckt. Ist sicher verschlüsselt, Arbeit für die Freaks«, sagte der Beamte in Anspielung auf die IT-Abteilung von Scotland Yard und reichte ihr den Datenträger.

Für einen Moment stand Winter unschlüssig im Raum. Mit einem Mordfall hatte sie es noch nie zu tun gehabt, und dass sie nun mit einer Mordkommission zusammenarbeiten musste, missfiel ihr. Die Kräfte, die hinter Denvers Tod standen, waren absolute Profis. Sie musste schnell an mögliche Motive gelangen. Die Spurensicherung hatte Zeit, die ihr nicht blieb.

»Sonst nichts?«, hakte sie nach.

Der Beamte rümpfte die Nase. »Nein, alles aalglatt, nur diese Notiz hier noch. Merkwürdiger Mensch. Wir haben nicht mal was im Bad gefunden. Ich denke, der war nur ein oder zwei Mal hier. Die Fingerabdrücke prüfen wir noch«, sagte er knapp, gab Winter den Zettel und begann nach irgendwas in seiner Spurensicherungstasche zu kramen.

Winter betrachtete die Notiz.

Smollenskys, Reuters Plaza um Mitternacht.
Für Unterhaltung ist gesorgt.
Jack Coldwyne

Winter kannte diese Bar von ihren nächtlichen Beutezügen nach Informationen. Inoffiziell war es ein Anlaufpunkt für Luxusescorts. Passt zu diesem miesen Typen, dachte sie und musterte die schwarz verkleidete Festplatte. Auch an ihr waren keine Gebrauchsspuren zu entdecken.

Sie nahm ihr Handy und rief einen Kollegen bei Scotland Yard an.

»Dave. Finde bitte alles über einen Mann namens Jack Coldwyne heraus und schick es mir. Danke!« Mit einem kurzen prüfenden Blick wandte sie sich wieder dem Beamten zu, der gerade dabei war, sich auf einem Block Notizen zu machen. »Sie sagten, die Festplatte war im Kleiderschrank angeklebt?«

»Ja, das sagte ich. Angesichts der gleichen Farbe und Oberfläche doch gar nicht mal so blöd, nicht wahr?«, erwiderte der Beamte in herablassendem Tonfall.

»So, finden Sie?« Winter zog sich dünne weiße Stoffhandschuhe über, die sie aus ihrer Manteltasche hervorgekramt hatte.

Bleib ruhig, Rebecca, ermahnte sich Winter. Es war hart genug, sich in diesem Job als Frau Respekt zu verschaffen, aber ihre weiteren Handicaps waren ihre steile Karriere und ihr Alter. Bis auf Allington, der sie meist mit Respekt und auf Augenhöhe behandelte, spürte sie immer wieder in der Abteilung subtile Ablehnung oder gar Angst vor ihr. Ihre Genauigkeit und Hartnäckigkeit waren ihre einzige Versicherung gegen Schmalspurbeamte, deren kriminologischer Spürsinn eher dem eines erkälteten Dackels im Dachsbau glich. Mit einem Seufzer blickte sie sich um. Hier stimmte was nicht. Wer klebt sich denn eine kleine Festplatte in den Schrank, so ein Blödsinn!

Sie ließ den Beamten stehen und ging einmal zügig durch die Wohnung. Dann musterte sie die Einrichtung langsam und genau, schaute im Schlafzimmer selbst in den Kleiderschrank, strich ihn komplett mit den Händen ab. Sie ging ins Bad, öffnete die Schranktüren, blickte hinter das WC, öffnete eine Abzugsluke über der Dusche, leuchtete sie mit einer kleinen Taschenlampe aus. Im Wohnzimmer tastete sie ebenso akribisch den Schreibtisch ab. Nichts.

»Wir haben alles bereits gründlich durchsucht«, sagte der Beamte, der ihr die Festplatte überreicht und sie seitdem nicht mehr aus den Augen gelassen hatte.

»Ich weiß, aber ich möchte mich trotzdem noch einmal selbst vergewissern.«

Für seine lauernde Art hätte sie ihm am liebsten die Festplatte in den Arsch geschoben. Ansonsten lag er nicht unbedingt falsch. Die Platte war wirklich schwer zu entdecken gewesen, dennoch erschien ihr dieses Versteck zu trivial. Denvers Profil deutete eher darauf hin, dass er alles Wichtige, wie die großen Mengen Bargeld, die man im Jacket des Erhängten gefunden hatte, lieber bei sich trug.

Ihr Blick blieb an dem massiven Bett hängen. Sie kniete sich nieder und entdeckte am hinteren Ende der Wand eine winzige Lücke zwischen Holzfußboden und Scheuerleiste. Sie erhob sich und versuchte, das Bett von der Wand wegzuziehen.

Ein junger Beamter machte sich wortlos daran, ihr zu helfen. Mit einigen ruckartigen Bewegungen zogen beide das schwere Möbelstück. Mit großen Augen sah er, wie Rebecca Winter eine zweite Festplatte der gleichen Bauart hinter der Leiste hervorfingerte. Der junge Mann schürzte anerkennend die Lippen.

»Tja, das ist die Methode: Ich lege eine Spur und lenke vom Wesentlichen ab«, grinste Winter und eilte zur Tür, nicht ohne dem Leiter der Spurensicherung noch ein »Gründlich sieht anders aus!« zuzurufen. »Und sollten Sie noch was finden, was ich nicht glaube, wissen Sie ja, wohin Sie es schicken sollen.«

Was immer auf dieser Festplatte war – sie musste schnell an die Daten kommen. Bei Scotland Yard mit seinen über 750 verschiedenen IT-Systemen herrschte pures Chaos. In Sachen Auswertung und effektive Ermittlung saß die berühmte Polizeibehörde im europäischen Vergleich eher auf der Ersatzbank, während man mit über 20000 Kameras ganz London überwachte und damit zahlenmäßig weltweit an der Spitze lag. Aber Gott sei Dank kannte sie eine Stelle, die ihr helfen konnte, schneller ans Ziel zu gelangen. Während sie die Treppen hinuntereilte, zog sie ihr Handy aus der Tasche.

»Spreche ich mit Bharat Sarif?«

»Wer sind Sie? Woher haben Sie meine Durchwahl?«, fragte ein Mann mit indischem Akzent.

»Inspector Winter, Scotland Yard. Ich habe keine Zeit für lange Erklärungen. Ich brauche schnellstens Ihre Hilfe. Die Formalitäten erledigen wir später. Ich bin in zwei Stunden da.« Sie blickte auf ihre Armbanduhr. Es war bereits nach fünf. Das würde wieder mal ein 16-Stunden-Tag werden.

»Madam. Ihre Abteilung und Ihren ganzen Namen bitte, dann kann ich sehen, was sich machen lässt.«

Im Laufschritt hatte Winter ihren Wagen erreicht und knallte beim hastigen Einsteigen prompt mit dem Kopf gegen den Rahmen.

»Au, verdammt! Ich bin Rebecca Winter, Abteilung für schwere Wirtschaftsdelikte. Ich ermittle in einem internationalen Betrugsfall.«

Sie warf das Handy auf die Konsole, legte die Hand auf den Kopf, um den Schmerz zu lindern, schaltete mit der anderen die Sirene ein und raste Richtung Cheltenham.

ZEHN

BRÜSSEL, 24. OKTOBER

Patrice Lascaut war nach der erschreckenden Nachricht von Denvers Tod sofort von Nantes mit einem gecharterten Learjet nach Brüssel zurückgekehrt. Vor vier Jahren hatte er seinen Nebenjob als politischer Lobbyist an den Nagel gehängt und sich nur noch um seine Unternehmen und die *Herren* gekümmert. Mit einer wachsenden Kriegskasse, die am Ende Milliarden bewegen konnte, war er bis vor wenigen Jahren seinem Ruf als gefürchteter Firmenräuber treu geblieben. Anstatt das Leben in vollen Zügen zu genießen, investierte er weiter und behielt seine verhältnismäßig bescheidene Wohnung im Herzen von Paris wie auch sein Brüsseler Domizil an der Rue aux Laines direkt gegenüber dem Justizpalast. Das entsprach, im Vergleich zu dem Lebensstil seines Freundes Dan Former, bei Weitem nicht den Milliardenwerten, über die Lascaut verfügte, dennoch war sein Wohlstand nicht zu übersehen.

Nach dem Ausbruch der Krise 2008 fühlten sich Lascaut und Former wie Fossilien. Sie hatten plötzlich Feinde, die sie viel Geld kosteten, und einige einst schwerreiche Weggefährten waren sogar existenziell bedroht. Die Gegner waren die großen

Banken und die ultraschnellen Handelssysteme, die keine Grenzen mehr kannten, die Zinsen, Goldpreise und Währungen nach Belieben manipulieren konnten. Und als sie begannen, die Zusammenhänge zu verstehen, konnte auch Dan Former Lascauts Neigung zu härteren Maßnahmen nachvollziehen. Gemeinsam gründeten sie diesen Zirkel der *Herren*, der sich fest zum Ziel gesetzt hatte, die Heuschrecken zu stoppen, die zu groß, zu mächtig geworden waren. Doch über den Weg und das Wie gab es immer wieder Auseinandersetzungen, und Dan Former hielt sich bisher bedeckt, wenn es um seine Strategie ging.

Jetzt mussten plötzlich die Hintergründe von Denvers Tod geklärt werden und weitaus mehr, denn Denver hatte vielleicht Spuren hinterlassen, die die Pläne der *Herren* vor ihrer Zeit öffentlich machen könnten. Lascaut spürte eine bis dato ungekannte Angst, alles zu verlieren – nicht sein Geld, sondern seine Freiheit und sein Ansehen. Wer immer das gefährden würde, dem würde er sich mit aller Macht entgegenstellen.

Kaum angekommen verließ er seine Wohnung wieder und machte sich auf den Weg in den Parc d'Egmont, bevor es dunkel wurde. Schon jetzt war die Herbstsonne einer feuchten Abendkühle gewichen, die Lascaut frösteln ließ. Er holte sich ein Pfefferminzbonbon aus der Manteltasche, erreichte zügig das kleine Stück grüner Lunge und steuerte eine Bank an, auf der ein sichtlich gestresster Mann mit leicht geröteten Wangen saß und sich die Hände rieb. Als er Lascaut erblickte, kreuzte er die Arme vor seiner Brust und blickte ihn sorgenvoll an. Seine dunklen Haare wehten ihm ins Gesicht. Es war der britische Wirtschaftsjurist Derek Simon, dem Dan Former offiziell das Mandat übertragen hatte und der sich um dessen Rehabilitierung vor der US-Börsenaufsicht SEC kümmerte. Simons Aufgaben für die *Herren* hingegen bezogen sich nun auch auf die

Informationsbeschaffung aus dem EU-Parlament und über die Fortschritte bei der Regulierung des Finanzsektors, die Lascaut und Former mit Argusaugen beobachteten und als gescheitert ansahen. Dafür hatte Lascaut ihn engagiert und ihn trotz des kühlen Wetters in den Park beordert.

Lascaut setzte sich, der kalte Wind blies von hinten um seinen Hals. Er klappte den Kragen hoch, zündete sich einen Zigarillo an und blickte in das glatte, mit einem sorgfältig geschnittenen Schnäuzer verzierte Gesicht Simons. Lascaut störte sich immer wieder daran, da er dem blassen, faltenlosen Gesicht des Anwalts etwas Verschlagenes und zugleich Schleimiges verlieh. Ihre Beziehung hatte sich nie über Berufliches hinaus vertieft. Doch trotz seiner persönlichen Reserviertheit hielt Lascaut Simon für ein kleines Genie. Er kannte alle Tricks, bearbeitete als Wirtschaftsjurist für US-Investmentbanken und andere Finanzinstitute die Brüsseler Gesetzgebungsmaschine, jenes politische Spiel im Geflecht aus EU-Kommission, Parlament und Ministerräten der 28 Regierungen. Viersprachig und mit allen bekannt, bewegte sich der 51-Jährige geschmeidig auf dem Brüsseler Politikbasar – so wie einst Lascaut. Jahrelang hatten er und seine Kollegen Gesetzesinitiativen abgewürgt, indem sie Kommissare gegeneinander ausspielten. Mal hatte er von Beamten der EU-Zentrale brisante Verordnungen gegen die Finanzindustrie im Entwurfsstadium beschafft, um Ströme von Einsprüchen aus angeblich unabhängigen Quellen zu organisieren. Mal hatte er es geschafft, die persönlichen Mitarbeiter einiger Minister zu gewinnen, um eine Blockademinderheit im Rat zu platzieren.

Doch in den letzten zwei Jahren hatte auch Simon einen Wandel durchgemacht. Nachdem er von Former zusehends Einblicke in die wahre Bilanz der globalen Zockerei bekommen hatte, darein, wie alle Grenzen gesprengt wurden, ließ er sich nicht mehr als Lobbyist vorschicken, um Banker zu schützen, während sie schon wieder Millionen von Boni kassierten. Denn eines war Simon noch wichtiger als der finanzielle Erfolg: seine Eitelkeit. Er wollte auf der richtigen Seite stehen. Dass diese Einstellung zuweilen opportunistische Züge hatte, war Lascaut nicht entgangen. Vor vier Jahren hatte sich Simon mit einer kleinen, aber unter den *Herren* sehr beliebten Kanzlei niedergelassen, nachdem er seine Lobbyarbeit für drei führende Banken Europas beendet hatte.

»Das geht zu weit, Patrice«, sagte Simon, sich jede Begrüßung sparend. »Bei Mord kann ich nichts mehr für Former tun. Ich bin kein Strafverteidiger!«

Lascaut erschrak. Er war nicht im Ansatz darauf vorbereitet gewesen, dass Simon wie selbstverständlich Dan Former mit Denvers Tod in Verbindung bringen würde. Das war geradezu grotesk und bedrohlich zugleich. Erst jetzt erkannte er die wahre Brisanz von Denvers Tod. Würden die *Herren* von offiziellen Ermittlungen gegen Former in einem Mordfall erfahren, sie würden sich zurückziehen. Es musste schnell etwas ganz anderes her, etwas, das die Gruppe weiter zusammenschweißte.

Die vielen ungeklärten Selbstmorde der letzten Zeit haben alle schon nervös genug gemacht, dachte Lascaut, ich muss mich um Bill Naravan kümmern. Würde ihm auch noch was zustoßen – nicht auszudenken. Ohne diesen unverbesserlichen, leicht paranoiden Quant, jene begnadete Mischung aus Programmierer und Mathematiker, wäre Formers Lieblingsprojekt am Ende. Wenn Lascaut auch angesichts seines fortgeschrittenen Alters kein Experte mehr war, wusste er doch, dass man für die Fertigstellung eines solch komplexen Systems, wie es Former unter strengster Geheimhaltung umzusetzen versuchte, nicht mal eben den Nächstbesten engagieren konnte. Die Zeit rannte ihnen davon.

Er hatte Former immer wieder gewarnt, dass es kaum eine gute Idee wäre, Jarod Denver noch mit diesem Projekt zu betrauen, nachdem er bereits wegen mehrfachen Betruges gesucht wurde. Wie es dazu kam, dass Former trotz allem, was Denver bereits angerichtet hatte, ihm wieder vertraute, offenbar sogar seine kriminelle Energie zu schätzen wusste, war Lascaut ein Rätsel, zugleich war es wie ein Fluch, der nun über allem lag. Ausgerechnet Former hatte die Idee gehabt, der nunmehr Wert auf seine Integrität legte. Vielleicht war es das Spiel und Formers Irrglaube, dass sie im Grunde die gleichen Leute hassten, so etwas wie Verbündete waren. Nun gut, Denver war selbst verpfiffen worden, der Insiderhandel hätte nicht auffliegen müssen. Die Verräter witterte er jedoch überall. Lascaut war sich sicher, dass Denver seine Motive nur vorgespielt und kein ehrliches Interesse daran gehabt hatte, wirklich etwas in dem System zu verändern, sondern es auf seine mickrige Art und Weise weiterlebte, nur um wieder an Geld, viel Geld zu kommen. Für Lascaut war das Verhältnis von Denver und Former kaum zu durchschauen. Eines war aber klar: Dan Former hatte einen Deal mit Denver gemacht, nachdem er ihn vor einem Jahr vor der amerikanischen Börsenaufsicht SEC opfern musste, um seinen eigenen Kopf aus der Schlinge zu ziehen. Der Deal war offenbar nicht gut genug gewesen. Es war eine völlig schizophrene Situation. Ohne Denver wäre Former nie angeklagt worden. Denver hatte die Begabung, sich immer wieder in Schwierigkeiten zu bringen, wenn es um Geld ging. Aber Former hatte stets darauf gepocht, dass Denver und Naravan nicht ersetzbar wären.

Wie auch immer, dachte Lascaut, ohne Naravan geraten die Pläne Formers so kurz vor dem Ziel in höchste Gefahr.

In der Tat stand die Frage im Raum, wer diesen Programmierer ersetzen könnte, vor allem in der kurzen Zeit, die noch blieb. Woher jemanden nehmen, der die Fähigkeiten hatte und gleichzeitig vertrauenswürdig und verschwiegen genug wäre? Nach dem letzten Gespräch konnte Lascaut ihn partout nicht mehr erreichen. Und, was noch viel schlimmer wog: Lascaut und Former hatten keine Ahnung, was Denver noch an Material beschafft hatte, um bestimmte Leute in der Branche zu belasten. Wissen, das die Öffentlichkeit unter keinen Umständen zu früh und ungefiltert erreichen durfte. Lascaut musste irgendwie die Kontrolle behalten.

»Sie sind doch ein Multitalent, Simon. Wir müssen jetzt schnell handeln. Nutzen Sie Ihre Kontakte«, sagte er zu dem Juristen neben ihm. »Former und ich müssen wissen, was Denver an Spuren hinterlassen hat, und keiner kann das so schnell herausfinden wie Sie!«

Simon drückte seinen Aktenkoffer an sich und presste die Lippen aufeinander. Er suchte Sicherheit. Die Sicherheit, nicht in Dinge hineingezogen zu werden, die ihm und seinem Ruf schaden könnten. Er war der letzte Anwalt, den man gebrauchen konnte, wenn etwas aus den Fugen geriet. Aber er hatte beste Kontakte zum britischen Innenministerium und könnte diskret herausbekommen, wer ermittelte und welche Ermittlungen in Gang gesetzt wurden.

»Sie können sich ausrechnen, wie viele Feinde sich Denver gemacht hat. Wir haben ein veritables Interesse daran, dass es schnell zu einem Fahndungserfolg kommt«, sagte Lascaut und zerbiss den Rest seines Pfefferminzbonbons.

»Wir werden sehen. Aber ich werde nicht zulassen, dass Sie oder Former mich in Schwierigkeiten bringen, solange ich nicht gänzlich eingeweiht werde.« Simon erhob sich.

Der Tonfall ärgerte Lascaut, dieser kleine Advokat hatte zu wenig Respekt. Aber es hatte keinen Sinn, ihn zu diesem Zeitpunkt dafür abzustrafen. Dafür war er zu gut vernetzt, und Lascaut musste sich eingestehen, dass es kaum jemand so gut hinbekommen hätte, seinen Freund Former zu schützen. Es war seine Idee gewesen, Denver mit ein paar Millionen zu schmieren, damit er die volle Verantwortung für den Bockmist übernahm, den er schließlich gebaut hatte. Selbst wenn Former das Desaster durch seine Nachlässigkeit überhaupt erst ermöglicht hatte und offiziell als Inhaber des Fonds verantwortlich zeichnete. Der Plan sah vor, dass Denver dafür zwölf, im schlimmsten Fall 18 Monate ins Gefängnis gehen würde. Sobald man ihn gefasst hätte, wäre Simon aus den Startlöchern gesprintet und hätte die Verteidigung übernommen.

Egal, halt dich zurück, beschwor Lascaut sich selbst. Im Moment brauchten sie jede Unterstützung.

»Keine Sorge, Derek. Sie werden rechtzeitig eingeweiht, das verspreche ich Ihnen. Sie müssen jetzt nur rauskriegen, wer da ermittelt. Um den Rest kümmern wir uns.«

ELF

CHELTENHAM, 24. OKTOBER

Rebecca Winter fieberte den Daten förmlich entgegen. Wenn diese Platte nicht Informationen enthielt, die Motive für einen Mord offenbarten, wäre der Fall wohl beendet. An Denvers Leiche waren nicht einmal DNA-Spuren gefunden worden, das allein sprach Bände, nur absolute Profis würden so arbeiten. Als sie das Autoradio einschaltete, war sie augenblicklich gebannt von dem, was sie da hörte. Hatten die Medien das Thema etwa aufgegriffen?

> *Die neue Welle von Todesfällen im Finanzsektor nährt Spekulationen über die Ursachen. Wenn man den vermissten Finanzjournalisten David Bird vom* Wall Street Journal *dazuzählt, sind es inzwischen über 20 Experten glauben mittlerweile, dass die Todesfälle mit Ermittlungen gegen Banken in Verbindung zu bringen sein könnten. Der Exbroker, Investor und Finanzjournalist Max Keiser, der unter anderem für die BBC gearbeitet hat, glaubt, dass die Fälle im Zusammenhang mit den Ermittlungen gegen Großbanken wegen der Manipulation von Wechselkursen stünden. Die Manager hätten zu Whistle-*

blowern werden können und mussten deswegen sterben. Auch der Bestsellerautor und Fox-News-Kolumnist Wayne Allyn Root hält es für möglich, dass die Banker zu viel wussten, auch über Korruption in der Regierung. Außerdem glaube er, dass die ökonomische Situation um ein Vielfaches schlimmer sei, als die Regierungen zugeben würden. »Wir laufen in einen ökonomischen Kollaps epischen Ausmaßes«, kommentierte Root die Lage. Dieses Wissen könnte die Banker auch dazu gebracht haben, selbst, ich zitiere, »vom Dach ihres Wolkenkratzers zu spazieren«.

War der Tod Denvers vielleicht eine erste konkrete Spur, die auf eine Säuberung in der Branche hinwies? Dann würde Winter den Fall sicher verlieren. Allington müsste einen solchen Anfangsverdacht dem Innenministerium und Interpol sofort melden. Es reichte ihr schon, dass die Mordkommission ihre Finger im Spiel hatte. Aber was würde erst der Geheimdienst machen?

Kurz vor der Einfahrt zu den Government Communications Headquarters in Cheltenham hielt sie an. Sie schaute auf die beiden Festplatten und fingerte ein Kaugummi aus ihrer Manteltasche. Was ist, wenn Allington recht behielt und man aus Staatsräson oder Gründen, die ihr nicht in den Sinn kamen, alles einbehalten und sie schachmatt setzen würde?

Sie gab Gas und steuerte rasant den Kontrollposten an.

Die Kollegen von den Government Communications Headquarters (GCHQ), knappe 100 Meilen von London entfernt, waren nicht sonderlich erfreut über die Art und Weise, wie Winter die Regeln umging, die üblicherweise für die Zusammenarbeit zwischen Scotland Yard und dem britischen Geheimdienst galten. So denn nicht die nationale Sicherheit gefährdet sei, erforderte eine direkte Zusammenarbeit mit dem

Dienst üblicherweise eine schriftliche Anforderung über den Leiter einer Abteilung von Scotland Yard sowie eine Überprüfung durch einen leitenden Mitarbeiter des Geheimdienstes, und das alles kostete Zeit, die Winter sich sparen wollte.

Sie stellte ihren Wagen auf den Parkplatz vor den Sicherheitsschranken ab und konnte sich nach einem beharrlichen Gespräch mit dem Wachdienst und einigen Unterschriften über Geheimhaltungspflichten schließlich Zugang verschaffen. Kurz vor Eintritt in den bizarren Rundbau der Regierungskommunikationszentrale, der einem gigantischen Ufo glich und nach dem NSA-Skandal ungewollte Berühmtheit erlangt hatte, klingelte ihr Handy. Ein Sicherheitsbeamter wies sie sofort wieder zurück und deutete auf ihr Telefon. Ihr blieb nichts anderes übrig, als wieder aus der Zone herauszutreten, in der das Telefonieren verboten war.

»Hallo, Robert. Es ist jetzt denkbar schlecht.«

»Hör erst mal zu! Eine weitere Bankerin ist heute in Paris aus dem 14. Stock gesprungen. Sie soll mit ihren Vorgesetzten gestritten haben. Und jetzt kommt es: Sie hatte vor einem Monat noch Kontakt zu Denver.«

»Was? Okay, ich bin in Cheltenham. Wer immer in Denvers Wohnung war, hatte versteckte Festplatten übersehen. Ich melde mich, sobald ich hier irgendetwas habe.«

»Gut. Wir schicken Muffet nach Paris! Dieser Jack Coldwyne ist angeblich seit einem Jahr abgetaucht, außer vielleicht Denver wusste keiner, wo er sich aufhält. Die Goldman-Sachs-Leute haben ihn gefeuert. Die Bank verweigert uns weitere Auskünfte. Und, Rebecca, es tut mir leid wegen vorhin.«

Winter hatte ihr Kaugummi in einem ungünstigen Winkel platziert. Bei Allingtons Entschuldigung biss sie sich mit voller Wucht in die rechte Backentasche. »Autsch!«

»Wie bitte?«

»Nichts, Robert, alles in Ordnung.« Sie legte auf und hielt sich sie Wange.

Allington starrte auf den Hörer. Er hasste es, wenn Winter einfach auflegte, obwohl er seinen Satz kaum beendet hatte. Angesichts seiner Protektion der in den Augen der meisten Mitarbeiter überengagierten Kollegin munkelte man im Team, dass Rebecca Winter Ambitionen auf Allingtons Position als Chief Inspector hätte. Nur er wusste, dass Winter mehrere Angebote, in eine höhere Position zu gelangen, ohne nachzudenken sofort abgelehnt hatte. Sie wollte unter allen Umständen weiter von unten und international ermitteln. Er stand auf und ging ins WC seinem Büro gegenüber. Er hatte wenig Schlaf gehabt, hustete kräftig, klatschte sich etwas Wasser ins Gesicht und ordnete seine silbergrauen Haare.

Rebecca Winter hatte eine Menge Eigenarten, die ihn nicht selten verwirrten. Als er sie vor Kurzem nach einer durchgearbeiteten Nacht vor ihrem Rechner geweckt hatte und sie irritiert, noch mit den Abdrücken der Tastatur im Gesicht, nach oben geblinzelt hatte, hatte er sie auf ihre Arbeitszeit und ihren Eifer in einer väterlich fürsorglichen Weise angesprochen.

»Ich bin zufrieden mit meinem Leben, wenn du mich meine Arbeit machen lässt«, war ihre Antwort.

Allington überraschte dabei vor allem, dass er keinerlei Verbitterung oder Frustration in der Aussage erkannte. Im Gegenteil. Mit einem strahlenden Lächeln hatte sie ihm stattdessen den Abschlussbericht gereicht, der eine weitere Verhaftung ermöglicht hatte. Ihre Souveränität erschien ihm außergewöhnlich. Er verkniff sich nur mühsam die Frage, ob es einen Mann in ihrem Leben gab. Bei dem Arbeitseinsatz wohl ausgeschlossen, dachte er, und das Warum ging ihn beim besten Willen nichts an. Vor drei Jahren hatte er sie nach ihrer Ausbildung bei Scotland Yard und Interpol ins Team geholt. Er hatte es nicht bereut. Es gab keinen Tag, an dem sie mal einen Termin verpasste, krank war oder von Ferien, Freunden und Familie sprach. Nichts dergleichen. Sie beherrschte neben ihrer Muttersprache Deutsch und Französisch. Und wenn es drauf ankam, konnte sie sich auch noch auf Italienisch oder Portugiesisch verständigen. Mit der Zeit hatte er aufgehört, sich Fragen über diese besonders begabte Ermittlerin zu stellen.

Winter wurde nach einer weiteren Überprüfung in einen Trakt der Government Communications Headquarters geführt, der einen gespenstisch sterilen Eindruck machte. Bis auf die zwei Sicherheitsbeamten, die sie rechts und links flankierten, war niemand auf den gebogenen Fluren zu sehen. Alle zwei Meter tauchten Eingangstüren ohne Namensschilder auf, die mit biometrischen Scannern versehen waren. Bis auf ihre Schritte, deren Echo sich unendlich zu verbreiten schien, war nichts zu hören, keine Stimmen, rein gar nichts. Schließlich beschleunigte einer der Beamten sein Tempo und postierte sich vor einem Eingang. Eine grüne Lampe blinkte, ein kurzes Piepen, und die Tür klackte auf.

»Sir! Ihr Besuch ist da!«

Rebecca Winter blickte auf einen kleinen Inder, etwa Mitte 30, dessen strahlender Gesichtsausdruck eher in einen indischen Ashram gepasst hätte – so einen, wie sie ihn vor Jahren in Delhi besucht hatte, bei einem ihrer seltenen Urlaube.

»Guten Tag, Sie müssen Bharat Sarif sein. Inspector Winter von Scotland Yard.«

Der Mann nickte nur und bot ihr einen Stuhl an. In dem Raum herrschte eine fast schon klinische Ordnung. Sechs Schreibtische mit je drei Monitoren. Über den Tischen ragte ein riesiger Flatscreen mit unterschiedlichen Grafiken von der Wand, ansonsten lagen auf den Tischen nur wenige Ordner mit dem Siegel des Geheimdienstes, der Rest schien sich in den weißen Schränken zu verbergen, mit denen der Raum quasi umhüllt war. Zwei weitere Mitarbeiter waren in ihre Arbeit vertieft und nahmen zunächst keine Notiz von Winter. Eine Geruchsmischung aus Schweiß und elektrostatischem Smog stieg ihr unangenehm in die Nase. Die Klimaanlage war ausgeschaltet, es war stickig, und das Fehlen von Fenstern drückte zusätzlich auf ihre Stimmung. Winters Blick blieb an einem Bild neben einem der Bildschirme hängen: Brahma, einer der Hauptgötter im Hinduismus, in ihrer Erinnerung von den Hindus als erstes Lebewesen auf der Erde und als der Schöpfer angesehen. Für ein paar Sekunden vergaß die Scotland-Yard-Beamtin, wo sie eigentlich war.

»Sie sind Hindu?«, versuchte Winter das Gespräch zu beginnen.

Sarif lächelte. »Sie kennen Indien?«

»Ich denke schon. Ich war während meines Studiums mal dort und war von der Kulturvielfalt sehr beeindruckt.«

»Ach ja? Dann kennen Sie Indien nicht wirklich, aber das spielt auch keine Rolle. Ich bin Ihnen für Notfälle zugeteilt. Also, was kann ich für Sie tun?«

Winter ließ sich ihre Enttäuschung über das schnelle Urteil von Sarif nicht anmerken, angelte die beiden Festplatten aus ihrer Manteltasche und reichte sie ihm.

»Ich muss dringend an die Daten, also verlieren wir keine Zeit.«

»Ich hoffe, wir können Ihnen so schnell helfen, wie Sie es sich vorstellen«, sagte Sarif. Offenbar hatte er die Aufforderung der Regierung verinnerlicht, die Fähigkeiten der Kommunikationszentrale in der Öffentlichkeit herunterzuspielen.

»Jetzt tun Sie doch nicht so. Neuerdings hat doch die ganze Welt Angst vor den Fähigkeiten Ihrer Behörde!«

»Hat sie das? Wir können nicht jeden Verschlüsselungsstandard knacken, es sei denn, wir haben dabei vorher mitgemischt.«

Am Tisch neben Sarif saß ein bulliger Glatzkopf. Wie eine Statue starrte er regungslos auf den Bildschirm.

»Greg, du machst die Analyse«, wies Sarif den Kollegen an. »Ich suche nach einer Hintertür. Ms Winter, ich werde mich bei Ihnen melden, sobald wir was haben.«

Winter schaute ihn entgeistert an und verschränkte dann die Arme. »Ich bewege mich keinen Millimeter weg.«

»Madam, es tut mir leid, aber …«

»Hören Sie, ich habe keine Zeit zu warten. Fangen Sie an!«

Sarif schaute zu seinem Kollegen, der halbherzig nickte und hastig, aber geschickt, die erste Festplatte auseinanderschraubte und das Innere mit einigen Kabeln verband. Rasend schnell öffnete er Programme. Die erste Platte war mit einem 4096-RSA-Schlüssel geschützt. Diese Hürde war durch die zahlreichen Hintertüren, die sich der Geheimdienst von den Herstellern einbauen ließ, so schnell genommen, dass Rebecca Winter kaum folgen konnte. Aber hinter der Verschlüsselung war nichts als ein Betriebssystem, frei von irgendwelchen persönlichen Daten. Kurz bevor Winter ein Gefühl von Resignation in sich aufsteigen spürte, hatte der Glatzkopf bei der zweiten Platte einen Erfolg.

»Na toll, da sind Hunderte Dateien mit verschiedenen Programmen geschützt. Das war es dann mit dem Fußballabend«, stöhnte er und startete mehrere Programme, die zur Entschlüsselung unerkannter Codes dienten.

Sarif setzte sich neben ihn, und Rebecca schaute ihnen über die Schultern zu, wie sie versuchten, die ersten Dateien zu entschlüsseln. Sie hatte keine Ahnung, was vor ihren Augen geschah.

»Wie lange brauchen Sie dafür?«, fragte sie.

Sarif wischte sich mit einem Taschentuch den Schweiß von der Stirn. Neben ihm stand so etwas wie eine Keksdose, die er öffnete und ihr reichte. Ein kugelförmiges Fettgebäck aus Khoa in Sirup.

»Gulab Jamun? Die haben Sie selbst gemacht?«

»Sie kennen also immerhin unser Essen. Meine Frau hat sie gemacht. Und jetzt gedulden Sie sich bitte ein wenig«, sagte er und erklärte oberflächlich, dass es drei Wege gebe, einen kryptografischen Standard zu brechen. Entweder mathematisch, was Jahre dauern könnte, oder durch die Schwächung eines Programms, aber dass der einfachste Weg der direkte Zugriff wäre. »Und die zahllosen geschützten PDF-Dateien haben bekannte Schwächen. Mehr müssen Sie jetzt nicht wissen.«

Sarif hatte sich gerade eine der größten Dateien vorgenommen, als sein Kollege einen Quellcode fand, der seine Aufmerksamkeit erregte.

»Wow. Was ist das? Ich hab so was schon mal gesehen. Das ist ein Algorithmus für ein Handelssystem an der Börse. Aber warte mal ... Puh, das sind verdammt viele Variable. Aber irgendwie scheint's mir unvollständig. Ich krieg da nichts zum Laufen. Haben wir jemanden im Haus, der einschätzen kann, wie das System am Markt funktionieren würde?«

»Nicht dass ich wüsste. Aber die Börsenaufsicht könnte uns vielleicht die Software für eine Simulation liefern.« Sarif überlegte. Einen Mann kannte er, der sich darauf verstand, aber der war zu weit weg. Mit ihm hatte er in den letzten Jahren immer wieder zu tun gehabt, um bei Übungen Angriffe auf Börsen und Handelssysteme zu simulieren.

Winter beobachtete die Szene argwöhnisch. Gute Handelssysteme waren Gold, mitunter Milliarden wert, aber Denver hatte auf keinen Fall die nötigen Kenntnisse, um so etwas zu programmieren. Doch sicher wäre er an einem

System interessiert gewesen, mit dem er die Börsen hätte betrügen können.

»Merkwürdig«, sagte der Glatzkopf, »hier sind automatisch auszuführende Links zu bestimmten Medienseiten wie der *New York Times*, der *Washington Post* und zu fast allen weltweit relevanten Nachrichtenagenturen, zu bestimmten Börsenaufsichten und Hedgefonds, die zu einem unbekannten Zeitpunkt etwas …«

»*Was* zu welchem Zeitpunkt?«, unterbrach Winter.

Sarif starrte auf den Bildschirm seines Kollegen, rieb sich mit der Hand über das Gesicht. Er musste zugeben, dass er keine Ahnung hatte, was für einen Zweck diese Codes hatten, da elementare Befehlsketten fehlten. Es erschien ihm wie ein Teppich mit unzähligen Löchern. Wer immer das gemacht hatte, hatte offensichtlich einen komplexen Handelsalgorithmus entwickeln wollen, der aber nicht vollständig war.

»Damit lässt sich eventuell die Börse manipulieren«, erklärte Sarif. »So was ist teuer und wenn es funktioniert ein Vermögen wert, denke ich jedenfalls.«

Wusste ich es doch, dachte Rebecca Winter. Ihre innere Unruhe wich langsam, sie rückte ihren Stuhl näher, schlug die Beine übereinander und starrte wortlos auf den Rechner, während Sarif versuchte, weitere Dateien und Mails zu entschlüsseln, die Denver auf seinen Datenträgern verborgen hatte. Was ihm auf Anhieb gelang, war zumindest, zügig die Empfänger ausfindig zu machen. Winter staunte, mit welcher Geschwindigkeit Sarif arbeitete, und als sie die ersten Namen sah, beschleunigte sich ihr Herzschlag. Deutsche Bank, Weltbank, Finanzaufsichten in Deutschland, Wien und New York, Europäische Zentralbank, IWF und ein paar Privatpersonen rund um die Welt. Sogar der Name des Chefs von Goldman Sachs war darunter.

Winter schnaufte einmal tief durch. Die bruchstückhaften Informationen ergaben im bisherigen Ermittlungsumfeld überhaupt keinen erkennbaren Sinn. Was hatte ein Mann wie Denver mit Institutionen und Menschen eines solchen Kalibers zu tun? In der abgefangenen Mail Denvers an den Mitarbeiter der Weltbank von vor drei Wochen war von einem Plan die Rede gewesen, den er durchkreuzen wollte. Und von irgendwelchen dubiosen »White Knights«. Vielleicht hatte der Code auch gar nichts damit zu tun.

Winters kurze Hoffnung, der Fall würde sich durch die Entdeckung eines illegalen Handelssystems auflösen, mit dem sich Denver und seine Partner wie Former viel Geld versprachen und ein schnelles Motiv für einen Mord herleiten ließe, zerschlug sich vielleicht gerade.

Momentan wurden ihre Ermittlungen ohnehin zusätzlich erschwert. Alte und zuverlässige Informanten waren in den letzten Wochen abgetaucht oder schwiegen plötzlich. Seither kursierten Gerüchte, dass einige wichtige Insider der Finanzindustrie dramatische Zusammenhänge über die Ursachen der Krise auspacken würden.

Die Summen, um die es da ginge, würden sämtliche Staatsschulden Europas zu einem Kleinkredit herabstufen, hatte ein Journalist der *New York Times* vollmundig angekündigt. Seitdem herrschte bei ihren Kontakten Eiszeit. Keiner wollte das Risiko eingehen, zu diesen Whistleblowern gezählt zu werden. Aber aus den Ankündigungen wurde nichts. Doch allein die Gerüchte hingen wie ein Damoklesschwert über Londons Geldindustrie.

»Ich werde sehen, dass wir die Server des Mailanbieters durchforsten. Tut mir leid, Madam, aber mehr können wir im Moment nicht aus dem Salat rausquetschen, es wird etwas Zeit brauchen.«

Rebecca Winter verzog Mund und Stirn und stöhnte vernehmlich. »Wie lange?«

»Drei Stunden, drei Tage, drei Jahre oder 300 Jahre, auch wir haben Grenzen«, kalkulierte Sarif trocken. »Fahren Sie nach Hause. Ich halte Sie auf dem Laufenden.«

Aus irgendeinem Grund bekam Winter Zweifel. Vielleicht war es auch nur das Gefühl, nicht ernst genommen zu werden. »Ich brauche eine schriftliche Zusicherung, dass nur Sie mit diesen Daten arbeiten.«

»Das kann ich Ihnen nur so lange garantieren, wie es unsere internen Bestimmungen zulassen. Aber solange hier keine nationalen Interessen berührt werden und es sich nur um einen Betrugsfall oder Mordfälle handelt, die allein in der Zuständigkeit von Scotland Yard liegen, kann ich das zusichern. Und nach mehr sieht es im Moment ja auch nicht aus«, erwiderte Sarif mit einem etwas verkniffenen Gesichtsausdruck. Er öffnete eine Schublade und holte einen Ordner mit Visitenkarten heraus.

Winter hatte es geahnt, aber was sollte sie schon tun. Wieder erinnerte sie sich an Allingtons Warnung, dass der Fall zu groß werden könnte, zu bedeutend, als dass sie ihn im Alleingang lösen könnte.

»Gut, nehmen wir mal an, es hat größere Dimensionen, dann will ich trotzdem als Erste davon erfahren.«

»Okay, Madam, keine Sorge«, sagte Sarif. »Was diesen Algorithmus angeht, kommen selbst wir ohne Hilfe nicht weiter. Aber es gibt jemanden, der das kann!«

ZWÖLF

LONDON, SALTWELL STREET, 24. OKTOBER

Rebecca Winter hatte von Bharat Sarif den Auszug einer Akte über einen Mann namens Erik Feg vom BND mitbekommen. Kurz vor Mitternacht hatte sie es sich zu Hause nach einer ausgiebigen Dusche im Bademantel in ihrem Sessel vor ihrem Schreibtisch bequem gemacht. Auf ihm standen die gerahmten Fotos ihrer Großeltern und der Mutter. Wie immer, wenn sie hier saß, ließ sie ihren Blick zuerst über die Gesichter dieser ihr lieben Menschen schweifen. Mit einem Seufzer öffnete sie dann die Akte und blätterte die Seiten durch. Die Fähigkeiten, die Sarif diesem Erik Feg zuschrieb, hatte sie nicht lange fackeln lassen; noch vor der Rückfahrt von Cheltenham hatte sie einen Flug nach Hamburg gebucht. Der BND-Mann wurde in dem Dossier als eine Kombination aus Hacker, Quant und Trader beschrieben. Quants waren jene seltenen und alles andere als auskunftsfreudigen Superstars an den Börsen, wie Winter wusste, die als Mathematiker oder Physiker für die Programmierung der Handelsalgorithmen der Banken und Fonds verantwortlich waren. Dazu verfüge Feg noch über äußerst profunde Kenntnisse in Kryptologie und über die internationale Wirtschaft.

Beeindruckend! Ein Mann, den der Geheimdienst und die Polizei lieber auf ihrer Lohnliste und somit unter Kontrolle hatten, dachte sie.

Sie zog ein Foto von Erik Feg aus den Unterlagen. Er sah nicht unsympathisch aus. Sein Äußeres erinnerte sie irgendwie an ihren Vater in jüngeren Jahren. Dunkle, leicht ergraute Haare, braune Augen, ein kantiges Kinn, kräftig und mit einem gewissen Charisma, das Stärke ausstrahlte.

Alles war vorbereitet. Auf dem Tisch lag das ausgedruckte Flugticket nach Hamburg, wo der Mann derzeit wohnte. Die Sachen waren gepackt, der Flug ging in der Früh, um kurz nach zehn würde sie ihrer alten Studienstadt einen unerwarteten Besuch abstatten. Manchmal vermisste sie Hamburg sogar. Dass sie ausgerechnet dort gelandet war, statt an einer der üblichen englischen Universitäten, hatte sie einem ihrer wenigen Jugendfreunde zu verdanken, der sie nach ihrem Schulabschluss in London angesichts ihres Interesses für Wirtschaftskriminalität darauf aufmerksam gemacht hatte, dass in Hamburg eines der besten Institute für Kriminologie etabliert war.

Sie griff zu ihrem Handy und wählte Allingtons Nummer, während sie das Foto ihrer verstorbenen Mutter zurechtrückte.

»Rebecca, es ist bald Mitternacht!«, sagte Allington. »Ich stehe hier im Pyjama!«

Winter sah auf die Uhr im Bücherregal. Sie hatte das Gefühl für Zeit nach diesem anstrengenden Tag einfach verloren.

»Tut mir leid, Robert. Ich habe vielleicht eine erste Spur. Auf der Festplatte von Denver sind Unmengen von Daten und Kontakten, aber vor allem ein oder gar mehrere vielleicht illegale Handelssysteme. Ich fliege morgen nach Hamburg zu einem Experten des BND, einem gewissen Erik Feg.« Sie hörte, wie Allington kräftig und lang anhaltend hustete. Offenbar war aus seinem Gehüstel eine Bronchitis geworden.

»In Ordnung. Ich kümmere mich um die Formalitäten bei Interpol und trag es ein. Ach, übrigens, Rebecca – der Kontakt von Denver zu dieser Bankerin, die sich in den Tod gestürzt hat … es gibt neben dem beruflichen Streit Hinweise auf Familienprobleme, nur dass du das weißt«, sagte Allington und hustete abermals in den Hörer.

»Dann hat sich das für uns wohl erledigt.«

»Sieht so aus, es gab nur einen E-Mail-Kontakt von Denver mit ihr. Schien um ein Konto zu gehen, das er bei deren Bank einmal hatte. Aber wir gehen die ganze Liste der Toten durch. Wenn es eine Verbindung zu Denver gibt, erfährst du es als Erste.«

»Hoffentlich«, sagte Winter. »Tritt den anderen ins Kreuz. Und du gehörst ins Bett, sonst wird dein Husten noch schlimmer.«

»Wenn mich meine Mitarbeiter nachts schlafen lassen würden, sollte es reichen.«

»Kannst du ja jetzt. Gute Besserung.«

Winter legte das Handy beiseite, sah sich die Notiz an, die ihr der Leiter der Spurensicherung in Denvers Wohnung anvertraut hatte. Das Adrenalin hielt sie immer noch auf den Beinen. Sie stand auf, ging ins Schlafzimmer zog sich an. Statt ihrer sonst bunten Kleidung wählte sie einen grauen Rollkragenpullover und eine schwarze Hose. Zuletzt warf sie sich ihren grauen Wollmantel über. Als sie im Wohnzimmer die Kommode passierte, schrak sie kurz auf.

»Ach, dich hab ich ganz vergessen.« Sie blickte in das ovale Glasgefäß, in dem ein einsamer Goldfisch matte Runden schwamm. Sie klopfte aus einer Plastikdose etwas Futter hinein. »Ich weiß schon, wer sich ab morgen mit Freude um dich kümmern wird.«

Draußen war es feuchtkalt. Das *Smollensky's* war nur zehn Minuten von der Saltwell Street entfernt. Für viele, die im armen Teil des Londoner Bezirks Tower Hamlets lebten, war Canary Wharf mit seinen Bankenhochhäusern und Wirtschaftsunternehmen unerreichbar, obwohl die Distanz kaum eine Meile betrug. Ganz bewusst hatte sich Winter inmitten des ziemlich heruntergekommenen sozialen Brennpunktes eingemietet. Die modernen Glasfassaden der Finanzindustrie in Sichtweite, war sie so schnell an ihren Einsatzorten. Winter ging zügig vorbei an roten Backsteinbauten, monotonen kubischen Kästen, die scheinbar endlos die Straße säumten. Jalousien hingen auf halbmast, in manchen Vorgärten lag Müll.

Als sie den Aspen Way überquerte, näherte sie sich dem Bankenviertel. Schlagartig waren die Straßen sauber, umgeben von Stahlgiganten, die in den Himmel ragten.

Das *Smollensky's* war wie immer um Mitternacht voll. Winter drückte sich durch das Menschengewimmel. Die meisten Männer in Anzügen, die Krawatten waren inzwischen gelockert, Frauen in kurzen Röcken oder in aufreizenden Kleidern, nicht vulgär, sondern extravagant und teuer. Passend zu ihren zahlungskräftigen Begleitern, dachte Winter.

Sie setzte sich neben die Mädchen und lauschte den Gesprächen. Und wie es zu erwarten war, umschwärmte ein unscheinbarer *Flash Boy* eine der Damen. So nannte man die jungen Händler in Canary Wharf, nachdem der amerikanische Autor Michael Lewis mit seinem gleichnamigen Buch auf die Missstände an den elektronischen Börsen für Aufruhr gesorgt hatte. Winter wollte eine günstige Gelegenheit abwarten, um ihre Nachbarin anzusprechen, ohne ihr das Geschäft zu versauen. Als der Barkeeper sie nach einem Drink fragte, bestellte sie einen Lemon, ohne Wodka. In Windeseile stand das Glas, garniert mit einer Zitrone, vor ihrer Nase.

»Warten Sie«, sagte Winter zu dem gut gebauten Barkeeper. Sie fummelte umständlich ein Foto von Jarod Denver aus ihrem Mantel. »Kennen Sie diesen Mann? Oder haben Sie zufällig den Namen Jack Coldwyne schon einmal gehört?«

Der Keeper warf einen Blick auf das Foto und nickte aufmerksam einem Gast zu, der etwas bestellen wollte. »Normalerweise fragen hier nur Männer nach Grace, Nadine oder Nora.«

Winter zückte ihren Ausweis. »Normalerweise fragt das wahrscheinlich auch nicht Scotland Yard.«

»Deswegen kenne ich sie trotzdem nicht«, sagte der Keeper und wandte sich dem nächsten Gast zu.

Rechts neben Winter machte sich Unruhe breit, ein Mann sprang von seinem Barhocker, zwei Frauen schlossen sich ihm an. Ein paar Pfundnoten landeten auf der Theke, der Mann drängte sich hektisch durch die Menschenmenge. Sekunden später folgten ihm die beiden Frauen. Winter war sich in dem Augenblick sicher, dass der Mann ihren Auftritt vor dem Barkeeper mitbekommen hatte. Er war nah genug dran gewesen, um die Unterhaltung trotz des Lärms verfolgen zu können oder Winters Ausweis zu sehen.

»Hey, Sie haben Ihr Sakko vergessen!«, rief der Barkeeper ihnen hinterher, doch sie waren bereits verschwunden.

Winter zögerte nur einen Augenblick, dann folgte sie dem Trio durch das Gedränge. Als sie mühsam die Tür erreicht hatte, erhaschte sie nur noch die beiden dünn bekleideten Frauen. »Wo ist der Mann, den Sie eben nach draußen begleitet haben?«, rief sie und hielt ihren Ausweis hoch. Im selben Moment hörte sie schnelle Schritte und sah, wie rechts eine Gestalt um die Ecke verschwand.

»Sie bleiben hier stehen!«, befahl sie den beiden und rannte zur Ecke. Niemand war zu sehen. Plötzlich schoss gegenüber des Büros der Nachrichtenagentur Thomson Reuters ein schwarzer Audi mit aufheulendem Motor aus der Einfahrt. Das Kennzeichen konnte sie nicht mehr erkennen. »Verdammt!«

Atemlos kehrte sie zurück. Die zwei Frauen standen sichtlich eingeschüchtert vor der Bar und schauten Rebecca Winter irritiert an.

»Wer war dieser Mann?« Sie musterte die beiden. Es waren Küken. Allerhöchstens 18, der Typ hingegen war mindestens Mitte 50 gewesen. Ekel stieg in ihr auf bei dem Gedanken, dass er vorgehabt hatte, in der Nacht mit ihnen zu vögeln.

»Keine Ahnung, er wollte uns zu sich einladen. Dann hat er auf sein Handy geschaut und wurde plötzlich ganz nervös. Wir müssen jetzt los, hat er gesagt, er hätte noch kurz was zu erledigen und dann ginge es auf eine Party mit vielen Freunden. Ja, und dann rannte er plötzlich weg. Es war …«

»Hör auf, mir Scheiße zu erzählen.« Winter blickte auf das andere Mädchen mit blondierten Haaren und vollen, überschminkten Lippen. »Und dich kenne ich seit einem Jahr. Du arbeitest für eine dubiose Escort-Agentur, und wenn ihr keinen Ärger, zum Beispiel wegen deines Alters, haben wollt, sagst du mir, wohin er mit euch wollte und seinen Namen.«

Das hatte gesessen. Auffordernd stupste die Blondierte ihre Partnerin an.

»Okay. Er hat sich nur mit Steve vorgestellt und gesagt, dass er bei einer großen Investmentbank arbeitet. Und dann das übliche Gequatsche über Geld, wie man Geld macht und verliert, und was für ein toller Hecht er ist.«

Winter zeigte ihnen das Foto von Denver. War es wirklich die Handynachricht gewesen, die den Mann, aus welchen Gründen auch immer, nervös werden ließ? Oder war das nur ein Vorwand? »Kennt ihr den Mann? Oder einen Jack Coldwyne?«

Beide schüttelten den Kopf.

»Wenn ihr mich anlügt, ist das strafbar. Das ist euch klar, oder?«

»Hören Sie, es ist kalt, und wir möchten gerne wieder rein. Wir haben doch niemandem etwas getan. Und schauen Sie uns nicht so herablassend an. Wir machen auch nur unseren Job!«

»Wenn der Typ noch mal aufkreuzt, ruft ihr mich an. Zu eurem eigenen Schutz!«, schärfte Rebecca Winter ihnen ein. Sie zog aus der Innentasche ihres Mantels eine Visitenkarte und blickte nun freundlich in die beiden kindlichen Gesichter, perfekt geschminkt, Minihandtaschen aus Krokodilleder, Pradastiefel, keine Strumpfhosen, unter dem Rock vermutlich auch nichts. Dazu getunte Fingernägel, die, wäre sie ein Mann, ihr eher Angst einjagen würden.

»Macht eine Ausbildung, Mädels. Ihr werdet so auf Dauer nicht glücklich werden, glaubt mir!« Sie wusste, dass dieser Appell verhallen würde.

Für einen Moment stand sie ratlos auf dem Bürgersteig und sah, wie eines der Mädchen schon an der Tür der Bar ihr nächstes Ziel ansteuerte. Seufzend wandte sie sich ab. Offenbar reichten schon die Namen von Denver und Coldwyne, um diesen Unbekannten in die Flucht zu schlagen.

Ihr Handy klingelte. Die indische Stimme war klar und deutlich, entschuldigte sich für den nächtlichen Anruf.

»Madam, wir haben hier einiges, was Sie und Mister Feg sich schnell ansehen sollten! Also bringen Sie den Mann her. Ich kümmere mich darum, dass unsere Partner in Berlin damit kein Problem haben.«

»Was haben Sie gefunden?« Winter spürte, wie das Adrenalin durch ihren Körper strömte.

»Nicht am Telefon!«

Winter sah auf ihr Smartphone. Bharat Sarif hatte aufgelegt.

DREIZEHN

HAMBURG, 25. OKTOBER

Erik Feg verzichtete auf sein Frühstück, nachdem er in der Nacht erst um drei nach zwei Flaschen Rotwein auf der Couch seines noblen Domizils an der Elbe eingeschlafen war. Er entschied sich für einen Spaziergang an der kalten Luft, um die Kopfschmerzen zu vertreiben. Doch schon nach 15 Minuten kehrte er um, vorbei an historischen Häusern, die die Gegend dominierten. Jedes einzelne durch Gusseisentore nur dürftig gegen Blicke von Neugierigen abgeschirmt. Wer hier lebte, musste einen gewissen Exhibitionismus in sich tragen, seinen Reichtum zeigen wollen, dachte Feg, denn jedes dieser althanseatischen Gebäude war aufgrund seiner exklusiven Lage ein Vermögen wert, hatte aber so gut wie keine Privatsphäre. Die ausschließlich zweigeschossig gebauten Häuser strahlten ganz in der Nähe des Övelgönner Museumshafens in ziegelrot, blau oder auch mal hellblau gehaltenen Fassaden. Auf den weißen Fensterbänken breitete sich im Sommer eine Pracht von Blumen aus. Alte Anker oder anderes maritimes Zierwerk schmückten die Vorgärten oder das Mauerwerk. Penner und andere Wegelagerer wurden hier so schnell wie nirgendwo sonst von der

Hamburger Polizei oder unsanfteren privaten Sicherheitsdiensten entfernt.

Es war nur einem besonderen Umstand zu verdanken, dass Feg seiner alten Heimat Hamburg einen Besuch abstattete, und es war noch nicht klar, ob es nicht sogar ein längerer Aufenthalt werden würde, obwohl er mit sehr gemischten Gefühlen heimgekehrt war. Er war es müde, durch die Welt zu reisen. Vor ein paar Tagen erst war Feg aus New York zurückgekehrt und unmittelbar danach von seinem Posten beim Bundesnachrichtendienst vorübergehend suspendiert worden, weil er unter Verdacht geraten war, einem Händler in Frankfurt mit seinen Insiderkenntnissen bei einem passablen Betrug an der Börse geholfen zu haben.

Er hatte kurzerhand seine Sachen gepackt und sich nach Hamburg abgesetzt. Es war den internen Ermittlern jedoch nicht gelungen, den schlagenden Nachweis zu bringen, dass Feg dem inzwischen verhafteten Händler einen Algorithmus überlassen hatte, der am Ölmarkt einen falschen Eindruck von Angebot und Nachfrage erweckte. Der Händler hatte an der in Großbritannien angesiedelten Börse ICE Futures Europe Tausende falscher Aufträge platziert und dabei binnen weniger Tage einen Gewinn von über 100 000 Dollar eingestrichen. Ein nachgewiesenes Treffen mit dem Händler, allerdings vor über drei Jahren, hatte ausgereicht, um ins Visier zu geraten. Dass Feg sich in prekärer Finanzlage befand, hatte ihn umso verdächtiger erscheinen lassen.

Wie auch immer, auch das erledigt sich, dachte Feg, als er eine der spitzgiebeligen Villen am Övelgönner Hafen ansteuerte. Immerhin liefen die für seinen Lebensstil mageren Bezüge erst mal weiter, offenbar wollte man einen fähigen Mann doch nicht verlieren.

Der Vorgang nagte trotzdem an ihm. Er hatte es alles andere als gelassen aufgenommen, als ihm Roland Kader, der Leiter für Cyberspionage beim BND, die Ermittlungen offenbarte und mal eben seine Konten, sein Hotelzimmer, seine Rechner und sein Handy durchsucht wurden.

Er hatte aus seiner Verachtung gegenüber seinem Vorgesetzten keinen Hehl gemacht und ihn lauthals beschimpft, dass er so eine kleine Räuberpistole nicht nötig habe und er es zu weitaus mehr Reichtum bringen könne, wenn er denn wolle, und die Annahme, er würde mit so einem kompletten Idioten wie diesem Händler ein derart unprofessionelles Ding durchziehen, sei eine Beleidigung für ihn. Dass er sich selber gerade an der Börse verzockt hatte, sei reiner Zufall und seine Privatsache.

Der Chef der Abteilung wird mir das sogar geglaubt haben, dachte Feg, als er die weiße Villa von Susanne Wagner erreicht hatte. Schließlich war er seit Jahren international gefragt, um Angriffe auf die Börsen und Manipulationen am Markt zu verhindern. Er kannte jede Form von Angriffen auf Computersysteme und wie man den Handel mit komplexen Algorithmen manipulieren konnte. Er hätte dabei längst illegal Kasse machen können und wäre nicht auf die Hilfe eines Händlers als Strohmann angewiesen. Aber die Vorschriften ließen seinem Dienstherren keinen Spielraum, erst recht, nachdem er im Rausch der Wut damit gedroht hatte, in Zukunft für einen fremden Dienst oder Auftraggeber zu arbeiten. Für den, der am besten zahlen würde.

Auf dem Weg zur Haustür klingelte sein Handy. Kurz überlegte er, ob er überhaupt drangehen sollte. Doch es war Frank Jacobs, sein einziger Kollege beim BND, dem er nicht nur vertraute, sondern der auch mal bereit war, mit ihm in Berlin durch die Kneipen zu ziehen.

»Hey, was war da in New York los? Du hattest einen Termin mit mir!«

»An der NASDAQ sind letzte Woche einige US-Aktien durch die Decke gegangen und andere unerwartet abgerutscht«, antwortete Feg. »Wir haben tagelang mit den Börsenmitarbeitern nach einem Algorithmus gesucht, der sich vielleicht selbstständig gemacht hat.«

»Und?«

»Na ja, nichts dergleichen. Es waren Hacker, die versucht haben, eine Flut an Kauf- und Verkaufsorders auszulösen. Nachdem wir das Schlimmste verhindert hatten, entdeckten wir allerdings, dass ein ganz anderes Virus schon länger aktiv war und dann wurde ›Quantum Dawn 4‹ initiiert. Das hat nun mal eine Woche gedauert, sorry.«

Quantum Dawn war eines der weltweit größten Planspiele, das dazu diente, zu testen, wie gut Banken und Behörden auf Hackerangriffe vorbereitet wären. Wie schlecht oder gut es um die verwundbarste Stelle des digitalen Kapitalsimus wirklich stand, wussten jedoch nur wenige. In Wirklichkeit, so war Feg überzeugt, wäre es für Russen oder Chinesen ein Kinderspiel, das System zu attackieren, sobald sie sich einen echten Vorteil davon versprechen konnten. Quantum Dawn war nichts anderes als der verzweifelte Versuch, das vielleicht Unvermeidliche noch kontrollieren zu können, obwohl allen Beteiligten längst dämmerte, dass die Vielfalt der möglichen Angriffsszenarien eigentlich eine Konsequenz gefordert hätte: Den digitalen Handel an den Börsen zurückzufahren.

»Wer hat das in Auftrag gegeben?«, wollte Jacobs wissen.

Feg erklärte, dass der simulierte Angriff von der Securities Industry and Financial Markets Association organisiert worden war. Über 800 Mitarbeiter von etwa 70 Firmen, das FBI und die Heimatschutzbehörde waren daran beteiligt gewesen. »Eines ist klar, mein Bester, wer immer da am Werk war, hat sich am Handelssystem zu schaffen gemacht. Sie haben sich über ein Investmentforum der NASDAQ E-Mail-Adressen und Login-Informationen besorgt.«

»Wir hatten einen ähnlichen Angriff in Frankfurt, deswegen rufe ich auch an«, sagte der Kollege.

Feg wurde nachdenklich. »Wieso ähnlich?«

»Verrate mir mal lieber, was ihr gemacht habt, und was für ein Schaden geblieben ist.«

Erfreut darüber, dass Jacobs ihn nicht auf die vorübergehende Suspendierung angesprochen hatte, lehnte sich Feg an die Haustür. Noch nie war der Austausch von internationalen Experten so rege gewesen wie bei diesem Angriff. An langen Tischen voller Computer und Telefone hatte Feg tagelang mit anderen Technikern an der Wall Street gegen Cyberangriffe gekämpft, unter ständiger Beobachtung des US-Heimatschutzministeriums, des FBIs, des Finanzministeriums und der Börsenaufsicht SEC.

»Wir haben Software genutzt, die ein Modell des amerikanischen Aktienmarktes simuliert. Die Stimmung war alles andere als angenehm. Blanke Panik«, erzählte Feg. »Alle fürchten, dass es sogenannte fortgeschrittene Bedrohungen geben könnte, die vielleicht schon über Jahre unbemerkt in den Netzwerken lauern und Informationen sammeln. Tja, wenn dem so wäre, könnten Hacker Zugriff auf Computer bekommen, mit denen Programmierer an den Handelssystemen arbeiten. Sie könnten dort eine Zeitbombe platziert haben, die die Märkte explodieren lässt.«

»Ist dir klar, was das heißt! Damit könnte man Firmen oder sogar die Wirtschaft eines ganzen Landes destabilisieren.«

»Für mich ist das nur eine Frage der Zeit. Das Merkwürdige ist aber, dass man das hätte längst tun können. Die haben dem

System anscheinend nur einen Besuch abgestattet.« Im selben Augenblick wusste Feg, vor welchem Problem sein Kollege stand.

»Okay, Erik. Bei uns ist es wohl auch so gelaufen. Als hätten die sich die Mühe gemacht, erst einen 100 Meter langen Tunnel zu graben, sich genau auszurechnen, wo sie die Betonplatten durchstoßen müssten, um die Alarmanlage zu umgehen, um dann vor dem Geld zu stehen und zu sagen: ›Hey Jungs, ist das nicht ein herrlicher Anblick, wir können wieder gehen, jetzt wissen wir, wie es hier aussieht.‹«

Feg lehnte schweigend an der Tür. Er war selbst verwundert über die Professionalität der Hacker. Was waren die Motive? Dahinter könnten genauso gut Staaten oder Geheimdienste stehen.

»Statt dich wegen so einer Lappalie in den Zwangsurlaub zu schicken, sollte Kader dich lieber wieder zurückholen. Oder hast du den Scheiß wirklich gemacht?«

»Nein!« Verdammter Idiot, hat er sich die Frage doch nicht verkneifen können, dachte Feg.

VIERZEHN

LONDON, 25. OKTOBER

Es war zwar noch früh, aber Winter wusste, dass sie bei ihrer Nachbarin Ms Lohendry schon klingeln durfte. Die betagte Dame war ihre Versicherung für alle Fälle. Rebecca Winter deponierte Wohnungsschlüssel bei ihr, durfte sonntags auf ihren Milchvorrat zugreifen oder auch mal ein Stück Toast erbitten, was der schrulligen kleinen Dame jedoch keineswegs unangenehm war, im Gegenteil. Sie wartete regelrecht auf das Klingeln an ihrer Tür – die beiden bildeten eine Symbiose reinster Natur. Ms Lohendrys Stimme glich einem Reibeisen und erinnerte Rebecca so sehr an ihre Großmutter, dass sie manchmal vergaß, dass diese längst unter der Erde weilte. Ms Lohendry war für Winter inmitten ihres stressigen Alltags, der Arbeit an den Rechnern, Börsencharts, Besprechungen, Fahndungen, Berichten, Debatten mit Kollegen und anstrengenden intellektuellen Auseinandersetzungen eine Insel der Einfachheit und Herzlichkeit.

Nichts war wirklich wichtig, wenn sie der alten Dame einen Besuch abstattete und ihren Erzählungen aus den alten Zeiten zuhörte. Schon vor vielen Jahren hatte sie ihren Mann verloren.

Mit Winters Einzug in das Haus war ihre Einsamkeit ein bisschen gelindert worden.

Doch jetzt hatte Rebecca schon sechs Mal den Klingelknopf gedrückt. Sie begann sich Sorgen zu machen. Als sie erneut klingelte, wurde die Tür aufgerissen. Mit Lockenwicklern und einem Haarnetz auf dem Kopf stand Ms Lohendry vor ihr und blickte sie entgeistert an.

»*Good heavens!* Ist Ihnen was passiert?«

»Nein, nein, ich hab mir nur Sorgen …«

»Was zur Güte ist das denn?« Ms Lohendry starrte auf das Goldfischglas, das Rebecca in den Händen hielt.

»Das? Ja, das ist Hannibal. Er steht unter Verdacht, depressiv zu sein, und wurde mir deshalb als Partnerersatz vom Chef geschenkt«, sagte Winter und musste lachen, als sie den Gesichtsausdruck Ms Lohendrys sah, der so wirkte, als würde sie ernsthaft darüber nachdenken, ob Fische depressiv sein könnten.

»So kann man doch keinen Goldfisch halten!« Sie bat Rebecca Winter herein und deutete auf eine Anrichte im Wohnzimmer. Die Scotland-Yard-Beamtin stellte das runde Glas ab. In der Tat sah der Fisch aus, als würde er jeden Moment vor Trübsinnigkeit zu Boden gehen. Außer einer dünnen Schicht Kieselsteine hatte er keinerlei Abwechslung. Hannibal war Allingtons Geburtstagsgeschenk gewesen. Nachdem Winters Katze vor einem Monat gestorben war, hatte ihr neuer Zimmergenosse vor ein paar Tagen auf ihrem Schreibtisch gestanden, mit einer Karte, die ans Glas geheftet war. »Auf mehr dicke Fische!«

Winter vermied die Vermutung, dass Allingtons Geschenk eher eine Anspielung auf ihre kargen sozialen Kontakte sein könnte.

»Es ist nur für kurz«, sagte Winter und zog aus einer ihrer geräumigen Manteltaschen eine Dose Fischfutter. »Ich hab nicht viel Zeit, aber wenn ich zurück bin, trinken wir wieder einen süßen Likör zusammen, versprochen!«

»Schon gut, *darling,* erst mal werde ich Hannibal das Leben retten, und Sie gehen wieder Verbrecher jagen.«

Rebecca umarmte sie kurz und verabschiedete sich eilig. So schrullig die kleine Dame auch war, bei ihr fühlte sie sich immer wohl und aufgehoben wie einst bei ihren Großeltern auf dem Land, die nur unweit von Plymouth, in der Nähe des ehemaligen Landhauses der Eltern, ein kleines Häuschen besessen hatten. Voller Anspannung fuhr sie zum Flughafen.

FÜNFZEHN

LONDON, 25. OKTOBER

Bill Naravan wartete zur gleichen Zeit ganz in der Nähe der Eurostar-Station St Pancras im *King's Cross Inn Hotel.* Er hatte seinen Rucksack nicht ausgepackt, hatte sich in Jeans und Kapuzenpullover aufs Bett gelegt und nur kurz Schlaf gefunden. Viel Zeit würde er Lascaut nicht mehr geben. Er war zerrissen zwischen der Aussicht auf die versprochene Bezahlung und absolutem Misstrauen nach dem Tod Denvers. Dessen spießigen teuren Anzüge, die Überheblichkeit und die herablassende Art, wie er ihn immer angeschaut hatte, waren zu weit weg von seiner Welt der Bits und Bytes. Seit drei Stunden hatte er nach jedem kurzen Check das Handy aus Angst, erwischt zu werden, immer wieder ausgeschaltet, doch jedes Mal hatte er die Anrufe Lascauts verpasst. Bei allen Telefonaten in den letzten Monaten schwang stets die Angst mit, trotz aller Vorsichtsmaßnahmen und Verschlüsselungen geortet werden zu können. Nicht nur durch die Kommunikation mit dem Handy an sich, sondern auch durch Gesprochenes – ein falsches Wort, und die Beziehung zu Jarod Denver und Dan Former hätte auffallen können. Gerade er war sich der immensen Überwachungstechnologie bewusst. Er war in Panik, dass jemand wie Former oder Lascaut genau dort Fehler begehen würde, wo es Denver getan haben musste. Dieser Idiot!, schoss es ihm durch den Kopf.

Das Misstrauen, die Streitigkeiten über Geld und den Wert des Codes waren so gewachsen, dass Denver und er den Algorithmus, den er über Monate weiterentwickelt hatte, in zwei Datenpakete und auf verschiedene Festplatten aufgeteilt hatte. Sollte einem von ihnen etwas passieren oder einer nicht bezahlt werden, war die Vereinbarung, dass sie den Rest zerstören und das gesamte kompromittierende Material, das Denver gesammelt hatte, für ihre eigenen Zwecke nutzen würden. Was das für Material war, verschwieg Denver, wie er eigentlich alles verschwieg. Naravan weihte er nur ein, wenn es um den Algorithmus ging.

War am Anfang noch die Rede von einem System gewesen, das nur dazu dienen würde, die Verhältnisse am Markt zu regulieren, da es die Politik nicht fertigbrachte, erwachte in Naravan die Skepsis, als er nur noch bestimmte Variablen zu programmieren und diese an zwei weitere Leute weiterzugeben hatte, die sie wiederum in ein größeres Programm implementierten. Er wusste nur eines: Das System war mehr als ein Handelsalgorithmus. Vor fast einem Jahr, kurz bevor Denver endgültig abtauchen musste und sein Büro geschlossen wurde, hatte er ein Gespräch zwischen Former und Denver mitbekommen. Nicht dass Denver wirklich wusste, wovon er sprach, wirklich eine Ahnung hatte, wie viel Aufwand es kostete, diesen wahrscheinlich gestohlenen Algorithmus neu zu programmieren und auszubauen. Es war dieses kurze Gespräch, das sich in sein Gedächtnis gebohrt und die Befürchtung geschürt hatte, dass er am Ende an etwas arbeitete, dessen Ziel und Methode er zwar kannte, dessen Wirkung er aber nicht überblickte. »Wir können damit alle gegeneinander ausspielen. Das wird ein Fest, Dan, vertrau mir. Ich habe alles im Griff. Das ist das, was du dir vorgestellt hast, und die Dimension ist berauschend.«

Das aus Denvers Mund zu hören, konnte nichts Gutes heißen. Kurze Zeit später hatte Denver herumgebrüllt, das Telefon an die Wand geschmissen und war aus dem Büro gerannt. Stunden später war er völlig betrunken zurückgekommen. Er musste jemanden so provoziert haben, dass es sein Leben wert war. Aber wenn es nicht Former war, wer dann?

Naravan schaute auf das ausgeschaltete Handy. Langsam aber sicher wurde ihm klar, dass er diesen Leuten nicht mal im Ansatz gewachsen war. Er kannte sich in ihrer Welt mindestens so wenig aus, wie sie seine verstanden. Wenn Former oder Lascaut hinter dem Mord standen, er wäre als Mitwisser der Nächste. Und diese Männer hatten sicher die richtigen Kontakte, um einen Unbedeutenden wie ihn einfach verschwinden zu lassen. Vielleicht würde man ihn irgendwo mit einer Überdosis in einer Bahnhofstoilette liegen lassen, oder nachts einfach über den Haufen fahren oder in einem Fluss versenken – wie in einem schlechten Mafiafilm. Andererseits würden sie es in der verbleibenden Zeit ohne ihn kaum schaffen, das Puzzle wieder zusammenzufügen. Die Idee, den Code zu teilen, war einer der wenigen lichten Momente Denvers gewesen, aber war es klug, dass er seinen Teil an Lascaut übergeben hatte?

Ganz wollte Naravan noch nicht aufgeben, er rieb sich das Gesicht, wühlte in seinen Haaren. »Oh verdammt, das kann doch nicht alles gewesen sein. Denk nach, Bill!«

Er schaltete sein Handy wieder ein. Es war riskant, aber vielleicht ein Weg. Former würde sicher reagieren. Er tippte etwas in sein Handy, forderte Former auf, sich in einem IRC-Chat zu melden, oder er würde sich der Polizei stellen.

Mit einer hektischen Bewegung schaltete er das Handy wieder aus.

SECHZEHN

HAMBURG ÖVELGÖNNE, 25. OKTOBER

Feg hörte die Schlüssel in der Haustür, bevor er sie erreichte.

»Guten … ah, deinen Augen nach zu urteilen, also guten Morgen«, sagte Susanne, eine in die Jahre gekommene Blondine mit Silikonbrüsten und mehr Schminke im Gesicht, als es für Feg eigentlich annehmbar war, aber zwischen ihnen beiden war es nie um Äußerlichkeiten gegangen.

Susanne Wagner war sein einzig verbliebener Kontakt in Hamburg. Sie hatte Fegs vorübergehendes Domizil vor vier Jahren von ihrer verhassten Mutter geerbt. Im Testament war verfügt worden, dass dieser seit vier Generationen bestehende Familienbesitz mit Garten und einer alten friesischen Einrichtung, bestehend aus Holzschränken und Möbeln des 19. Jahrhunderts, den für Friesland typischen blau-weißen Motivfliesen, in diesem Fall Windmühlen, unter keinen Umständen verkauft werden dürfte. Die 56-jährige Exhure fand eine Lösung: Sie stellte das Haus entweder Freunden als Gästehaus zur Verfügung oder vermietete es an Touristen für den stolzen Tagespreis von 400 Euro. Sie selbst zog es vor, nur gute 300 Meter weiter hinter einer der neuen Glasfassaden direkt an der Elbe zu wohnen. Ein Umzug in das Puppenmuseum ihrer Eltern, die sie wegen ihrer Drogenexzesse mit 18 vor die Tür gesetzt hatten, kam nicht infrage. Geld hatte sie als eine der ihrerzeit begehrtesten Nutten auf der Reeperbahn genug gemacht, wusste Feg, und dass sie heute mit ihrem Escortservice jeden Monat Tausende mit jungem Gemüse von der Uni verdiente, wunderte ihn nicht. Sie war einfach tüchtig. Wo immer er sich in der Welt herumgetrieben hatte, Susanne war ihm nie aus dem Sinn gegangenen. Als er sich als gerade mal 18-Jähriger auf dem Kiez herumtrieb, hungrig nach dem Leben, hatte sie ihm Dinge gezeigt, von denen er nicht mal zu träumen gewagt hatte. Doch nachdem er etwas zu viel Geschmack an ihr gefunden, vor allem so etwas wie Liebe zu ihr geäußert hatte, ließ sie Feg, wohl aus einem Selbstschutzinstinkt, nicht mehr ran. Liebe konnte sie sich auf keinen Fall leisten. Damit fickt es sich nicht gut mit den Freiern, hatte sie Feg eines Tages gesagt. Dennoch blieb so etwas wie eine Freundschaft oder auch eine stille Übereinkunft, dass man sich verstand und gerade deshalb lieber keine andere Bindung einging.

Diese Freundschaft hatte schon zwei Proben überlebt, woran sie ihn gestern Abend noch mal augenzwinkernd erinnert hatte.

Mit damals sicher zwei Promille und genug Koks im Kopf war Feg 1992 aus einem abgewirtschafteten Puff auf der Großen Freiheit geflüchtet, weil er seine Schulden nicht begleichen konnte. Obwohl Feg bei den Zuhältern, die ihn auch mit Koks versorgten, wie ein Doktor angesehen wurde – Student und intelligent, der schon mal Führerscheine und Pässe fälschen konnte –, war man nicht zimperlich mit ihm umgegangen. Gerade als Susanne Wagner aus der Herbertstraße um die Ecke gebogen war, hatten ihn zwei Zuhälter zusammengetreten und ihm klargemacht, dass er noch mehr Schwierigkeiten bekäme, wenn er nicht in einer Woche zahlen würde. Nachdem Susanne ihrem schrägen Exfreier gerade erst über die Runden geholfen hatte, um seine Kokserei zu finanzieren, war sie am Ende mit ihrem Latein. »Wärst du nicht so ein verdammt gut aussehender Mann mit halbwegs Verstand, würde ich dir jetzt die Eier abreißen.«

Nachdem sie ihm schon öfter aus der Patsche geholfen hatte, hatte sie eine fünfstellige Summe besorgt. Ihr Vertrauen war nicht enttäuscht worden. Im Gegenteil. Nur ein paar Tage später hatte Feg ihr in einer weitaus bedrohlicheren Situation geholfen und war dann von einem Tag auf den anderen verschwunden. Darüber sprachen sie bis heute nicht. Doch in regelmäßigen Abständen hatte sie eingeschriebene Briefe mit Geld erhalten, bis die Schuld getilgt war, während er sonst jeden anderen Gläubiger hängen ließ.

Susanne bahnte sich einen Weg in das Wohnzimmer, das mit hellen Eichenmöbeln eingerichtet war. Die Wände waren mit typisch friesischen Landschaftsbildern und kleinen Ankern verziert. In der Mitte stand, von einem blau-weiß überzogenen Sofa und schweren Sesseln umgeben, ein Tisch, neben dem Eingang befand sich ein alter Nähtisch mit einer Vase und einem künstlichen Blumenstrauß. »Sag mal, kannst du nicht deine Taschen langsam auspacken? Es sieht aus, als ob du jede Minute wieder fahren wolltest.«

Feg schaute sie kurz an und machte ihr galant den Weg frei. Sie hatte recht. Er hauste hier wie in den letzten 20 Jahren in den Hotels, wo es sich selten lohnte, vor dem nächsten Einsatz überhaupt die Kleidung in den Schrank zu hängen.

Trotz oder vielleicht gerade wegen seines nomadischen Lebensstils, hatte er eine steigende Sehnsucht, endlich irgendwo anzukommen. Und obwohl Wagner und Feg nun viele Jahre ihre je eigenen Wege gegangen waren, konnte er sich für einen

Moment vorstellen, genau bei ihr zu landen. Der Drang, von einer Prostituierten zur anderen zu ziehen, hatte sich in letzter Zeit abgenutzt.

»Ich bin dir dankbar für diese Herberge. Wer darf schon mal in einem Museum wohnen?«, sagte Feg und ließ sich auf das Sofa fallen, von dem er wegen des Schlüsselgeräuschs vor einigen Minuten aufgesprungen war.

»Hier, wie versprochen: Brötchen und die Zeitungen.« Sie blickte ihn an.

»War ein schöner Abend gestern.«

»Vergiss es. Oder sagst du das nur, weil du dich jetzt schon wieder vom Acker machen willst?«

Feg lachte auf.

Susanne legte die Zeitungen auf den schweren Eichentisch vor dem Sofa und grinste Feg an. »Ich meine das ernst. Wollte ich mehr von dir, hätte ich dich in meinem Apartment und nicht hier einquartiert«

Feg war erstaunt über ihre Coolness. Meinte sie das wirklich ernst? Wie wollte sie ihren Lebensabend verbringen? Bis zur Rente die Girls vermieten und Männer auf Distanz halten? Wollte sie wirklich alleine alt werden? Ein Gedanke, der bei Feg zunehmend Beklemmung auslöste. Etwas versöhnlicher fügte Susanne hinzu: »Abendessen bei mir?«

Feg blickte sie an. »Ja, vielleicht. Und noch mal zur Erinnerung, Susanne, ich will nicht, dass irgendjemand weiß, dass ich hier bin.«

Sie nickte. »Du hast fast alle überlebt, Erik! Okay, Boy, wir telefonieren später, und dann schauen wir mal … bye!«

»Ja, aber keinen Wein heute.«

»Das sagst du, seit ich dich kenne. Reichen zwei Flaschen?«, rief sie, schon im Flur.

Feg hörte, wie die Tür ins Schloss fiel.

Lächelnd ging Susanne zu ihrem Glaspalast. Sie war erstaunt, wie vital Erik Feg mit über 50 Jahren noch war, angesichts der Unmengen von Alkohol und Drogen, die er gelegentlich zu sich nahm, kaum selbstverständlich. Wie früher schien er sich, bis auf seine Augen, schnell von Exzessen zu erholen. Gute Gene, behauptete er immer, geerbt von seiner spanischen Mutter. Ihr hatte der Sohn eines Bundeswehrgenerals auch das südländische Aussehen zu verdanken. Nur die leicht ergrauten Haare verrieten, dass er in die Jahre kam. Und im Bett hatte er auch nicht nachgelassen, wenngleich es nicht mehr ganz so wild war wie damals. Richtige Freunde hatte er nie gehabt. Diese fast schon depressive Einsamkeit umgab ihn immer noch. Dafür fand er Saufkumpane in unzähligen Kneipen in Berlin, Frankfurt, London oder New York.

Sie konnte sich nicht daran erinnern, dass nach Alice, seiner großen Liebe, je wieder eine Frau an ihn herangekommen war, und für viele war er ein einziges Chaos, zu viele Widersprüche umgaben ihn. Er war scharfsinnig, aber durch sein Verlangen nach exzessivem Rausch auch leichtfertig. Brillant und gerissen, da es ihm immer wieder gelang, seine riskanten Eigenschaften mit Lügen und Ausreden oder dem Verwischen von Spuren zu schützen. Nur bei ihr war es anders. Sie gab ihm den Rahmen, der keine Lügen mehr brauchte. Sie wusste, dass er genau so eine Hure war wie sie, dass er alles tat, um seine Einsamkeit mit Sex und Drogen zu kompensieren. Und daran schien sich auf den ersten Blick nicht viel geändert zu haben.

Sie hatte ihn wieder angelogen. Insgeheim wünschte sie sich nichts sehnlicher, als sich nach all den Jahren endlich fallen zu lassen.

Feg schnappte sich die Zeitungen, erhob sich vom Sofa und ging in die Küche. Mit einem frischen Käsebrötchen und einer Tasse Kaffee setzte er sich schließlich an den Küchentisch, auf dem auch seine Computer standen, und versuchte, sich zu sortieren. Im Augenblick gab es nicht viel mehr zu tun, als das Ergebnis der Ermittlungen gegen ihn abzuwarten. Was ihn dabei quälte, war, dass im Fahrwasser solcher Nachforschungen noch ganz andere Dinge emporgespült werden konnten. Er blickte auf eine mannshohe Standuhr aus Nussholz, gleich war es zwei. Neben dem Toaster, auf der Anrichte, über der ein alter friesischer Holzschrank Porzellan verbarg, stand eine Flasche Rotwein in Reichweite. Er gönnte sich jetzt doch schon ein Glas, startete die Rechner, griff zu einer Packung Zigaretten auf dem Tisch, zündetete sich eine an und inhalierte den ersten Zug tief.

Wie Blitze schossen plötzlich Erinnerungen hoch. Man kann verdrängen, was man einmal getan hat, wenn es beendet war, aber es gab Dinge in Fegs Leben, die er nie abgeschlossen hatte, und so waberten die Zeiten auf dem Kiez wie eine Fata Morgana vor seinen Augen, weckten einen alten Sog, während sich die Programme im Rechner in ihnen spiegelten. Feg versuchte, sein Leben mit Prostituierten und anderen Lastern über das Trading an der Börse zu finanzieren. Ging es ihm wirklich finanziell schlecht, konnte er sich immer wieder völlige Abstinenz verordnen, was gerade beim Kokain eine seltene Gabe war. Besonders in den letzten zwei Jahren hatte er nach erfolgreichem Handel an der Börse sein Geld zusammengehalten, bis dann vor ein paar Wochen ein Programmierfehler in seinem Handelssystem alles wieder vernichtet hatte.

Mit verkniffenem Mund forschte er weiter nach der Schwachstelle in seinem selbst programmierten Handelsystem, das ihn fast um seine gesammten Ersparnisse von rund 300 000

Euro gebracht hatte, genug Geld, dass er dem BND den Mittelfinger hätte zeigen können.

Er blickte in den Garten und schüttelte den Kopf. Der Anruf von Jacobs hatte ihn doch beruhigt, aber da draußen wurden junge, jüngere Soldaten als er in Stellung gebracht, aber für wessen Krieg? Feg schreckte hoch, als es plötzlich klingelte.

Murrend ging er zur Tür. Hatte Susanne etwas vergessen? Quatsch, sie hatte einen Schlüssel. Oder hatte sie doch nicht die Klappe halten können, und er würde nun mit einem der alten Kumpane konfrontiert? Er riss die Tür auf. Eine junge Frau stand vor ihm.

»Guten Tag. Herr Erik Feg?«, fragte sie mit einem englischen Akzent.

»Und?«, entgegnete er lauernd.

»Inspector Winter, Scotland Yard.«

»Was wollen Sie, wenn ich fragen darf?«

Er beobachtete, wie die junge Frau umständlich versuchte, den Dienstausweis aus ihrem grauen Wollmantel zu ziehen, der ihn an den Kleidungsstil seiner Tante erinnerte. Warum trug eine so junge Frau so etwas? Wollte sie etwas an ihrer Figur kaschieren? Feg sah sich den Ausweis an. »Okay, und wer hat Ihnen verraten, wo ich bin, und was zum Teufel wollen Sie genau von mir?«

»Ihre Kollegen aus Berlin haben mir weitergeholfen«, erklärte Winter. »Ich brauche Ihre Unterstützung in einem etwas komplizierten Fall. Es ist besser, Sie bitten mich herein.«

Das war das Allerletzte, was Feg jetzt gebrauchen konnte. »Tut mir leid, aber ich habe keine Zeit für Polizeipraktikantinnen!« Er sah, wie die Gesichtszüge der jungen Frau vereisten.

Charmanter Zeitgenosse. Wie Fotos doch täuschen können, dachte sie, trat einen Schritt näher und reichte ihm die Hand. Er roch nach Alkohol.

»Interessanten Duft tragen Sie da. Besonders für tagsüber. Verwenden Sie den immer?«

»Immer«, sagte Feg und wunderte sich, dass sie das bisschen Wein riechen konnte. »Und was immer Sie da ermitteln, ist mir im Moment völlig egal.«

Winter steckte ihren Ausweis wieder ein und verschränkte die Arme. Mit diesem Bharat Sarif würde sie ein paar deutliche Worte austauschen, dass er ihr so einen Proleten empfohlen hatte. Er ähnelte tatsächlich ihrem Vater in jener Zeit, als die Familie seinetwegen zerbrach und er aus ihrem Leben verschwand. Der Mann, der vor ihr stand, glich ihrem Vater nicht nur nach seinem Aussehen, wie schon vom Foto aus dem Dossier, auch die Ausstrahlung, wenn auch etwas abgelebter, diese etwas übermächtige Erscheinung, die nach außen sehr gelassene und sehr selbstsichere Fassade. Aber vielleicht sah sie Feg auch nur so, weil er so abweisend war. In Wirklichkeit waren die Augen dunkler, die Gesichtszüge härter. Es war wohl die Aura, die ihm umgab. Wie mochte ihr Vater jetzt aussehen? Egal, dachte Winter. Am Ende war es nur eine Projektion, eine schmerzliche Erinnerung an einen Mann, den sie abgöttisch geliebt hatte, bis die Illusion der heilen Familie erloschen war. Der Geruch von Alkohol und Zigaretten, der von Feg ausging, verstärkte ihre Abwehr. »Sie sollten sich den Fall erst mal anhören, denke ich. Außerdem könnte Ihre Mitarbeit durchaus einen guten Eindruck bei Ihrem Arbeitgeber hinterlassen.«

Feg vermied jede Reaktion. Hatte man beim BND etwa über seine Lage geplaudert? Er fand es inakzeptabel, vor einer fremden Person zu stehen, dazu noch vor so einer Schnepfe in unmöglichen Klamotten, und aus dem Nichts mit etwas konfrontiert zu werden, dessen Hintergrund überhaupt nicht geklärt war, und zwar geklärt in seinem Sinne. Wie konnte man seine Autorität so untergraben! Oder interpretierte er diese Anspielung falsch? »Um meine Zeit nicht zu vergeuden, kommen Sie rein. Ich gebe Ihnen zehn Minuten!«, sagte er barsch.

Winter betrat den Flur. Verwundert schaute sie sich um.

»Sie haben ja einen außergewöhnlichen Geschmack!«

»Sie auch. Hier entlang.« Feg deutete auf den Weg zur Küche, während er sie von oben bis unten musterte. »Ich bin hier nur zu Gast. Also, was wollen Sie mir zeigen?«

»Ich habe Ihre Akte gelesen. Abgesehen von Ihrem Wissen in Sachen Algotrading, Handelssysteme und Börse, verfügen Sie über umfangreiche Kenntnisse der politischen Zusammenhänge, wie soll ich es zusammenfassen …«

»… des Geldsystems? Warum die Welt den Bach runtergeht? Ja, vielleicht, aber ich hab schon lange die Schnauze voll davon. Kommen Sie zur Sache.«

Winter wusste nicht, ob es einfach nur dumme Arroganz war, die diesen Mann so frech und unfreundlich machte. Er wirkte zugleich angespannt und nervös. Sie beschloss, sein Verhalten nicht persönlich zu nehmen, und fuhr fort. »Wir haben in London bei einem Wertpapierbetrüger, der ermordet wurde, Daten und ein komplexes Handelssystem gefunden, und …«

»Jetzt ahne ich schon, wie Sie auf mich gekommen sind, Schätzchen. Vergessen Sie es, ich kann Ihnen da nicht weiterhelfen.«

Feg genoss die augenscheinliche Unsicherheit dieser Beamtin. Sie hatte offenbar nicht den Funken einer Ahnung, dass man sich unter den Big Five, den fünf westlichen Geheimdiensten, bestens kannte. Nichts bedrohte die Weltwirtschaft mehr, als ein erfolgreicher Angriff auf die Weltbörsen, und die wenigen Experten, die sowohl Kenntnisse über die wirtschaftspolitischen Vorgänge, die Komplexität der Börsen und ihre vernetzten Systeme hatten und obendrein auch über die Hintergründe des Finanzsystems, kannten sich untereinander nur zu gut. Die Zahl derer, die ihn hätten empfehlen können, war an einer Hand abzuzählen.

»Hören Sie, wenn ich schon Ihr Schätzchen bin, dann können Sie mir doch den Gefallen tun und zuhören, oder?«

Feg lachte laut auf, um im nächsten Moment wieder seine Gesichtszüge zu glätten. Wenn er dieser jungen Frau auch nicht viel Erfahrung zutraute, gefiel es ihm doch, dass sie zumindest nicht auf den Mund gefallen war. Und ihr englischer Akzent hatte irgendwie was. Er hob beide Hände. »Oh, verzeihen Sie, ist nicht mein Tag, also nur weiter!«

»Bisher konnten wir neben einigen E-Mails vor allem einen Handelsalgorithmus finden, dessen Programmierung zwar nicht vollständig ist, aber anscheinend von extremer Komplexität.«

Fegs Interesse erwachte. In der Küche angekommen, rückte er ihr einen der Stühle zurecht und setzte sich dann selbst, das Weinglas griffbereit. Hier zeichnete sich etwas ab, das ihm vielleicht doch noch den Tag versüßen könnte.

Rebecca Winter warf ihren Wollmantel über die Stuhllehne und setzte sich. Sie erklärte, dass man nicht wisse, ob man Denvers Tod in die Serie von toten Bankern und Managern einordnen müsse, die sich zum Teil durch nicht eindeutige Selbstmorde verabschiedet hätten, und dass man derzeit noch mögliche Verbindungen prüfe. »Wie auch immer, in Cheltenham sagte man mir, dass Sie der Richtige wären, die Daten zu deuten.«

Feg überlegte. Er hatte von dieser mysteriösen Selbstmordserie unter Bankern nur beiläufig gehört, schob sie aber auf einen völlig anderen Umstand. »Wenn Sie meine Meinung wissen wollen: Ich glaube nicht, dass diese Leute umgebracht worden sind, weil sie vielleicht zu viel wussten. Das hätte man auch niemals so schnell hintereinander durchgezogen. Reine Verschwörungstheorien! Diese Leute haben Milliarden verzockt, Boni bis zum Umfallen eingestrichen und standen am Pranger, auch vor ihren Familien und Freunden, und zwar zu recht. Nicht jeder ist dem gewachsen, wenn er ständig beschimpft und verachtet wird. Also lassen wir das mal beiseite. Was haben Sie Konkretes?«

Winter wollte dieser Theorie, die sie durchaus nachvollziehen konnte, nicht folgen, bevor Allington und ihr Team dies bestätigten. Es missfiel ihr, wie selbstgerecht und abgeklärt dieser Mann ihre Annahmen einfach in der Tonne versenkte.

»Als Mitarbeiter eines Geheimdienstes sollten Sie doch wissen, wie es möglich ist, jemanden umzubringen und es als Selbstmord erscheinen zu lassen«, sagte sie mit ruhiger Stimme. »Die Presse greift diese Theorie übrigens inzwischen auch auf.«

»Aha, ha, ha. Was denken Sie? Ich bin nicht James Bond oder die CIA. Ich arbeite in der Cyberabwehr, und vorstellen kann ich mir viel. Aber über die wahren Hintergründe und das Ausmaß der Krise weiß kein einziger Journalist wirklich Bescheid. Und was haben Sie nun über die Daten und diesen Wertpapierbetrüger?« Feg schaute sie neugierig an und langte nach seinem Weinglas, hielt aber inne. »Möchten Sie was trinken?«

»Äh, ja, ein Wasser, wenn Sie so was dahaben. Der Mann heißt übrigens Jarod Denver. Also, das alles wäre nicht so problematisch, wenn nicht auch noch ein Mann, ein ehemaliger Mitarbeiter von Goldman Sachs, den Denver am Abend seines Todes treffen wollte, spurlos verschwunden wäre und er Kontakte zu zentralen Persönlichkeiten auf der ganzen Welt gehabt hätte, wobei wir die Inhalte der Mails noch nicht analysieren konnten. Aber sehen Sie selbst!«

Feg blickte Winter ruhig an, reichte ihr ein Glas Wasser, setzte sich wieder und schenkte sich selbst Wein nach.

Mit gerunzelter Stirn reichte sie ihm eine Akte. Er blätterte die Seiten durch und stieß auf das Foto von Denver, das ihm nichts sagte, aber Jack Coldwyne war ihm ein vager Begriff, was er verschwieg. Soweit er sich erinnern konnte, hatten die Goldmans ihn gefeuert, weil er ihnen ins Nest gepisst und Journalisten geholfen hatte, mehr über die Rolle der Bank bei der Manipulation der griechischen Bilanzen vor dem Beitritt zur EU herauszufinden. Immerhin eine Bedrohung für den Leiter der Europäischen Zentralbank und, noch viel wichtiger, Coldwyne hatte der US-Börsenaufsicht gesteckt, dass Goldman Sachs mit einem illegalen Handelssystem arbeitete oder zumindest gearbeitet hatte. Vielleicht ist da noch mehr dran, ging es Feg durch den Kopf.

»Woher können Sie so gut Deutsch?«, fragte er, während er sich seelenruhig die weiteren Ermittlungsergebnisse anschaute.

»Ich habe eine Zeit lang in Hamburg studiert.«

Diese Frage und ihre Anwesenheit in Hamburg spülten plötzlich Erinnerungen hoch. Für einen Moment sehnte sie sich zurück in ihre alte Wohngemeinschaft hier in der Stadt, zu ihren Freundinnen Tatjana und Valerie. Nach der Trennung ihrer Eltern war für sie eine Welt zusammengebrochen, die der Vater nach seinen Vorstellungen aufgebaut und dann durch seine Gier nach Geld, frischem Sex und seine Sucht nach Anerkennung wieder zerstört hatte. Damit war sie jedoch nicht allein, auch die beiden Freundinnen kamen aus Familien, die nicht mehr intakt waren. Mit ihnen hatte sie ein paar unbeschwerte Jahre erlebt, sie hatten immer zusammengehalten. Typen hatten selten eine Rolle gespielt und schon gar nicht solche, die glaubten, sie könnten ihnen mit dicken Autos und einem tollen Job imponieren. Shopping und materielle Sicherheit waren ihnen egal gewesen. Im Gegenteil. Ihr knappes Geld hatten sie lieber für Kultur ausgegeben, ihre Kleidung untereinander getauscht und wenn, kauften sie im Secondhandshop. Yoga und Meditation waren wichtiger gewesen als Partys und Drogen. Irgendwie war ihr Leben leicht und fröhlich gewesen, doch kaum war das Studium zu Ende, ging die Gemeinschaft auseinander. Tatjana hatte sich mit einer Yogaschule selbstständig gemacht und Valerie sich in einen Landwirt verliebt. Beide hatten ihr Glück gefunden und waren ihren zerrütteten Elternhäusern erfolgreich entflohen. Das hatte Rebecca Winter auch geschafft, doch Beziehungen und Nähe waren eher eine Bedrohung geblieben. Zwei Beziehungen hatten gezeigt, dass sie nicht mehr in der Lage war, ihr Herz zu öffnen, der kleinste Vertrauensbruch spülte die alten Erinnerungen an den Vater hoch. Anders als in ihrem Job trat sie bei Konflikten in ihren Beziehungen die Flucht an. Erwartungen jeglicher Art schnürten ihr regelrecht den Hals zu.

Fegs nächste Frage riss sie aus der Erinnerung.

»Sagen Sie mir, wie dieser Denver ermordet wurde.«

»Man hat ihn wohl erst zusammengeschlagen und dann erhängt.«

»Es gibt übrigens meines Wissens bei dieser Selbstmordserie keinen einzigen wirklichen Hinweis auf vorgetäuschte Freitode. Vielleicht geht es in Ihrem Fall wirklich nur um ein illegales Handelssystem?«

Winter stöhnte auf. Wenn dem so wäre, brauchte sie umso dringender Fegs Kompetenzen – bei aller Antipathie, aber Sarif hatte ihr diesen Mann nicht umsonst empfohlen. »Ich möchte, dass Sie uns zumindest helfen, dieses Programm zu analysieren, Daten und Kontakte Denvers einzuordnen, die wir gerade entschlüsseln. Ich befürchte, dass dies nicht der letzte Mord sein könnte«, sagte Winter, nippte kurz an dem Wasser. »Ich brauche mehr Klarheit über die Motive und die Brisanz der Informationen.«

Feg stütze seinen Kopf auf dem Tisch ab und verharrte in Schweigen. Er blickte in den Garten, sah im Spiegelbild des Fensters, wie Winter eifrig in Papieren wühlte, und spürte eine tiefe Müdigkeit. Er konnte solchen idealistischen Ermittlern nicht mehr viel abgewinnen. Aber die Art und Weise, wie sich Winter bewegte, ihre Gestik, ihre Ausstrahlung reizten ihn. Trotz ihrer merkwürdig bunten Klamotten, die unter dem Wollmantel ans Licht gekommen waren, war sie eigentlich nicht unattraktiv. Feg setzte sich, kippte den Wein hinunter, zog die Akte von Jarod Denver nochmals zu sich und blätterte darin.

»So, wie es aussieht, war Ihr Mann nichts weiter als einer der Säcke, die mit klassischem Insiderhandel ein Vermögen machen wollen, aber um das zu durchschauen, brauchen Sie mich nicht. Und ich habe auch keine Zeit, mich damit zu beschäftigen.«

Winter schaute auf die kräftigen Hände ihres Gegenübers. Sein Blick hatte etwas Undurchdringliches. Sicher würde es Frauen geben, die von seinen dunklen Augen, dem leicht grau melierten Haar und seinem provokanten, herablassenden Lächeln beeindruckt waren. Sie aber spürte eine wachsende innere Abwehr gegen diese gespielte Überlegenheit und Teilnahmslosigkeit. Das reichte ihr schon bei den Kollegen, die ihren Job machten, als würden sie nur noch auf die Rente warten. Bei diesem Exemplar von Mann kam allerdings noch etwas hinzu. Der Zynismus, den kannte sie von ihrem Vater. Sie blickte zu Feg, der sich inzwischen einen weiteren Wein eingeschenkt hatte. Die Vorstellung, so eine Testosteronbombe um Hilfe bitten zu müssen, war alles andere als erfreulich, aber am Ende auch nur eine Herausforderung.

Rebecca Winter beschloss, sich nicht aus der Ruhe bringen zu lassen. »Meine Kollegen vom Geheimdienst sagen, das sei nicht irgendein Code. Hinzu kommen Denvers Kontakte in die höchsten Kreise von IWF, Weltbank, Lobbyisten in

Brüssel und großen Hedgefonds. Es könnte dort auch um Erpressung gehen. Also, ich bin ermächtigt, Sie in dieser Ermittlung nach Unterzeichnung dieses Dokumentes als Berater zu engagieren.«

Angesichts der Kontakte, die dieser Jarod Denver in die höchsten Etagen haben sollte, juckte es Feg zwar in den Fingern, aber er hatte Zweifel, dass er zurzeit der Richtige wäre, um diesen Job zu machen. »Hören Sie, ich wiederhole mich ungern, aber meine Antwort ist Nein!«

Winter lächelte kühl.

»Es würde Ihre finanzielle Lage erheblich verbessern.«

»Wie zum Teufel …« Feg war kurz davor, aus der Haut zu fahren.

»Sie sind unter Spezialisten eben kein Unbekannter, und …«

Ihr Handy klingelte. »Robert? – Entschuldigen Sie mich für einen Moment«, sagte Winter zu Feg, ging in den Vorgarten und ließ die Haustür angelehnt. »Was gibt es?«

»Du wirst es nicht glauben, aber einer der Mitarbeiter der Weltbank, mit dem Denver regen Kontakt hatte, ist seit drei Wochen spurlos verschwunden.«

»Robert, was verdammt ist da los? Was ist mit den anderen Kontakten?«

»Noch nichts. Ich setz jetzt die ganze Abteilung in Bewegung. Wie sieht es bei dir aus?«

»Schwierig, der Kerl ist eine harte Nuss, aber ich glaube, ich habe gerade ein weiteres Argument in die Hand bekommen, um ihn zu überzeugen. Ich melde mich dann«, sagte Winter. Sie ging wieder ins Haus und berichtete Feg, der gerade den letzten Schluck Wein in einem Zug leerte, die Neuigkeit.

»Neben der fürstlichen Entlohnung appelliere ich an Ihr Verantwortungsbewusstsein«, sagte sie und reichte ihm das Dokument und einen Stift.

Feg lachte laut auf, sah sich die Geheimhaltungspflichten an und die Summe, die er für den Zeitraum der Ermittlung erwarten konnte. Merkwürdig war, dass man in Berlin damit offenbar kein Problem hatte.

»Mit dem Wort Verantwortung sollten Sie vorsichtig sein, das kann einen sehr einsam machen«, sagte er schließlich, legte das Schriftstück auf den Tisch und unterschrieb. »Und nun zeigen Sie mir die Daten.«

»Mach ich gerne, aber nur unter Aufsicht im Vereinigten Königreich!«

SIEBZEHN

VIER MEILEN VOR PORT HERCULE, 25. OKTOBER

Das kleine Motorboot näherte sich mit rasender Geschwindigkeit der *White Horizon*. Derek Simon hatte Mühe, sich festzuhalten und vor dem Sprühregen der Bugwellen zu schützen.

Es gab nicht viele Orte auf der Welt, wo eine 120-Meter-Jacht nicht sonderlich auffiel. Der Hafen Port Hercule in Monaco war einer davon. Hier lagen sie aneinandergereiht wie eine Perlenkette. Für den Hedgefondsmanager Dan Former der Platz, an dem er genügend Inspiration fand, um sich neuen Spekulationsobjekten und Ideen widmen zu können. Aber seit Monaten war er gezwungen, vier Meilen vor dem Hafen vor Anker zu liegen. Wäre da nicht diese Sache mit Jarod Denver, wäre der heutige Tag eine Erlösung für Former, wusste Simon, denn er hatte auch gute Nachrichten für ihn.

Ein muskulöser Steward in weißer Kleidung half Simon über die Messingbegrenzungen des schwimmenden Anwesens. Das Luxusbollwerk war streng bewacht, ein Dutzend Sicherheitsleute hielt sich im Hintergrund für den Fall der Fälle bereit. Auf dem Vorderdeck sah Simon einige nackte Frauen, die Former wohl als angemessenes Angebot für seine nicht selten vergnügungssüchtigen Gäste an Bord hatte, um den einen oder anderen Deal schneller einfädeln zu können. Leicht verstört blickte er wieder zu seinem Helfer.

»Kommen Sie schon. Sie werden erwartet«, sagte der Steward.

»Moment! Ihr Handy bitte«, mischte sich ein drahtiger Sicherheitsmann ein. Er reichte Simon einen weißen Beutel. »Ausgeschaltet. Brav! Sie denken mit.«

»Sparen Sie sich Ihre dummen Kommentare!«, maßregelte Simon diese aus seiner Sicht entschieden zu flapsige Bemerkung gegenüber einem Mann, der in Brüssel in den vergangenen zehn Jahren mehr für die Finanzindustrie getan hatte, als etliche Lobbyisten zusammen. Unter anderem war es ihm zu verdanken, dass die so oft angekündigten Finanzmarktreformen zulasten der übrigen Wirtschaft Jahre nach dem Lehman-Crash nicht auf den Weg gebracht worden waren. Allerdings hatte er die Konsequenzen seines Handelns unterschätzt. Lascaut und einige Rebellen in Privatbanken hatten auch ihm die Augen geöffnet und ihm das gigantische Netzwerk der Finanzindustrie, ihren Machthunger, wirklich klargemacht. Dennoch war es keine leichte Entscheidung, seine lukrative Lobbyarbeit für Europas Banken zu beenden. Und egal, für wen er seine Leistungen auch immer erbrachte, es war ihm der nötige Respekt zu zollen.

Er blickte in Richtung des Empfangssalons. Er kannte das Schiff von etlichen Besuchen, bei denen er immer wieder Debatten mit Former über die Zukunft des Geldsystems geführt hatte. Neben dem Saal gab es eine Cocktailbar und eine eigene Krankenstation. Auf dem Vorderdeck befanden sich ein imposanter Pool und ein Whirlpool, darunter eine Sauna mit Massagesesseln und Masseuren, die sich in der Regel rund um die Uhr zur Verfügung hielten. Die Jacht glich einer Festung, mit zahlreichen Abwehrmöglichkeiten gegen Paparazzi oder Angreifer. Aber vor allem bot sie viele Annehmlichkeiten. Die Gäste konnten sich auf Motorbooten und Jet-Skis vergnügen und zur Anreise auf einem Hubschrauberplatz landen. In den Kabinen war Platz für mehr als 50 Gäste. Neben der Saunalandschaft gab es ein Kino, das auch als Konzertsaal diente. Es arbeiteten ständig rund 60 Leute an Bord, um Former und seine oft geheimen Gäste diskret zu bedienen, darunter Köche, Kellner, ein Arzt, Computerexperten, Handwerker und nicht zuletzt Escortgirls.

Aber der eigentliche Grund, warum er kaum noch an Land lebte, war für Dan Former, dass er vor der Küste der glücklichste Mensch war. Das hatte er Simon bei ihrer ersten Begegnung versichert. Keiner belästige ihn und er müsse nicht, wie in seiner Villa an Land, Angst vor Neidern und Einbrechern haben. Dass er seit geraumer Zeit auch befürchten musste, von den Ermittlungsbehörden festgesetzt zu werden, sobald er Land betrat, verdrängte er lieber und genoss die Zeit in seiner maritimen Parallelwelt.

Simon betrat den Empfangssalon. Neben dem Eingang hatte sich ein stämmiger Steward platziert, ein weiterer verließ gerade den Saal. Der Raum wurde dominiert von einem massiven Mahagonitisch, in dessen Mitte ein Messingkompass eingelassen war, nur eine Flasche Sekt, ein paar Gläser, eines halb gefüllt, und ein weißer Briefumschlag waren auf dem Tisch, um den sich wuchtige weiße Ledersofas gruppierten, die auf schwerem dunkelblauem Teppichboden platziert waren. An den Wänden standen Schränke im Kolonialstil, weiter hinter im Raum befand sich ein massiver Schreibtisch mit Formers Rechnern und Zugang zu allen relavanten Börsen der Welt.

Former zog sich gerade vor einem der Ledersofas stehend einen weißen Pullover über. Es roch nach Sonnencreme. Simon wusste nicht viel über ihn, aber der Hedgefondsmanager war lange ein Star der New Yorker Börse gewesen. Der ehemalige Absolvent der London School of Economics war für Simon schwer einzuschätzen. Mit beeindruckender Geschwindigkeit hatte er sich nach Ausbruch der Finanzkrise 2008 und ersten Ermittlungen gegen seinen Fonds der neuen Situation angepasst. Er verlasse sich dabei nur auf seinen Instinkt, hatte er Simon gesagt, aber die Zeit der Spiele sei vorbei. Was er damit wirklich meinte, behielt der begnadete Spekulant für sich.

Verändert schien er sich jedenfalls nicht zu haben, dachte Simon, Dan Former war dafür bekannt, weder Gesetze noch Partner zu respektieren, so es denn solche überhaupt gab. Nur mit diesem Lascaut schien ihn so etwas wie eine vertraute Freundschaft zu verbinden. Egal, was geschah – er strahlte stets eine merkwürdige Ruhe aus, die fast an Teilnahmslosigkeit grenzte. In einem ersten Gespräch vor bald einem Jahr, als Lascaut ihn zur Verteidigung seines Freundes angeworben hatte, hatte Former ihm seine Regeln gepredigt. Die gewöhnlichen Gefühle der Spieler an den internationalen Börsen wie Angst, Panik oder Gier könnte er sich nicht leisten. Er hielt den größten Teil der Menschen für eine Herde Schafe, die man mit der Spieltheorie des Kalten Krieges leicht berechnen konnte. Natürlich waren es Militärstrategen, die sich dieser Theorie bedienten, um den nächsten Schritt des Gegners berechnen zu können. Für ihn war es ein Segen, dass man diese Theorie des maximalen Nutzens, nach der jeder nur handelt, in die Wirtschaft übertragen hatte und er ein Teil jener Elite war, deren Macht sich immer durch persönliches Vermögen ausdrückte. Doch heutzutage machten sich auf dem Schachbrett Leute zu schaffen, die dort nichts zu suchen hatten, die nur noch in

Algorithmen und Millisekunden, die sie schneller waren als die Konkurrenz, dachten, um schnell Kasse zu machen, ohne wirklich etwas geleistet zu haben.

»Was haben Sie erreicht?«, begrüßte Former den Anwalt und bedeutete Simon mit einer Geste, auf dem Sofa Platz zu nehmen.

»Scotland Yard und ein Experte vom Bundesnachrichtendienst ermitteln. Es gibt bisher keine heiße Spur, wer Denver umgebracht haben könnte … außer, nun ja …«

Former drehte sich um und blickte durchs Fenster zu den Mädchen draußen aufs Deck, die gerade ihre Silikonbrüste mit Öl einschmierten. Er wusste, dass er nun erneut in den Fokus von Ermittlungen rücken würde. »Derek, ich bezahle Sie verdammt gut. Und ich erwarte von Ihnen, dass Sie dafür sorgen, dass man mich nicht einmal im Ansatz damit in Verbindung bringt! Auch wenn ich nicht sagen kann, dass ich über diesen Tod besonders unglücklich bin. Dieser Drecksack. Aber damit sollte der Spuk ein Ende haben.«

»Das mit dem Ende ist nicht sicher«, sagte Simon, lehnte sich tiefer ins Sofa und schlug die Beine übereinander. »Wir wissen nicht, wie weit er seine Drohungen, Sie zu belasten, hätte umsetzen können. Ich muss mehr über Ihre Beziehung zu Denver wissen und warum Sie ihm so lange geholfen haben, nicht gefunden zu werden. Immerhin war das der Deal: Ich verteidige ihn und Sie entlohnen ihn fürstlich dafür, dass er eine überschaubare Zeit ins Gefängnis wandert.«

Former beugte sich vor, nahm das Glas Sekt in die Hand und drehte es hin und her. Er stellte es wieder ab, nahm ein zweites Glas, schenkte ein und reichte es Simon. »Hier, nehmen Sie. Woher wissen Sie von seinen Drohungen?«

»Verraten Sie mir den Algorithmus Ihrer Handelsstrategie?«, fragte der Anwalt unvermittelt.

Former hob den Zeigefinger in Richtung Simon, schwenkte ihn warnend hin und her, begann schallend zu lachen und trank sein Glas in einem Zug aus. Die schnellen Ergebnisse von Simons Intervention, seine Beziehungen zu den Behörden beeindruckten ihn dennoch, sicher könnte Lascaut damit etwas anfangen.

»Ich habe immerhin noch eine gute Nachricht. Die SEC lässt sich in den nächsten Tagen auf den Deal mit Ihnen ein, damit Sie mal wieder an Land können«, sagte Simon und lächelte.

»Was hat Scotland Yard bei Denver gefunden?«

»Offenbar etwas, das so viel Aufmerksamkeit erfordert, dass man einen Experten für Cyberabwehr aus Deutschland hinzugezogen hat, und alles liegt nun beim Geheimdienst zur Auswertung.« Simon glättete seinen Schnäuzer. »Sie müssen sich doch keine Sorgen machen, wenn Sie Ihre Finger nicht im Spiel hatten«, setzte er hinzu.

Das war das Letzte, was Former gebrauchen konnte. Es war also tatsächlich nur noch eine Frage der Zeit, bis gegen ihn weitere Verdachtsmomente auftauchen könnten. Er versuchte, ruhig zu bleiben, und griff nach seinem bereits geleerten Sektglas. Das alles ging diesen blässlichen Schnurrbartträger überhaupt nichts an. Sein Job war, ihn bei der SEC rauszuhauen, und das war gelungen.

»Sind Sie eigentlich mein Anwalt oder mein Ankläger? Ich wollte von Ihnen nur eine Einschätzung, ob Denver irgendeinen Blödsinn verzapft hat, der mir wieder gefährlich werden könnte, alles andere hat Sie nicht zu kümmern.«

»Ich wäre kein guter Anwalt, wenn ich nicht auch ein guter Ankläger wäre!«, entgegnete Simon.

Vor allem bist du ein kleines arrogantes Arschloch, dachte Former insgeheim. Er hatte nie wirkliches Vertrauen zu Simon gewonnen, obwohl er beste Zeugnisse und Referenzen vorweisen konnte. Ja, seine im Vergleich zu den Giganten kleine Kanzlei, hatte Bemerkenswertes erreicht, zahlreiche ehrenwerte Manager vor dem sicheren Gefängnis bewahrt. Seit seinem Seitenwechsel fürchteten nun die, denen er zuvor geholfen hatte, seine Expertisen vor Gericht oder den Behörden. Doch selbst Lascaut hatte in der letzten Zeit Zweifel an Simons Qualitäten. Trotz dessen Erfolgen hatte Lascaut den Eindruck, irgendwas an Simon wäre nicht mehr stimmig, er erschien nicht mehr engagiert und loyal genug. Dass ein Mann wie Denver einfach umgebracht wurde, und das in einer so brisanten Phase, in der es darum ging, das Vertrauen zu wichtigen *Herren* nicht zu beschädigen, war ein Albtraum. Aber Simon tat so, als hätte er alles im Griff. Former hatte nicht das Gefühl, dass er mit offenen Karten spielen konnte. Wusste der Anwalt vielleicht mehr als er? Am Morgen hatte ihn die Nachricht von Naravan erreicht, er solle in diesen Chat gehen und ihm helfen. Wusste Simon davon etwas, gar, wo der Programmierer abgetaucht war?

»Was ist mit Naravan?«, erkundigte sich Former scharf.

»Ich habe keine Ahnung, vermutlich hat er es mit der Angst zu tun bekommen. Den Rest müssen Sie Lascaut fragen«, sagte Simon und stellte sein Glas wieder auf den Tisch.

»Okay, hab schon verstanden. Dort in dem Umschlag liegt Ihr Geld. Ich brauche Sie nicht mehr. Danke für alles!«

Simon schaute völlig entgeistert. »Was soll das heißen?«

»Lassen Sie Scotland Yard doch ermitteln. Das spart uns eine Menge Arbeit. Der Rest erledigt sich vielleicht von selbst. Es ist eh zu spät.« Former lehnte sich in seinem Sofa zurück.

»Aber …«

»Machen Sie es gut, Derek! Es ist in Ordnung so. Sie haben nichts zu befürchten. Ich habe zwei weitere Anwälte an Bord, sollte es zu weiteren Turbulenzen kommen. Genießen Sie Ihr Leben, bevor es zu spät ist. Ich weiß, was ich sage.«

Mit einem Handzeichen winkte Former einen der Stewards, der sich diskret am Ausgang postiert hatte, heran. »Bringen Sie Mr Simon wieder an Land.«

Derek Simon schaute auf den Umschlag. Er fand es stillos, ja herblassend, so seine letzten Honorare beglichen zu bekommen, aber er nahm das Geld.

»Wenn Sie wieder mal meine Dienste brauchen – immer gern. Alles Gute.« Simon drehte sich um, ging hinaus und wagte einen letzten Blick zu den Nackten Richtung Pool. Eins der Mädchen zwinkerte ihm herablassend zu.

Ihr fühlt euch immer noch zu sicher, dachte Simon und kletterte ungelenk hinunter ins Boot, das ihn zurück an Land bringen würde. Ich werde nicht zusehen, wie ihr und diese *Herren* glauben, mich verarschen zu können. Was denkt ihr, wer ihr seid!

Dan Former nahm sein vergoldetes Smartphone und tippte auf eine Funktion zur Verschlüsselung. »Patrice. Wir haben ernstere Probleme, als ich befürchtet hatte. Treffen wir uns wie gewohnt.«

Am anderen Ende der Leitung war es kurz still.

»Warte ab, Dan! Ich kümmere mich darum. Ich hab von Simon alles bekommen, was ich brauche. Behalt jetzt bloß die Nerven. Ich habe gute Kontakte.«

»Ich fürchte, genau Simon könnte ein Problem werden.«

»Ach, Quatsch. Bleib ruhig!«

Former legte das Handy auf den Tisch und starrte hinaus auf das Meer.

ACHTZEHN

CHELTENHAM, 26. OKTOBER

Erik Feg hatte es nicht lassen können, am Abend vor dem Abflug nach London wieder zwei Flaschen Rotwein zu trinken. Es war sein nie endendes Ritual, sich zu betäuben, wenn in regelmäßigen Abständen die Schmerzen emporkrochen, sich die letzten Bilder jener Frau wie in einer endlosen Schleife ihren Weg vor sein inneres Auge bahnten, von der er glaubte, einmal in seinem Leben so was wie Liebe erfahren zu haben. Er hatte nie verstanden, warum sie nach fünf Jahren von einer Nacht auf die andere einfach verschwunden war. Monatelang hatte er versucht, sie auszumachen, hatte im Netz nach irgendwelchen Spuren recherchiert, die auf ihren Verbleib schließen ließen. Er hatte es einfach nicht so stehen lassen können. Was für ein Vertrauensbruch – kaum zu ertragen, wie ein Messerstich! Jemanden wie Alice ohne Abschied, ohne eine Erklärung zu verlieren, war zu viel gewesen.

Die erste Zeit nach ihrem Verschwinden war geprägt gewesen von einem permanenten, fast panischen Gefühl der Einsamkeit, ein ständig lähmendes Ziehen in Muskeln und Nerven, eine innere Unruhe, die ihm den Schlaf raubte. Niemand in seinem Umfeld hatte gewusst, was ihn so fertig machte. Nur Susanne Wagner hatte er nichts vormachen können, nur bei ihr fand er ein wenig Trost, auch wenn er sie wegen Alice genauso gemieden hatte wie das ganze Milieu, in dem er sich bewegt hatte, bevor Alice in sein Leben getreten war.

Auf einem Jazzkonzert in der Hamburger *Fabrik* hatte er ihre Blicke erhascht, es war einer seiner seltenen nüchternen Abende gewesen, und beim Anblick dieser zarten und doch so starken Frau hatte er sich seltsam schüchtern gefühlt. Nach einer Stunde hatte er sich ein Herz gefasst und sie angesprochen. Alice und er hatten sich nach dem Abend fast täglich getroffen, wenige Wochen später hatte sie mit vollen Koffern vor der Tür gestanden und war eingezogen. Alice hatte ihm die Kraft gegeben, sein exzessives Leben in ruhigere Bahnen zu lenken, und Wagner hatte das sogar begrüßt.

Nach Alices Abgang begann sein Leben in einem skurrilen Rhythmus zu verlaufen. Während er tagsüber funktionierte und sich mit seiner Arbeit, seinem anerkannten Wissen zu schützen wusste, dadurch Erfolge hatte, wurde jeder Abend, an dem er allein im Hotel oder in seiner Berliner Wohnung saß, zu einem Verdrängungsprozess mit Alkohol und Drogen. Bis zum nächsten Morgen war dann Ruhe, doch der Preis am jeweils folgenden Tag waren zitternde Hände und eine Benommenheit, die erst bis zum Mittag etwas verflog. Das Aufwachen war in diesen Tagen eine bohrende Qual, die letzten Stunden des Abends wie in einem Nebel verschwunden. Irgendwann war der Schmerz der Trennung vorüber, aber das Loch, die Einsamkeit wollten nicht weichen, das Ritual der Betäubung begann seinen robusten Körper immer mehr zu schwächen.

Schließlich hatte Erik Feg nach zwei Jahren herausgefunden, dass Alice in Mexiko als Korrespondentin für die spanische Zeitung *El Mundo* arbeitete. Doch jeder Versuch, mit ihr Kontakt aufzunehmen, scheiterte. Selbst eine Reise nach Mexiko-Stadt war erfolglos, da sie zu der Zeit in Afrika unterwegs war. Es war, als hätte sie einen Bannkreis um sich gelegt. Schließlich hatte er wenigstens ihre Freundin Isabel ausfindig machen können. Ihr hatte Alice den Grund ihres Verschwindens anvertraut. Sie hatte eines Tages ein Päckchen Kokain in seiner Schreibtischschublade gefunden. Da Feg seine seltener gewordenen Exzesse immer gut vor ihr verborgen gehalten hatte, war sie aus allen Wolken gefallen. Ohne sich etwas anmerken zu lassen, hatte Alice eine weitere Dienstreise von Feg abgewartet und war ohne Abschied zu nehmen zu Isabel nach Kopenhagen geflohen. Isabel bedauerte Feg und erklärte, dass Alices Bruder sich mit dem Gift umgebracht habe und ihre Freundin deshalb jedes Vertrauen in Feg verloren hatte.

Seit dieser Zeit hatte auch in Fegs Leben vieles an Bedeutung verloren. Hätte sie ihn gebeten aufzuhören, wenigstens versucht ihn vor die Wahl zu stellen – doch nichts davon.

Feg beobachtete, wie Rebecca Winter bis kurz vor der Landung auf dem Londoner Flughafen Heathrow am Laptop Dutzende Dokumente durchforstete, immer wieder mit den Beinen auf und ab wippte, zuweilen angestrengt nachdenkend in die Wolken starrte, und nach einem leisen Schnaufen weiterlas. Irgendwie umgab diese Frau eine merkwürdige Aura, eine Unnahbarkeit und Selbstsicherheit, die ihn reizte und an Alice denken ließ, die ihn lehrte, dass Vertrauen nur ein Risikofaktor ist und Liebe eine schöne, schmerzhafte Illusion.

Vor dem Abflug hatte er sich einige Ergebnisse der bisherigen Ermittlungen angesehen. Jarod Denvers Versuche, sich Handelsstrategien der großen Player oder auch kompromittierende Informationen zu beschaffen, war auf dem ersten Blick von Gier und dem Wunsch getrieben, aus seiner prekären Lage herauszukommen, stattdessen hatte er sie erheblich verschlimmert und war den falschen Leuten auf die Füße getreten. Winter hatte ihn während des Fluges bereits mit etlichen Theorien über mögliche Motive, Denver umzubringen, bombardiert. Darunter mit der Annahme, Denver könnte mit dem Material versucht haben, gleich mehrere Player zu erpressen. Erik Feg konnte sich beim besten Willen nicht vorstellen, dass so eine Niete irgendetwas in der Hand haben könnte, das Menschen bei der Weltbank, an der Wall Street oder in Canary Wharf auch nur im Ansatz Kopfschmerzen bereiten könnte. Was die Korruption und Ursachen der Finanzkrise betrafen, war die Öffentlichkeit selbst mit dem Schlimmsten nicht mehr zu überraschen. Da war kein Potenzial mehr für Erpressungen.

Typisch Polizeiermittlungen, dachte Feg, bei denen man allen Spuren nachjagte, selbst wenn offensichtlich war, dass dabei am Schluss nichts rauskommen würde, weil man nicht den Blick für das große Ganze öffnete. Und selbst wenn, die großen Kaliber wussten sich sicher zu schützen und ihre Spuren zu beseitigen.

»Dumme Zufälle«, murmelte Feg.

Rebecca Winter schrak auf, so vertieft war sie in die Dokumente auf ihrem Laptop gewesen.

»Alles sicher nur dumme Zufälle. Denver hat kaum was in der Hand, was für Erpressungen wirklich geeignet ist. Sie jagen ein Gespenst! Das sind doch bisher alles nur vage Theorien«, wiederholte Feg.

»Warten Sie doch erst mal die Sichtung der Daten ab, und wenn dem so ist, können Sie ja morgen wieder in ihre entzückende Wahlheimat zurückkehren und im Schnaps ersaufen«, sagte Winter und zog einen Müsliriegel aus ihrer Manteltasche.

Feg verkniff sich eine Antwort. Doch am liebsten hätte er ihr gesagt: Geh nach Hause und genieß das Leben. Es ist zu kurz, um seine Zeit mit dem Versuch zu verschwenden, die Regeln im globalen Casino zu verändern. Vieles in der Welt des großen Geldes spielt sich im Dunkeln ab und bleibt geheimnisumwittert, bis es zum Knall kommt. All die Ereignisse, die unsere Volkswirtschaften bis ins Mark getroffen hatten. Und während die Politik darüber nachdachte, wie man die Banken besser kontrollieren könnte, stellten diese noch mitten in der Krise mit dem Hochfrequenzhandel längst die nächsten Geschütze auf, die das System noch riskanter machten.

Immerhin konnte er der Reise nach London doch eines abgewinnen: den Besuch der Zentrale des britischen Geheimdienstes. Sicher würde er dem einen oder anderen Kollegen wieder über den Weg laufen, mit denen er noch vor einer Woche in New York die Börse abgesichert hatte.

Kurz nach der Landung in Heathrow telefonierte Winter und ließ Feg einige Meter entfernt vor einem Zeitungsstand warten. Feg wunderte sich erneut über ihren Kleidungsstil, dem Gesicht nach zu urteilen müsste sie schlanker sein, als sie unter diesen Lappen aussah. Warum verhüllte sich jemand so, noch dazu im jungen Alter?

»Okay! Ich muss noch mal nach Hause und meinen Wagen holen. Kommen Sie«, sagte Winter und zeigte auf das Underground-Schild.

»Wieso nehmen wir kein Taxi?«

»Wenn Sie es unbedingt zahlen wollen, einmal durch die ganze Stadt zu fahren, etwa anderthalb Stunden, bitte, nur zu!«

Feg willigte widerstrebend ein, er hasste öffentliche Verkehrsmittel, ihre Enge und die Ausdünstungen von Menschenmassen. Die Londoner Underground war bekannt für ihr Gedränge, aber der Autoverkehr wäre in der Tat noch nervenaufreibender gewesen.

Nach einer guten Stunde waren sie in der Saltwell Street angekommen. Während der Fahrt hatten sie kein Wort gewechselt, Feg hatte Rebecca Winter aufmerksam beobachtet. Sie wirkte rastlos, kaute an ihren Nägeln, blickte aus dem Fenster, mied jeden Blickkontakt mit anderen Fahrgästen.

Eine merkwürdige Frau bist du, und doch hast du irgendwas Warmherziges an dir, dachte Feg. Wer oder was ist dir über die Seele gelaufen?

Vor dem Haus angekommen, deutete Winter auf ihren Mini. »Sie warten bitte hier. Ich bin gleich wieder zurück!«

Kopfschüttelnd lehnte er sich an den Wagen und zündete sich eine Zigarette an, während Winter im Haus verschwand. Ihre Wohnung hätte er schon gern gesehen.

Eine zierliche alte Dame mit zwei Einkaufstaschen überquerte vor sich hinschimpfend die Straße. »Verfluchte Banken, rücken kein Geld raus, nur weil meine Rente noch nicht da ist. Dabei wissen die doch genau, dass in ein paar Tagen wieder was auf dem Konto ist!«

Eigentlich beobachtete Feg die Szene relativ gleichgültig. Als die alte Dame aber ihre Taschen abstellte, um das Gartentor neben Winters Wohnung zu öffnen, gab er sich einen Ruck und ging zu ihr. »Kommen Sie, ich helfe Ihnen!«, sprach er sie auf Englisch an.

»Das ist aber freundlich, dass Sie mir helfen wollen. Sie kommen wohl nicht von hier. Ich habe Sie hier noch nie gesehen. Ihr Englisch ist ja fürchterlich!«, krächzte die Dame.

»Äh, ich warte auf Ihre Nachbarin, Ms Winter.«

Die Alte musterte ihn, als würde sie einen Gebrauchtwagen begutachten, während er ihr die Taschen die Treppe hoch und vor die Tür trug. »Sind Sie ihr Freund?«

»Nein, nur ein Kollege.«

»Ein Kollege? Aus Deutschland? Oder klingen Sie nur so? Vom Aussehen her würde ich da ja jetzt nicht drauf kommen.«

Die Neugier schien sie jetzt richtig zu ergreifen, und er hatte eigentlich keine Lust, etwas über sich preiszugeben, aber vielleicht würde er so etwas über seine neue Kollegin erfahren. Doch bevor er ihre Frage beantworten konnte, plauderte die alte Dame schon weiter.

»Ja, ja, Kollegen, das ist alles, was sie hat. Aber besuchen tut sie nie jemand, das arme Ding. Arbeitet Tag und Nacht, schläft kaum und kann sich nicht einmal richtig um einen Fisch kümmern.«

»Einen Fisch?«

»Schon gut ...«

Vielleicht würde er doch noch mehr über seine skurrile Kollegin erfahren. Feg kramte 50 Pfund aus seiner Jackentasche. »Darf ich Ihnen damit aushelfen? Sie können es ja Ms Winter zurückgeben, wenn Ihr Konto wieder voll ist.« Er drückte ihr das Geld in die Hand, doch bevor die Unterhaltung weitergehen konnte, unterbrach Winter das aufschlussreiche Gespräch. Sie war lautlos aus ihrer Wohnung getreten, hatte einen kleinen Koffer in der Hand und blickte Feg an, als wäre sie peinlich berührt oder gar eingeschüchtert. Er konnte sich keinen wirklichen Reim darauf machen, was plötzlich los war, und trat einen Schritt zurück.

»Hallo, Ms Lohendry. Oh, das ist aber nett von Ihnen, Kollege! Aber ich mache das schon«, sagte Winter und nahm die Taschen auf. Irgendetwas schien ihr unangenehm zu sein. Wollte sie nicht, dass man ihrem privaten Leben zu nahe kam? »Ich komme gleich, okay?«

Bevor Feg etwas sagen konnte, war sie mit der Dame hinter deren Haustür verschwunden.

Kurze Zeit später kehrte sie zurück, schloss den Mini auf und startete, kaum dass sie beide eingestiegen waren, den Wagen.

»Wie lange fahren wir nach Cheltenham?«, erkundigte sich Feg.

»Eine gute Stunde.«

Während der Fahrt verfiel Feg in einen Dämmerzustand, Spätfolge seines Alkoholkonsums am vergangenen Abend. Rebecca Winter riss ihn schließlich resolut zurück in die Realität. »Hey! Wir sind da!«

»Was? Äh, ja, kaum zu übersehen.«

Winter öffnete das Fenster und reichte einem Wachmann, dessen Maschinengewehr weitaus zu groß für seinen Körper war, die Pässe. Er verschwand in einem Raum und kam kurz darauf zurück, nachdem die Ausweise mit einem Scanner geprüft worden waren.

»Sie werden im Sektor C erwartet.«

Angekommen am Südeingang staunte Feg über die Architektur des runden Glasmonstrums, das Unsummen verschlungen haben musste. Er wusste, was sich hinter diesen Mauern abspielte. Die ständige Weiterentwicklung der Auswertung und Überwachung aller möglichen digitalen Kommunikationen und vieles, was mit einer Demokratie längst nicht mehr vereinbar war. Aber die Angst vor Cyberattacken auf sensible Infrastrukturen war immens gewachsen. Der Nebeneffekt, die ganze Kommunikation der Bevölkerung zu überwachen, wurde dabei billigend in Kauf genommen. Eigentlich ließ sich mit den neuen Methoden, die dem Schutz der Computernetzwerke und natürlich dem Schutz vor Terrorismus dienen sollten, so ganz nebenbei alles und jeder kontrollieren, dachte Feg, während er das Scannen und Abtasten am Eingang über sich ergehen ließ. Handys und Schlüssel wurden in einer Box verwahrt. Klammheimlich hatten die Dienste ihre Macht so ausgeweitet, dass der Übergang von einer Demokratie in eine autokratische

Wirtschaftsdiktatur à la China ein Kinderspiel wäre. Jeder Bürger gläsern, von der Gesinnung bis zum Widerstandspotenzial.

Es dauerte fünf Minuten, bis sie durch einen endlos langen Flur das Büro von Bharat Sarif erreichten. Feg war nicht überrascht, als er in das freundliche Gesicht des Inders blickte. Sie kannten sich seit Jahren und waren immer wieder bei der Koordination der Geheimdienste für Abwehrmaßnahmen gegen Hacker und Manipulation an den Aktienmärkten zusammengekommen. Es war keine Freundschaft, aber man respektierte sich wegen der jeweiligen Fähigkeiten.

»*Sie* haben mir das also eingebrockt!«, begrüßte Feg den Kollegen.

»Ja, hab ich, und Sie werden gleich wissen, warum. Hier, setzen Sie sich.« Er wies auf einen zweiten Stuhl vor seinem Monitor. Rebecca Winter lehnte sich hinter die beiden an die Wand.

Feg sah sich den offenen Code an, scrollte mehrfach die Massen von Befehlsketten rauf und runter. Auf den ersten Blick sah er Teile eines Raubtier-Algorithmus. Ein solcher schickte millionenfach Verkaufs- oder Kaufaufträge ab, zog sie jedoch umgehend wieder zurück. Auf diese Weise testete man das Verhalten anderer Algorithmen und berechnete, wie hoch man den Preis für eine Aktie schrauben konnte. Alleine an der Wall Street waren gut 2000 Mitarbeiter, Physiker und Mathematiker tagtäglich damit beschäftigt, immer schnellere Programme zu entwickeln, wusste Feg, aber das, was er hier sah, würde sicher selbst den Besten Wochen abringen, um alles zu verstehen. Nicht schlecht, dachte er und sah, dass Rebecca Winter keine Sekunde den Blick von ihm ließ und so ihr Misstrauen ihm gegenüber offen dokumentierte.

»Willkommen im Chaos. Die Quants schreiben inzwischen Programme, die kaum noch einer lesen kann. Dieses hier hat aber entscheidende Lücken, als hätte jemand den Code quasi zerschnitten.«

Winter beugte sich, ohne Feg zu nahe zu kommen, zum Bildschirm und sah, wie Sarif zustimmend nickte, als wolle er sich durch Fegs Expertise absichern. Sie war nicht sonderlich darüber erfreut, dass er und Sarif sich offenbar schon länger kannten. Wie lange, fragte sie sich, und was verband sie?

»Zerschnitten? Wie soll ich das verstehen?«

»Was wir hier vor uns haben, ist wie ein Teil einer Schatzkarte. Irgendwo muss sich die andere Hälfte befinden, sonst ergiebt das alles keinen Sinn. Jedenfalls sieht es auf den ersten Blick so aus. Das zu testen, wird dauern.«

Winter wandte sich Sarif zu, der gerade dabei war, von seinem Rechner etwas auf einen Laptop zu übertragen. »Sagen Sie mir bitte, wie Sie die Massen von Dateien entschlüsseln wollen, und zwar so, dass ich es verstehe.«

»Also gut, Sie werden ja doch nicht lockerlassen vorher.« Sarif öffnete ein Programm auf seinem Rechner. Er erklärte ihr, dass die Geheimdienste über ausreichend Hintertüren verfügten, um die Verschlüsselung schlicht zu umgehen. Dort, wo es keine gebe, müsse sie sich gedulden, aber er sei zuversichtlich, dass sie in den nächsten Tagen schrittweise alle Dateien öffnen könnten. Es sei aber das Werk eines hochgradig paranoiden Charakters, angesichts der vielen Methoden, die er zur Verschlüsselung der unzähligen Dateien angewendet hatte. Normalerweise müssten sie sich in der Regel nur mit einer Verschlüsselung herumschlagen, um an Daten von Verbrechern oder Terroristen zu kommen. Aber hier hatte jemand offenbar für alle Fälle vor allem eines erreichen wollen: Zeit gewinnen!

Feg hatte aufmerksam zugehört, bevor er sich wieder den Daten widmete. Er behielt seine Zweifel über Sarifs Zusammenfassung der Entschlüsselungsmethoden für sich. Eigentlich sollte er über Werkzeuge verfügen, die das weitaus schneller erledigen könnten. Merkwürdig, dachte er.

»Egal, etwas haben wir schon«, sagte Sarif und rollte mit seinem Stuhl, einen Laptop in der Hand, zu ihr.

»Klingt nach wenig. Zeit ist nicht unbedingt das, was mir reichlich zur Verfügung steht«, sagte Winter und erntete ein spöttisches Lächeln des Inders, der ihr den Rechner auf den Schoß legte und sich mit seinem Bürostuhl zurück zu seinem Tisch rollte. Winter las das Dokument, das einer IP-Adresse aus Brüssel zugeordnet wurde, laut vor.

Hallo Bill,
wir können es schaffen, wenn Du weitermachst. Es wird Zeit, dass wir diese Schweine abziehen, damit sie wissen, wie es sich anfühlt, in Sekunden alles zu verlieren. Danach wird ihr Blut in den Straßen fließen. Wir beschleunigen nur, was sowieso droht, aber dann trifft es die Richtigen. Mach weiter so. Du hast gehört, was die Chefin des IWF plant? Der Countdown läuft … also komm nach London!
Jarod

Winter war für den Moment irritiert. Was plante denn die Chefin des IWF? Und wen wollten sie abziehen? Former? Banken? Plante er eine Racheaktion? Verwundert blickte sie zu Feg, der so auf das konzentriert war, was er auf seinem Bildschirm sah, dass er offensichtlich nur mit halbem Ohr zugehört hatte. Auch Sarif bemerkte Fegs angespannte Konzentration. »Können Sie damit was anfangen?«, wandte sich Sarif an ihn und begann, erste Seiten auszudrucken, während er Feg genau beobachtete.

»Sieht auf den ersten Blick aus wie ein ganz normaler Ansatz mit historischen und aktuellen Marktdaten und Real-

Time-Kursen, um Orders zu platzieren.« Feg verwies auf Parameter, die alle weltweiten Wirtschaftsnachrichten, politische Entscheidungen, Streiks, Katastrophen und Rohstofffunde auswerten würden, Einkaufsindexe und etliche Indikatoren, mit denen man die Stimmung und Reaktionen am Markt messen könnte. Selbst Facebookseiten und Googleanfragen könnte man hiermit nach Meinungen, Ängsten, ja Stimmungen analysieren, so diese denn für den Markt und seine Teilnehmer von irgendeiner Relevanz sein könnten. »Nicht schlecht. Entscheidend aber ist die Frage, was der Algorithmus kann, wenn er vollständig ist. Dafür brauche ich Zeit«, sagte Feg in einer professionell ruhigen Art.

In Wirklichkeit war er sich gerade relativ sicher, dass er vor einer Bombe saß, sein anfängliches Desinteresse an der ganzen Geschichte löste sich nun komplett auf. Für einen Moment konnte er dem Reiz nicht widerstehen, sich auszumalen, wie er mit diesem Algorithmus seine finanziellen Engpässe ein für alle Mal überwinden könnte, auch wenn er noch nicht wusste, was das ganze Programm wirklich konnte. Doch dafür hatte er Partner. Sie halfen ihm, seine ersten Schwächen bei der Analyse solcher Programmierungen zu kompensieren, zu schnell ging die Entwicklung, als dass er immer mithalten konnte. Nur seine alten Erfolge hielten noch die Fassade aufrecht. Aber die aktuelle Ermittlung gegen ihn war zu bedrohlich. Kopien anzulegen – unmöglich. Es sei denn, er könnte für einen kurzen Moment für Ablenkung sorgen.

Er tastete sein Sakko ab. Er hatte es dabei! Seit dem NSA-Skandal erhielten alle Mitarbeiter der Cyberabwehr ein spezielles Vlies für Laptops und Datensticks, das Funkstrahlen, die geeignet waren, Rechner aus der Entfernung direkt auszulesen, abschirmen konnte. So könnte er vielleicht, trotz aller Sicherheitsmaßnahmen, unbehelligt mit einer Kopie rausgehen …

Umgehend verbannte er seine Gedankenspiele, so etwas war nur in Hollywoodfilmen möglich, aber hier, mit dieser misstrauischen bunten Flunder an seiner Seite, und ihm unbekannten Sicherheitsmaßnahmen – keine Chance, zumindest nicht jetzt. Zu schade!

»Was könnte Denver mit der Bemerkung der IWF-Chefin gemeint haben?«, fragte Feg, aus seinen Gedanken auftauchend.

Winter tippte eilig den Namen bei Google ein, durchforstete die vergangenen Nachrichten über den IWF und resignierte schon nach einer Minute angesichts der hohen Trefferquote.

Feg schüttelte den Kopf. »So kommen wir nicht weiter. Haben Sie mehr über diesen Bill?«

Bharat Sarif druckte postwendend etwas aus und reichte es Winter. »Bill Naravan. Er war früher bei Teza Technologies beschäftigt und natürlich als Programmierer für den Hochfrequenzhandel. Hier sind alle Daten, Handynummer und die Adresse.«

»Teza Technolgies?« Feg ahnte etwas und suchte bei Google, um seinen Verdacht zu prüfen. Konnte das sein? Genau dort hatte auch der frühere Goldman-Sachs-Programmierer Sergey Aleynikov vor seiner Verhaftung einen neuen Job antreten sollen. War der Algorithmus womöglich eine Weiterentwicklung jenes Handelssystems, das Aleynikov Goldman Sachs angeblich vor Jahren gestohlen hatte? Die Sache war durch die Presse gegangen. Angeblich hatte er die Daten auf einen Server nach Deutschland geschleust. Läge er damit richtig, wäre Denver vielleicht in der Lage gewesen, die Vormachtstellung aller Banken an der Wall Street in Gefahr zu bringen, da er die Methode kannte, wie sie ihr Geld verdienten. Das kann schon mal einen Mord wert sein, dachte er. Solche Algorithmen wurden besser gehütet als das Coca-Cola-Rezept. Nur wenige Insider wussten zudem, dass

Goldman Sachs sich mit diesem System erhebliche Vorteile während der Finanzkrise verschafft haben sollte und seinerzeit unter Verdacht geriet, massiv den Markt manipuliert zu haben. Nur durch ihre hervorragenden Kontakte in die Politik hatte die Bank eine Ermittlung abwenden können.

»Was haben Sie?« Rebecca Winter war nicht entgangen, dass Feg grübelte.

»Ach, nichts. Gut, geben Sie mir den Datensalat mit nach Hamburg, und ich analysiere ihn weiter. Sie statten diesem Programmierer, wie heißt er noch … diesem Naravan schnellstens einen Besuch ab. Er könnte uns am einfachsten zum Ziel führen. Und wenn dieser Algo ein Tatmotiv war, dann ist auch dieser Mann in Gefahr und zwar allein durch sein Wissen. Ich kann mir vorstellen, was Denver mit dem Countdown meinte. In etwa vier Wochen werden an fast allen Handelsplätzen der Welt neue Systeme installiert, die auf manipulierende Algos und Softwarefehler erheblich schneller reagieren. Dabei achtet eine algorithmische Software auf logische Verhaltenswidersprüche und stoppt im Fall des Falles alle verdächtigen Transaktionen automatisch und lässt die von Menschen überprüfen. Außerdem wird immer die Identität des Händlers offenbart, das macht Manipulationen ziemlich schwer. Und auch die Geschwindigkeit des Handels wird in ein paar Wochen gedrosselt werden. Wenn die einen groß angelegten Betrug planen, bleibt dafür nicht mehr viel Zeit.«

Winter blickte ihn prüfend an. »Woher wissen Sie das?«

»Weil ich diese Systeme zum Schutz der Börsen mitentwickelt habe. Was immer hier vorgeht und geplant war, kann sich vielleicht nur noch in einem engen Zeitraum umsetzen lassen«, entgegnete Feg, gab aber zu bedenken, dass er nicht abschätzen könne, ob es der Plan war, einen riesigen Insiderhandel oder

Betrug vorzubereiten, oder ob man nur das Wissen über die Illegalität einiger Handelssysteme nutzen wollte, um es als Druckmittel einzusetzen. »Ohne Zeugen, also ohne diesen Naravan, kommen wir nicht weiter, so viel steht fest.«

Rebecca Winter griff zum Telefon und veranlasste über Scotland Yard eine Fahndung nach Naravan. Aber sie war auch irritiert. Die Spuren, die Denver hinterlassen hatte, passten plötzlich nicht mehr zu einem Mann, der nur darauf aus war, mit einem Handelssystem zu betrügen. Die ersten entschlüsselten Dateien und E-Mails waren ein kunterbunter Haufen von Recherchen über den Weg in die Finanzkrise und darüber, welche Banken was verzapft hatten. Sie musste sich eingestehen, dass sie für den Moment den Wahrheitsgehalt und die Brisanz der Informationen nur schwerlich einordnen konnte.

»Meinen Sie etwa Erpressung? Aber wen?«

»Keine Ahnung«, entgegnete Feg. »Goldman Sachs? Könnte das ganze System sein. Wenn harte Beweise darüber auftauchen, dass Banken mit solchen Algorithmen bewusst die Krise ausgenutzt haben, vielleicht sogar mit Absicht provoziert haben, hätten wir doch einen schönen Skandal und Motive für einen Mord, oder?«

Ein bisschen wenig Ahnung für einen solchen Experten, dachte Winter. »Dann haben Sie ja eine umfassende Aufgabe. Sie können hier unter Aufsicht weiterarbeiten. Hotel und Verpflegung sind organisiert.«

Feg lachte laut auf, die Frau war wirklich unverschämt.

»Jetzt passen Sie mal auf, Schätzchen, wenn Sie meine Hilfe wollen, müssen Sie mir vertrauen, und wie schwer Ihnen das fällt, ist mir scheißegal. Außerdem brauche ich Simulationssoftware, die nur auf meinem Rechner liegt, und dort bleibt sie auch.«

Winter sah Feg herausfordernd an.

»Warum wird gegen Sie intern ermittelt?«

Feg wollte hochfahren, besann sich aber, nachdem er mit Sarif, der nur den Kopf schüttelte, einen Blick gewechselt hatte. Er wusste wohl selbst, wie schnell man in diesem Gewerbe in die Schusslinie geriet, da man sich nicht immer an alle Regeln halten konnte, verdeckt operieren und Methoden wählen musste, die gesetzlich nicht gedeckt waren. Vorgehensweisen, die Winter natürlich nicht kannte und schon gar nicht verstehen würde. Er brauchte das Honorar für diesen Job, aber alles hatte seine Grenzen. Was bildete sich diese Schnepfe ein! Am Ende würde der britische Geheimdienst ihn vielleicht sogar noch wegen ihrer Paranoia beschatten lassen, darauf konnte er gut verzichten.

»Okay, es reicht! Das muss ich mir nicht antun«, sagte Feg, sprang auf und verließ schnellen Schrittes das Büro.

Dir renn ich nicht hinterher, entschied Winter, obwohl sie wusste, dass sie ihn brauchte, um möglichst schnell weiterzukommen. Andererseits traute sie ihm keinen Meter über den Weg.

»Wie lange kennen Sie Erik Feg eigentlich?«, fragte sie Sarif.

»Niemand kennt Erik Feg, ich weiß nicht mal, ob er sich selber kennt, er ist ein Spieler, trickreich und manchmal auch wieder fahrlässig, ein wilder Hund. Doch ich kann mir nicht vorstellen, dass er, sagen wir mal so, sein Wissen über Gebühr zum eigenen Vorteil nutzt. Sie werden kaum einen Besseren finden. In diesem Job bewegt man sich schon mal im grauen Bereich ...«

»Ach, und wenn in dem Graubereich für einen was hängen bleibt, fällt das dann auch unter Geheimhaltung? Schöne Rechtfertigung!«, empörte sich Winter.

Sie sah, wie sich das Dauerlächeln Bharat Sharifs verzog.

»Wenn Sie weiter unsere Hilfe benötigen, sollten Sie sich etwas zusammenreißen! So, und hier habe ich noch etwas.« Sarif reichte Winter einen Ausdruck.

Sie überflog den Text. »Karen Hudes? Wer soll das nun wieder sein? Und was zur Hölle wollte die von Denver? Jetzt wird es langsam echt kompliziert.« Sie sprang auf und rannte zur Tür.

Am Ende des langen Flures sah sie Feg dem Aufzug zustreben. Der Gedanke ärgerte sie, aber sie musste sich jetzt bei ihm entschuldigen. Sie hastete ihm hinterher. »Also … tut mir leid, Herr Feg. Ich vertraue Ihnen die Daten an. Und ich statte in Brüssel diesem Naravan einen Besuch ab!«, rief sie seinem Rücken zu.

Feg drehte sich langsam um. »Machen Sie das nie wieder!«, rief er zurück. »Ich warte draußen auf Sie. Hier kann man ja nicht mal rauchen.«

Winter atmete aus, ging zurück in Sarifs Büro zum Rechner, zog einen Stick aus ihrer Tasche und kopierte den Code.

»Der Rest bleibt hier bei Ihnen und nur da.«

»Keine Sorge.« Sarif hatte Winters hektische Reaktion auf den Namen Hudes registriert. »Wer ist Karen Hudes?«, fragte er.

»Finden Sie es für mich raus!«

NEUNZEHN

HAMBURG, 27. OKTOBER

Erik Feg war nach der Landung auf dem Hamburger Flughafen immer noch verärgert über Rebecca Winter. Was bildete sich diese Frau ein, die auf ihn eher wie eine pummelige Bibliothekarin wirkte, jedoch alles andere als zimperlich war. Er musste sich eingestehen, dass sie aber auch etwas Warmes an sich hatte, ihr Umgang mit dieser merkwürdigen alten Nachbarin war zum Beispiel geradezu rührend gewesen. Merkwürdige Mischung. Egal, es war Zeit, seinem Vorgesetzten beim BND klarzumachen, was man in Berlin mit dieser offensichtlichen Indiskretion angerichtet hatte. Wäre er nicht auf das Honorar angewiesen, hätte er Winter spätestens gestern den Laufpass gegeben, auch wenn er zugeben musste, dass der Fall immer mehr Aspekte hatte, die eine spannende Herausforderung waren. Außerdem verspürte er den Reiz, den Algorithmus vielleicht für eigene Zwecke zu nutzen. Für das System wären es nur ein paar Zahlen, Summen, die in Sekunden vergehen und niemandem wehtun würden, ihm würde es aber aus seiner durchaus angespannten finanziellen Lage helfen.

Mit einem Seufzer verließ er den Terminal, wühlte sich

durch Massen von Touristen und Wachpersonal durch die Shoppinghalle. Als er den Ausgang durchschritt, blinzelte er in die Mittagssonne, zündete sich die ersehnte Zigarette an und spürte einen leichten Schauder. Er blickte sich unauffällig um, konnte aber nichts und niemanden erkennen, der seinem geschulten Auge seine Befürchtung bestätigte, vielleicht einen vom britischen Geheimdienst beauftragten Beschatter hinter sich zu haben.

Es dauerte einige Minuten, bis er den Taxistand vor dem Flughafengebäude erreicht hatte. Er öffnete die Tür zu einem Wagen und drehte sich abermals um. Weiter hinten sah er einen Mann mit langem schwarzem Mantel ebenfalls ein Taxi besteigen. Merkwürdig, dass er sich nicht an die Reihenfolge hielt und wie üblich den nächsten Wagen direkt hinter Feg nahm. Noch merkwürdiger war aber, dass der Fahrer offenbar bereit war, seinen Kollegen die Tour wegzunehmen, was immer Ärger nach sich zog. Feg stieg langsam ein.

»Guten Tag. Wo geht die Reise hin?«, fragte ein in die Jahre gekommener Fahrer mit fettigen Haaren.

»Warten Sie noch einen Augenblick. Ich muss erst die Adresse finden!« Langsam tippte Feg auf seinem ausgeschalteten Handy herum, während er im Rückspiegel beobachtete, was hinter ihm geschah. Es tat sich nichts. Der Wagen scherte nicht aus der Reihe.

»Tut mir leid, ich habe was vergessen«, sagte Feg und stieg kurzerhand wieder aus, um in den Ankunftsterminal zurückzukehren. Er blickte zur Seite. Der andere Wagen fuhr weder los, noch stieg der Mann wieder aus.

»Scheiße!«

Feg beschleunigte seinen Schritt, öffnete im Gehen sein bereits ausgeschaltetes Handy, nahm zur Sicherheit auch noch die SIM-Karte heraus und steuerte direkt die S-Bahn unter der

Airport Plaza an, nicht ohne sich immer wieder vorsichtig zu vergewissern, dass sein vermeintlicher Verfolger nicht nachkam. Nach einer Minute Wartezeit lief er im Schutz der Menge zum letzten Waggon und stieg ein. Bis zu seiner Abfahrt musterte er die Menschen, ohne etwas Auffälliges entdecken zu können.

Sehe ich jetzt schon weiße Mäuse? Egal, sicher ist sicher, dachte er und setzte sich nach Abfahrt der Bahn auf die letzte Bank am Ende des Waggons.

In Altona stieg er aus und fuhr mit einem Taxi weiter. Am Museumshafen Övelgönne, nur 100 Meter von Wagners Wohnung entfernt, ließ er es halten. Einmal Luft schnappen, das brauchte er jetzt. Auf dem Ponton, der zu den Fähren führte, hörte er das Klappern der Leinen an den Aluminiummasten der Schiffe, das leichte Klatschen der Wellen gegen die Bootswände, das Geplapper der letzten Fahrrad- und Rucksacktouristen, die zügig versuchten, einen der Plätze auf dem Deck der Fähren zu erreichen. Die Sonne wurde immer wieder von vorbeiziehenden Wolken verschluckt, und die kühle Brise trieb Feg diesen lang vermissten milden Salzgeruch des Wassers in die Nase. Noch einmal atmete er tief ein und ging in sein weißes Übergangsdomizil.

In dem hanseatischen Anwesen angekommen, warf er achtlos seine Jacke auf einen Garderobenhaken und ging in die Küche, wo es sich am besten arbeiten ließ. Er war bereit, den Algorithmus des Geldes genauer zu analysieren. Besonders einige Verlinkungen zu relevanten Nachrichtenagenturen, Börsenaufsichten und Regierungsstellen hatten ihn stutzig gemacht. Wozu sollten die dienen? Zudem waren Teile der Daten am Ende in sich geschlossene, voneinander unabhängige Handelsstrategien, die sich losgelöst vom Rest vielleicht am Markt einsetzen ließen. Doch die Wechselwirkungen der verschiedenen

Ansätze könnten zu einem Mikrocrash, einem kurzzeitigen Einbruch der Kurse, führen oder zu einem fatalen Trend, dem andere Systeme folgen würden. Mittlerweile wurde aber an allen Börsen mit leichten Unterschieden der Handel automatisch ausgesetzt, sobald der Markt ungewöhnlich schnell einbrach, und erst nach einer Prüfung oder Beruhigung für die Händler wieder freigegeben. Dennoch, auch mit diesen Intervallen konnte Geld, viel Geld verdient werden, wusste Feg. Eine Simulation hatte eine entscheidende Schwäche: Sie unterschätzte die spontane Kreativität des Menschen. Wenn er mehr über den Algorithmus herausfinden wollte, musste er ihn, so riskant es auch war, direkt am Markt einsetzen.

Feg hatte sich lange mit den aktuell verwendeten Algorithmen beschäftigt. Sie analysierten gezielt das Handelsverhalten der Marktkonkurrenten, um daraus Rückschlüsse auf das Vorhandensein von anderen Algorithmen zu ziehen. Waren diese gefunden, konnte wiederum für den eigenen Handel ein Vorsprung erreicht werden, indem das vermeintliche Handelsverhalten durch Prognosen antizipiert und Wettbewerber »ausgebootet« wurden. Der Fokus lag immer auf einem Informationsvorsprung. Es wurde im Prinzip die ganze Zeit getestet, gepokert, nur noch ein Bruchteil der übermittelten Aufträge in den Orderbüchern wurde auch tatsächlich ausgeführt. Feg wusste genau, dass alle großen Institute, trotz immenser Risikovorschriften der Aufsichtsbehörden, in einem grauen Bereich operierten und der normale Anleger an der Nase herumgeführt wurde, da er nicht über die Kapazitäten und die Handelsgeschwindigkeit verfügte, um mithalten zu können.

Er musste jemanden mit einer heiklen Mission betrauen, jemanden, der sich verdeckt mit dem Algorithmus an die Börse wagen konnte, ohne wirklich Schaden anzurichten. Der wusste, wann es Zeit war, rauszugehen und das auf eine Art und Weise, wie es Feg irgendwie in die Hände spielen könnte nicht zuletzt, um sich durch einen schnellen Erfolg den nötigen Respekt bei Rebecca Winter und auch bei seinen Vorgesetzten in Berlin zu verschaffen.

Er zog jenen Teil des Quellcodes in ein anderes Programm, dessen Algorithmus er gleich am Anfang im Büro des britischen Geheimdienstes zu erkennen geglaubt hatte. Warum soll ich es mir immer schwer machen?, dachte Feg. Er selbst konnte wegen der Ermittlungen gegen ihn unmöglich von seinen Rechnern arbeiten. Er ging ins Wohnzimmer und setzte sich an das alte grüne Festnetztelefon. Als er die Wählscheibe ansah, musste er lachen. Wahrscheinlich war dieses Fossil wirklich das Sicherste, was es zurzeit auf dem Markt gab, überlegte er und wählte bedächtig eine Ziffer nach der anderen.

»Jochen, alter Freund. Pass auf. Ohne langes Quatschen. Ich schicke dir gleich was über die alte Verbindung. Probier das mal aus. Du musst nichts befürchten, alle anderen Infos siehst du gleich, protokolliere alles und schick es mir zurück!«

»Was zahlst du?«

»Wie immer gut, verlass dich drauf. Teste es bitte um Punkt 17 Uhr in Frankfurt.«

»Geht in Ordnung. Punkt 17 Uhr.«

»Danke dir, bis bald.«

Feg öffnete einen der vor Überwachung noch sicheren IRC-Chats und sandte die Daten in mehreren Paketen weiter an seinen alten Freund. Sie kannten sich aus der Hamburger Uni, als es noch an der Tagesordnung war, zum Spaß die Sicherheitslücken von Programmen zu finden und nicht wie heute nur noch mit der Abwehr von Angriffen der Geheimdienste und organisierter Kriminalität beschäftigt zu sein. Der Spaßfaktor war nach 9/11 ohnehin für immer verloren gegangen, das Netz zu einem Kriegs- und Spionageschauplatz verkommen.

Wenn es darum ging, den Dienst nach Vorschrift zu umgehen, war sein Freund immer zuverlässig, half ihm, seine eigenen Lücken zu schließen und zu verbergen.

Er schaltete sein Handy wieder ein, stand auf und ging zu einem seiner Koffer, die immer noch im Flur herumstanden, so, wie auch der Rest seiner Sachen wild in der Wohnung verteilt war wie sein Leben an etlichen Orten der Welt. An der Tür zum Wohnzimmer hingen ein neues, schneeweißes Hemd und ein dunkles Sakko. Feg zog sich um, schlug den Kragen des Hemdes hoch, ließ die oberen beiden Knöpfe offen, streifte das Sakko und einen grauen Flanellmantel über. Mit einem Spaziergang an der Elbe konnte er seine Anspannung vertreiben, bis sein alter Kumpan an der Frankfurter Börse aktiv werden würde. Und am Abend wollte er gegen jede innere Stimme der Vernunft dem Kiez einen Besuch abstatten. Sorgfältig schloss er die Tür hinter sich. Wieder atmete er tief durch. Als würde ihm der Sauerstoff helfen, diesem ständigen Stress zwischen Job und seinen Exzessen standzuhalten. Ein leichter Wind kühlte seinen Kopf.

Kaum hatte er die Elbe erreicht, surrte das Handy. Eigentlich hatte er gehofft, einen Tag vor dieser britischen Nervensäge Ruhe zu haben. Sie sollte doch in Brüssel mit diesem Naravan eigentlich genug zu tun haben.

»Lassen Sie mich raten. Sie wollen mit mir Ihre neuesten Erkenntnisse teilen. Wie wäre es mit …«

Rebecca Winter ging nicht auf Fegs sarkastische Frage ein. »Haben Sie schon was gefunden?«

»Ich bin noch am Testen, das geht nicht von einem Augenblick auf den anderen. Ich weiß noch nicht mal, ob es sich simulieren lässt. Machen Sie denn Fortschritte?«

»Dieser Bill Naravan ist schon ausgeflogen. Er hat seine Wohnung hier vor ein paar Tagen geräumt, aber den Wohnsitz nicht abgemeldet. Das riecht demnach verdammt danach, dass er direkt an der Sache beteiligt ist«, sagte Winter und erklärte weiter, dass eine gewisse Karen Hudes, zu der Denver ebenfalls Kontakt gehabt hatte, ihr jedes Gespräch verweigerte, ja sogar ziemlich ungehalten reagierte und behauptete, niemals mit Denver etwas zu tun gehabt zu haben. Wie sich herausgestellt habe, sei Hudes früher bei der Weltbank angestellt gewesen.

Feg hatte den Eindruck, dass die emsige Polizistin wohl nie zur Ruhe kommen würde, obwohl ihre Stimme weitaus friedvoller klang als bisher. Bei dem Namen Hudes wurde er allerdings neugierig. »Was kann Denver von einer angeblichen Whistleblowerin der Weltbank gewollt haben?«

»Sie kennen sie?«

»Kann man so sagen. Ihr wird Indiskretion vorgeworfen. Vielleicht hatte Denver mehr im Sinn als nur Erpressung auf eigene Rechnung. Das ist interessant. Um mehr zu erfahren, müssen wir Denvers Leben auf den Kopf stellen.«

»Okay. Was schlagen Sie vor?«

»Dass Sie alle möglichen Perspektiven und Motive im Auge behalten und sich nicht nur auf Denvers oder Formers Betrugsversuche versteifen. Irgendetwas ist da nicht stimmig«, sagte Feg und erklärte, dass die bislang ermittelten Kontaktpersonen Denvers großteils Akteure seien, denen es ein Dorn im Auge sei, dass die Welthandelsorganisation, der IWF und die Weltbank eine Hochburg des neoliberalen Dogmas waren. »Zumindest gehört Hudes dazu, und wer weiß, was noch in diesen Datensalat aus Mails und Dokumenten schlummert. Jedenfalls zwingen diese Ideologen des freien Marktes allen durch die Finanzkrise verschuldeten Ländern die Privatisierung fast aller öffentlichen Güter auf, um so ihre Interessen durchzusetzen.« Hier gab und gäbe es viele Verlierer und Menschen, die erpressbar wären. Aber vielleicht hätten ein paar mächtige Akteure etwas mehr Verantwortungsgefühl und sähen, welches Leid und Revolutionspotenzial in dieser radikalen Politik steckte. »In Brüssel, Berlin und Frankfurt sitzen Feuerwehr und Brandstifter an einem Tisch. Das finden einige, die die Hintergründe verstehen, vielleicht gar nicht lustig – selbst wenn sie bisher davon profitiert haben!«

»Was meinen Sie damit? Eine etwas waghalsige These.«

Feg lief weiter in Richtung Hafenskyline und blickte von Ferne auf einen Motor des Kapitalismus: Den Hafen in seiner futuristischen Geschäftigkeit, wo 24 Stunden am Tag Güter ver- und entladen wurden und Menschen für magere Löhne Schwerstarbeit verrichteten in der Hoffnung, das Rentenalter zu erreichen, anstatt vorher sozialverträglich zu sterben.

Er stand am Ufer, schaute in die sich dem Horizont nähernde Sonne, die kaum noch Wärme versprach, und auf die Elbphilharmonie, die für die Stadt und erst recht für den Steuerzahler ein kostspieliges Desaster war, auch wenn es in Summe mit nichts zu vergleichen war, was an den internationalen Märkten vernichtet wurde.

Natürlich hatte er sich mit Karen Hudes befasst. Sie hatte den Medien und dem Europaparlament Beweise über die Machenschaften bei der Weltbank und der Federal Reserve Bank liefern wollen. Es ging irgendwie darum, dass alle Zentralbanken zusammen mit weltweit operierenden Unternehmen dabei wären, die Welt in eine oligarchische Struktur umzubauen. Doch Hudes hatte die Fakten nie geliefert. Das alles klang zu sehr nach Verschwörungstheorie. Was aber hatte Jarod Denver von ihr gewollt oder sie von ihm? Trotz fehlender Beweise war Feg selbst längst davon überzeugt, dass die Welt aus den Fugen geriet und in dunklen Händen lag, denen das Gemeinwohl völlig egal war. Er hatte genug von den radikalen Gedanken dieser Eliten in den vergangenen Jahren aufgenommen.

Feg spürte eine alte Wut emporkriechen, die ihn einst angetrieben hatte, gegen die Ausbeutung von Mensch, Tier und Natur zu opponieren, um dann, Jahre später, resigniert aufzugeben, da ihm die Rolle des Partymenschen besser gefiel als die eines Windmühlenkämpfers für Menschen, die sich nicht ändern wollten und ändern konnten. Was für eine Zeit, dachte er, und diese überraschend agil handelnde Polizistin forcierte die Erinnerung an die Jahre, als er alles aufgesaugt hatte, was es an systemkritischem Material gab.

»Denver ist vielleicht nur ein Schoßhund mit dem zweitwichtigsten Motiv für ein Verbrechen nach der Gier, nämlich Rache«, erklärte er Winter. »Wenn ihn jemand womöglich mit brisanten Informationen versorgt hat, dann war das auf keinen Fall eine Wohlfahrtsaktion, sondern zielgerichtet, vielleicht von einflussreichen Leuten, die bisher von dem System selbst profitiert haben und nun vom Sockel gestoßen wurden. Wir müssen nach den großen Verlierern im Casino suchen.«

»Warum denn nach den Verlierern?«, hakte Winter nach.

»Weil Gewinner sich so nicht verhalten. Hören Sie, ich war gerade im Begriff, ein paar Stunden auszuspannen. Was die Algorithmen angeht, tue ich, was ich kann, und ich werde Bharat Sarif helfen, die Dokumente schneller zu entschlüsseln. Wir reden morgen weiter. Machen Sie sich mal einen flotten Abend in Brüssel.«

»Das werde ich tun, und ich kann mir auch schon vorstellen, was Sie unter ›ausspannen‹ verstehen. Wenn ich morgen komme, bringe ich besser Aspirin mit«, sagte Winter und legte auf.

So eine blöde Kuh! Feg schaltete sein Handy wieder aus. Für einen Moment hörte er von der anderen Seite der Elbe mit ihren gigantischen Hafenanlagen den Sirenen der riesigen Schiffsentlader zu, die einen abgeladenen Container nach den anderen zum weiteren Transport vorbereiteten. Langsam drehte er sich um, ging den Strandweg am Elbufer wieder zurück und war sich in der Sekunde sicher, dass er die Silhouette jenes Mannes, der ihm schon am Flughafen aufgefallen war, kurz vor dem Fußweg zu seinem Domizil um eine Hecke huschen sah.

Das kann doch jetzt nicht wahr sein, dachte er, hat mich meine reizende Auftraggeberin etwa unter Beobachtung stellen lassen? Wahrscheinlicher erschien ihm jedoch, dass der BND ihn beschatten ließ. Vielleicht sollte er den Kerl einfach stellen. Er beschleunigte seinen Gang.

Plötzlich wurde ihm mulmig. Hätte er besser nicht mit seinem Freund telefonieren sollen?

ZWANZIG

FRANKFURTER BÖRSE, 27. OKTOBER

Ein bulliger Mann mit kahl rasiertem Kopf riss in der Frankfurter Handelsüberwachungsstelle den Telefonhörer an sich. Handys gab es in diesem Raum nicht mal ausgeschaltet.

»So eine Scheiße hab ich gerade noch gebraucht!«

Nachdem die Federal Reserve Bank, wie erwartet, den Zins einmal mehr unverändert gelassen hatte, und die Arbeitsmarktdaten aus den USA ebenfalls keine größeren Überraschungen geliefert hatten, hatte es kurz vor Handelsschluss kleinere Gewinnmitnahmen gegeben, und der DAX hatte gerade mal 0,2 Prozent nachgegeben. Alles in allem eigentlich ein ruhiger Tag.

Doch plötzlich starrten einige Händler auf dem Parkett der Frankfurter Börse auf die große Anzeigetafel an der Wand, die den Tageskurs des wichtigsten Deutschen Aktienindex angab, und vergewisserten sich auf ihren Bildschirmen, dass der DAX in Sekunden 52 Punkte nachgab und dann wieder um 50 Punkte anstieg. Die Systeme spielten die auffälligen Datensätze automatisch den mehr als 20 Mitarbeitern der Überwachung zu, die die Daten auswerteten und genau prüften, ob sich die beobachtete Entwicklung aus der jeweiligen Handelssituation ergeben hatte oder eine Manipulation vorlag.

Zwei der Männer reagierten sofort und schlugen in die Tasten, um in den Unmengen von Orderdaten etwas zu finden, was nicht legal war. Eben war erst eine reguläre Handelsunterbrechung zu Ende gegangen. In so einer Pause wechselten die Papiere zwar nicht den Besitzer, aber Angebot und Nachfrage wurden gesammelt, was die Liquidität für große Orders erhöhte. Der Glatzkopf, noch den Hörer zwischen Schulter und Kopf eingeklemmt, suchte in Charts und unterschiedlichen Datenbanken nach Spuren und stupste seinen eher schmächtigen Kollegen an.

»Hey, schau dir das an. Das Storno von 50 000 Papieren!«

»Was redest du da?«

»Das hat den Kurs manipuliert. Spielt da jemand mit seinem Algo etwa die Systeme gegeneinander aus?« Der Mann legte den Hörer beiseite und schaute seinen Kollegen schulterzuckend an.

»Aber der muss doch wissen, dass wir ihn als Market Maker sehen. Ist der betrunken oder was? Hier die Unique-ID!«

Der Mann markierte die Nummer mit der Maus: *101.879.*

»Das kann nicht sein, das ist ein Terminal bei der Deutschen Bank, den Händler kenne ich, der würde so einen Bock nie schießen!«

Der schmächtige Kollege traute seinen Augen nicht.

»Bin *ich* jetzt besoffen? Die Order ist wieder weg? Alle Daten. Wie geht das denn? Egal, ich melde den Fall!«

»Warte, das ist sicher wieder ein Softwarefehler. Der Terminal, von dem die Orders ausgeführt worden sind, ist nicht einmal angemeldet. Moment. Ich ruf da an.«

Das Risikocontrolling jedes institutionellen Händlers musste während des Zeitraums, in dem ein Institut Aufträge an Handelsplattformen sendet, die Aufträge in Echtzeit überwachen. Diese Überwachung wurde in der Regel von Personal durchgeführt, das über eine entsprechende Expertise verfügte und organisatorisch einem vom Handel unabhängigen Bereich zugeordnet war, um jeder Korruption vorzubeugen.

Nach einem kurzen Gespräch mit der Handelsüberwachung bekam der bullige Mann in der Frankfurter Aufsicht, was er wollte.

»Ich hab es dir gesagt. Nichts. Der Händler ist im Urlaub! Die Unique-ID wurde gefälscht, oder wir haben ein Virus an Bord.«

Beide schauten sich an und wurden bleich. Würde sich der Verdacht bestätigen, wäre der Feierabend gelaufen und eine Nachtschicht ohne absehbares Ende angesagt.

»Scheiße, ich kümmere mich drum und verständige die anderen!«

EINUNDZWANZIG

HAMBURG ÖVELGÖNNE, 27. OKTOBER

Vor seinem hanseatischen Haus auf Zeit blickte Erik Feg sich fahrig um. Nichts. Der Mann war ihm offenbar nicht gefolgt. Mit hochgezogenen Schultern ging Feg in die Villa, setzte sich in der Küche an den Tisch und klappte den Laptop auf. Inzwischen sollte Jochen den Algo getestet haben. Er goss sich einen Scotch ein und wartete.

Dann sah er im IRC-Chat die Nachricht seines alten Freundes reinkommen.

Was zum Teufel hast du mir da untergejubelt?! Der Code kann IPs fälschen, ich konnte die Order nicht mehr stoppen, und dann nimmt das Ding alles von alleine zurück. Ist kein Schaden entstanden und hoffentlich keine Spuren. Noch mal Glück gehabt. Der Algo ist für den Arsch, spielt völlig verrückte Sachen. Lassen wir das. Hoffe, ich krieg keinen Ärger deswegen. Besser, wir sprechen uns eine Zeit nicht.

Feg löschte den Chat und vergrub sein Gesicht in den Händen. Damit war zumindest klar, dass dieser Algorithmus alles andere als gewöhnlich war, und Geld war damit anscheinend nicht zu verdienen.

Er ärgerte sich, dass er sich nicht die Zeit genommen hatte, alles genau abzuschätzen. Er war sich zu sicher gewesen, dass sein Freund den Algorithmus und seine möglichen Auswirkungen im Griff haben würde. Er wurde nachlässig, solche Fehler durften ihm nicht passieren. Was war nur Denvers Ziel gewesen? Selbst wenn man einem Market Maker, einem institutionellen Händler, mit so etwas schaden wollte – solche Orders würden einfach entdeckt, storniert, und das wäre es gewesen. Niemand hätte etwas davon. Sie mussten an den Rest des Programms gelangen und am besten gleich noch den Programmierer finden. Wieder sah alles ganz anders aus – als ob Denver vor allem eines hatte anrichten wollen: Chaos und Ärger für Leute oder Institutionen, die ihm vielleicht geschadet hatten oder drohten, ihm zu schaden.

Feg sprang auf, schnappte sich seinen Mantel, verließ das Haus und machte sich auf den Weg zu seinem Leihwagen, der nur 300 Meter entfernt am unteren Parkplatz des Museumshafens stand. Während er sich eine Zigarette anzündete, hatte er erneut das Empfinden, dass sich von hinten jemand näherte. Er drehte sich um und sah einen Mann, der weitaus edler gekleidet war als er selbst. Er schien auf ihn gewartet zu haben. Das war nicht der Typ, den er am Flughafen als Verfolger vermutet hatte und von dem er glaubte, dass er ihn auf dem Heimweg um die Hecke huschen hatte sehen.

Feg konnte sich keinen Reim darauf machen, was um ihn herum geschah. Er spürte ein Unbehagen, wusste aber, dass es Zeit war, sich dem, was jetzt auf ihn zukam, zu stellen. Dabei war er gerade noch dabei, seinen letzten Fehler, in den er seinen Freund Jochen hineingezogen hatte, zu verarbeiten. Er blieb stehen und blickte dem Mann ins Gesicht.

»Sie hören mir jetzt einfach ganz ruhig zu«, begann sein Gegenüber mit einem französischen Akzent und deutete auf eine nahe stehende Bank.

Feg grübelte. Die Kleidung des Mannes, Schuhe, Manschettenknöpfe, die feinen grauen Haare sowie eine vergoldete Brille ergaben nicht das Bild eines für ihn gefährlichen Menschen, auch wenn dessen Ton rau und dominant rüberkam. Der Impuls, dem Mann einfach eine überzuziehen, war da – aber einen alten Mann niederschlagen ohne ersichtlichen Grund? Es war wohl besser, ihm erst mal zuzuhören. Feg setzte sich auf die Bank, der Unbekannte nahm neben ihm Platz. Ohne Umschweife kam er direkt zur Sache.

»Es spielt keine Rolle, wer ich bin. Ich weiß, dass Sie in einem Fall ermitteln, der für einige bedeutende Personen ziemlich heikel ist und dass Sie Zugang zu Daten haben, die, sagen wir mal, dem Eigentümer sehr am Herzen liegen, und es ist, so glauben Sie mir, im Interesse auch Ihrer Regierung, dass diese Daten vernichtet werden.«

Feg atmete tief aus und betrachtete den Mann genauer. Er wirkte selbstsicher, geradezu gelassen, umgeben von einer Aura der Macht, wie sie nur bei wohlhabenden Leuten anzutreffen war, die im Hintergrund und nicht öffentlich die Fäden zogen. Wie war es möglich, dass dieser Mann ihn hier so schnell hatte finden können? Gab es irgendwo einen Maulwurf? In Berlin? Ein Ermittler war dieser Herr jedenfalls nicht und auch kein Agent, das war sicher. Er war keine zwei Tage mit dem Fall betraut, und schon saß er hier mit einem bestens informierten Mann, dessen Rolle er überhaupt nicht einschätzen konnte. Eigentlich konnte das Leck nur bei Scotland Yard sein. Oder, und das erschien ihm im nächsten Gedanken dann noch plausibler, Sarif und sein Team wussten mehr und hatten ihre Finger im Spiel. Wurde er nur benutzt? Von jetzt an hieß es aufpassen, abtasten, sich nichts vormachen lassen und die Ruhe bewahren.

»Wie kommen Sie darauf, dass ich Zugang zu irgendwelchen Daten habe? Und wie kommt ein Franzose hierher, um solche Fragen zu stellen? Wer sind Sie?«

Der Mann stöhnte auf. »Aber Monsieur Feg, Sie sind doch lange genug im Geschäft und wissen, wie man sich Informationen beschafft. Wir hingegen haben einfach nur gewartet, bis jemand das findet, was wir selbst ohne Erfolg gesucht haben«, sagte er und griff in die Seitentasche seines Mantels.

»Nun gut, ich sehe, auch Sie sind bestens informiert. – Ein Teil eines brisanten Handelssystems liegt beim britischen Geheimdienst. Ich fürchte, da kann ich Ihnen kaum weiterhelfen oder haben Sie eine Eintrittskarte für mich? Und wenn Sie schon so gut im Bilde sind – darf ich dann auch davon ausgehen, dass Sie die Mörder von Jarod Denver kennen?«

Der Mann schaute mit einem Lächeln in den Himmel. »Nein, um Gottes willen, die würden wir selber gerne kennen, und bei den Ermittlungen halten wir uns raus. Es geht mir nicht um irgendein Handelssystem, sondern um gefälschte Daten. Sie könnten ein Erdbeben auslösen, wenn man sie ernst nimmt. Ihre Eintrittskarte, wie Sie sie nennen, ermittelt gerade in Brüssel. Lassen Sie Ihre Fantasie spielen. Sie sind ein Profi, und ich denke, es ist gut, wenn gewisse Vorgänge aus Ihrer Vergangenheit im Dunkeln bleiben. Dieses Bedürfnis teilen Sie mit anderen. So einfach ist das«, sagte er und zog einen kleinen Umschlag aus der Tasche.

Feg schnürte sich der Hals zu. Hässliche Bilder schossen hoch. Der Abend, der ihm bis heute in immer wiederkehrenden Intervallen schlaflose Nächte bereitete, als er Susanne Wagner geholfen hatte. Der Abend, seitdem er das Leben eines Mannes auf dem Gewissen hatte. Er musste jetzt auf jeden Fall die Fassung bewahren, sich keine Sekunde etwas anmerken lassen. Der Unbekannte redete weiter auf ihn ein.

»Schauen Sie einfach, dass Sie es hinkriegen. Für den Fall, dass Sie die Daten nicht vernichten können, geben Sie diese Datei einfach dazu«, sagte der Mann ruhig und reichte Feg den Umschlag. »In dem Kuvert sind auch meine Kontaktdaten, und die Informationen auf dieser Datei hier werden Denvers Daten als Verschwörung und Fälschung entlarven. Damit sind Sie unser Mann bei Scotland Yard, bis wir andere Lösungen für die Probleme gefunden haben.«

»Welche Probleme?« Feg versuchte, seine innere Unruhe in den Griff zu bekommen. Er musste einen Vorstoß riskieren, um herauszufinden, was genau der Mann über ihn wusste. »Ich lande im Gefängnis, wenn ich die Arbeit von Scotland Yard sabotiere, und nicht wegen der paar Vorteile, die ich mir in der Vergangenheit mal verschafft habe.«

Der Herr erhob sich und schaute Feg sekundenlang schweigend an.

»Auch Sie gehören zu den Menschen, die alles, was sie tun, nach ihrem maximalen Nutzen berechnen, Monsieur Feg. Machen Sie, was ich sage, und Sie gehen als reicher Mann davon, notfalls unterstützt von guten Anwälten. Wir sorgen für Sie.«

Das war es, er wusste es also doch nicht. Feg spürte eine tiefe Entspannung, die das Adrenalin sofort absinken und sein Herz ruhiger schlagen ließ. Der Mann ging ohne ein weiteres Wort zum Parkplatz und stieg in den Fond eines schwarzen Bentleys.

Es gab eine Sache, auf die Feg gar nicht stand: Wenn man ihn unter Druck setzen oder gar erpressen wollte. Feg war sich instinktiv sicher, dass der Mann die Sache mit dem Handelssystem in seiner Bedeutung heruntergespielt hatte. Nach dieser Begegnung war alles noch undurchsichtiger. Für einen kleinen Moment spürte er ein tief vergrabenes Gefühl der Euphorie, dass es sich lohnte, diesen Dschungel zu lichten. Vor allem, was würden die Daten noch preisgeben? Eines war ihm nun klar: Jarod Denver war in weit mehr als nur in ein paar Erpressungsversuche oder einen groß angelegten Betrugsversuch verwickelt gewesen. Rebecca Winter tappte noch völlig im Dunkeln. Ab jetzt war sie eine Gefahr für ihn, nicht wegen ihres Misstrauens, sondern wegen ihrer Unerfahrenheit. Egal, wo die Lücke war, egal, ob es Sarif war oder nicht, er musste ihn sofort über seinen fehlgeschlagenen Versuch, den Code am Markt in Frankfurt zu testen, einweihen. Er musste die Flucht nach vorne wagen, um über jeden Verdacht erhaben zu sein, dass er sich mit dem Versuch, den Algorithmus nicht in einer Siumulation, sondern am echten Markt zu testen, selbst berreichern wollte.

Er stieg in den Leihwagen und schaltete das Radio ein.

... Am Rande des Eurogipfels in Brüssel kam es auf einer Pressekonferenz zu einem Eklat zwischen dem deutschen Außenminister und dem britischen Finanzminister. Der beklagte, so wörtlich, dass die Bankenunion nur ein schlechter Witz sei, solange jedes Land für seinen eigenen Bankensektor verantwortlich bliebe. Das vorrangige Ziel, die Risiken von Banken und Staaten zu trennen, habe sie vielmehr verraten. Weiter zitiert Le Monde *den Außenminister, die Eurokrise sei unbewältigt, und in der Zwischenzeit leide die europäische Wirtschaft an einer gefährlichen Kettenreaktion. Die Banken bauten ihre Risiken ab, indem sie weniger an Unternehmen verliehen, während sie an den Börsen weiter zockten, was wiederum die Kreditklemme in der Peripherie verstärkte. Als skandalös erachtete der britische Minister zudem die wiederholte*

Zinssenkung der EZB, die Sparer enteigne, aber die Banken nicht dazu bewege, das Geld an Unternehmen und Verbraucher weiterzugeben. Es dürfe unter keinen Umständen noch mal die Situation eintreten, dass Finanzinstitute auf Kosten der Volkswirtschaften gerettet werden müssten …

ZWEIUNDZWANZIG

BRÜSSEL, 27. OKTOBER

»Was ist das denn?«

Rebecca Winter blickte auf die nächsten entschlüsselten Mails Denvers, die ihr Sarif sukzessive zukommen ließ. Die Zusammenarbeit mit dem Geheimdienst lief wesentlich besser, als sie es sich ausgemalt hatte. Ihr Zimmer im Hotel *Le Plaza* hatte sie bis zum Abend verlängert, der Rückflug nach London war gebucht. Sie hatte sich im Jogginganzug in dem weichen Bett vergraben, um ihren Frust abzubauen, nachdem ihre Suche nach Naravan erfolglos geblieben war und die belgischen Kollegen sich nicht besonders kooperativ gezeigt hatten. Jetzt ging es ihr schon etwas besser.

Die veraltete Einrichtung des Zimmers hatte angenehme Erinnerungen an die Atmosphäre des Wohnzimmers ihrer Großmutter geweckt. Sie bevorzugte diese Art von Hotels, die ihr fast schon retromodern erschienen. Das *Plaza* hatte Charme und war erschwinglich für Brüsseler Verhältnisse. Die Mails rissen Rebecca Winter schnell wieder aus der kurzen Ruhe. Eine weckte ihre Aufmerksamkeit besonders, ließ sie zum Handy greifen.

»Hallo, Robert, hier Rebecca. Auch wenn es mir schwerfällt, es zu glauben, aber so langsam habe ich das Gefühl, dass Denver so etwas wie einen Sinneswandel durchgemacht haben könnte.«

»Wie kommst du denn auf die Idee?«, erkundigte sich Chief Inspector Allington.

»Er echauffiert sich ausgerechnet in einer Mail an eine ehemalige Rohstoffhändlerin von Goldman Sachs, die offenbar auch in Brüssel lebt, über Bill Gates und den Club der großen Spender, die unter anderem mithilfe von Goldman Sachs wie die Schweine in der Krise abgeräumt hätten und sich nun als Wohltäter und Retter aufspielten«, sagte Winter und befürchtete, vor einem noch größeren Moloch an Recherchen zu stehen. Allington bat sie, kurz zu warten, und sprach im Hintergrund mit einem Kollegen.

Sie ging im Hotelzimmer umher, betrachtete die Stillleben an den Wänden und dachte an ihr »Nest« in London. Der Blick, von ihrem Schreibtisch in den Garten, ihre Bücher, der große Sessel, in den sie sich so gern mit einer Wolldecke kuschelte und bei offenem Fenster den Vögeln im Garten oder dem Rauschen des Windes lauschte. Das hast du viel zu lange nicht mehr getan, dachte Winter, doch angesichts der anstehenden Ermittlungen würde sie noch länger auf eine solche Ruhepause verzichten müssen.

Fast hätte sie Allington vergessen, der sie unvermittelt aus ihren Gedanken riss.

»Rebecca, zieh keine voreiligen Schlüsse. Denver wurde selbst in eine Elite hineingeboren. Sicher wurden auch ihm gewisse Begriffe wie Anstand und Ehrlichkeit beigebracht, und deswegen halten sich Menschen wie er auch noch für bewundernswert, selbst wenn sie sich eigene Verbrechen eingestehen müssen, aber …«

»Stopp, Robert. Er hätte sich stellen können und wäre mit zwei bis drei Jahren Haft davongekommen.« Winter war wieder voll bei der Sache. »Stattdessen scheint er sich auf so etwas wie ein Kreuzzug begeben zu haben.«

»Nein, das glaube ich nicht. Wundert mich, das von dir zu hören. Es geht um Macht und Neid, Rebecca. Ich glaube, er wollte zu den ganz Großen gehören. Geld befriedigt doch Leute wie Buffett und Gates nicht mehr. Nach der zehnten Villa und 100 Kilo Kaviar ist Geld nur noch ein Mittel zur Macht und die kennt bekanntlich keine objektiven Grenzen. Aber wie du meinst – ermitteln müssen wir sowieso in alle erdenklichen Richtungen.«

»Ja, müssen wir. Dann einen schönen Abend, Robert.«

Winter legte ihr Handy beiseite. Obwohl ihr schon die Augen juckten, recherchierte sie im Netz noch nach einigen Fakten. Denver, so er denn tatsächlich so etwas wie ein Gewissen gehabt hatte, hatte nicht unbedingt falsch gelegen. Die Bill & Melinda Gates Foundation hatte ein merkwürdiges Verständnis von Gemeinnützigkeit, wenn sie in Firmen investierte, die alles andere als durch einen selbstlosen Dienst an der Menschheit aufgefallen waren. Als Winter die Schlagzeilen von einem direkten Investment von Gates in den Saatgutgiganten Monsanto las, schlug sie mit der Hand aufs Bett. Die *Los Angeles Times* hatte es auf den Punkt gebracht. Demnach sei die Hälfte des Stiftungsvermögens in Firmen investiert, die den erklärten Zielen und der offiziellen Philosophie komplett widersprachen.

»Widerlich, einfach nur widerlich! Ach, und zu dem großen Club der Spender gehörst natürlich auch du, meiner kleiner Buffett«, fluchte Winter und dachte im nächsten Augenblick, dass ihr dieser Denver womöglich noch sympathisch werden könnte.

Es war Zeit, zum Flughafen zu fahren. Winter stand auf, glättete das Bett, packte die Schutzhülle um ihren Laptop und verstaute ihn in ihrem grauen Koffer. Eilig zog sie sich an und legte den Jogginganzug über den Laptop, als ihr Handy Signal gab.

Am anderen Ende war nochmals Allington.

»Wir haben ein Problem. Interpol hat mich kontaktiert. Sie wollten wissen, ob du mit diesem Erik Feg den Tag und den frühen Abend verbracht hast.«

Winter wartete auf die eigentliche Information. Wusste er nicht, dass Feg in Hamburg war?

»Ich habe ihnen gesagt, dass du in Brüssel bist und dabei erfahren, dass die deutsche Kriminalpolizei ihn verhaften will, weil er über einen Mittelsmann versucht hat, Kurse an der Frankfurter Börse zu manipulieren.«

»Was?! Aber wie konnten die …«

»Keine Ahnung, er muss unvorsichtig gewesen sein. Ziemlich peinlich für so einen Profi. Ich habe dafür gesorgt, dass du bei seiner Verhaftung dabei sein kannst und das Missverständnis aufklären …«

Winter schrie dazwischen: »Na, toll!«

»Warte. Du wirst in Hamburg vom BKA erwartet, aber deine Kontaktperson beim GCHQ, Mr Sarif …«

»Vergiss es. Ich kümmere mich darum.« Sie beendete die Verbindung.

Winters Gesicht hatte sich gerötet, ein paar hektische Flecken überzogen ihren Hals. Das Handy rutschte ihr aus der Hand, Akku und Verkleidung verteilten sich auf den Teppich. Sie bastelte es wieder zusammen, ohne es anzuschalten, schmiss es mit ihren letzten Sachen in den Koffer, ging zum Schreibtisch und rief die Rezeption an.

»Hallo? Ja. Zimmer 134. Buchen Sie mir schnell den nächsten Flug nach Hamburg und machen mir die Rechnung fertig. Ich checke gleich aus.« Mit einem letzten Tritt auf den Koffer schnappten die Verschlüsse zu und Winter zerrte ihn hinter sich her.

DREIUNDZWANZIG

HAMBURG, 27. OKTOBER

Feg hatte nach seiner unerfreulichen Begegnung mit diesem mysteriösen Franzosen den Kiez angesteuert. Nun wollte er alles vergessen und war in eines der Bordelle eingekehrt, das die Modernisierungswelle der letzten zwei Jahrzehnte überlebt hatte. Er hatte nichts übrig für billige Striplokale, in denen sich besoffene Touristen das Geld aus der Tasche ziehen ließen, ohne auch nur etwas anfassen zu dürfen. Im Laufe der Nacht hatte er, wie Susanne schon prognostiziert hatte, kein einziges Gesicht von früher gesehen. Er spürte so etwas wie Bedauern, hätte sich vielleicht sogar über eine Prügelei gefreut, nur um vorübergehend das Gefühl der Einsamkeit und Fremdheit vergessen zu können. Doch die Zeiten hatten sich geändert, der Kiez war für ihn nicht mehr wiederzuerkennen. Die alten Absteigen waren modernen Tabledancelokalen, billigen Pornokinos, Discos und Fressbuden gewichen. Feg hatte in seinem Bedürfnis nach Unterhaltung wildfremden Leuten einen Drink nach dem anderen spendiert, bis auch bei ihm der Alkoholpegel jedes Gefühl der inneren Leere verdrängt hatte. Eine Blondine mit nacktem Oberkörper streifte Feg und versuchte mit ihrer Zunge, seine längst narkotisierten Sinne zu provozieren. Mit einer Handbewegung scheuchte er sie zum nächsten Mann.

Nach ihrer Ankunft am Hamburger Flughafen spät am Abend wurde Winter von einem kräftigen Mann des BKA, zuständig für Interpol, abgeholt und direkt auf den Kiez chauffiert.

Winter traute ihren Augen nicht, als sie das Bordell betrat. Roter Plüsch mit kitschigen Schirmlampen, nackte Mädchen, die sich zu lauter Musik an Stangen rekelten, und irgendwo dazwischen Feg, der gerade einen Whisky kippte, bevor er versuchte, sich sichtlich betrunken schreiend mit einem anderen Gast zu unterhalten. Im Vergleich zu den ihr bekannten Puffs in London stand sie jetzt in einem nach Klostein riechenden Etablissement, das auf sie wie ein anderer Planet wirkte. Weiter hinten konnte sie in einem Separee, dessen Vorhänge nicht ganz verschlossen waren, sehen, wie eine der Damen gerade den Schwanz eines nicht zu erkennenden Mannes in sich hineinschob und auf ihm ritt. Ein anderes Mädchen, sicher keine 25, griff einem fetten Freier, kurz nachdem eine Flasche Sekt bereitgestellt wurde, zwischen die Beine und rieb sich an ihm.

»Puh, ich glaub das alles nicht, einfach nur widerlich«, sagte Winter.

Der Beamte des BKA zeigte keine Reaktion, tastete seine Tasche nach den Handschellen ab, ging vor und zog seinen Ausweis.

»Bundeskriminalamt. Erik Feg, ich muss Sie bitten, ohne großes Aufsehen mitzukommen, Ihre Rechte kennen Sie ja«, brüllte der Mann Feg ins Ohr, um sich durch die hämmernde Musik Gehör zu verschaffen.

Winter war ihm gefolgt und blickte in das Gesicht von Feg. Für einen Moment glaubte sie fast der unschuldig überraschten Miene.

Fegs Betrunkenheit verwandelte sich in Wut. »Sagen Sie mal, haben Sie völlig den Verstand verloren, mich auch noch in meiner Freizeit zu belästigen? Was soll das?«

Winter verdrehte die Augen. »Ich wundere mich nur, dass ein angeblicher Profi wie Sie davon ausgeht, er könne unbehelligt auf eigene Rechnung arbeiten. Sie bringen uns jetzt sofort zu ihrem Partner!«

»Mooment, Frau Winter. Ihre persönliche Fehde können Sie bitte später austragen«, ging der der BKA-Beamte dazwischen. »Das weitere Vorgehen bestimmen schon noch wir!«

In Feg kochte es über, nun war klar, dass er die ganze Zeit komplett überwacht worden war – selbst der Festnetzanschluss in Susanne Wagners Haus war offenbar angezapft worden –, aber der Alkohol machte es ihm schwer, adäquat zu kontern.

»Ich habe Ihnen gesagt, wir spielen nach meinen Regeln. Der Mann ist harmlos und sollte nur einen Teil des Algos am Markt testen, dafür habe ich ihn bezahlt, da ich mich um andere Dinge gekümmert habe.«

Winter wollte nicht fassen, was hier aufgetischt wurde. Eigentlich war es völlig egal, ob es stimmte oder nicht. Solche Methoden waren so oder so für sie völlig inakzeptabel.

»Gott, ich hab Ihnen weitaus mehr zugetraut. Wenn der Handel nicht gestoppt worden wäre, hätte es …«

»Es wäre nichts passiert«, unterbrach Feg sie. »Die Orders wurden nicht ausgeführt, es ist kein Schaden entstanden!«

Der BKA-Beamte schüttelte den Kopf und holte die Handschellen hervor. »Diesen Blödsinn kauft Ihnen keiner ab. Oder haben Sie schon einmal einen Bankräuber gesehen, der freigesprochen wurde, weil er nach einem Überfall sagte, er wollte nur die Sicherheitsmaßnahmen testen? Wohl ein bisschen viel getrunken, was?«

Winter wurde für einen kurzen Moment unwohl. Sie hatte

Allington vielleicht zu früh am Telefon abgewürgt. So abstoßend sie Feg in diesem Moment in dieser Umgebung auch fand, er hatte recht, und sein Privatleben ging sie in der Tat nichts an. Sie blickte den BKA-Beamten an und dann prüfend zu Feg. »Können Sie das beweisen?«

»Ich habe kurz danach sofort Bharat Sarif informiert und ihn gewarnt, keine Tests damit zu wagen oder an den Daten herumzuspielen, da wir da etwas nicht kennen oder kontrollieren können.«

Winter wusste in dem Augenblick, dass sie einen Fehler gemacht hatte. Sie erinnerte sich, dass Sarifs Name gefallen war, bevor sie Allington abgewürgt hatte und ihr das Telefon runtergefallen war.

Sie wandte sich zu dem BKA-Beamten. »Kommen Sie bitte mal mit.« Im Ausgangsbereich blieb sie stehen. »Wieso wissen Sie nichts davon?«

»Das müssen Sie den Richter fragen. Uns reichte der Haftbefehl. Aber wir können das in diesem Fall mit der Staatsanwaltschaft sicher schnell klären, Frau Winter.«

»Das will ich hoffen«, sagte sie ihrem Partner vom deutschem Interpol und ging zu Feg, der ihr schon entgegenkam.

Während der BKA-Beamte sichtlich genervt über seinen unglücklichen Einsatz versuchte, einen zuständigen Staatsanwalt zu erreichen, erklärte Feg, dass eine Simulation eben nicht die Praxis sei. Er hätte etwas übersehen, einen Fehler gemacht, sonst wäre in Frankfurt, außer einem Mikrocrash im Millisekundenbereich, auch gar nichts weiter geschehen, und dass es Zeit wäre, den Programmierer zu finden, da die Dechiffrierung dieses Codes auch seine Fähigkeiten überschreite, zumindest in der Kürze der Zeit.

»Warum haben Sie mir das nicht einfach gesagt?«, fragte Rebecca Winter.

»Berufskrankheit, chronisch! Ich rechnete nicht damit«, sagte Feg und versuchte, seine Kleidung mit fahrigen Bewegungen zu ordnen. »Haben Sie mich überwachen lassen?«

»Wäre wohl besser gewesen!«

»Gut, das klären wir jetzt, sonst brauchen wir nicht mehr zusammenzuarbeiten. Fahren wir ins Polizeipräsidium«, sagte Feg und überlegte dabei, welche Rolle der Franzose bei alldem spielte.

Der Typ vom Flughafen gehörte bestimmt zum BND, aber wessen Interessen vertrat dieser gepflegte alte Mann, der ihn vor dem Haus abgepasst hatte?

»Ich entschuldige mich hiermit. Ich habe nun mal zu einer ungünstigen Zeit, in der gegen mich leider intern ermittelt wird, einen Fehler gemacht. Das ist alles, und diese Lappalie hat in Berlin wohl das Fass zum Überlaufen gebracht.«

Winter neigte den Kopf leicht zur Seite, schaute angriffslustig. »Und so sieht bei Ihnen also ausspannen aus … ganz schön anstrengend.«

»Ich weiß ja nicht, wie viele Tage Sie schon im Beruf sind, aber in diesem Milieu finden sich nicht selten wertvolle Hinweise, und irgendwann gewöhnt man sich daran.«

»Ach, Sie Armer, dann arbeiten Sie ja quasi rund um die Uhr«, sagte Winter. Im gleichen Augenblick musste sie sich eingestehen, dass sie selbst schon aus dem Londoner Rotlichtviertel Hinweise bekommen hatte, die den einen oder anderen Investmentbanker in Schwierigkeiten gebracht hatten. Aber dass Feg in diesem elenden Puff auf Spurensuche war, erschien ihr ausgeschlossen. Anscheinend war es ihm ja doch peinlich, hier aufgespürt worden zu sein.

»So ist es, und nun hören Sie mir mal zu. In dem Algorithmus muss auch eine Art Virus sein, der in der Lage ist, die Identität des Auftraggebers, den Market Maker, vorzutäuschen. Wir sollten Sarif mehr auf die Finger schauen und keiner Information von Denvers Hinterlassenschaft ungeprüft trauen.«

»Wieso nicht? Rache und Größenwahn passen gut in sein Profil, und es tauchen immer mehr Details auf.«

Feg wollte ihr die Möglichkeit vor Augen halten, dass die Daten auch in die Irre führen könnten, ohne preiszugeben, was er am frühen Abend erlebt hatte. Er erklärte Winter, dass sie in einer digitalen Zeit lebten, in der sich die Beweislast leicht umdrehen und Eindrücke über alles und jeden fälschen ließen. Der Franzose wirkte nicht wirklich bedrohlich, und die Aussicht, mit einem kleinen Manöver alles hinter sich lassen zu können, war schön, aber der Franzose hatte doch keine Ahnung, wie schwer dieser Zugriff für ihn wäre. Die Daten zu vernichten, war völlig aussichtslos. Sie zu diskreditieren? Vielleicht. Feg spielte in seiner Hosentasche mit dem Datenstick seines dunklen Auftraggebers.

»Wie kommen Sie darauf, dass Denver …«, setzte Winter an.

»… Legenden gebildet hat und das auch noch so perfekt und umfangreich?«, beendete Feg ihre Frage.

Winter schaute ihren Kollegen an, als würde sie durch ihn hindurchsehen. »Puh, weil es um sehr viel Geld geht, natürlich.«

»Nein, um Macht, liebe Ms Winter, es geht nur um Macht, um das große Spiel.«

Das hatte Allington ihr auch eingebläut.

VIERUNDZWANZIG

HAMBURG, 28. OKTOBER

Kurze Zeit später saß Feg im Hamburger Polizeipräsidium und erfuhr, dass tatsächlich der BND die Staatsanwaltschaft informiert hatte, obwohl das Telefonat mit seinem Helfer und auch der Chat keinen Anlass gegeben hatten, ihn derartig zu verdächtigen, bestenfalls hatte er nach seiner Vorstellung die Vorschriften missachtet. Winter ließ sich inzwischen von Bharat Sarif Fegs Anruf bestätigen, und die Börsenaufsicht hatte derweil längst gesehen, dass es keinen Schaden gab, was zum Zeitpunkt von Fegs Festnahme am Kiez noch nicht bis zum Haftrichter durchgedrungen war. Nur widerwillig nahm Winter Feg seine Darstellung ab und kassierte von Allington eine Rüge, dass sie am Vorabend nach dem abgewürgten Gespräch nicht mehr ans Telefon gegangen war.

Eine Viertelstunde hörte Winter nun bereits zu, wie Feg in einem fensterlosen Nebenbüro einen Vorgesetzten in Berlin am Telefon mit ausgewählten Kraftworten traktierte. Umgeben von Aktenschränken und muffiger Luft, rang Feg nach Fassung. Offensichtlich hatte er endlich sein Ziel erreicht, dass die internen Ermittlungen gegen ihn aufgehoben würden, da alles nur eine unglückliche Verknüpfung der Umstände wäre. Sie hätten sofort die Überwachung gegen ihn einzustellen und ebenso die persönliche Observierung, die anscheinend bestritten wurde, denn Feg fing wieder an zu brüllen.

»Und wer hat mich dann am Flughafen und in Övelgönne beschattet? – Ja, natürlich niemand! Und da sind Sie ganz sicher, ja, ja … Sie können mich mal!«

Winter zweifelte zwar noch immer, ob Feg die Wahrheit sagte und ihm nicht nur der Mangel an Beweisen zu Hilfe kam, aber sie war beeindruckt von seinem selbstbewussten Auftritt und der Funktionsfähigkeit seines vorhin noch benebelten Hirns. Dass er seinen Job behalten würde, war nach dieser Auseinandersetzung allerdings mehr als fraglich, da die Börsenaufsicht auf eine Anzeige bestand.

Feg hatte den Hörer aufgelegt. Ein junger Staatsanwalt zeichnete dem BKA-Beamten ein Dokument ab, das vermutlich die Aufhebung des Haftbefehls war, und kam auf Feg zu.

»Sie müssen gute Freunde in Berlin haben, um die Uhrzeit bleiben selbst Promis in der Zelle. Aber Sie müssen eventuell mit einer empfindlichen Geldstrafe rechnen, also gute Nacht!«

»Was ist, wenn Ihr Vorgesetzter nicht gelogen hat?«, fragte Winter beim Hinausgehen.

Feg zuckte nur mit den Achseln, als hätte er sagen wollen, die Wahrheit ist das Letzte, was ich von meinem Vorgesetzten erfahre. Aber irgendetwas verschwieg er, das spürte sie. Sein Gehabe, der Streit mit seinem Dienstgeber, alles wirkte auf sie irgendwie aufgesetzt.

»Kommen Sie, ich brauche Schlaf, und Sie sehen auch nicht gerade frisch aus. Morgen geht's wieder in Ihre Heimat.«

FÜNFUNDZWANZIG

CHELTENHAM, 28. OKTOBER

Nach einer kurzen Nacht waren er und Winter am nächsten Tag spätnachmittags wieder in Cheltenham angekommen. Die etwas über 100 000 Einwohner zählende Stadt am Rand der Cotswolds bot weit mehr als die Government Communications Headquarters.

Sie galt als vornehm und reich. Bekannt durch ihr nahe liegendes Cheltenham College, eine der renommierten Schulen des Landes, und durch den Cheltenham Racecourse, das berühmte Pferderennen.

Während Feg seinen Gedanken nachhing, bremste Winter plötzlich vor einem Fast-Food-Restaurant. Er blickte sie verwundert an.

»Ist nur eine Ausnahme«, zwinkerte sie ihm zu.

»Ja, das sieht man.«

Feg hasste den Geruch von Burgern, öffnete nach Winters Rückkehr das Fenster und beobachtete argwöhnisch, wie die gefüllte Fast-Food-Tüte bei der Weiterfahrt auf der Konsole hin und her rutschte.

»Ich habe Ohropax. Die passen sicher auch in Ihre Nase.«

Winters Versuch, Humor zu erzeugen, verpuffte. Schweigend fuhren sie weiter zu den Headquarters.

Nachdem sich beide erneut durch die umfangreichen Sicherheitsmaßnahmen geschleust hatten, saßen sie in einem Raum des Geheimdienstes, nur einen Flur von Bharat Sarifs Büro entfernt. Für langwierige Ermittlungen war er perfekt eingerichtet. Neben rasend schnellen Internetzugängen an etlichen Tischen mit Computern und Flatscreens, die zudem über einen Satellitenzugang verfügten, um jederzeit in Echtzeit Bilder und GPS-Ortungen durchführen zu können, hatte man Zugang zu sämtlichen weltweit empfangbaren Radio- und Fernsehkanälen und digitalen Datenbanken. Direkt vor einer sechs Meter langen Tafel an der Wand saßen beide an einem großen Konferenztisch. Auf dem Tisch standen Säfte und alle möglichen Erfrischungsgetränke.

Mit Stiften, Papieren, Fähnchen und Post-its versuchten beide, mehr Klarheit in die verworrene Lage zu bekommen. Zu den zahlreichen Toten in der Finanzwelt gab es bis auf die Bankerin, die sich zuletzt in Paris in den Tod gestürzt hatte, keine Verbindungen zu Jarod Denver. Inzwischen waren weitere Dateien und Mails entschlüsselt worden, die ein Beziehungsgeflecht zwischen Weltbank, IWF, Börsen, Banken, Politik und Unternehmen aufzeigten, das nach Absprachen roch, nach illegalen Kontakten zwischen relevanten Entscheidungsträgern der Zentralbanken zu einzelnen Hedgefonds und Investmentbanken.

Fegs Gedanken kreisten immer noch um das Treffen mit diesem Franzosen, der ihm mit seinen subtilen Drohungen alles andere als geheuer war. Die Daten gefälscht? Wohl eher eine Schutzbehauptung! Aber sicher konnte er sich nicht sein. Diskreditierende Informationen verschwinden zu lassen, bevor sie falsch verstanden würden, war durchaus ein Motiv, das Feg einleuchtete, das er nicht von vornherein als Lüge abtun wollte, erst recht bei jenen machtvollen Menschen, mit denen Denver offenbar operiert hatte. Lügen mit scheinbaren Beweisen, mal eben der Presse untergejubelt, waren immer brisant, öffentliche Dementis hingegen kaum noch effektiv. Tricks gibt es genug, dachte Feg. Er hatte noch keine Ahnung, wie er es anstellen könnte, dem Franzosen zu helfen. Sollte er ihn jedoch belogen haben, wäre er in der Lage, alles rückgängig zu machen und seinen dunklen Bestecher auffliegen zu lassen. Der Mann fühlte sich anscheinend sehr sicher, dass er bereit war, ein derartiges Risiko einzugehen, ohne wirklich mehr in der Hand zu haben als Schmiergeld. Fegs Instinkt spürte, dass hier Großes auf dem Spiel stand. Sein eigener Dienst hatte in den letzten Jahren Methoden entwickelt, wie digitale Spuren so verfälscht werden konnten, dass Spione, unliebsame Politiker und andere Menschen kaum noch Chancen hatten, diese Beweismittel zu widerlegen. Das digitale Zeitalter machte alles und jeden erpressbar, selbst höchste Regierungsmitglieder. Jede Handlung, jedes Gefühl ließ sich in Algorithmen fassen, voraussagen und manipulieren. Wenn Denver die richtigen Kontakte gehabt hätte, wäre eine groß angelegte Diskreditierung oder Erpressung einflussreicher Persönlichkeiten im Finanzsektor sicher machbar gewesen. Vielleicht war es ihm gelungen, dafür die richtigen Leute zu finden. Feg musste seine junge Kollegin langsam dazu bringen, in allen erdenklichen Optionen mitzudenken.

»Fassen wir doch mal zusammen. Karen Hudes und andere Kontakte zur Weltbank, Goldman Sachs, diverse Top-Banker und all die anderen, auch dieser abgetauchte Jack Coldwyne … für mich sieht das eher so aus, als dienten ihm diese Kontakte, um an mehr Hintergründe über die Ursachen und Vertuschungen der Finanzkrise zu gelangen, weitere entlarvende Informationen, das ist sicher ein Motiv, ihn umzubringen. Nur für wen und für wie viele?«, sinnierte Feg und ergänzte kopfschüttelnd, dass ihm der Algorithmus ein Rätsel bliebe, solange sie nicht den Rest oder Naravan vor sich hätten. Skeptisch beobachtete er, wie Winter einen Burger auspackte.

»Was ist mit seinen Hasstiraden gegen Buffett und Gates?«, fragte sie. »Wie passt das alles zu einem Wertpapierbetrüger?«

»Na ja, Buffett sprang in der Krise ausgerechnet Goldman Sachs zur Seite und kassierte dafür bisher rund zehn Milliarden Dollar Gewinn, aber so ist das Spiel. Er kaufte, als alle anderen die Hosen voll hatten. Daran ist nichts kriminell, es ist mutig.«

Winter biss in den Burger, Ketchup und Mayonnaise quollen hervor. »Möchten Sie auch einen?«

Feg schüttelte angewidert den Kopf. Er hatte inzwischen ein paar Unterlagen ausgedruckt und reichte sie Winter.

»Und ich dachte, *ich* ernähre mich beschissen.«

»Bei Ihnen bezieht sich das eher auf Flüssigkeiten.« Sie blickte auf die ersten Zeilen einer Dokumentation über Goldman Sachs. Die Bank hatte mehr als wohlwollende Unterstützung des ehemaligen US-Finanzministers bekommen. Er ließ Lehman Brothers in die Pleite rutschen, rettete aber Goldman Sachs, obwohl die gegen ihre eigenen Kunden gewettet hatten. Pikant daran war, dass der Finanzminister vor seiner Regierungstätigkeit Vorstandsvorsitzender bei Goldman Sachs gewesen war und mit der Weigerung, Lehman zu helfen, nicht nur das ganze Kartenhaus an der Wall Street hatte einstürzen lassen, sondern auch den größten Konkurrenten seines einstigen Arbeitgebers vernichtet hatte. Hatten die Menschen eigentlich wirklich begriffen, was da abgelaufen war?

»Sie finden Buffetts Verhalten nicht kriminell?«, fragte Winter. »Wer weiß, was man ihm vor dem Deal gesteckt hatte. Mhm, also gut, Denver hat 2007 reichlich Geld verloren, um nicht zu sagen, fast alles …« Sie legte den Burgerrest beiseite, säuberte sich ihre verschmierten Finger und kramte in ihren Unterlagen. »Er hat elf Millionen Dollar verloren, einen nicht unerheblichen Teil durch Lehman-Beteiligungen. Nur eine einzige Warnung von seinen ehemaligen Freunden bei Goldman Sachs hätte ihn retten können.«

»Also sind wir wieder bei Rache?« Feg versuchte vergeblich, eines der Fenster zu öffnen, rümpfte die Nase und setzte sich etwas weiter entfernt von Winters Picknickrest an einen kleineren Tisch in der Ecke des Raums.

»Die Rache hätte demnach ja nur Goldman Sachs gegolten, aber es sieht eher nach einem Rundumschlag aus.« Mit einem Seufzer blickte Winter auf die Tafel mit den zahlreichen Verbindungen Denvers. »Wer soll daraus schlau werden?«

»Vielleicht niemand«, sagte Feg lapidar. Die Sache mit dem gestohlenen Code von Goldman Sachs war eine sehr wichtige Spur, und auch wenn er hierzu noch keine Entscheidung getroffen hatte: Bevor er diesem Franzosen helfen, ein großes Risiko eingehen und letztes Vertrauen verspielen würde, müsste er noch einiges in Erfahrung bringen. Merkwürdig erschien ihm, dass er sich nicht mehr gemeldet hatte – so eilig, wie alles geklungen hatte.

»Aber Goldman Sachs hat mit seinem Handelssystem, das ihm 2009 von einem Programmierer namens Sergey Aleynikov gestohlen wurde, mit illegalen Methoden doppelt und dreifach an der Krise verdient, die es ursächlich mit zu verantworten hatte!«

Feg sah, wie Winter vor ihrem Laptop anscheinend unbewusst die Faust ballte.

»Ja, ich weiß, und pervers genug, dass sie damit durchgekommen ist wie andere Banken auch. Wir beziehungsweise die SEC hatten bisher zu wenig Beweise!«

Pervers? Feg wurde immer bewusster, dass ihm eine Polizistin gegenübersaß, die, aus welchen Motiven auch immer, dazu neigte, die Welt in Schwarz und Weiß einzuteilen. Gut, sie war noch jung, dennoch versperrte eine solche Weltsicht den Blick, beschränkte die Fähigkeit, einen Menschen in seiner Kompliziertheit zu erfassen. Und mit wachsendem Einfluss und Geld wuchsen bei den Menschen auch die Widersprüche. Sicher konnte man bei den Schreibtischtaten von Bankern die Geduld verlieren, ihnen die Pest an den Hals wünschen, aber dann musste man gerade als Polizistin in der Lage sein, verschiedene Perspektiven einzunehmen. Es war Zeit, ihr mal auf den Zahn zu fühlen.

»Prima, so langsam lernen wir uns kennen. Sie sind also aus rein idealistischen Gründen zu Scotland Yard gegangen. Wer hat Ihnen denn wehgetan? Es ist nicht gut, wenn Sie sich von persönlichen Motiven leiten lassen. Das macht blind!«

»Jetzt können Sie also auch noch Menschen lesen?« Winter lächelte süffisant.

Feg durchbohrte Winter geradezu mit seinem Blick, sekundenlang. »Beim Pokern ist das Wichtigste, gelassen zu bleiben und sich nicht in seine Karten schauen zu lassen.« Er lehnte sich auf seinem Stuhl zurück und schlug die Beine übereinander.

»Und welche Karten habe ich offengelegt?«

Wieder ließ Feg auf seine Antwort warten.

»Sie zeigen Ihren Hass auf die Finanzbranche zu sehr, und dann verstecken Sie sich hinter etwas. Sie wollen sich durchsetzen, indem Sie sich verhüllen, ihre Weiblichkeit verleugnen, da Sie befürchten, sonst angreifbar zu sein.«

Rebecca Winter fing innerlich an zu brodeln. Sie hasste es, wenn berufliche und private Angelegenheiten oder Befindlichkeiten vermischt wurden. Im Büro traute sich nicht einmal Allington so nah an sie heran.

»Das nennen Sie Lesen? Ist ja lächerlich!«

»Sie wirken deswegen etwas verbissen. Lassen Sie mich raten. Sie wurden von Mami und Papi streng erzogen, Papi hat Ihnen alles abverlangt – und schwups, sitzt man an einer Aufgabe, die nur einem Zweck gilt: Es ihm zu beweisen. Aber das ist in diesem Beruf gefährlich. Ich hoffe, Sie sind sich Ihrer Grenzen bewusst.«

Winter versuchte, sich nichts anmerken zu lassen, und nippte an ihrer Cola. Ihre Familiengeschichte ging ihn verdammt noch mal einen Scheißdreck an.

»Wie aufschlussreich! Sie geben sich wie ein Möchtegernplayboy. Sie kommen wohl kaum aus reichen Verhältnissen, haben sich nach oben gearbeitet und sind auch noch stolz darauf, ein Leben auf der Überholspur zu führen. Ach ja, Ihre Manieren deuten auch auf ein egozentrisches Einzelkind, das zu wenig Aufmerksamkeit bekommen hat.«

Feg grinste, aber seine Augen verrieten ihr, dass sie ihn getroffen hatte. Und als ob es ihr darum ginge, endgültig in Ruhe gelassen zu werden, legte sie nach.

»Aber für einen Geheimdienst sind solche ungebundenen Typen wahrscheinlich das Beste, was ihnen passieren kann. Und Frauen sind für Sie ja wohl nur austauschbare Objekte, aber zumindest damit sind Sie nicht alleine. Man kann sich ja alles kaufen!«

»Das war doch ein guter Anfang. Machen Sie weiter so! Ein Blick auf die Haut, und Sie glauben zu wissen, was druntersteckt, und genau da liegt Ihr Problem.«

Winter winkte ab.

»Kommen Sie, stellen Sie sich dem. Sie können nicht einfach über jeden Bankmanager, Unternehmer oder Börsenmakler ein Pauschalurteil fällen. Es wird Zeit, dass Sie in die verhasste Welt der Reichen einmal anders eintauchen und zuhören, denn auch dort gibt es Menschen, die ganz unterschiedliche Motive haben!«

Fegs Selbstsicherheit hatte einen kleinen Dämpfer bekommen, das spürte Winter, und es tat ihr fast leid. Sie verstand, worauf er hinauswollte. Natürlich war ihr bewusst, dass der kleine Bankangestellte oder lokale Manager nicht mit den großen Bossen zu vergleichen war. Aber was sollte diese Belehrung? »Was wollten Sie mir nun wirklich sagen?«

»Gut, lassen wir das Persönliche«, lenkte auch Feg ein. »Also nehmen wir mal an, Denver hat versucht, den vollständigen Code von Goldman Sachs mit Naravan weiterzuentwickeln, um ihn einzusetzen. Größenwahnsinnig, wie er anscheinend war, wollte er mehr Einfluss bekommen. Aber die Daten, die wir hier nach und nach entschlüsseln, eignen sich, um ganze Institutionen zu erpressen, was wir aber nicht genau wissen. Es passt irgendwie alles noch nicht zusammen. Aber dass er eine gierige Ratte war, ist so ziemlich das Einzige, was sicher ist.«

»Ein wenig viele Optionen, oder?«

»Auf jeden Fall gibt es offenbar innerhalb der Führungselite Spatzen, und wir werden noch mehr davon finden, dann kommen wir an die richtigen Motive und Leute heran.«

Die meisten Spatzen sind aber schon von den Dächern gefallen, dachte Winter und stöberte im Netz. Sie stieß auf einen Artikel der *New York Times*. Darin wurde in der Tat die Befürchtung geäußert, dass Unbekannte die Daten abgefangen hätten, die Aleynikov nach Deutschland geschleust hatte. Die Missbrauchsmöglichkeiten seien enorm und stellten im schlimmsten Fall sogar eine Gefahr für das gesamte US-Finanzsystem dar. Befremdlich war für sie die Tatsache, dass die Staatsanwaltschaft nicht dem Verdacht nachgegangen war, dass Goldman Sachs selbst dieses Programm zum Missbrauch eingesetzt hatte. In einem anderen Bericht fand sie Hinweise, dass Aleynikov die

Daten von Goldman Sachs tatsächlich in Deutschland gelagert hatte.

»Vielleicht kann man durch den Code nachweisen, wie Goldman Sachs betrogen hat«, sagte Feg. »Dann hätten wir allerdings ein Motiv, Denver aus dem Weg zu räumen und alle, die davon wussten.«

»Wir müssen prüfen, ob Denver oder Naravan in der relevanten Zeit Zugang zu einem Server in Deutschland hatten, und dann Goldman einen Besuch abstatten«, sagte Winter und druckte sich den Artikel aus.

Feg lachte laut auf. »Was glauben Sie, wie das geht? Sie besuchen den Vorstand von Goldman Sachs und fragen, ob er erpresst wurde? Schätzchen, ich habe Idealisten wie Sie reihenweise scheitern sehen und noch mehr. Hören Sie auf mich und warten Sie ab. Wir stehen gerade mal am Anfang. Wir müssen verstehen, was hier abläuft. Eine falsche Entscheidung, und Sie können den Fall vergessen.«

Winter schwankte zwischen ihren Gefühlen. Es nervte sie, wie Feg über alles hinwegzog, was sie dachte, als hätte es keinen Wert, aber sie konnte ihm auch nicht wirklich etwas entgegensetzen.

»Kennen Sie diese Leute überhaupt, ich meine, ihre Art zu denken? Haben Sie sich auch nur einmal in dieses Umfeld begeben, und ich rede nicht von den mittleren Fischen in Canary Wharf. In den höheren Kreisen rumort es, die meisten trauen sich nicht, den Mund aufzumachen, und jene, die es tun, werden höchstens klammheimlich unterstützt.«

»Sie meinen, ich habe zu viele Vorurteile?«

»Das weiß ich nicht. Aber für eine Polizistin zu schnelle Urteile!«

Kaum hatte Feg den nächsten verächtlichen Blick Winters geerntet, wurde ein Anruf von Allington aus der Überwachungszentrale von Scotland Yard auf ein hausinternes Handy durchgestellt.

»Wir haben Naravan in London geortet. 528 Kingsland Road in einem Internetcafé.« Allington erklärte, dass der Geheimdienst von Cheltenham aus den Rechner von Naravan in Echtzeit beobachte und sie zugeschaltet wurden, dass er bereits Streifenpolizisten und einen Kollegen vor Ort habe, mit seiner Verhaftung aber so lange wie möglich warten wolle, da Naravan gerade in einem Chat versuche, Kontakt mit jemandem aufzunehmen.

Im nächsten Augenblick knallte die Tür gegen die Wand und Bharat Sarif stand mit hochgezogenem Daumen atemlos im Rahmen, sah Winters aufgeregten Gesichtsausdruck. »Ah, Sie wissen es schon?«

»Na, sehen Sie, endlich ein erster Schritt!« Feg klatschte in die Hände und nickte Sarif zu.

Winter schien für einen Moment wie eingefroren, im nächsten wurde sie hektisch. »Verdammt, wir brauchen fast eine Stunde bis nach London!«

»Nicht unbedingt«, sagte Sarif, und drückte einen Knopf auf einer Tafel neben der Tür. »Folgen Sie mir!«

Das Telefon auf laut gestellt, riss Winter ihren Mantel vom Stuhl und schubste Feg regelrecht aus dem Raum. Sie rannten den Flur entlang. Nach einer knappen Minute stieß Sarif eine Tür auf. Sie eilten die Stufen hoch und gelangten durch eine weitere Tür auf das Dach zu einem Hubschrauber.

Sarif schrie, seine übliche Gemütsruhe verlierend: »Wo verdammt bleibt der Pilot?!«

Winter flehte währenddessen Allington unentwegt an, alles zu tun, damit Naravan nicht entkommt. Allington versuchte, sie zu beruhigen, bis der Pilot bereits in voller Montur durch die Tür schoss und auf sie zulief. Ohne ein Wort hievte er sich ins

Cockpit und startete den Motor. Winter und Feg setzten sich auf die hinteren Plätze, stülpten Helme und Headphones über. Die Rotoren erreichten ihre nötige Geschwindigkeit, um abzuheben. Über eine Verbindung im Helikopter konnte Winter Allington weiter hören, wie er in der Überwachungszentrale Scotland Yards die Observierung leitete.

»Okay, er ist wieder im Chat«, sagte ein Mitarbeiter im Hintergrund.

Winter vibrierte. »Wann sind wir da?«, rief sie dem Piloten ungeduldig zu.

»In etwas mehr als 20 Minuten!«

Allington verfolgte live am Bildschirm, was Naravan gerade Pikantes über den IRC-Chat schrieb, aber seine Experten konnten den Empfänger für den Moment mit keinen Mitteln ausmachen.

[18:37] <Natan> Sie können alles von mir haben, wenn Sie mich einfach nur in Ruhe lassen. Ich weiß nicht, was Jarod widerfahren ist oder wer ihn abserviert hat. Dachte, Sie waren es. Tut mir leid, dass ich Ihnen die Mails … Na ja, Sie wissen schon.
[18:37] <V> Ach du Scheiße. Wie kommen Sie darauf? Nein. Wir tappen im Dunkeln. Aber wenn er versucht hat, den Code zu nutzen, um Geld zu erpressen, gibt es ein Dutzend, die ihn dafür killen würden.
[18:38] <Natan> Hm?^^ Muss Schluss machen. Zu lange hier.
[18:38] <V> Sie kriegen alles. Auch Sicherheit. Ehrenwort. Kommen Sie her! Ich schicke Ihnen einen Anker.

Das muss doch Dan Former sein!, schoss es Allington durch den Kopf. Wenn Naravan jetzt den Laden verließ, wäre er fällig. Er konnte sich nicht vorstellen, wie Naravan angesichts zweier Drohnen vor Ort, Satelliten und rund 20 000 Kameras in London noch entkommen sollte.

»Scheiße! Er hat sein Handy ausgeschaltet! Ich hab die Signale verloren«, hörte Winter, aber auch sie war sich sicher, dass ihm das nicht mehr viel helfen würde. Der Lärm der Rotoren war unerträglich, die Vibrationen schüttelten den ganzen Körper durch. Seit etwa einem Jahr hatte Scotland Yard ein neues System bekommen, mit dem der Vorteil eines Prepaid-Handys ein für alle Mal geschlagen war. Hatte man einmal das Stimmenmuster eines Menschen gespeichert, war er quasi in Echtzeit weltweit zu finden, sobald die Stimme auftauchte.

»Wo ist er?«

»Immer noch im Laden! Bleib ruhig«, sagte Allington.

»Achtung, verehrte Fluggäste, ich lande da vorne auf dem Parkplatz. Von da müssen Sie 300 Meter geradeaus, und dann ist es rechts!«

Der Helikopter setzte etwas unsanft auf. Feg schob die Tür auf und war kaum draußen, als Winter schon die Straße hinunterrannte, bis sie aus der Ferne das Internetcafé sah. Er zündete sich seelenruhig eine Zigarette an und folgte ihr. Ein stämmiger Kollege aus ihrer Abteilung kam auf Rebecca Winter zu. Sie blieb stehen.

»Wir haben vier Streifenwagen in Bereitschaft. Allington wollte so lange warten, wie es irgendwie geht, in der Hoffnung, dass er uns zu seinen Komplizen führt. Jetzt ist es an Ihnen«, sagte der Mann in Erwartung weiterer Befehle.

»Verdammt!«, sagte sie, beugte sich vor und schnaufte mehrfach aus.

»Haben Sie kein Trainingsprogramm bei Scotland Yard?«, fragte Feg, der inzwischen auf ihrer Höhe war.

»Sehr witzig«, erwiderte Winter und dachte, dass es tatsächlich an der Zeit wäre, mehr für ihre Fitness zu tun, aber in der Regel waren die von ihr gesuchten Delinquenten auch nicht auf der Flucht, sondern versteckten sich hinter hoch bezahlten Anwälten.

»Okay, holen wir ihn«, sagte der stämmige Kollege aus ihrer Abteilung. Sie gingen über die Straße. Die Fassade des kleinen Internetcafés war heruntergekommen und wirkte wie eine der zahllosen Absteigen türkischer oder afrikanischer Inhaber, die sich in allen europäischen Metropolen mit internationalen Telefonzellen und Internetanschlüssen gerade so über Wasser hielten.

Nicht selten waren diese Cafés auch Treffpunkte für Drogendealer und gestrandete Asylanten. Als Winter die Tür öffnete, sah sie zwei Schwarze und einen arabisch aussehenden Mann, der offensichtlich der Inhaber war. Die drei Internetplätze waren nicht besetzt.

»Scotland Yard!«, stellte sich Winter vor. Ihr Kollege zog ein Foto aus der Tasche.

»Wo ist dieser Mann?«

»Er vor einer Stunde gegangen. Sagen, ich soll Rechner eine Zeit in Ruhe lassen. 50 Pfund zahlen, Handy und Jacke hierlassen und meinen, er gleich wieder da! Dann Handy die ganze Zeit klingeln und ich ausschalten.«

Winters Gesichtszüge entgleisten.

Feg ging zu dem Rechner, tippte den Bildschirmschoner weg und musste laut lachen. Der Junge wusste genau, dass er verfolgt wurde. Feg blickte sich um und sah, dass in der Mitte des Tisches ein WLAN-Router aufgebaut war. Es war ein leichtes Spiel für einen Mann wie Naravan, sich den Rechner und die IP-Adresse per Funk zu kapern, um so aus der Entfernung einen Computer zu nutzen, vor dem er gar nicht saß.

»Aber er muss doch noch in der Nähe sein!«, beschwor Winter.

»Nein. Mit entsprechender Antenne kann er sogar Kilometer entfernt sein«, sagte Feg und nahm sich aus dem Kühlschrank neben dem Eingang eine Cola.

Winter ließ sich auf einen Stuhl fallen, stützte ihren Kopf in beide Hände und stöhnte laut auf. Der Chat wurde zu früh abgebrochen. Sie setzte all ihre Hoffnung auf die totale Kameraüberwachung.

»Bestimmt wird er nicht weit kommen!«

SECHSUNDZWANZIG

VOR DER KÜSTE MONACOS, 29. OKTOBER

Dan Former hatte es sich im Empfangssalon seines Schiffes auf dem Sofa bequem gemacht. Die komplett weiße Kleidung, inklusive Schuhe, unterstrich seine tiefbraune Haut. Er genoss einen leichten Käse mit Weißbrot und einen französischen Landwein. Luxusessen war nicht mehr seine Sache, davon hatte er in den letzten zwei Jahrzehnten bis zum Sodbrennen mehr als genug gehabt, zu viel Gewicht zugelegt und seine Leber ruiniert. Er setzte gerade das Glas an, als er durch ein großes Bullauge sah, dass Patrice Lascaut auf dem Weg zu ihm war.

Auf Lascaut war Verlass. Er leitete im Verborgenen die *Herren*, ohne Indiskretionen zu begehen, und Former wusste, dass er die Ziele der Gruppe unterstützte, solange er dabei im Hintergrund bleiben konnte. Längst war er bereit, seine Risiken auszuweiten. Aber Formers größte Angst, dass er selbst mit dem Mord an Denver in Verbindung gebracht werden könnte, vermochte auch Lascaut ihm bisher nicht zu nehmen.

»Hallo, Patrice. Ich hoffe, du hast für mich heute bessere Nachrichten«, begrüßte ihn Former, stand auf, säuberte kurzerhand seine Finger in einer Schale mit Zitronenwasser und trocknete sie mit einer Stoffserviette, bevor er seinem Freund die Hand reichte.

Beide setzen sich auf das übergroße Sofa. Die Enttäuschung in Lascauts Gesicht sagte alles. Er faltete die Hände zusammen, schilderte, dass alle erdenklichen Leute oder Firmen ein Interesse an Denvers Ermordung gehabt haben könnten, da er die brisanten Informationen der *Herren* offensichtlich für seine eigenen Zwecke versucht habe zu missbrauchen, und dass er jetzt hoffte, einen Experten vom BND ausreichend gelockt zu haben, die Daten zu beseitigen.

»Wie kommst du darauf, diesen BND-Mann richtig einschätzen zu können? So ein Unsinn. Der geht längst eigene Wege!«

Lascaut verlor kurz die sonst so selbstsichere und ruhige Ausstrahlung. Er zog sich einen Zigarillo aus einem goldenen Etui, zündete es an und lehnte sich langsam zurück.

»Was meinst du damit?«

»Ich habe meine Leute an den Börsen«, sagte Former und hob eine Fernbedienung vor ihm vom Tisch. »Hier, schau dir das an.« Former öffnete eine Grafik, die übergroß auf einem Bildschirm an der Wand erschien. »Vermutlich hat er versucht, einen Teil des Systems einzusetzen. Einer meiner Entwickler versicherte mir, dass dies die Handschrift von Naravan war. Er hat sich bei mir gemeldet. Wieso hast du ihn in London hängen lassen?«

Das ist mehr als schlecht, dachte Lascaut. Aber wie sollte er Former helfen, wenn der ihn nicht vollends einweihte, zu was dieser beziehungsweise diese Algorithmen am Ende imstande waren? Former wurde für die Gruppe zu einer ernsten Gefahr. War er sich dessen nicht bewusst? Vor allem konnte er nicht einschätzen, wie weit Former gehen würde, um seine Ziele zu erreichen. Weder er noch andere der *Herren* waren wirklich im

Bilde. Kein gutes Omen, dachte er, wenn jetzt auch noch innerhalb unseres Zirkels Angst und Misstrauen herrschten.

»Ich habe ihn verloren. Offenbar hat er kein Vertrauen zu mir, aber zu dir hat er es, und das ist gut so. Verdammt, Dan, du hast uns alle in Gefahr gebracht, und ich muss jetzt endlich wissen, was dieses Programm anrichten wird!«

»Nein! Wir haben vereinbart, dass es zu deinem und dem Schutz der anderen keine weiteren Mitwisser gibt. Und solange die Ermittler nicht alles in die Hände bekommen, droht auch keine Gefahr. Aber es ist weitaus mehr als ein Handelssystem und flankiert unsere Pläne. Also, was soll die Frage noch?«

»Hat mich eine Stange Geld gekostet. Du weißt, dass man dich verdächtigen wird. Und auch wenn wir uns lange kennen: Bist du dem gewachsen?«

Former schaute fassungslos im Raum umher und riss die Arme gen Himmel. »Patrice! Ich bin zu vielem bereit, aber ich bin kein Mörder und glaube auch nicht, dass aus unserer Gruppe jemand so weit gehen würde! Hab ich mich deutlich ausgedrückt? Das ist nicht unser Stil! Ich könnte dich das Gleiche fragen. Jedenfalls waren die oder der Täter offensichtlich nicht so erfolgreich, wie sie es sich erhofft hatten. Sie haben bestenfalls die Hälfte der Daten von Denver kassiert, die Algorithmen sind unvollständig.«

»Entschuldige, Dan, jetzt bin ich beruhigt. Es geht hier um mehr als um uns!« Lascaut betonte seine Überzeugung, dass die vielen Daten über die Verwicklungen bestimmter Personen und Banken erst Stück für Stück vom britischen Geheimdienst entschlüsselt werden würden. Er könne zwar nicht garantieren, dass sein Mann vom BND sie löschen würde, aber sie hätten noch Zeit und könnten alles als Fälschung hinstellen, mit der ausschließlich Denver Geld erpressen wollte. Lascaut faltete die Hände zusammen, die Flecken auf ihnen verrieten sein Alter.

»Ja, das könnte, ich betone, *könnte* funktionieren, es sei denn, sie quetschen Naravan aus. Ich habe ihm Hilfe geschickt, Geoff holt ihn morgen aus London raus, ich bin mir aber nicht sicher, ob er nicht doch abtaucht oder gar auspackt. Und dann gnade uns Gott!«, sagte Former und reichte Lascaut ein Dokument. Es war die Bestätigung von einem unabhängigen Institut, dass Former bestimmte verfängliche E-Mails nie geschrieben hatte. Aber das alles würde nicht reichen. »Woher wissen wir, dass es nicht noch mehr Kopien gibt, und wie kommst du bloß auf die fantastische Idee, einen Mann vom BND kontrollieren zu können? Was glaubst du, wer du bist? Al Capone?« Former trank einen großen Schluck Wein. »Die Polizei mag die Daten zu einem Großteil in ihren Händen haben, aber schlimmer noch ist, dass Denver damit vielleicht unsere Gegner geweckt hat. Wenn die Behörden diese Informationen für Ermittlungen nutzen und die Wahrheit vor dem Einsatz der Algorithmen, ihr wahrer Zweck also, rauskommt, ist alles vorbei! Die Parameter der Systeme brauchen eine konzentrierte Veröffentlichung und kein langsames Durchsickern.«

Former rieb sich die Stirn, stand auf und ging im Raum umher. Die Sache schien außer Kontrolle zu geraten. Jahre der Planung, Unmengen von Geld und zahllose konspirative Treffen hatte er investiert, damit der nächste Crash nach seinen Vorstellungen verlaufen würde. Former war sich sicher, dass die Welt kurz vor der größten Blase aller Zeiten stand. Fundamentaldaten spielten kaum noch eine Rolle. Anleger und selbst große Investoren fielen auf die völlig übersteigerten Aussichten der Aktien rein, da sie keine Informationen darüber hatten, wie das System wirklich funktionierte, wie die Aktienwerte manipuliert wurden, indem die Zentralbanken illegal den Markt stützten.

»Wie konnte Denver nur so dumm sein, verdammt! Wenn wir Naravan nicht finden, war die ganze Vorbereitung und Arbeit für die Katz, und wir können nichts mehr tun.« Der Gedanke, wer Denver umgebracht haben könnte, ließ Former nicht los.

»Ich kann nur Druck ausüben und je nach Lage versuchen, über die Downing Street Einfluss auf Scotland Yard zu nehmen, aber das ist sehr riskant. Was alle Beteiligten jetzt brauchen, sind 100 Prozent glaubwürdige Dementis. Bereite dich auf das Schlimmste vor, das ist die beste Versicherung«, sagte Lascaut.

»Und was hast du vor?«

»Wir müssen Spuren legen für alle Fälle, uns als Opfer darstellen. Wir bekommen nicht noch einmal so eine Gelegenheit. Die Wall Street ist *jetzt* verwundbar. Jetzt, Dan!«

»Behalte diese Ermittlerin im Auge. Du und Simon. Ihr müsst sie vielleicht nur auf die richtigen Leute treffen lassen und so viel Verwirrung schaffen, dass es den Schnüfflern nicht gelingt, die Zusammenhänge zu verstehen.« Former blickte wieder kämpferischer.

»Vergiss Simon. Vielleicht habe ich eine Lösung. Ich habe neben allen negativen Nachrichten doch noch ein Bonbon für dich. Diese junge Polizistin von Scotland Yard. Ich habe mir ihre Akte besorgt. Du glaubst nicht, wer ihr Vater ist.«

Wie hat er das wieder geschafft?, fragte sich Former. »Nun mach's nicht so spannend, wer ist es?«

»Neil Winter!«

Former setzte sich und schüttelte den Kopf. »Sagt mir nichts.«

Lascaut schaute ihn verwundert an und legte ein altes Foto der gemeinsamen Abschlussfeier an der London School of Economics auf den Tisch. »Der da. Hinten rechts.«

»Das darf doch wohl nicht wahr sein!« Former erinnerte sich schlagartig, dass Neil Winter beim Crash von 2000 als begnadeter Trader in kürzester Zeit alles verloren hatte. Nach dem sozialen Abstieg Winters hatte seine Gattin zudem über die Öffentlichkeit erfahren, dass er sie seit Jahren mit einer Frau aus dem Finanzministerium betrogen hatte. Die einst so angesehene Familie zerbrach, und Neil Winter verschwand in der Versenkung. Wegen der Affäre war es eine öffentliche Hinrichtung geworden. Und nun war seine Tochter bei Scotland Yard! Aber wusste sie, dass Neil Winter damals von einem Händler erpresst worden war, weil er Steuern hinterzogen hatte? Wusste sie, dass er alles verloren hatte, weil er auf die falschen Leute gesetzt und weil ihm die Bank sein Kreditlimit nicht erhöhen wollte, obwohl er mit einem Hebelprodukt kurz davor gewesen war, wieder in einen sicheren Hafen zu laufen?

»Wir könnten die Dinge so lenken, dass wir seine Tochter Rebecca Winter vielleicht sogar für uns gewinnen können.«

Former legte die Hände zusammen und schaute Lascaut in die Augen. Es war unglaublich, dass ausgerechnet die Tochter eines ehemaligen Händlers wie Neil Winter die Finger in dieser Sache hatte, aber er ahnte, worauf Lascaut hinauswollte. Es gab ohnehin kein Zurück mehr. Nur er und Lascaut hatten die Möglichkeit, zu verhindern, dass alle *Herren* auffliegen würden. Dass ausgerechnet er sich durch den Fehler, Denver zu vertrauen, zur Zielscheibe gemacht hatte, trieb ihm fast die Schamesröte ins Gesicht.

»Wie willst du denn das bitte anstellen, Patrice? Mit ihrem Vater sprechen?«

»Warte ab. Aber bereite dich gut vor. Es ist dein größtes Spiel, Dan, doch das Gleiche gilt vielleicht auch für diese engagierte Polizistin …«

SIEBENUNDZWANZIG

LONDON, 30. OKTOBER

Naravan erreichte die U-Bahn-Station Hyde Park, kämpfte sich durch das unterirdische Tunnellabyrinth an die Oberfläche und suchte den vereinbarten Treffpunkt. Wenn Former Wort halten würde, konnte er hoffen, noch mit einem blauen Auge davonzukommen. Er hatte immer wieder betont, er sorge für seine Leute. Die Angst hatte Naravan dennoch gepackt. Welche Wahl hatte er noch?

Die ganze Stadt war wie ein einziges Auge, überall meinte er, Videokameras zu sehen. Er zog seine Kapuze noch tiefer ins Gesicht. Sein Ziel, die Brücke über dem See The Serpentine, war zumindest kein Ort, wo man ihn mal eben beseitigen könnte, und Geoff, einer von Formers Anwälten in London, war ihm bekannt und ein netter Kerl. Er setzte sich auf eine Bank und behielt die Brücke im Auge. Trotz des kalten Wetters waren überall Menschen unterwegs, und Überwachungskameras konnte er hier auch nicht entdecken. Er atmete tief durch. Was sollte er Former sagen?

Er ärgerte sich, dass er vor einem Jahr nicht seinem Instinkt vertraut und die Firma rechtzeitig verlassen hatte. In Sekunden spulten sich vor seinem inneren Auge die Bilder ab, wie eine innere Abrechnung mit sich selbst.

Kurz nach dem Ende seines Informatik- und Mathematikstudiums war er direkt von der Universität in Dan Formers Handelsabteilung in London engagiert worden. Er hatte begonnen, Handelsalgorithmen zu programmieren. Denver war auf ihn aufmerksam geworden, nachdem einer seiner Algos einen beträchtlichen Gewinn eingefahren hatte. Dabei hatte der 29-Jährige vor allem erkannt, über welche Glasfaserkabel der reguläre Handel schneller lief, und wie lange Orders bestimmter Handelshäuser brauchten. Durch einen Trick konnte er die Geschwindigkeit relevanter Marktteilnehmer im Millisekundenbereich ausbremsen. Während er annahm, damit doch nur für faire Verhältnisse zu sorgen, verschaffte er der Handelsabteilung von Former in Wirklichkeit einen illegalen Vorteil, den Denver gnadenlos nutzte. Former überwies Naravan einen immensen Betrag, um seinen Mitarbeiter bei Laune zu halten, und versprach mehr. Noch nie mit so viel Geld ausgestattet, fühlte Naravan sich nicht nur geschmeichelt, er dachte an eine schnelle Bilderbuchkarriere und seinen Traum, sich möglichst bald mit einer eigenen Softwarefirma selbstständig zu machen.

Denver, damals noch Leiter des Hochfrequenzhandels, stachelte ihn täglich aufs Neue an weiterzumachen, bis er schließlich Dan Former darüber informierte, dass mit ihm vielleicht die Umprogrammierung eines geheimen Algorithmus möglich wäre. Der sollte angeblich für mehr Transparenz und Gerechtigkeit auf den Märkten sorgen, wo große konkurrierende Handelshäuser tagtäglich mit neuen Algorithmen und teuer erkauften Computeranschlüssen sich Geschwindigkeit im Handel erschlichen, während andere Marktteilnehmer im Kampf um Millisekunden bei den Ausführungen der Orders keine Chance mehr hatten. Denver ging es angeblich um nicht weniger, als den Hochfrequenzhandel an eine Stufe zu bringen, die die Behörden zwingen würde, endlich zu handeln. Im ersten Moment konnte er sich mit diesem Gedanken anfreunden.

Und er lernte Former eines Abends in einem Londoner Nobelrestaurant selbst kennen. In einer für ihn völlig fremden Umgebung saß er zwischen Frauen und Männern, mit denen er sich freiwillig keine Sekunde unterhalten hätte – reich, oberflächlich, nur über Geld und Luxus oder über Kultur der Extraklasse sprechend. Wen man alles beim Pferderennen in Ascot getroffen hatte oder wer bei Sotheby's welches Kunstobjekt ersteigert hatte. Vor ihm lagen Gedecke, deren Reihenfolge in ihrer Benutzung für einen vorwiegend auf Fast Food trainierten Programmierer ein Rätsel war.

Das alles passte nicht zu jemandem wie ihm, der täglich im Netz Petitionen gegen den Terror des Freihandels, der Nahrungsmittelspekulation und der Zerstörung unserer Lebensgrundlagen unterzeichnete, auch wenn er wusste, dass sich durch einen Mausklick nichts veränderte, ihm aber immerhin die beruhigende Illusion eines Engagements vermittelte. In seinem Anzug fühlte er sich, im Vergleich zu seinen üblichen schlabberigen Jeans und weiten Kapuzenjacken, eingeengt und verkleidet. Aber er konnte diesem Former etwas abgewinnen. Er war nicht so aufgeplustert wie die Jüngeren, behandelte ihn nicht wie einen Mitarbeiter, der mal bei den Großen am Tisch sitzen durfte. Naravan lauschte begierig Formers Vorstellungen von einem neuen Kapitalismus, in dem sich alles wieder an fundamentalen Werten orientieren müsste. Alles in allem hatte er sich von seinem väterlichen Charme so einlullen lassen, dass er kurze Zeit später zusammen mit zwei weiteren Entwicklern begann, an dem gewünschten Algorithmus zu arbeiten.

Schließlich kam der Tag, als Denver mit Insiderinformationen einen riesigen Fehler gebaut hatte. Trotz einer von Naravan nicht näher hinterfragten Freundschaft zwischen den beiden, musste Former im Laufe des letzten Jahres Denver fallen lassen. Es kam zu Ermittlungen, und dann begann Denver, sich schlagartig zu verändern – oder sein wahres Gesicht zu zeigen.

Naravan blies in seine kalten Hände. Er würde den Tag nie vergessen, als er aussteigen wollte, und Denver ihm ganz offen damit drohte, ihn wegen der Programmierungen der Algorithmen, die offiziell verboten waren, hochgehen zu lassen, wenn er jetzt nicht seine Arbeit beendete. Zerrissen zwischen dem Wunsch, irgendwo einen stinknormalen Job anzufangen, und der Angst, dass Denver seine Drohung wahr machen würde, entschied er sich, das Projekt abzuschließen, das Geld dafür zu nehmen und möglichst schnell einen Abgang zu machen.

Die Gedanken wichen. Als er auf die Uhr schaute, spürte er einen leichten Schlag und dann einen Stich in seinem Rücken. Jemand hatte ihm kurz auf die Schulter geklopft. War es Geoff? Er blickte sich um, sah eine Gestalt hinter sich, die seelenruhig wegging, sein Atem stockte, die Lunge wollte keine Luft mehr aufnehmen, seine Augen verloren die Sicht, alles verschwamm. Der Druck auf sein Herz mündete in einen unfassbaren Schmerz, die Lähmung ließ keinen Schrei zu. Dann sah er nichts mehr.

ACHTUNDZWANZIG

CHELTENHAM, 30. OKTOBER

»Ich kann es nicht fassen. Da verfügen wir über die besten Überwachungsmethoden, und so ein kleiner Nerd spielt uns nach Belieben aus. Er ist der letzte …«

»Blödsinn«, unterbrach Erik Feg seine Partnerin, die gerade wieder in ihrem vom Geheimdienst zugeteilten Raum an dem Konferenztisch Platz genommen hatte. Sie betrachtete den in den letzten Tagen größer gewordenen Riss im Futter ihres Mantels, bevor sie ihn achtlos auf einen Stuhl warf, und an ihren Locken herumfummelte. »Geben Sie mir mal die Akte von diesem Dan Former!«

»Liegt rechts neben dem Burgerrest.«

Winters Lockenspiel nervte Feg. Er warf ihr ein Kaugummi zu. »Das beruhigt auch!«

»Brauch ich nicht«, sagte sie und erklärte, dass Former auch vorgeworfen wurde, mit vertraulichen Informationen über ein Alzheimermedikament, die Denver besorgt hätte, an der Börse profitiert zu haben. Das Zischen einer Coladose in Winters Händen kündigte ein Desaster an, nur mit Mühe konnte sie die Unterlagen vor dem übersprudelnden Zuckerwasser in Sicherheit bringen. »Aber ohne den Kronzeugen können wir ihm nichts mehr nachweisen«, sagte sie und schob nach, dass Denver als Bauernopfer und vermutlich gegen viel Geld die Schuld von Former auf sich genommen hätte, und das gleich bei mehreren Anschuldigungen.

Formers Privatvermögen wurde laut Akte allein auf über 19 Milliarden Dollar geschätzt, seine Kunstsammlung war eine Legende, und eines seiner Anwesen war bei Weitem das größte in der Milliardärsenklave Greenwich in Connecticut. Entscheidend waren aber seine Kontakte nach Brüssel, zu den besten Lobbyisten, zu Bankvorständen und dem Hedgefondsgiganten BlackRock. Aber anscheinend hatten ihm alle diese Kontakte nicht geholfen, sein Imperium zu schützen. Er selbst bezeichnete sich als »weißen Ritter«, hatte sich in den letzten Jahren immer mehr wohltätigen Zwecken gewidmet, bis ihn die Aufdeckung seine Machenschaften vor eine neue Realität stellte. Aber war er wirklich so erpressbar?

»Sie wollten aus Denvers Geständnissen ein Indiziennetz flechten, in dessen Mitte der große Fisch landen sollte«, resümierte Feg.

»So ungefähr, ja.« Rebecca Winter zwirbelte noch immer ihre Locken, angestrengt nachdenkend.

Feg drehte sich zur Tafel und wies mit einer ausholenden Armbewegung auf die Skizzen und Namen. »Tja, Pech, dass Sie nun in das gesamte internationale Nest hineingestochen haben.«

Winter ahnte, was jetzt kommen würde: Ein Vortrag, alles sei zu groß, lassen Sie die Finger davon und so weiter und so fort.

»Sie machen einen grundsätzlichen Fehler. Sie glauben, dass die 68 Millionen Dollar Jahreseinkommen von Lloyd Blankfein oder 100 Millionen von Andrew Hall fürstliche Einkommen sind. Doch das sind nur Marionetten, in der Kaste weit oben angekommen, aber nicht an der Spitze«, sagte er stattdessen.

Rebecca Winter sah ihn an. »Wie meinen Sie das?«

»Ich denke, dass die Fische, die wir in unserem Teich suchen, größer sind.« Feg blickte auf die Monitore und die Wand mit all den Skizzen möglicher Bezugspunkte und Zusammenhänge, die auf Winter wie das Dickicht eines Waldes wirkten. Er hingegen durchschaute zunehmend die plumpe Lüge dieses Franzosen, derzufolge es sich hier um gefälschte Daten handelte.

Für Winter stand nur eines fest: Es gab da draußen eine neue Protestgeneration. Seit Jahren hatte sie im Netz die zahlreichen Aktionen der jungen Menschen mitbekommen, die sich nicht mehr vom Segen des Kapitalismus einlullen ließen, ob Occupy oder das Hackerkollektiv Anonymous, ob Julian Assange oder Edward Snowden – die Machenschaften der Eliten kamen immer mehr ans Licht, und die Generation der Whistleblower heizte Politikern und Konzernchefs ein. Die globale Weltwirtschaft, mächtig und krisenanfällig zugleich, brauchte neue Spielregeln. Die soziale Ungleichheit wuchs nun auch in der entwickelten Welt dramatisch. Und der globale Kapitalismus war von undurchsichtigen, staatsfernen Herrschaftsstrukturen durchzogen, die man nur enttarnen müsste. Doch wenn es zu einem Crash kommen würde, waren die Menschen diesmal besser darauf vorbereitet? Oder würde alles zusammenbrechen und im Bürgerkrieg versinken?

»Das Netz ist voll von organisiertem zivilen Widerstand, es braucht nur noch den richtigen Impuls, um eine globale Protestbewegung auszulösen«, sagte sie.

»Dann können Sie sich ja erst mal zur Ruhe legen.« Feg winkte ab. Nach seiner Überzeugung mutierten sogenannte Superreiche, teilweise abgeschirmt von der Öffentlichkeit, längst zu einer anderen Spezies. Sie würden Milliarden in Biotechnologie investieren, um sich bald künstlich erzeugte

Ersatzorgane, exklusive Medikamente, Roboter und künstliche Gliedmaßen leisten zu können und mindestens 20 Jahre länger zu leben, länger aktiv zu sein und so noch mehr Reichtum zu akkumulieren. Sie hatten ein Interesse daran, dass bestimmte Player von der Bildfläche verschwanden, deren Vermögen zu dezimieren, um den Kreis der Elite zu verkleinern und dadurch sicherer zu machen. »Wachen Sie auf, weder ich noch Sie werden auch nur einen Funken dagegen ausrichten, zumindest, wenn wir am Leben bleiben wollen.«

Verliert er jetzt die Geduld oder den Überblick? fragte sich Winter. »Wie kommen Sie denn auf diesen Wahnsinn?«

»Na, zum Beispiel ihr Lieblingsfeind Warren Buffett. Er hatte im April 2012 Prostatakrebs, und nur vier Monate später war seine Behandlung erfolgreich abgeschlossen. So eine erfolgreiche Blitzbehandlung werde ich nie in Anspruch nehmen können, angesichts meines Kontostandes.«

»Sie sehen nicht gerade aus, als hätten Sie Probleme mit der Prostata.«

Feg verkniff sich eine Antwort. Winter wühlte wieder in Unterlagen. In einer weiteren Mail von Denver fand sie ein Dokument, das mit den drastischen Aussagen dieser Whistleblowerin der Weltbank übereinstimmte, Karen Hudes. Von wegen Verschwörung, wahrscheinlich hatte man ihr unmissverständlich zu verstehen gegeben, wie hoch ihre Überlebenschance wäre, sollte sie nicht die Klappe halten, dachte Winter.

»Scheint doch nicht so wahnsinnig zu sein, was Sie eben erzählt haben«, sagte sie kleinlaut. »Es deckt sich in Teilen mit den Aussagen in diesem Dokument von Denver und Karen Hudes. Beide haben sich mit dieser Schweizer Studie hier beschäftigt, die …«

»Lassen Sie mal sehen.« Feg nahm das Dokument, überflog das Papier und blieb an einer Grafik hängen. In der Zusammenfassung stand vorab ein Zitat des US-Globalisierungskritikers Lester R. Brown: »Die Sonne über internationalen Konzernen wie Unilever, IBM oder Volkswagen geht niemals unter.« Der Spruch hatte es zu einiger Berühmtheit gebracht, erinnerte sich Feg. Brown wollte damit ausdrücken, dass die wahren Weltreiche heute nicht mehr von Staaten kontrolliert wurden, sondern von Unternehmen. Er hatte das Unbehagen vieler Menschen auf den Punkt gebracht, dass einige wenige ökonomische Riesen über zu viel Macht verfügten. Aber die Hintermänner, die Konstrukteure einer solchen Oligarchie, dessen war Feg sich sicher, operierten im Dunkeln. Die Mail, in deren Anhang Denver die Studie an Former geschickt hatte, lautete knapp: *Damit sollte unser Ziel klar vor Augen liegen.*

»Wo ist dieser Former eigentlich?«, fragte er. »Und vor allem: was hat er verloren?«

»Den größten Teil seines Vermögens hat die SEC einfrieren lassen. Zwei seiner Manager sitzen in Haft, und er versucht, mit der amerikanischen Börsenaufsicht einen Deal zu machen, was diesem Drecksack … ähm, Entschuldigung, ihm wohl gelingen wird. Im Moment ist er abgetaucht und hat sich mit einer Armada von Rechtsanwälten erfolgreich abgeschirmt, der internationale Haftbefehl wurde ausgesetzt.«

Feg schlug mit der Hand auf den Tisch. »Abgetaucht? Den müssen wir finden! Ich habe Ihnen doch gesagt, dass wir nach großen Verlierern suchen müssen. Hier haben wir einen!« Er schob das Dokument beiseite. »Aber tun Sie sich einen Gefallen. Versuchen Sie nicht, die Welt zu retten. Die Menschen wollen keine neue Welt. Sie wollen immer nur das Abbild der alten Welt.«

»Wo haben Sie denn den Spruch abgestaubt? Ich denke eher, dass wir vor einer historischen Chance stehen!« Rebecca Winter funkelte ihn an.

»Ja, ja, schon gut. Lem, Stanislav Lem, *Solaris*. Der erste Roman, den ich als 14-Jähriger in einer Nacht durchgelesen habe. Und seine Verfilmung war genial.«

Historische Chance? Feg belächelte den Gedanken innerlich. Sie glaubte wohl im Ernst, wenn nur genug Staub aufgewirbelt würde, würden die Menschen endlich auf die Straße gehen. Und selbst wenn. Kurz nach den ersten Eskalationen der Occupy-Bewegung, als für einen Moment Politiker in den USA und Europa befürchteten, dass das Volk wegen des Rettungsprogramms für die Banken die Parlamente stürmen würde, als in Griechenland, Spanien und Italien Millionen auf den Straßen waren, hatte ihm ein Kollege ein Strategiepapier der britischen Armee in die Hände gespielt. Die schrittweise enteignete Mittelklasse würde demnach schon bald jene Rolle übernehmen, die Marx einst für das Proletariat vorgesehen hatte. Um das alles noch kontrollieren zu können, wurde die Bevölkerung inzwischen bestens überwacht, um jede Form von Opposition und Aufständen im Keim ersticken zu können. Willkommen im Zeitalter des digitalen Totalitarismus.

Was wäre, wenn all die Informationen, die Denver gesammelt hatte, gerade mal der Anfang waren und sie auf noch mehr stießen und das mitten im britischen Geheimdienst? Dass der BND eine entscheidende Lücke hatte, die diesen Franzosen zu Feg geführt hatte, konnte er nach seinem Termin im Polizeipräsidium in Hamburg und einem weiteren Gespräch mit seinem Vertrauten beim BND in Berlin nahezu ausschließen, aber was war schon sicher? Er müsste Winter eigentlich über das Gespräch mit dem mysteriösen Mann einweihen, aber noch wollte er sich die Möglichkeit offenhalten, diesem Herrn in seiner feinen englichen Garderobe einen Gefallen zu tun.

Als Erstes mussten sie hier weg. Selbst wenn Sarif es wollte, er würde ihm kein Signal geben können, sollten ihre Ermittlungen bereits von oben gesteuert und überwacht werden. Dieses Gefühl wurde er spätestens seit seiner vorübergehenden Verhaftung nicht mehr los, selbst wenn ihm Sarif dort noch aus der Patsche geholfen hatte. Das könnte Teil eines Planes sein, da man sicher damit rechnete, dass Winter mit seiner Hilfe schneller vorankommen würde. Sie hatten die Drecksarbeit zu machen, und dann würden sie ausgebremst werden. Aber es gab noch eine ganz andere Variante, die ihm weitaus mehr Sorgen bereitete: Sollte der Franzose so etwas wie eine dritte Partei sein, die wie auch immer Zugang zu den bisherigen Ermittlungsergebnissen hatte, dann könnte diese Partei außerhalb von Recht und Ordnung agieren, so wie die Schakale der CIA, finanziert mit privaten Schwarzgeldern, vorbei an staatlichen Entscheidungsträgern. Vielleicht war diese Überlegung zu überspannt, aber hier ging es um sehr viel Einfluss und Macht.

Feg schrieb etwas auf einen Zettel und schob ihn Winter hin.

Wir sollten hier die Koffer packen,
ansonsten steig ich aus!

Sie las den Satz zweimal und sah Feg an. Vielleicht wäre es wirklich besser, die Ermittlungen diskreter voranzutreiben. In dem Augenblick surrte ihr Handy. Es war Allington.

»Rebecca … Naravan ist tot.«

»Verdammt! Das darf doch nicht wahr sein …«, entfuhr es Winter.

»Er wurde im Hyde Park von Touristen aufgefunden. Aber wieder kein Hinweis auf einen Täter, niemand hat etwas gesehen. Die Forensiker gehen von einem Gift aus. Wieder Profis!«

»Gift? Oh, mein Gott. Ich melde mich später, Robert! Wir müssen hier noch schnell etwas erledigen!«

Hastig verstaute sie die Dokumente in mehreren Plastiktüten. »Sie können mir ruhig helfen!«

Feg sah ihr entsetztes Gesicht und zog die Augenbrauen fragend hoch.

»Naravan wurde …«

Unvermittelt legte er seine Hand auf ihren Mund. Bevor sie ihn zurückweisen konnte, hatte er ihr mit dem Zeigefinger vor seinen Lippen bedeutet, kein Wort mehr zu sagen.

Winter verstand und nickte.

Feg nahm eine Tüte und verstaute den Rest der Papiere. Naravan war also tot. Seine Ermordung war zu erwarten gewesen. Wer aber neben Dan Former alles ein Interesse an seinem Tod hatte, war völlig unklar, wie alles andere in diesem dubiosen Fall. Er folgte Winter, die schnurstracks in Sarifs Büro polterte. Was hatte sie vor?

Ohne ein Wort ging sie an den Tisch und klemmte die Festplatten ab. Der Rechner stürzte ab. Sarif, der allein im Raum war, starrte sie entgeistert an. »Was zum Teufel soll das?« Er sprang auf und setzte Winter nach, die schon wieder auf dem Weg zur Tür war.

Feg sah an seinem fassungslosen Gesichtsausdruck, dass er wirklich überrascht, ja fast gekränkt war. Trotzdem erschien ihm eine Doppelrolle des Geheimdienstes in diesem Stadium möglich. Es war noch nicht auszumachen, wer neben dem Franzosen Befürchtungen vor unliebsamen Enthüllungen hatte, dafür war die Politik selbst zu sehr in die Machenschaften seit der Finanzkrise verwickelt. Im Grunde genommen wollte doch niemand, dass die Strukturen, ihre Marionetten und die korrupten Hintermänner aufflogen, noch nicht einmal die Bevölkerung. Doch Winter war wieder einmal zu überstürzt und zu drastisch in ihrer Vorgehensweise. Feg signalisierte Sarif hinter ihrem Rücken, das alles nicht zu ernst zu nehmen.

Bevor Feg sie bremsen konnte, überschritt sie die nächste Grenze. Sie erklärte Sarif, dass er keinen Anspruch auf die Daten hätte, es sich immer noch um eine Ermittlung von Scotland Yard handeln würde. »Ich habe das Gefühl, dass Sie mir keine große Hilfe sind und dass hier vielleicht unterschiedliche Interessen aufeinanderprallen!«

Feg blickte auf den Rechner neben Sarif. Die Software für die Analyse der Verschlüsselungen war offen. Konnte er es wagen, sie anzuzapfen? Sein ungutes Gefühl verstärkte sich. War der Tod Naravans durch ein Leck bei Scotland Yard oder genau hier ermöglicht worden? Wie sollten die Täter denn sonst so schnell den Standort des Programmierers gefunden haben? Er schielte zu Sarif und Winter, die immer noch erregt diskutierten, setzte sich auf den Stuhl vor dem Rechner, fingerte in Windeseile den Stick des Franzosen aus dem Vlies, das Funkstrahlen absorbierte und auch für Scanner nicht erkennbar war, so zumindest die Theorie, und verband ihn unauffällig mit dem Rechner.

Sarif war entrüstet. Wortreich belehrte er Winter, wie mit Daten, solchen Daten und den Kopien, verfahren würde und dass sie nichts zu befürchten hätte.

Feg öffnete währenddessen die Quelle des Programms und begann zu kopieren. Dabei ließ er Sarif keine Sekunde aus den Augen. Der Download würde in einem Logfile dokumentiert werden. Das wusste Feg. Sollte er erwischt werden, drohte ihm eine Anklage, bei der ihm keiner mehr mal eben so helfen konnte.

Plötzlich drehte sich Sarif zu ihm. Es blieb nur ein Wimpernschlag für den erlösenden Einfall. Der Download war abgeschlossen. Feg öffnete blitzschnell die Datei des Franzosen, und blickte konzentriert auf den Bildschirm.

»Erik. Was soll das, sind Sie nicht ganz dicht?«

»Wenn Sie Ihren Rechner offen lassen, nutz ich ihn doch einfach mal«, sagte Feg und grinste Sarif an. »Keine Sorge, ich wollte Ihnen nur etwas zeigen, das vielleicht die Lage für alle entspannt. Würden Sie uns bitte kurz alleine lassen«, forderte er Winter mit einem beschwörenden Blick zur Tür auf.

Winter verstand und ging hinaus.

»Ich kann Sie noch nicht ganz einweihen, Sarif, aber wir kennen uns jetzt zehn Jahre, und ich habe Sie noch nie angelogen. Nur so viel: Diese Daten sind allesamt gefälscht.«

»Wie bitte?«

»Ich weiß, Sie sind nicht operativ ausgebildet«, sagte Feg und erklärte ihm, dass man solche Enthüllungen und Behauptungen entwickeln würde, sobald man jemanden aus dem Weg räumen wolle, ohne ihm körperlich zu schaden. Er kündigte Sarif einen Brief an, in dem Denver zugab, diese Daten mit einem Partner gefälscht zu haben. Das Dokument wäre ihm zugespielt worden und Sarif müsse sich nur gedulden, bis er es ihm nach Prüfung seiner Authentizität so schnell wie möglich senden würde.

»Sehen Sie auf Ihren Rechner, diese E-Mails sind vielleicht nie verschickt worden, das alles könnte ein von Jarod Denver und seinem Komplizen perfekt angelegtes Täuschungsmanöver sein«, sagte Feg und nutzte die Sekunde, in der sich Sarifs Blick seinem Monitor zuwandte, um den Stick herauszuziehen.

Geklappt! Feg freute sich über sein Manöver, als hätte er gerade am Blackjack-Tisch gewonnen, was in Wirklichkeit nie der Fall war.

»Und was meinen Sie, was ich jetzt tun soll?«, fragte Sarif, sichtlich aus der Bahn geworfen.

»Nichts. Machen Sie einfach weiter, aber Sie sollten Bescheid wissen, bevor Ihre Vorgesetzten irgendetwas falsch interpretieren. Erspart allen eine Menge Ärger und unnötige Arbeit!«

Feg verabschiedete sich von Sarif, der verunsichert auf seinen Monitor starrte. Winter hatte einige Meter weiter auf dem Flur gewartet und kam sofort auf ihn zu. »Was war das jetzt?«

Er runzelte die Stirn und flüsterte ihr ins Ohr: »Haben Sie es nicht kapiert? Hier drinnen kein Wort mehr.«

Nach fünf Minuten hatten sie Winters Mini auf dem Gelände der Communication Headquarters erreicht, und Feg zwängte sich wieder auf den Beifahrersitz. Kaum hatte er die Tür zugezogen, setzte Winter an, ihren Dampf abzulassen. Feg legte ihr wieder seine Hand auf den Mund. Winter zog den Kopf weg. Dann sah sie, wie Feg sein Handy auseinanderfummelte und die SIM-Karte zerbrach. Mit einem Blick machte er ihr klar, das Gleiche zu tun.

NEUNUNDZWANZIG

ZENTRALE VON SCOTLAND YARD, 31. OKTOBER

»Sie haben wohl nicht gern Besucher in Ihrem Büro«, bemerkte Feg, der auf dem harten Stuhl vor Winters Schreibtisch hin und her rutschte, während Winter in die Recherche nach weiteren Spuren vertieft war. Obwohl er so frühmorgens immer etwas gerädert war, hatte Feg seinen Kaffee noch nicht angerührt.

»Im Regal hinter der gelben Akte steht eine Flasche Schnaps, falls es Sie beruhigt.« Sie blickte ihn an. »Sagen Sie mir lieber, warum Sie so ein Misstrauen gegen diesen Sarif haben.«

»Das ist mehr instinktiv, und es richtet sich nicht gegen ihn persönlich, sondern gegen seinen Dienst«, antwortete Feg. Eigentlich verfügte der britische Geheimdienst über Methoden, sämtliche Daten Denvers in einer Nacht zu entschlüsseln und auswerten zu lassen. War Sarif vielleicht instruiert und bewusst in diese Geschichte reingezogen worden, sollte er die Entschlüsselung verschleppen? Und warum war der Aufenthaltsort dieses Dan Formers nicht bekannt? Da stimmte doch was nicht.

»Übrigens, ich hatte noch kein Frühstück«, verkündete er.

»Ah, doch besser was Festes. Gut, ich hole uns ein paar Sandwiches aus der Kantine.«

Als Winter zurückkam, saß Feg vor ihrem Computer. Sie wusste sofort, dass sie vergessen hatte, ihren Zugang zu den internen Datenbanken zu sperren.

»Gucken Sie nicht so entsetzt. Ich bin nur in meinem E-Mail-Account«, sagte Feg und tippte seelenruhig weiter.

»Ist trotzdem nicht in Ordnung.« Winter legte ein Käsesandwich, zwei Telefone und separat dazu die SIM-Karten neben die Tastatur. »Mein Vorgesetzter hat uns modifizierte Blackberrys besorgt.«

»Die werden nichts nützen. Der Verschlüsselungsstandard ist schon geknackt.«

Mit prüfendem Blick blieb sie hinter ihm stehen. Feg hatte sich offenbar in einen E-Mail-Account beim BND eingeloggt. Das Emblem des Deutschen Adlers war kaum zu übersehen. Das machte ihr für den Moment keine Sorgen, im Gegenteil, dort schien man sich ja mit Argusaugen über jede Bewegung des zweifelhaften Mitarbeiters zu informieren.

»Warum geht jemand mit Ihren Fähigkeiten überhaupt zum BND und nicht in die Wirtschaft?«

Feg erklärte, während er weiterschrieb, dass der BND im Vergleich zu seinen Konkurrenten, egal, ob befreundet oder nicht, so schlecht in der Cyberabwehr aufgestellt war, dass man bereit war, für den Ausbau hohe Honorare für Kooperationen mit externen Experten zu zahlen. Der Reiz, ständig an neuen Schauplätzen und Aufgaben zu arbeiten, sei anziehender als ein Bürostuhl mit verbindlichen Arbeitszeiten. Nach dem NSA-Skandal 2013 wären ohnehin alle Dämme gebrochen und die Aufgaben gewachsen. Doch langsam wisse auch er, dass er bald zu alt wäre, dass er nicht mehr ewig mit den Fähigkeiten der neuen Hackerelite mithalten könne. »Solche Böcke, wie ich ihn mit dem Programmtest in Frankfurt geschossen habe, sind erste Hinweise auf meinen baldigen Ruhestand.«

Das war nicht wirklich eine Antwort auf ihre Frage, aber warum sollte er ihr auch mehr über sich erzählen wollen? Er wirkte nervös, wippte mit einem Bein. Sie spürte förmlich seine Anspannung.

»Was beunruhigt Sie eigentlich plötzlich?«, fragte sie misstrauisch.

Als Feg rasch eine Mail abschickte, wurde ihr klar, dass er sie mit seiner Nervosität für einen Moment geschickt beschäftigt hatte.

»Was war das eben mit Sarif?«

»Ich habe ihn mit etwas versorgt, das ihn vielleicht beruhigen wird und uns Zeit verschafft, sollte er nicht auf unserer Seite spielen oder sagen wir, spielen können. Und nun sollten wir uns den restlichen Daten zuwenden«, sagte er.

»Sie haben meine Frage nicht beantwortet. Was macht Sie plötzlich so unentspannt?«

Feg öffnete einen Browser und tippte einen Namen ein.

»Denver hat auch von diesem Mann Informationen gesammelt.« Feg zeigte auf das Foto von Simon Johnson. »Sarif hatte es neben sich liegen, aber nicht an uns weitergereicht. Egal, ist eh bekannt. Simon Johnson war als Chefökonom des IWF einer der schärfsten Kritiker des Umgangs mit der Finanzkrise. Er fiel für seine Offenheit in Ungnade.«

Winter setzte sich neben ihn. »Ja, und?«

»Johnson war auch ein heftiger Gegner von Obama.« Er scrollte einen Artikel der *New York Times* hinunter, in dem Johnson monierte, dass der US-Präsident nach so einem Desaster einen Kardinalfehler begangen hätte, weil er die Verantwortlichen auf ihren Positionen ließ und nur kleinere Fische zur Beruhigung der Öffentlichkeit geköpft wurden.

Sie hatte sich mit etwas Abstand zu Feg zum Bildschirm gebeugt, um den Text zu lesen. Zum ersten Mal roch sie weder Rauch noch Alkohol, stattdessen ein Aftershave, bei Weitem eleganter als Allingtons morgendliche Geruchsbomben.

»Und die paar Milliarden Strafen waren für die Banken immer noch ein Witz im Vergleich zum Schaden«, schnaubte sie.

Feg schilderte, dass Johnson seinerzeit in klaren Worten dargestellt hatte, dass der Fehler bereits vor über 30 Jahren mit der Deregulierung der Banken gemacht worden wäre, und die Lehman-Pleite nur eine Folge davon gewesen sei. Die Politik habe auch nach der Krise völlig versagt, die Banken zu regulieren.

»Das weiß ja wohl inzwischen jeder, aber toll, wenn jemand Kompetentes Klartext redet. Passiert viel zu selten.«

»Ja, aber ich denke, Denver hat versucht, an mehr Beweise heranzukommen, dass die Politik von anderen gemacht wird als von Politikern.« Feg nahm sein Käsesandwich und biss hinein. Nach dem letzten Bissen klatschte er unvermittelt in die Hände und sprang auf. »So! Kommen Sie, höchste Zeit für einen Tapetenwechsel! Sie werden ein paar Leute treffen, die Ihnen in der Nacht den Schlaf rauben. Ich kenne jemanden in Brüssel, der uns vielleicht weiterhelfen kann.«

»Was soll das jetzt wieder?« Winter starrte ihn fragend an.

»Ich will Ihnen beweisen, dass es hier nicht um einen großen Betrugsversuch geht, sondern bestenfalls um Rache. Lassen Sie uns zwei Flüge nach Brüssel buchen, um das Hotel kümmere ich mich.«

»Hey, ich bin ja immer für schnelle Trips zu haben, aber das kommt jetzt doch etwas plötzlich. Ich muss erst noch …«

»Ich weiß, was ich tue. Besorgen Sie sich auf dem Weg noch was Nettes zum Anziehen, wir werden sicher den einen oder anderen Termin haben, wo es sich lohnt!«

Winter schaute an sich herunter. Wenn wir nicht auf einen Ball müssen, kannst du mich mal, dachte sie.

Auf dem Weg zur Tür kam ihr Chief Inspector Allington entgegen. Er hatte unter dem linken Arm ein Bündel von Akten und wirkte angespannt. Allington reichte Feg die Hand, äußerte kurz die Hoffnung, dass die Zusammenarbeit mit Ms Winter reibungslos verlaufe, und zog sie fast aus dem Büro. Der feine Unterton in Allingtons Frage ließ Feg innerlich lachen, er kannte seine Mitarbeiterin offensichtlich gut. Feg blieb auf seinem Stuhl vor Winters Tisch sitzen und sah durch die halb offene Tür in den Flur, wo Allington wild gestikulierte. Etwas war nicht in Ordnung.

»… Ich muss vor dem Innenministerium Rede und Antwort stehen, Rebecca. Wir brauchen bald Ergebnisse, oder der Fall wird dir entzogen. Hast du verstanden?«

Winter fuhr sich durch die Haare. »Was ist da los? Monate lang hat sich niemand dafür interessiert, und jetzt drehen die in so kurzer Zeit durch?«

Allington drückte ihr eine Meldung in die Hand. »Die Polizei hat heute früh die Reste von Jack Coldwyne von den Schienen gekratzt, nachdem er sich vor Dutzenden Zeugen vor einen Triebwagen gestürzt hat. Ist vielleicht auch eine Lösung, dann müssen wir bald niemanden mehr verhaften«, setzte er spöttisch hinzu.

»Na, ja. Wir fliegen gleich nach Brüssel. Feg hat vielleicht einen wichtigen Informanten. Wir sind nah dran, Robert, bitte vertrau mir. Ich halte dich auf dem Laufenden.«

»Na, dann viel Erfolg!«

Zutiefst beunruhigt über Allingtons Ankündigung hetzte Winter nach Hause, um ein paar Sachen einzupacken. Hoffentlich würden sie in Brüssel einen Schritt weiterkommen. Und vor allem mussten sie endlich diesen Dan Former aufspüren.

DREISSIG

BRÜSSEL, 31. OKTOBER

Im Fünfsternehotel *Le Châtelain,* knappe drei Kilometer vom Europaparlament entfernt, hatte Feg zwei Zimmer angemietet. Ein Luxus, der Winter eher unnötig erschien. Davon hatte sie als Kind in ihrem Elternhaus mehr als genug bekommen. Für alles hatte es Bedienstete auf dem Landsitz in der Nähe von Plymouth gegeben. Sie hatte sich immer viel wohler bei ihren Großeltern gefühlt, die einige Kilometer entfernt in einem bescheidenen Cottage lebten. Ihr Vater hingegen hatte es üppig gebraucht. Fast 300 Hektar Land durchzogen von einem Wildbach, es hatte zwei Teiche mit eigener Fischzucht gegeben, offene Wiesen und einen Garten im allerbesten englischen Stil. In einem Gewächshaus gedieh auch im Winter Gemüse. Ein paar Hühner durften ein glückliches Leben führen. Das Ziel ihres Vaters war Autonomie gewesen, auch in der Ernährung. Den Dreck aus Supermärkten, wie er oft verächtlich gesagt hatte, essen wir nicht. Nur während ihrer Zeit im Internat hatte er nicht verhindern können, dass seine Tochter an Süßigkeiten und Burger herankam. Rebecca Winter hatte sich immer gefreut, wenn die Mutter gekocht hatte, was meistens geschah, wenn ihr Vater auf irgendwelchen Aktionärssitzungen in London, Paris oder New York weilte. Doch je älter sie wurde, desto weniger Interesse und Zeit hatte der Vater für die Familie gehabt.

In den letzten Wochen musste sie wieder häufiger an diese Zeit denken. Und je tiefer sie in die Abgründe der Finanzwelt schaute, umso deutlicher krochen die verdrängten Schmerzen ihrer Familiengeschichte empor.

Trotz ihrer Vorbehalte gegen das Luxusetablissement, überkam sie eine angenehme Ruhe, als sie die Tür zu ihrem Hotelzimmer aufschloss. Eine edle verchromte Kaffeemaschine zog sie als Erstes an. Obwohl sie die Verwendung von Tabs für eine ökologische Todsünde hielt, gab sie nach, schob einen in den Schlitz und sah sich, während die Maschine ansprang, in dem Raum um. Sie öffnete die schweren blauen Gardinen und blickte für einen Moment auf die Rue du Châtelain. Das Zimmer war in seinen gelb-blau gehaltenen Tönen hell und einladend, und am liebsten hätte sie sich jetzt im Wellnessbereich von den Strapazen der letzten Tage erholt – der letzten Tage? Wohl eher der letzten Jahre, dachte sie, ließ sich auf das Bett fallen und starrte die mit Stuck verzierte Decke an. Schließlich setzte sie sich wieder auf, holte sich den Kaffee, schaltete den Fernseher an und zappte sich durch die Sender, bis sie bei BBC News hängen blieb.

… Banken geraten nun zum wiederholten Mal wegen fragwürdiger Handelsgeschäfte ins Visier der Ermittler. US-Behörden untersuchen derzeit, ob internationale Geldhäuser wie die Deutsche Bank den Goldpreis fortgesetzt manipuliert haben. Die Ermittler gehen den Vorwürfen eines Informanten nach, dass beim Fixing des Goldpreises, der für Tausende von Geschäften rund um den Globus dient, Marktteilnehmer vorab

informiert worden seien, auf welchem Level der Referenzkurs festgelegt werden würde. Auf diesem Wege könnten Banken illegal über Börsenkontrakte Millionen verdient haben.
Die Informationen sollen aus dem Umfeld eines ehemaligen Mitarbeiters einer Bank stammen, der mit dem internationalen Konsortium Investigativer Journalisten zusammengearbeitet haben soll und seit etwa einer Woche verschwunden ist. Über die Identität des Whistleblowers wurde nichts bekannt. Ob die Prüfungen zu greifbaren Ergebnissen führen, ist offen. Erste Ermittlungen der US-Börsenaufsichtsbehörde ergaben jedoch eindeutige Belege für eine Manipulation …

Rebecca Winter spürte, wie sich Gänsehaut auf ihren Armen bildete. Konnte das sein? Dass es jetzt tatsächlich immer mehr Leute in dem sonst so abgeschotteten Kreis der Finanzwelt gab, die wie Denver mit Informationen Druck ausüben wollten?

Was sie auch immer von Feg halten mochte – er fing an, sie ernsthaft zu unterstützen. Er musste, im Vergleich zu seiner klaren Absage bei ihrem ersten Treffen, ein Interesse bekommen haben, den Dingen auf den Grund zu gehen. Aber warum so plötzlich? Irgendwie wurde er sympathischer, und auch wenn er für sie viel zu alt war, musste sie sich eingestehen, dass er ihr ohne Alkohol, Zigaretten und diesem wohl beruflich antrainierten Zynismus ganz gut gefallen würde. Ein Gedanke, den sie mit einem Lächeln schnell wieder beiseite schob.

Ein Detail aus der eben gehörten Nachricht schoss ihr plötzlich durch den Kopf: Der unbekannte Whistleblower sei seit einer Woche verschwunden. Könnte das nicht Denver sein? Hatte er nicht genau zu solchen Daten Zugang?

Sie nahm ihr neues Blackberry und versuchte, Allington zu erreichen.

»Robert, ich habe gerade in den Nachrichten gehört, dass ein Informant verschwunden ist, der den Aufsichtsbehörden …«

»Oje, Rebecca, bitte mach uns nicht wahnsinnig, wir sind da schon dran, aber es gibt Scharen von Spatzen, die zurzeit zwitschern. Beruhige dich. Sorry … Wie geht es dir?«

Winter streckte sich auf dem Bett aus. Eigentlich hätte sie gern ihr Herz geöffnet und Allington anvertraut, wie es wirklich in ihr aussah, dass sie kurz davor war, sich einzugestehen, überfordert zu sein.

»Alles in Ordnung hier. Wir treffen am Abend einen Journalisten, der uns nach Fegs Meinung weiterhelfen könnte.«

Allington schwieg einen Moment. Das tat er in der Regel nur, wenn er sich darauf vorbereitete, etwas Persönliches oder sehr Ernstes zu sagen. Dann unterrichtete er Winter, dass er sich beim BND über die internen Ermittlungen gegen Feg genauer informiert hätte und dass ihm bei dem Alleingang an der Börse tatsächlich nur ein Fehler unterlaufen wäre.

»Scheint ein ziemlicher Grenzgänger zu sein«, fügte er hinzu. »Aber unternimm in diesem Fall trotzdem nichts auf eigene Faust.«

Sie nickte. Ein Grenzgänger war Feg sicher, und deswegen traute sie ihm auch immer noch nicht richtig. Doch dann kam das Eigentliche, was Allington sagen wollte: Der britische Geheimdienst hatte sich bei ihm über die mangelnde Dankbarkeit beklagt, mit der Winter auf seine Unterstützung reagiert hatte. Dennoch wolle man darüber hinwegsehen und werde die Telefonnetze überwachen.

Sobald Formers Stimmenmuster wieder auftauche, würde sein Aufenthaltsort ermittelt. Allington forderte sie auf, sich bei diesem Bharat Sarif für ihren Auftritt in Cheltenham zu entschuldigen, da sie auf die Kapazitäten des Geheimdienstes angewiesen wären. Sie würden die Kopien der Daten weiter analysieren.

Mit der Aufforderung, dem Geheimdienst mehr Ergebenheit entgegenzubringen, war Winter nicht einverstanden, aber der Rüffel war ihr peinlich. Vielleicht ging es hier um Geschehnisse, die nicht nur die gesamte Londoner Finanzindustrie betrafen, sondern bereits auf höchster Regierungsebene auf Interesse stießen. Es war klar, dass Sarif Kopien angefertigt hatte, es wäre naiv, etwas anderes anzunehmen. Ihr misstrauisches Verhalten war wohl eine weitere Einladung dazu gewesen. Sie ärgerte sich über sich selbst. Wer weiß, was nun aus Staatsräson unter den Tisch gekehrt werden würde …

»Okay, ich entschuldige mich, aber ich erkläre dir das später mal genauer. Schönen Abend.«

»Rebecca? Noch was. Die belgische Polizei hat in der vermeintlichen Wohnung Naravans nichts, aber auch rein gar nichts gefunden.«

Wie sollte es auch anders sein. Es wäre sicher besser gewesen, wenn sie sich selbst davon überzeugt hätte, aber die belgischen Kollegen hatten die Durchsuchung nicht aus der Hand geben wollen.

Es klopfte an der Tür. Sie beendete das Telefonat und öffnete. Vor ihr stand ein Page. Er hielt so etwas wie einen langen Kleidersack in der linken Hand und in der rechten einen Briefumschlag.

»Madame, das soll ich Ihnen von Monsieur Feg bringen.«

Winter schaute den jungen Mann verblüfft an und verabschiedete ihn mit einem verwirrten »Äh … danke!«.

Sie hatte eine Ahnung, was sich unter dem edlen Überzug befand. Zuerst öffnete sie den Umschlag.

Kommen Sie am Abend um 20 Uhr in das
Hôtel de la Poste, Avenue de Port 86 C.
Wir mischen uns in ein Bankett von BlackRock.
Ihre Einladung liegt bei.
Das Kleid müsste Ihnen stehen.
Erik Feg

Misstrauisch zog sie das Kleid ein Stück aus dem Sack und war bass erstaunt. Ein schwarzes Modell mit dezentem Ausschnitt, klassisch, zeitlos und ohne Firlefanz. »Woher kann der mich so gut einschätzen?«, fragte sie das Kleid und zog es ganz aus dem Sack.

Im nächsten Augenblick musste sie schallend lachen. Was war das denn für eine Größe? War sie in Fegs Augen tatsächlich so fett? Oder wollte er sie nur ärgern?

»Den Spaß werde ich dir verderben, Herr Feg.« Sie griff zum Telefonhörer und tippte die Nummer der Rezeption ein.

EINUNDDREISSIG

BRÜSSEL, HÔTEL DE LA POSTE, 31. OKTOBER

Die Decke des Festsaals zog viele Blicke auf sich. Eine futuristische Konstruktion aus Stahl und Glas. Erik Feg hatte sich an der Bar niedergelassen und bestellte einen Whisky. Der Saal war von gelbem und rotem Licht durchflutet. Etwa 300 Gäste in Abendgarderobe erzeugten eine quirlige Geräuschkulisse und ließen sich von Dutzenden Kellnern mit Getränken versorgen. In der Mitte des Saales zauberten Köche exquisites Fingerfood und asiatische Gerichte in kleinen handlichen Portionen. Feg erkannte in der Menge zahlreiche Hinterbänkler des europäischen Parlamentes, umgeben von der Meute unbekannter Männer und Frauen, die sicher zu der Flut von Lobbyisten des Giganten BlackRock gehörten – dem Gastgeber dieses Empfangs.

Feg setzte gerade zum ersten Schluck an, als der Wirtschaftsjournalist Philippe Roche auf ihn zukam. Der 65-Jährige arbeitete zurzeit an einer Dokumentation über Goldman Sachs und galt als einer der profundesten Kenner der Brüsseler Lobbyistenszene und der Hintergründe der Finanzkrise. Sie kannten sich seit etlichen Jahren, und Feg versorgte ihn immer wieder mit brisanten Storys von der Börse. Von ihm versprach er sich einige Informationen über die Verstrickungen von Goldman Sachs und anderer Player, die in der Regel weit brisanter waren als Zeitungen oder Sender berichteten.

»Wenn das nicht der passende Rahmen für uns beide ist«, sagte Roche und streckte die Hand aus.

»Tja, hier ist die Welt noch in Ordnung. Die dicksten Männer haben die schlanksten Schönheiten und die größten Konten. Alles wie immer, nicht wahr?« Feg sah Roche an, ihre Blicke zeigten ausreichend Verachtung.

»Sie können davon ausgehen, dass die Hälfte der Frauen gemietet ist.« Roche setzte sich zu ihm und bestellte ein Bier. »Das muss ja was Besonders sein, wenn Sie mich so eilig sehen wollen.«

Feg betrachtete sein Glas. »Sagen wir mal so. Wir könnten diesmal beide gleichermaßen davon profitieren, gewisse Informationen auszutauschen. Sie müssten aber in Vorleistung gehen und abwarten.«

Mit einem vertraulichen Zwinkern hinter seiner Hornbrille machte Roche klar, dass er sich ohne jeden Zweifel daran halten würde. Journalisten wie er waren eine Seltenheit geworden, und hatten es im Mainstream mit ihrem Enthüllungsjournalismus nicht immer leicht. Und wenn sie brisante Reportagen genehmigt bekamen, wurden sie auf Spartensendern zur späten Stunde gesendet und so schlecht honoriert, dass immer weniger bereit waren, sich das anzutun. Aber lieber einen Sendeplatz auf Arte um Mitternacht als gar keinen.

Feg ließ seinen Blick wandern, sah lächelnde Gesichter, schwatzende Münder, alle heiter, als wäre die Welt frei von Sorgen. Neben ihm stand eine dunkelhäutige Frau, ihre grünblauen Augen funkelten ihren Gesprächspartner an, ihr Ausschnitt erlaubte Feg einen tiefen Einblick. Er schaute wieder zu Roche, der sich selbst nach bekannten Gesichtern umzusehen schien. Und dann entdeckte Feg am Eingang eine Frau, die aus der Menge hervorstach. Suchend um sich blickend bahnte sie sich einen Weg durch das Gedränge. Zuerst hatte er nur das Gesicht gesehen, dann den Oberkörper und die Silhouette. Es war zwar die Party von BlackRock, aber es hätte ihr Abend sein können. Sie leuchtete, auch wenn sie sich diese Rolle nicht ausgesucht hatte, sie ragte aus der Masse heraus, weil sie anders war, sich anders bewegte. Und sie trug nicht einmal ein Schmuckstück. Im Vorbeigehen wies sie die Annäherungsversuche eines Mannes zurück. Sie mochte sich selbst nicht wahrnehmen, aber Feg bedauerte in diesem Augenblick, nicht wenigstens zehn Jahre jünger zu sein. Als sie ihn schließlich erblickte, steuerte sie mit sicherem Schritt die Bar an, ohne von den Menschen um sich herum weitere Notiz zu nehmen.

»Guten Abend, Herr Kollege«, begrüßte ihn Rebecca.

Feg war angesichts ihrer Erscheinung für einen Moment sprachlos. Nie hätte er geglaubt, dass sie sich auf einem Parkett wie diesem so selbstsicher und mühelos bewegen könnte.

»Über Kleidergrößen müssen wir uns noch mal unterhalten«, flüsterte sie ihm ins Ohr, bevor sie sich dem Mann neben Feg zuwandte und ihm die Hand reichte. »Guten Abend, Rebecca Winter.«

»Ich bin hocherfreut. Philippe Roche«, strahlte er sie an und nahm ihre Hand. Er deutete auf einen Raum am anderen Ende des Saales. Die separate Lounge mit einer kleinen Bar war mit schweren dunklen Ledersesseln und ebenso massiven Mahagonitischen bestückt, Schwarz-Weiß-Fotos französischer und belgischer Sehenswürdigkeiten in massiven Stahlrahmen schmückten die Wände. Nur zwei Pärchen hatten sich hierher verirrt, um dem lauten Treiben im Saal zu entgehen.

»Setzen wir uns hier«, sagte Roche und schob Winter einen Sessel zurecht. »Ich hatte leider keinen anderen Termin frei. Sie können hier übrigens jede Menge Leute treffen, die, sagen wir mal, gerade um ihre Zukunft bangen, obwohl ihre Konten so voll sind wie nie zuvor!«

Feg ließ sich in einen der Sessel fallen.

Winter fühlte sich in ihrem ungewohnten Outfit nicht wirklich unwohl, schaute sich durch die Glasfront die Frauen im Festsaal an, die den Männern buchstäblich zu Füßen lagen, obwohl sie gar nicht zu ihnen passten. Höchstwahrscheinlich keine von authentischer Liebe getragenen Beziehungen, dachte sie in einem Anflug von Ironie. Jede Nutte, die sie in London kannte, war sicher ehrlicher als diese Frauen hier, die Männern folgten, die in ihrer Hässlichkeit und Verlebtheit kaum zu überbieten waren.

Wie ein Haufen Pinguine wanderten sie durch den Saal. Vereinzelt sah sie auch ältere Frauen. Sie wirkten maskenhaft und lebten vermutlich in einer ebenso frustrierenden Ehe wie einst ihre Mütter. Nur eine ältere Lady fiel ihr auf, die sich herzhaft lachend mit zwei jüngeren Männern unterhielt und wohltuend aus dem Rahmen fiel. Immer wieder hatte sie diese Arten von Partys gemieden, da sie stets das gleiche Bild von Oberflächlichkeit boten. Sie vermutete, dass sich Feg, wenn auch aus für sie noch unergründlichen Motiven, in den Rotlichtvierteln deshalb wohlfühlte, weil es dort sicher nicht tiefsinnig, aber ehrlicher zuging, obgleich das Geschäft mit dem Sex knallhart war. Genau wie hier, dachte sie und lauschte wieder Feg und Roche.

»Wie weit sind Sie mit Ihren Recherchen?«

Roche beugte sich nach vorne, blickte kurz zu dem etwas weiter entfernt sitzenden Pärchen. »Das Thema ist komplex, aber es geht gut voran. Ich versuche, es zusammenzufassen«, sagte er und wartete ab, bis ein eilig herangetretener Kellner die Bestellungen aufnahm.

Roche holte weit aus. Er fing bei der Gründung der EU an und ab welchem Zeitpunkt Goldman Sachs aus dem Club seiner Ehemaligen wichtige Leute an zentrale Positionen in Politik und transnationale Konzerne gebracht hatte, um die Deregulierung der Banken voranzutreiben und die Konzerne so mächtig wie möglich zu gestalten. Es hatte in den 90er-Jahren begonnen. Eine entscheidende Figur war der frühere stellvertretende US-Finanzminister Robert Rubin gewesen, nicht der erste Ehemalige von Goldman Sachs in der US-Regierung, aber einer mit dem größten Einfluss auf den US-Präsidenten und seine Wahl. Dazu kamen Leute wie Robert Zoellick, der nach seiner Karriere bei Goldman Sachs ausgerechnet Präsident der Weltbank wurde.

Doch die Rolle von Goldman Sachs beschränkte sich nicht nur auf Amerika. Mario Monti wurde Ministerpräsident von Italien in einer Zeit, in der es darum ging, die Ursachen der Finanzkrise zu vertuschen und eine starke Regulierung der Banken zu verhindern, während die Politik das Gegenteil verlauten ließ und Stück für Stück von Lobbyisten zurückgedrängt wurde.

Etwa 20 Leute aus dem Führungskader von Goldman Sachs waren in Europa an entscheidenden Stellen platziert worden. Wer in diesem Club versagte, wurde rücksichtslos ausgesondert, die Tüchtigen aber bekamen großzügige Unterstützung. Die schillerndste Figur war Mario Draghi. Ausgerechnet der Mann, der unter Verdacht stand, in Goldman Sachs' Machenschaften um den Bilanzbetrug Griechenlands verwickelt gewesen zu sein, wurde Präsident der Europäischen Zentralbank. Er startete die größte Enteignung der Menschen, kaufte den Banken ihre giftigen Papiere ab. Weder in der Bevölkerung noch in den

Medien gab es einen Aufschrei, da offenbar keiner kapierte, was hier vor sich ging.

Der Journalist hielt kurz inne, als der Kellner die Getränke vor ihnen auf den Tisch stellte, und fuhr dann fort:

»Der letzte Knaller ist, dass ein Ehemaliger aus der Kaderschmiede von Goldman Sachs, Adam Storch, zuständig für laufende Untersuchungen bei der US-Börsenaufsicht SEC wurde.«

Feg hatte sich eine Zigarette angezündet und sich weit in den Sessel zurückgelehnt. Genau jene Institution also, die nun mit ihrer Geldpolitik sukzessive die Bürger enteignete. Und die Bevölkerung sitzt wie der Frosch im warmen Wasser und wartet, bis es zu heiß wird, dachte er ärgerlich, ohne deren Widerstand können sie das einfach durchziehen. Die Effekte dieser Enteignung würden erst in einem oder zwei Jahrzehnten mit voller Wucht durchschlagen. »Hat Storch etwa dafür gesorgt, dass nach dem Ausbruch der Krise nicht gegen Goldman Sachs ermittelt wurde?«

»Warten Sie«, mischte sich Winter ein. »Rubin ... Rubin. Moment. Auf Denvers Rechner war ein Dokument, das beschrieb, wie Rubin in den 90er-Jahren Einfluss auf die Verhandlungen der Welthandelsorganisation über die globalen Finanzdienstleistungen nahm, dass sie im Endspiel wären und wie man die WTO nutzen könnte, um den unregulierten Handel von Derivaten weltweit durchzusetzen. Und wenn Storch auch die Ermittlungen gegen Former zu verantworten hätte ...«

»Ganz genau«, sagte Feg und freute sich insgeheim, dass Rebecca Winter offenbar langsam erkannte, dass sie bisher viel zu schnell geurteilt und die wahren Machtverhältnisse nicht erkannt hatte. »Player wie Denver oder Former sind nur kleine Pisser, die sich aber mit Insiderwissen vielleicht zur Wehr setzen wollten. Ich denke, sie versuchen die Dinge, die bisher an die

Öffentlichkeit gelangt sind, zu ergänzen, um die ganze Tragweite zu verdeutlichen!«

Winter neigte den Kopf zur Seite, als würde sie darüber nachdenken.

Roche nickte und führte weiter aus, dass Rubin erst die Regeln im Casino des globalen Finanzsystems umgebaut hätte und nur wenige Wochen nach seinem Ausscheiden aus der Regierung Chef der damals größten US-Bank Citigroup geworden war. Er schüttelte sich. »Das ist für mich das höchste Maß an korruptem Verhalten, das ich mir vorstellen kann. Aber es gibt bisher zu wenig Beweise.«

»Ja, aber das war doch 1997!« Winter erkannte mit einem Mal, dass genau seit dem Zeitpunkt die globalen Banken so groß wurden, bis sie eben zu groß geworden waren, um sie bei einer Pleite fallen lassen zu können. Aber welche Rolle spielte dabei Dan Former?

Winter holte ihr Blackberry aus der Handtasche. Feg deutete kurz auf das Handy, doch bevor er fragen konnte, winkte sie ab. »Keine Bange, die Karte ist draußen.«

Sie zeigte Roche eines der Dokumente aus Denvers Bestand auf ihrem Smartphone. Interessiert betrachtete er es. »Mit der Aufgabe der Deregulierung waren neben Rubin auch andere fleißig beschäftigt«, sagte sie, die Brisanz dieses Dokumentes begreifend. Auch der damalige Unterstaatssekretär im Finanzministerium Timothy Geithner gehörte dazu, der später als Chef der Federal Reserve Bank in New York die Soforthilfen für Wall-Street-Banken im Zusammenhang mit dem gescheiterten Versicherer AIG ausgezahlt hatte, und dann Finanzminister unter Obama wurde.

»1997 hat er dieses Memo geschrieben.« Winter zeigte es Roche, der es auf dem kleinen Display ihres Handys mühsam vergrößerte und hin und her schob. Darin forderte er auf, dass

DEPARTMENT OF THE TREASURY
WASHINGTON, D.C.

November 24, 1997

T SECRETARY

MEMORANDUM FOR DEPUTY SECRETARY SUMMERS

FROM: Timothy F. Geithner
Assistant Secretary (International Affairs)

SUBJECT: WTO Financial Services Negotiations: Industry Consultations

As we enter the end-game of WTO financial services negotiations, I believe it would be a good idea for you to touch base with the CEOs of the major U.S. banking and securities firms which have been closely following the WTO financial services negotiations. I suggest that you contact, via phone call, the following firms individually:

Banking
Bank of America: David Coulter, (415) 622-2255
Citibank: John Reed, (212) 559-2732
Chase Manhattan: Walter Shipley, (212) 270-1380

Securities
Goldman Sachs: Jon Corzine, (212) 902-8281
Merrill Lynch: David Kamanski, (212) 449-6868

These and other firms participate in the so called "Financial Leaders Group" (FLG), composed of key members of U.S. and European industry with a stake in the WTO talks. The FLG proposed a list of barriers to be addressed in the negotiations, and have sent representatives to several of the negotiating sessions in Geneva. I have contacted these firms' representatives at the working level — (e.g., Tom Dawson at Merrill) to advise them of your pending phone call.

Industry's assessment of the prospects for success in December can be characterized as cautiously optimistic. As formal offers from several of the target markets have not been submitted, the firms are reluctant to be pinned down on their views. However, I believe that the securities industry is broadly satisfied with the outlines of the deal and would be prepared to support a permanent U.S. MFN commitment; the banks are more reticent. In all cases, however, industry recognizes improvements over the previous WTO round, and no firm advocates a repeat of 1995.

Our team will be departing for the final Geneva negotiating session after Thanksgiving. I intend to join them -- and Jeff Lang -- for the conclusion of the talks on December 10-12.

- TAB A: Talking Points for Your Phone Call
- TAB B: Chart of U.S. Banks/Securities Firms' Foreign Presence

sich die führenden Bankmanager jetzt einigen sollten. Geithner fungierte auch als US-Botschafter bei der Welthandelsorganisation und wandte nicht unbedingt die feinsten Methoden an, um Staaten von der Deregulierung des Wertpapierhandels zu überzeugen. Nur Brasilien weigerte sich standhaft, was dem Land bis heute die schwersten Folgen der Finanzkrise von 2008 ersparte.

»Ich fass es nicht. Würden Sie mir das überlassen?«

»Alles mit der Zeit, Roche, wie besprochen.« Feg winkte den Kellner heran, um sich einen weiteren Whisky zu bestellen.

»Aber es gibt doch Politiker, die …«, sagte Winter.

»Wer finanziert denn die Wahlen in den USA?«, unterbrach sie Feg. »Und wer ist im Besitz der meisten Medien?« Er machte eine Kunstpause, um dann pathetisch fortzufahren: »Die gehören doch alle Mitgliedern der Oligarchie! Und die hat mittlerweile einen solchen Einfluss, dass es quasi keine Gewaltenteilung mehr gibt. Das ist zwar alles nicht neu, aber was hier jetzt zutage tritt, hat ganz neue Dimensionen, das darf niemand mehr ignorieren. Und wer weiß, was wir in Denvers Daten noch so finden. Er nahm den Whisky entgegen und trank einen kräftigen Schluck, bevor er sich wieder dem Journalisten zuwandte.

»Zur Sache, Roche – was an diesen Fakten ist jetzt wirklich noch unbekannt oder brisant? Können Sie sich vorstellen, dass es in diesem System große Verlierer gibt, die bereit sind, persönliche Risiken einzugehen? Anzeichen für einen internen Widerstand gegen Lobbyisten in Brüssel oder so etwas?«

Roche nahm seine Hornbrille ab, zog ein Taschentuch hervor und putzte sie. »Ich weiß nur, dass die europäischen Banken hier in Brüssel und in den USA um ihre Vorherrschaft kämpfen.« Er erklärte, dass das offizielle Geplänkel über die Maßnahmen zur Regulierung des Finanzsektors alles nur Gerede für die Öffentlichkeit sei. In Wirklichkeit tobe hinter der Fassade ein gnadenloser Machtkampf, in dem die USA versuchten, mit höheren Auflagen die europäischen Banken vom Markt zu verdrängen. Deswegen würde Brüssel angetrieben, die ohnehin schon halbherzige Regulierung wieder aufzuweichen, um gegen die US-Banken konkurrenzfähig zu bleiben. »Außerdem strecken sie jeden Stresstest für die Banken in die Länge oder verändern die Bedingungen des Tests zugunsten der Banken. Die haben noch zu viele faule Eier in den Bilanzen. Was ist, wenn sich herausstellt, dass eine größere Zahl von Banken zusätzliches Kapital in nennenswertem Umfang benötigt? Woher soll das kommen? Aber fragen Sie mich nicht, wie ein Plan B aussehen kann.«

Roche griff nach seinem Glas und fuhr fort. »Es gibt zurzeit panische Angst vor jeder weiteren Eskalation durch neue Skandale. Jeder weitere Whistleblower ist eine Gefahr, weil wir mit ihnen beweisen könnten, dass bei einer erneuten Pleitewelle wieder auf Steuergelder zurückgegriffen werden müsste – und zwar massivst. Erik, wenn ich recht habe, sind da noch mehr als 70 Billionen miese Derivate in den Bilanzen, die keiner mehr kauft!«

War an der Selbstmordserie unter Bankern doch mehr dran, als er glaubte?, überlegte Feg. Die Summe von 70 Billionen Dollar war alles andere als ein Pappenstiel. Die verantwortlichen Händler oder Bankmanager hatten zu viel angerichtet und wurden vielleicht nicht mehr gedeckt. Wenn solche Leute in der Kiste lagen, bevor die Wahrheit ans Licht kommen würde, konnte man es seelenruhig den Toten in die Schuhe schieben – ein grausamer Verdacht. In so einer Phase wie jetzt waren in der Tat alle weiteren Negativnachrichten schlecht zu gebrauchen.

Er blickte zu Winter, sah ihren verkniffenen Gesichtsausdruck. Sie atmete tief ein, als würde sie kaum noch zuhören können.

»Doch das eigentliche Problem ist unser Gastgeber«, sagte Roche, zog einen Zettel aus seinem Sakko und fuhr fort. Während die großen Banken im Scheinwerferlicht von Börsenkontrolle und Öffentlichkeit stünden, liefe ein großer Teil des Finanzgeschäfts im Verborgenen. BlackRock-Chef Laurence Fink könnte Unternehmen und Politiker nach seiner Pfeife tanzen lassen. Nach der ersten Eskalation der Krise sei das Geld in undurchsichtige Schattenbanken und Fondsgesellschaften abgewandert. Allein BlackRock arbeite am Markt mit über vier Billionen Dollar. Roche war überzeugt, dass die Öffentlichkeit sich in einer falschen Sicherheit wiege. Wer kannte denn schon Finanzkonzerne mit den Namen BlackRock oder KKR? Ginge das alles so weiter, stünde das Ende der Sozialen Marktwirtschaft vor der Tür und damit der weltweite Sieg des neoliberalen Netzwerkes. Auch Fink war nach Roches Recherchen bestens vernetzt. Er nannte Draghi seinen Freund und telefonierte regelmäßig mit dem US-Finanzminister.

»Was jetzt geschieht, ist der Aufbau einer neuen Adelsschicht. Unternehmen und Banken haben ein System gebildet, in dem jeder beim anderen beteiligt ist. Durch diese Strukturen schützen sie sich gegenseitig und lösen mit einer Krise nach der anderen sukzessive den Staat auf!«, fuhr Roche fort.

»Aber warum tut niemand etwas dagegen?!«, fragte Winter aufgebracht.

»Die Frage ist, *was* man dagegen tun kann. Damit haben sich Leute wie Denver und Former anscheinend intensiv beschäftigt.« Ohne auf den Gemütszustand Winters zu achten, legte Feg nach. »Menschen sind im digitalen Zeitalter wie Algorithmen berechenbar. Banken und Staaten könnten mit diesen Algorithmen alles steuern, auch den Grad des Widerstands oder wann dieser einzusetzen droht.« Er zündete sich eine Zigarette an, schmiss die Schachtel auf den Tisch. »Und für den Fall, dass es schiefgeht, werden Aufstände im Keim erstickt, und zwar mit Einsatzplänen von Armeen und Polizeibehörden, die die Menschen längst komplett überwachen können. Der Mensch wird in diesem Spiel des Neoliberalismus genau da gepackt, wo man ihn am besten benutzen kann: Bei seiner Eitelkeit, seiner Gier und vor allem aber bei seiner Angst vor sozialem Abstieg. Die neuen Regeln dieser Weltordnung werden von niemand anderen als den Banken und ihren treuen Politikern durchgesetzt. Der Staat wird dabei immer weiter zurückgedrängt und die Verlierer mit minimalen Sozialleistungen abgespeist. Ist doch 'ne tolle Abschreckung, oder? Und die, die noch Arbeit haben, bekommen gerade genug, um ausreichend konsumieren zu können. Die Oligarchien werden immer reicher und mächtiger, und die Demokratie plumpst in den Orkus …« Feg nahm einen tiefen Zug von seiner Zigarette.

»Ihr Zynismus ist kaum zu überbieten«, zischte Winter.

»So läuft das eben, und deswegen begehrt auch niemand auf. Ist doch ganz einfach. Vielleicht gibt es ja einige in diesem Spiel, die gegen diese neue Weltordnung von innen her aufbegehren, da sie sehen, dass die Bevölkerung zu schwach ist. Und da wären wir bei Denver und Former.« Fegs Zweifel, dass die Todesserie etwas mit diesem Fall zu tun haben könnte, hatten sich nun aufgelöst. Doch da immer noch längst nicht alle brisanten Dokumente entschlüsselt waren, hatte er keine Ahnung, auf welcher Bombe sie wirklich saßen, und auch Roche musste sich darüber im Klaren sein, dass seine Recherchen nicht ungefährlich waren.

Winter stand auf und verließ wortlos den Raum.

»Sie braucht sicher frische Luft, bisschen viel für so eine junge Seele«, sagte Feg. »Was haben Sie noch, Roche?«

»Vor ein paar Wochen habe ich eine Investmentbankerin kennengelernt. Sie hatte mir ein Interview versprochen. Über die Machenschaften am Rohstoffmarkt. Angeblich hat sie Kontakt zu einer Gruppe, die noch mehr Informationen über die globale Vernetzung hat und handeln will. Sie sagte, dass diese Leute planten, die totale Machtübernahme der Konzerne und Banken zu verhindern, und das dafür nicht mehr viel Zeit bliebe. Die Handelsabkommen zwischen Europa, den USA und

Kanada seien ein Witz gegen das, was im Hintergrund läuft. Sie heißt Devona Müller. Das Interview hat sie plötzlich abgesagt, aber ich habe ihre Adresse.«

Feg schaute sich um, er verspürte den Impuls, Rebecca Winter nachzugehen. Eine Minute später kehrte sie zurück. Ihr Gesichtsausdruck spiegelte ungefähr die gleiche Empörung und Verachtung wieder wie bei Fegs Festnahme in Hamburg.

»Gut, Philippe, ich denke, das reicht für heute.«

Roche erhob sich kurz und rückte ihr den Sessel zurecht. »Ist alles in Ordnung?«

»Ja, ich hab nur kurz durchatmen müssen.«

Winter setzte sich wieder und versuchte, sich mit einem kräftigen Schluck Crémant zu beruhigen. Feg registrierte ihre Anspannung, ihren Blick, der fast hasserfüllt war. Er kannte diese Reaktion zu gut. Alles, was er in den letzten Jahrzehnten aus der Politik, seinen Begegnungen mit Diplomaten und Geheimdienstagenten erfahren hatte, hatte ihm lange genug genau diesen Blick ins Gesicht getrieben, bis zu dem Zeitpunkt, als er glaubte, begriffen zu haben, dass er nichts dagegen tun konnte, nichts zu bewegen imstande war, ohne seine Karriere oder gar sein Leben zu gefährden. War sich diese junge Frau eigentlich im Klarem darüber, wie gefährlich dieser Job für sie werden könnte?

»So, ich werde mich jetzt von Ihnen und Ihrer zauberhaften Begleiterin verabschieden. Kommen Sie nächste Woche in mein Büro, dann kann ich Ihnen sicher noch mehr Informationen geben«, sagte Roche, und gab ganz nach alter Schule Rebecca Winter einen Handkuss, die ihn fast teilnahmslos entgegennahm.

»Philippe, seien Sie vorsichtig, ich möchte nicht, dass es Ihnen wie David Bird ergeht«, sagte Feg und klopfte ihm auf die Schulter.

Winters Neugier erwachte. »David Bird … das ist doch dieser verschollene Wall-Street-Journalist, oder? Haben Sie etwa Ihre Meinung über die Selbstmordserie geändert?«

»Vielleicht.«

Feg schaute Winter an. Sie sah blendend aus, und doch war etwas nicht in Ordnung – der Blick, die zusammengepressten Lippen, eine für Feg schwer zu ergründende innere Schwere, die sie davon abhielt, das Leben so zu nehmen, wie es kam. Nur im direkten Wettstreit der Meinungen funkelten ihre Augen. Wurde sie aber nachdenklich wie jetzt, war sie verbissen. Dabei konnte sie richtig reizvoll sein wie zu Beginn des Abends.

In diese Gedanken mischte sich ein weiterer, der ihn seit Hamburg nicht losgelassen hatte: Es war nicht fair, ihr die seltsame Begegnung mit dem Franzosen länger zu verschweigen. Aber der kurze Schrecken, mit einem fast schon verdrängten Ereignis erpressbar zu sein, hatte seine Wirkung hinterlassen. Dieser Unfall im Treppenhaus des Puffs, in dem Susanne Wagner gearbeitet hatte, den man auch als Mord hätte auslegen können: Er hatte gehört, wie sie von einem Freier angepöbelt worden war. Besoffen und zugekokst, wie er gewesen war, hatte sich Feg auf den Mann gestürzt und ihm derart eins in die Fresse geschlagen, dass er kopfüber die Treppe hinuntergepoltert war. Das war's dann gewesen für den Ehegatten einer Rechtsanwältin. Sie hatten die Geschichte so weit vertuschen können, dass die Polizei die Ermittlungen einstellte, doch in der Szene wussten einige, dass Feg an dem Abend zu Wagner gewollt hatte, und so wurde der Vorfall je nach Stimmungslage als Mord oder Unfall interpretiert. Zwar hatte diese Geschichte die beiden für immer zusammengeschweißt, aber die Befürchtung, dass die Wahrheit irgendwann rauskommen würde, war nie gewichen.

»Herr Feg ändert seine Meinung. Das ist doch mal ein Fortschritt.« Sie lächelte schief. Offenbar schien der BND-Mann die Art, wie Menschen beherrscht werden, auch nur wie einen Algorithmus zu betrachten. In ihr wuchs hingegen die Furcht vor einer völlig unberechenbaren Zukunft, angesichts der Abhängigkeit der Menschen von einem so instabilen System. »Ich hoffe, es ist keine Schande, wenn ich zugebe, dass ich mir die Dinge einfacher vorgestellt habe.«

Feg legte seine Hand auf ihre. »Nein, ist es nicht, Rebecca, genau das wollte ich erreichen: Dass Sie etwas mehr Respekt vor der Aufgabe bekommen. Umso mehr kann ich Ihnen vertrauen.«

Er registrierte erneut ihre verblüffende Verwandlung an diesem Abend.

»Warum haben Sie eigentlich keinen Mann an Ihrer Seite?«

Winter zeigte keine Regung.

»Aber anscheinend geht es Ihnen auch so ganz gut«, setzte er schnell hinzu.

»Und was ist mit Ihnen?«

Feg zog seine Hand zurück und starrte in den brechend vollen Saal.

»Ich bin wohl zu viel unterwegs. New York, Tokio, London, Singapur, überall, wo es gerade an den Börsen brennt – das macht es nicht gerade leicht, ein geregeltes Leben zu führen. Dazu kommt ein geheimes Leben, über das man nur unter seinesgleichen sprechen kann.«

»Noch nie Ihr Herz verloren?«

Fegs Gesicht verschloss sich. »Einmal.«

»Ein schwieriges Thema offenbar …«

»Ja, offenbar für uns beide.«

In dem Augenblick hörten sie von der Straße zwei Schüsse.

ZWEIUNDDREISSIG

BRÜSSEL, 31. OKTOBER

»Derek, das ist völlig inakzeptabel. Was reden Sie da?«

»Tut mir leid, Patrice, aber so, wie es aussieht, geht Scotland Yard davon aus, dass Denver im Auftrag von Former einen oder vielleicht mehrere betrügerische Algorithmen entwickelt hat.«

Lascaut überlegte kurz, lehnte sich auf seinem Stuhl zurück und blickte auf die beleuchtete Fassade des belgischen Justizministeriums. Vielleicht wäre es gar kein Fehler, Derek und alle Beteiligten genau dies einfach glauben zu lassen.

»Hören Sie, Derek, Denver hat Former mit absolut obskuren Vorwürfen erpresst. Dazu gehören auch E-Mails, die er nachweislich mit Naravan gefälscht hat. Es gibt keine Beweise dafür, dass Former auch nur im Ansatz so etwas in Auftrag gegeben hat.«

»Ich werde nicht verhindern können, dass Scotland Yard eigene Schlüsse zieht, Patrice.«

»Wir werden sehen«, sagte Lascaut, legte auf und fragte sich einmal mehr, auf wessen Seite dieser Derek Simon eigentlich spielte. Er ging durch sein riesiges Arbeitszimmer mit alten Kolonialmöbeln, schweren genieteten Ledersesseln, Unmengen von Büchern und Zeitungen. Von seinem monumentalen Schreibtisch aus der Empire-Zeit nahm er seine Tasse Tee und nippte daran. Er ging zum Fenster und dachte nach. Eigentlich hatte er vom Hochfrequenzhandel keinen blassen Schimmer, er wusste nur ungefähr, zu welchem Zweck diese Handelssysteme wirklich entwickelt wurde, aber das spielte jetzt vielleicht keine Rolle mehr. Wenn dieser Erik Feg nichts für ihn tun konnte, würde die ganze Sache sicher bald auffliegen. Für manchen Schachzug musste man sich nur Zeit lassen – Zeit, die wir kaum haben, dachte er und blickte in den Wirtschaftsteil der *Le Monde*. Aber an Aufgeben wollte er nicht denken. Die Zeitung meldete, dass die EU die Boni der Banker nochmals weiter eingeschränkt hatte. Das alles war für Lascaut nur Kosmetik. Bis zum Ausbruch der Finanzkrise hatte er bald ein Jahrzehnt die Auswüchse – die Deregulierung der Banken in der EU-Kommission – beobachtet, und mit besten Verbindungen zu den Parlamentariern versuchte er seit ein paar Jahren, gegen die Heerschar von Lobbyisten in Brüssel zu kämpfen. Doch auch er hatte lange Zeit an den freien Markt geglaubt und musste sich nun eingestehen, dass auch er bis zum letzten Crash felsenfest davon überzeugt gewesen war, dass der Markt alles regulieren würde. Wie viele andere war er ein Verfechter des Trickle-down-Effekts.

Diese in seinen Augen gescheiterte Theorie und Rechtfertigung des internationalen Killerkapitalismus ging davon aus, dass die Vermehrung von Reichtum, sobald sie ein bestimmtes Niveau erreicht habe, automatisch zur Verteilung in Richtung der Armen führen würde. Die Wirklichkeit sah anders aus. Ab einem bestimmten Volumen von Kapital konnten sich die Bosse eines Finanzimperiums oder einer transnationalen Gesellschaft kein moralisches Handeln mehr leisten. Ihr Zwang zum Fortschritt, der Kampf um ihr persönliches Überleben und die ständige Ausweitung ihres Imperiums verlangten ein absolut amoralisches Verhalten.

Beim Ausbruch der letzten Finanzkrise hatte Lascaut mit ansehen müssen, wie sich die Hälfte seines Vermögens in Luft aufgelöst hatte, da das Ausmaß dieser Krise auch vor soliden Werten keinen Halt gemacht hatte. Als dann in einem Teil der europäischen Bevölkerung wieder die alten Ressentiments vom Finanzjudentum in den USA hochkamen, war für ihn eine rote Linie überschritten. Kein Wunder, denn anstatt das System zu reformieren, wurden Europa von der Weltbank und dem IWF Sparprogramme auferlegt, die den Menschen alles abverlangten und die Sozialsysteme kollabieren ließen. Nur Juden hatten damit überhaupt nichts zu tun. Und die Medien bedienten alte Klischees, um die Bürger gegeneinander aufzuhetzen, anstatt ihnen die wahren Fratzen vor Augen zu führen. Alles nur, um die Schulden derer zu begleichen, die die Krise verursacht hatten.

Lascaut stand vor seiner größten Herausforderung, denn eine lebenslange Überzeugung aufzugeben, und damit zu erkennen, dass viel Leid produziert worden war, war zunächst schmerzhaft. Doch indem er selbst von den Auswüchsen der Finanzmachenschaften betroffen war und weil seine Freunde die Akteure im Hintergrund dieses Desasters aufrichtig hassten, hatte er Schritt für Schritt innerlich die Seiten gewechselt. Äußerlich ließ er sich hingegen nichts anmerken, um die alten Verbindungen weiter nutzen zu können, um mit dem Wissen, das ihm und Former von den *Herren* anvertraut wurde, wiederum Medien und Globalisierungsgegner zu füttern. Über Monate hatte er mit Former und zahlreichen Kontakten genug zusammengetragen, um der Politik mit dem Dreiklang des Horrors aus Finanzkrise, Eurokrise und kriminellen Machenschaften genug Legitimation für drakonische Eingriffe zu liefern. Doch nichts geschah.

Seine neue Position gefiel Lascaut nicht nur, sie beruhigte sein Gewissen. Er stellte die Tasse Tee ab, setzte sich wieder an seinen Schreibtisch und stützte seinen Kopf in die Hände. Er erinnerte sich an die Begegnung mit einem Professor der London School of Economics, der die Wahnvorstellung des Trickle-down-Effekts kurz und bündig als einen Abklatsch der biblischen Schimäre vom Paradies bezeichnet hatte. Doch jetzt waren nicht mehr nur die Menschen in der Dritten Welt betroffen und hungerten durch die Spekulationen mit Nahrungsmitteln und Rohstoffen. Würde die Macht der größten Banken und Hedgefonds weiter wachsen, bliebe die Politik schon sehr bald nur noch die Getriebene der Beutejäger.

Lascauts Gedanken wurden vom Klingeln seines Telefons unterbrochen. Zögerlich nahm er den Hörer ab. Am anderen Ende war Former, mit einer aufgelösten Stimme, wie er sie von ihm bislang nicht kannte.

»Patrice, Naravan ist in London am hellichten Tag hingerichtet worden. Wer zum Teufel steckt dahinter?!«

Lascaut strich sich durch sein graues Haar. Former begriff es einfach nicht. Es war ein Zeuge weniger. Naravan hatte ihm, ohne es Denver zu sagen, für einen relativ günstigen Betrag in bar seinen Teil des Algos überlassen. Und der andere Teil ... ja, der andere beschäftigte sicher schon bald die Börsenaufsichten, wenn nicht ein Wunder geschah und er das schier Unmögliche noch hinbekam. »Gott, Dan, woher soll ich wissen, wer dahintersteckt? Du hast diese Katastrophe ausgelöst!«

»Und wie sollen wir ohne ihn weiterkommen?«, brüllte Former.

»Dan, halt die Klappe und beruhige dich. Ich kümmere mich darum. Wie immer, wenn es mal wieder eng wird.«

»Hast du mit diesem Neil Winter gesprochen? Du hast ihm doch mal aus der Patsche geholfen. Jetzt muss er uns helfen!«

Lascaut fand Formers Gejaule langsam seiner unwürdig. Er hatte Neil Winter längst kontaktiert – und eine sehr klare Absage erhalten. Seit über zehn Jahren und der Trennung von der Mutter hatte Neil kein einziges Mal mit seiner Tochter gesprochen. Ich muss einen anderen Weg finden, dachte Lascaut, oder das Projekt steht so gut wie vor dem Ende. Dennoch versicherte er Former, nichts unversucht zu lassen. Er war doch längst dabei, alles auf sich zu nehmen. »Aber ich bestimme jetzt, wann der Zeitpunkt ist, alles zu stoppen. Du bist nicht mehr Herr der Lage!«, schärfte Lascaut Former ein.

Er legte auf, suchte in seinen Unterlagen nach einem Dokument, öffnete eine Schublade und blickte auf Naravans Datenstick. Seine größte Hoffnung lag nun auf Rebecca Winter und diesem Erik Feg. Vielleicht konnte er, so verwegen es im ersten Moment erschien, Winters Herkunft nutzen. Wenn er ihr Motiv, in einer Sonderabteilung von Scotland Yard Karriere machen zu wollen, richtig einschätzte – die Geschichte ihres Vaters, womöglich noch Hass auf die Zocker – dann wäre sie eine fantastische Figur auf seinem Spielfeld. Das alles war vage und riskant, aber gerade deshalb auch reizvoll.

Was hat so ein alter Sack wie ich noch zu verlieren? Also erhöhen wir den Einsatz, dachte er bei sich.

Lascaut erhob sich und ging zu einem Tisch neben dem Sofa, auf dem eine Schachkonstellation aufgestellt war. Er zog einen Bauern vor die Dame. Es war ein völlig aussichtsloser, verrückter Plan, aber Former und er waren auf Hilfe angewiesen oder die Welt würde den größten Raubzug der Geschichte erleben, ohne es jemals wirklich zu verstehen.

Und dass ausgerechnet sein bester Freund zu einem Problem wurde, nagte an ihm.

DREIUNDDREISSIG

BRÜSSEL, 31. OKTOBER

Als kein weiterer Schuss kam, wagten sich Winter und Feg auf die Straße. In dem Durcheinander von ersten Streifenwagen und Gaffern versuchte Winter, sich einen Überblick zu verschaffen. Mehrere Jugendliche beschimpften Polizisten, drei Uniformierte beugten sich über zwei am Boden liegende Männer und fixierten sie mit Handschellen. Winter zitterte nicht nur vor Kälte – die Befürchtung, dass Roche etwas zugestoßen sein könnte, stand ihr ins Gesicht geschrieben.

Schnell stellte sich heraus, dass die Schüsse zu einer Auseinandersetzung zwischen algerischen Drogenhändlern gehörten. Von Roche keine Spur. Offenbar hatte er den Ort schon vorher verlassen.

»Kommen Sie, lassen Sie uns gehen, ich will da nicht mehr rein«, sagte Winter und bat den Portier, ein Taxi zu bestellen.

Sie setzten sich auf die Rückbank. Feg musterte Rebecca Winters schlanke Beine. Es hatte keinen Sinn, ihr ein Kompliment zu machen. Was immer ihre Beweggründe für ihre Unzugänglichkeit waren – er fand es schade, dass sie sich so verschloss, aus seiner Sicht eine Verschwendung von Lebenszeit. Er sah sich im Rückspiegel, seine ersten richtig tiefen Falten um Mund und Augen. Er hatte es sich nie eingestanden, aber jetzt packte ihn das Gefühl, Jahre mit seinen Exzessen vergeudet zu haben. Auf die jahrelange Angst, sich zu binden, folgte nun die Angst, dass es zu spät für ihn sein könnte.

Winter schien ihr elegantes Äußeres und ihre Wirkung auf die Männer an diesem Abend völlig egal zu sein, für sie war der Empfang offensichtlich nur eine Pflichtveranstaltung gewesen. Als sie das Hotel erreicht hatten, entschwand sie schnell mit der Verkündung, sich nur kurz frisch machen zu wollen.

Feg brachte gerade in seinem Zimmer seine Laptops zum Laufen, als es klopfte. Winter stand wieder in ihren weiten Klamotten vor ihm.

»Schade!«

»Was?« Sie zog ihre Augenbrauen fragend in die Höhe.

»Sie hätten sich ruhig noch etwas Zeit in der Lobby gönnen können, da laufen hübsche junge Männer herum.«

Sie blickte ihn einen Moment sprachlos an und fing dann an zu lachen. Sie hatte gespürt, dass Feg es alles andere als ironisch meinte. Vor allem war es der Vorschlag, sich nicht an ihn, sondern an andere Männer heranzuschmeißen, der ihr gefiel.

»Mist! Ich komme gleich wieder. Ich habe die Festplatten im Safe vergessen. Und vielleicht mache ich dann eben noch einen Umweg durch die Lobby.«

Beschwingt ging sie zurück in ihr Zimmer. Sie öffnete den Safe, suchte in ihrer Tasche nach den Datenträgern und zog sie heraus. Sie ging noch einmal ins Bad, um einen Toilettenbesuch bei Feg zu vermeiden. Ihr Blick fiel in den Spiegel. Seit Jahren hatte sie sich nicht mehr geschminkt. Warum eigentlich nicht? Die bewundernden Blicke dieses durchaus charismatischen Mannes hatte sie nicht übersehen. Die Art, wie er sie zu ihrer

Überraschung behandelt hatte, stand im völligen Widerspruch zu dem, wie er mit ihr als Polizistin umging. Das war also die andere Seite dieses Machos. Und mit dieser Seite konnte sie sich anfreunden.

Feg nutzte unterdessen die Zeit und rief seinen Kollegen Frank Jacobs beim BND an. Die Verschlüsselung eines Blackberrys Q10 sollte zumindest kurze Zeit reichen, um nicht abgehört zu werden.

»Grüß dich, ich wollte dir nur danken, dass ...«, begann er.

»Mann, seit gestern versuche ich, dich zu erreichen!«

»Ich musste das Handy wechseln«, erklärte Feg.

Was jetzt kam, hatte er nicht erwartet. Sein Kollege erzählte ihm aufgeregt von einer geheimen Analyse der NSA, die aufgrund der letzten Hackerangriffe auf die Wall Street und die Frankfurter Börse betrieben worden war. In dem Bericht hatte die amerikanische Depository Trust & Clearing Corporation (DTCC) die Bedrohungsszenarien für das globale Finanzsystem benannt. Besonders die Banken seien gegen Angriffe von Hackern in Wirklichkeit kaum geschützt.

Das Problem war jedoch nicht die mangelnde Abwehrfähigkeit der Banken, sondern die kriminelle Energie der Angreifer. Die Sicherheitsanalysten von Intelligence Analysis hatten in einer Untersuchung herausgefunden, dass die massiven Computerstörungen im letzten Herbst nicht von verrückten Tradern oder außer Kontrolle geratenen Handelssystemen, sondern von einer Gruppe von Hackern aus Europa provoziert worden waren. Sie machten kein Hehl mehr daraus, dass die Risiken, die das System in sich barg und denen es deshalb ausgesetzt war, im Grunde nicht mehr beherrschbar waren. Die nun geplanten Regulierungen an den Börsen würden nur zu neuen Fehlern führen, weil das System derart vernetzt sei, dass niemand mehr

Wirkung und Ursache auseinanderhalten könne. So könne ein Angriff auf eine Komponente das ganze Netzwerk zum Absturz bringen, und zwar innerhalb kürzester Zeit und ohne jede Vorbereitung. Eine einzige der Too-big-to-fail-Banken könne alle anderen in den Abgrund reißen.

Feg wusste, dass ein von wem auch immer ausgelöster Hackerangriff auf eine der großen Banken verheerende Folgen hätte. De facto würden die meisten gesellschaftlichen Prozesse zum Erliegen kommen, weil durch die Dominanz des Internets in Bankgeschäften alle wichtigen Prozesse außer Kontrolle geraten würden. Es dürfte ziemlich schwer sein, die Urheber eines solchen Anschlags zweifelsfrei zu benennen. Deswegen waren also bei Quantum Dawn 4 alle Behörden und die SEC so nervös gewesen. Es würde schwerfallen, sich in einem Krieg zu verteidigen, wo jeder alles sein konnte und in dem die Flucht in viele Identitäten in Sekundenbruchteilen möglich wäre.

»Aber jetzt kommt der Hammer«, sagte sein Kollege. »In der Analyse geht man davon aus, dass Hacker den gestohlenen Code von Goldman Sachs zu einem Virus weiterentwickelt haben könnten!«

Feg fiel es wie Schuppen von den Augen, hatte er etwa genau Zugang zu diesem Virus?

»Und noch was. Die NSA hat drei Leute aus der Abwehr verloren. Sie könnten als Whistleblower zu diesen Hackern übergelaufen sein. Die Hütte kocht, mein Lieber!«

»Ich hab so was geahnt. Danke dir. Das passt in unsere Ermittlungen. Hey, noch was. Bist du sicher, dass ich nicht mehr observiert werde?«

»Von uns wohl kaum, aber wer weiß das schon bei der Lage? Ich würde aufpassen an deiner Stelle! Bis bald.«

Feg nahm sich seinen Rechner. Er hatte noch die Protokolle und IP-Adressen jener unbekannten Angreifer, die in die

Systeme der NASDAQ eingebrochen waren. Die Logdateien brachten eine Überraschung. Fast alle waren aus Brüssel. Dort hatte doch dieser Programmierer gewohnt ... Naravan!? Nein, das konnte nicht sein!

Feg war so intensiv in die Daten vertieft, das er vom Klopfen an der Tür erschrak. Er öffnete die Tür und ließ Rebecca Winter rein.

»Ist der Smoking nun dauerhaft Ihre Arbeitskleidung?«

»Was? Wieder auf Angriffsmodus umgeschaltet?«

Sie legte die Festplatten auf den Tisch. »So sollte das nicht klingen. Ich stelle mich einfach auf eine lange Nacht ein.«

Feg klemmte die Festplatte an seinen Laptop und öffnete ein Programm, das das Siegel des britischen Geheimdienstes trug.

»Wie haben Sie das gemacht?«

Er lachte kurz auf. »Betriebsgeheimnis. Machen Sie es sich irgendwo bequem.«

Er tippte in einigen Programmen etliche Befehlszeilen ein, suchte nach Hintertüren, die er sich von Sarif besorgt hatte, um die jeweiligen Verschlüsselungen einfacher zu umgehen, und stieß auf eine Mail mit einer Datei, die Denver erhalten hatte.

»Merkwürdig. Sarif hatte alle Werkzeuge, um viel schneller voranzukommen. Ich möchte wirklich gern wissen, ob er die Entschlüsselung mit Absicht verzögert hat«, murmelte Feg und musste wenig später feststellen, dass einige Dateien mit über 20-stelligen Passwörtern gesichert waren, für die es keine Hintertür gab. Hier halfen nur Methoden, die er Winter nicht einmal im Ansatz zu erklären wünschte. Es musste reichen, dass es einfach dauerte oder sogar nicht möglich wäre. Dann widmete er seine Aufmerksamkeit einer PDF-Datei aus Denvers Vermächtnis, eine Liste von Banken, Hedgefonds, Börsen, Medien, Aufsichts- und Regierungsbehörden, die rund um den Globus verteilt waren. Auffällig war eine Bemerkung in der dazugehörigen Mail von Denver, die lange vor seinem beruflichen Absturz verfasst worden war.

Wenn wir alle Leute zusammenhaben,
starten wir.

»Werden Sie daraus schlau?«, fragte Rebecca Winter, die sich hinter Feg postiert und mitgelesen hatte.

Feg schaute Winter an, zog seine Fliege ab, legte seine Smokingjacke über den Stuhl und ging zur Minibar. Er nahm sich ein Glas, goss einen Whisky ein und trank gedankenverloren alles aus. »Noch nicht ganz«, sagte er schließlich und holte eine Festplatte aus seinem Koffer. Er erklärte, dass sie sicherheitshalber alle Daten einmal kopieren und in einem Schließfach deponieren sollten. Dann schaute er auf seine Breitling, tippte eine Nummer ins Handy und ging im Zimmer umher. Er erreichte niemanden.

Diese Schweizer Studie, die sie auf Denvers Rechner gefunden hatten, hatte der Hedgefondsmanager ähnlich kommentiert, dachte Feg. *Damit sollte unser Ziel klar vor Augen liegen.* Auch die Whistleblowerin der Weltbank bezog sich auf diese Studie. Rund 150 Unternehmen kontrollierten ihr zufolge bereits 50 Prozent der gesamten Weltwirtschaft. Als die Forscher die Struktur der Eigentumsverhältnisse weiter aufgeschlüsselt hatten, stellte sich das heraus, was auch Roche in seinen Recherchen herausgefunden hatte – nämlich dass diese eng miteinander verwobenen Unternehmen alle Anteile an anderen Mitgliedern der Superstruktur hatten und damit fast unkontrollierbar waren. Bei den meisten dieser Unternehmen handelte es sich, wie es kaum anders zu erwarten war, um Finanzinstitutionen. Zu den führenden 20 dieser Gruppe gehörten vor allem die Barclays-Bank, JPMorgan Chase & Co. und die Goldman-Sachs-Gruppe.

»Roche hat recht. Wenn das alles stimmt, was in dieser Studie steht, sind diese Leute in der Lage, das politische System eines jeden Landes und die Weltwirtschaft als Ganzes zu beherrschen. Ein feudales System, kontrolliert durch die weltweiten Zentralbanken. Genau diese Struktur hat Leuten wie Denver oder Former das Geschäft, na ja, sagen wir mal: vermiest. Wir sollten das nicht aus dem Auge verlieren!«

Winter sah nicht zum ersten Mal, dass der selbstsichere und arrogante Ausdruck in Fegs Gesicht einer besorgten, aber wacheren Mimik wich, als würde er aus einem Traum oder besser einem Trauma erwachen. Die letzten Tage hatten ihn aus irgendeinem Grund verändert.

»Wissen Sie was, ich bin hundemüde und geh in mein Zimmer. Wir machen morgen weiter«, sagte sie und ging zur Tür. »Und tun Sie mir ein Gefallen. Trinken Sie nicht die ganze Minibar leer!«

»Ich werde hier aber noch eine Weile zu tun haben!«

Feg scheuchte sie mit einer Handbewegung aus dem Raum. Er ging zu seinem Mantel, zog einen kleinen Beutel heraus, entnahm ihm eine silberne Metallpfeife und aus einer orientalisch verzierten Silberbüchse ein kleines Stück einer weißgelblichen Substanz, das er auf die Pfeife legte und anzündete. Genüsslich inhalierte er, bis er einen Hustenanfall bekam und nach Luft rang.

»Du wirst zu alt für die Scheiße«, sagte er zu sich selbst und versuchte, sich wieder einzukriegen. Aber der Kick sollte ihm durch die Nacht helfen.

VIERUNDDREISSIG

BRÜSSEL, 1. NOVEMBER

Es war kurz vor neun Uhr. Feg war von der Brüsseler Nationalbank zurückgekehrt. Es war zwar absurd, aber genau an diesem Ort waren die Kopien für alle Fälle sicher.

An seinem Laptop im Hotel sitzend dachte er unentwegt darüber nach, was der Algo wirklich anrichten könnte. Wo viele Handelsalgorithmen aufeinandertrafen, die in gleicher Weise die Funktionen ihrer Handelsplattform ausnutzten, konnte es zu fatalen Wechselwirkungen kommen. Sie waren aber bisher kaum erforscht worden, da man dazu alle Börsendaten brauchte, die aber von jedem Player wie der Heilige Gral geschützt wurden, weil sie ihr Kapital waren. In Krisenzeiten, die gewöhnlich mit extrem hohem Handelsaufkommen, der Volatilität, einhergingen, konnten die Wechselwirkungen zwischen Mensch und Maschine den Handel aufschaukeln wie eine Welle. Aber ein Virus, der die Handelssysteme verrückt spielen lassen würde, könnte alleine diese Welle nicht zu einem Tsunami werden lassen, der den ganzen Markt mit sich risse, so, wie Denver es vielleicht gedacht hatte. Die geplante Drosselung des Handels in vier Wochen war aber auch nur eine Notlösung, erkannte Feg. Die letzten Hackerangriffe hatten Zugang in die Systeme gehabt, und das machte die Sache so gefährlich.

Das eigentliche Problem war die mangelnde Intelligenz des Zusammenwirkens hochfrequenter Algorithmen, die sich gleichzeitig auf den zu verteilenden Kuchen stürzten. Es war reines Glück, dass es noch nicht zu einem größeren Crash gekommen war, von dem sich der Markt nicht mehr erholen würde. Feg hatte immer wieder bei den Sitzungen mit der European Securities and Markets Authority darauf hingewiesen, dass die Maschinen Regeln brauchten, an die sich alle halten und deren Nichtbeachtung automatisch zu einem Nachteil derer führen müsste, die ausscherten. Er hatte mit seinem Team zwei Programme geschrieben, die in Echtzeit die Interaktionsregeln hätten umsetzen können, die ein riskantes Aufschaukeln von Aufträgen durch eine dämpfende Dynamik verhinderten. Alles wurde abgelehnt oder war noch in der Prüfung. Sein Kollege vom BND hatte recht. Die Hütte brannte. Aber in Feg entstand ein weiterer Verdacht, den er in der Deutlichkeit noch nicht auf dem Schirm gehabt hatte: Was wäre, wenn das ganze System nicht nur in Form des Algorithmus ins Spiel gebracht würde, sondern Menschen an entscheidenden Stellen mitspielen müssten?

Es waren einfach zu viele Daten, um das System so schnell zu erfassen. Leicht verzweifelt sah er sich nochmals die Liste mit den Positionen an, die Denver auf seinem Rechner hatte. Sie wirkten wie ein Schlüssel, und Fegs Verdacht erhärtete sich. Das System kämpfte an mindestens drei Fronten ums Überleben. Die Staatsschulden, die fragile Weltwirtschaft, und dann auch noch gegen die Instabilität der Börsen, die Hacker geradezu einluden.

Rebecca Winter schaute auf die Uhr und reckte sich in dem Doppelbett. Sie stand auf, zog die Vorhänge zurück und legte sich wieder hin, um in den strahlend blauen Himmel zu blicken. Nach Wochen grau in grau freute sie sich über die Sonne, auch wenn sie keine Wärme versprach. Der kurze Moment der Muße wurde vom Vibrieren des Blackberrys auf dem Nachttisch unterbrochen. Sie rollte sich zur Seite.

»Guten Morgen, Ms Winter«, meldete sich Sarif. Rebecca Winter fiel sofort ein, dass ihre Entschuldigung noch ausstand. Doch sie zog es vor, erst einmal zu schweigen.

»Woher hat Feg die Datei, die er mir gestern geschickt hat?«

»Das weiß ich doch nicht.« Wovon mochte Sarif sprechen?

Es blieb still am anderen Ende, Winter hörte nur ein leises Gemurmel. Was würde denn jetzt wieder kommen?

»Na gut, egal. Sagen Sie ihm, dass nicht die Dateien und Mails eine Fälschung sind, sondern das, was er mir geschickt hat!«

»Wie bitte?«

»Warten Sie einen Moment!« Wieder hörte Winter im Hintergrund Stimmen, diesmal deutlicher. Es war Sarifs Kollege, und sie konnte seine Worte deutlich verstehen.

»Sie haben Dan Former? Geben Sie mir die Daten«, rief Winter ins Telefon, riss die Decke von sich und lief zu ihrer Kleidung, die sie auf das Sofa geschmissen hatte. Seit Tagen drehten sie sich im Kreis, die ständigen Debatten über diesen verfluchten Code, diesen Algorithmus oder was auch immer, aber jetzt kamen sie endlich an den vermeintlichen Auftraggeber.

»Äh, er wohnt auf dem Wasser«, erklärte Sarif.

Winter versuchte hüpfend, sich mit einer Hand die Hose anzuziehen. »Wie? Was für ein Wasser?«

»Auf einem Schiff. *White Horizon.* Es liegt im Moment bei Monaco, etwa drei Meilen vor Port Hercule. Von dort wurde auch der IRC-Chat geführt, den wir aufgezeichnet haben. Ich habe Ihnen den Auszug gerade noch mal geschickt.«

Ausgerechnet Monaco, dachte Winter. Finanzvergehen, die im Ausland begangen wurden, verfolgte der Ministaat nicht gerne.

»Okay! Ich danke Ihnen. Ach, und noch eins … ich wollte mich bei Ihnen entschuldigen für …«

»Schon gut. Ich bin nicht nachtragend.«

Mit einem milden Lächeln legte sie auf. Jetzt brauchte sie von Allington einen internationalen Haftbefehl. Sie schaltete ihren Rechner ein, öffnete die Mail von Sarif und las noch einmal die Zeilen des Chats, den Naravan wohl mit Dan Former geführt hatte.

> [18:37] <Natan> Sie können alles von mir haben, wenn Sie mich einfach nur in Ruhe lassen. Ich weiß nicht, was Jarod widerfahren ist oder wer ihn abserviert hat. Dachte, Sie waren es. Tut mir leid, dass ich Ihnen die Mails … Na ja, Sie wissen schon.
> [18:37] <V> Ach du Scheiße. Wie kommen Sie darauf? Nein. Wir tappen im Dunkeln. Aber wenn er versucht hat, den Code zu nutzen, um Geld zu erpressen, gibt es ein Dutzend, die ihn dafür killen würden.
> [18:38] <Natan> Hm?^^ Muss Schluss machen. Zu lange hier.
> [18:38] <V> Sie kriegen alles. Auch Sicherheit. Ehrenwort. Kommen Sie her! Ich schicke Ihnen einen Anker.

Dieser Dialog ist keine Entlastung für Former, dachte Winter. Im Gegenteil. Die Indizien sollten nun reichen. Sie schickte eine Zusammenfassung ihrer Erkenntnisse an Allington und griff zum Hoteltelefon. Nachdem sie ihren Chef am Handy nicht erreichen konnte, versuchte sie es im Büro bei seiner Sekretärin.

»Guten Morgen, Sally. Wo ist Robert?«

»Er ist in zehn Minuten wieder zurück aus einer Besprechung.«

Winter spürte wieder diese innere Unruhe, diesen Drang, sofort zu handeln, andererseits hatte sie es sich in letzter Zeit zu oft erlaubt, Allington aus Sitzungen rauszureißen.

»Sagen Sie ihm bitte, er soll sich sofort bei mir melden.«

»Mach ich, Rebecca.«

Sie legte auf und ging ins Bad. Da sie warten musste, konnte sie nun genauso gut noch in Ruhe duschen.

Während sie das warme Wasser über ihren Körper laufen ließ, dachte sie daran, wie motiviert sie noch vor Kurzem Allington ins Gesicht geschaut hatte, als er sie fragte, wie sie das eigentlich aushalten würde, sich ohne Urlaub und Pausen unablässig mit all diesen Verbrechen zu beschäftigen, die sie doch nur eindämmen könnten, aber nie besiegen würden. Doch erst die Gespräche mit diesem Erik Feg, sein Wissen und seine Kälte, vor allem sich selbst gegenüber, hatten Zweifel in ihr geweckt. So wollte sie nicht enden.

Sie trocknete sich ab, und bevor sie diese Gedanken vertiefen konnte, meldete sich Allington.

»Robert, wir haben die Katze im Sack, glaube ich. Hast du gesehen, was ich dir geschickt habe? Ich brauche einen Haftbefehl gegen Former.«

»Rebecca, ruhig. Nach internationalem Seerechtsübereinkommen gilt auf jedem Schiff auf hoher See ausschließlich die Hoheitsgewalt des Flaggenstaates, in dem das Schiff registriert ist. Weißt du, wo es gemeldet ist?

»Na, sicher in Monaco.«

Winter hörte, wie Allington in Unterlagen wühlte, am Computer etwas eintippte und einmal schnaufte.

»Ich prüfe das Register. Ich kann dir bei der Lage höchstens einen Durchsuchungsbeschluss beschaffen. Der Anwalt von Dan Former, ein Derek Simon, hat mit der SEC einen Deal ausgehandelt. Der internationale Haftbefehl ist ausgesetzt. Also macht euch ruhig schon auf den Weg.«

»Ich habe es befürchtet. Na gut, Robert, schauen wir, dass wir den wieder aktivieren können!«

Irgendwie war Rebecca Winter jetzt fast froh, dass sie so einen Hütchenspieler wie Feg, so viele Nachteile er auch haben mochte, an ihrer Seite hatte. Nach allem, was sie in den letzten Tagen erfahren hatte, musste sie sich eingestehen, dass Erik Feg eine große, wenn auch schwer zu durchschauende Hilfe geworden war.

Erik Feg stand mit einem Handtuch um die Hüften vor dem Spiegel. Er betrachtete sein Gesicht. Für zwei Stunden Schlaf ganz passabel, dachte er, von den Bartstoppeln mal abgesehen.

Auch wenn das Koks ihn die Nacht über wach gehalten hatte – es war nicht mehr das, was ihn befriedigte, es diente ihm nur noch in Notfällen, um durchzuhalten. Anscheinend hatte sein Arzt recht, der ihm vor Jahren prophezeit hatte, dass er mit seinem kontrollierten Konsum eine Ausnahme sei und bei ihm mit zunehmendem Alter das Interesse wohl ganz von alleine verloren gehen würde. Dennoch sollte er sich bewusst sein, dass er mit dem Koksen die Gesundheit seines Herzens aufs Spiel setzte.

Feg dachte an Rebecca Winter und ihre Abneigung gegen Alkohol und das Rauchen, dabei war ihr selbst offenbar nicht klar, dass sie sich mit ihrem Eifer auf eine andere Art gefährdete und vielleicht sogar ihr Leben in Gefahr brachte. War ihr nicht bewusst, dass ihre Ermittlungen Mächte aufscheuchen könnten, deren Einfluss zu groß war? Die vielleicht auch bereit waren, sie und Feg aus den Weg zu räumen?

Feg zog sich an, ging zu seinem Rechner und checkte die aktuellen Nachrichten.

»Die sind ja völlig wahnsinnig!« Er wollte nicht glauben, was er da las. Es konnte nur das Werk der Lobbymacht sein, was da gerade über den Ticker lief. Zwar war man in Brüssel bereit, den Hochfrequenzhandel einzudämmen, aber man konnte sich nicht auf eine Mindesthaltedauer von gekauften Positionen einigen, was aber dringend notwendig wäre, um einen Flash Crash wie im Jahr 2010 zu verhindern, bei dem ein Algorithmus verrückt gespielt hatte. Ebenso galt es die Betrügereien großer Player, die durch ihre direkte Anbindung an die Börse unlautere Vorteile hatten, zu verhindern. Dafür sollte der Handel durch eine sogenannte *Tick Size* festgelegt werden, was bedeutete, dass der Computer erst von einem bestimmten Preissprung an tätig werden dürfte. Zudem enthielt das neue Gesetz die Pflicht, Algorithmen vorab prüfen zu lassen. Käme es dennoch zu einem maschinell bedingten Börsencrash, würde der Handel automatisch unterbrochen.

Alles schön und gut, dachte Feg, aber dass dies erst nach einer Übergangsphase von zwei Jahren in Kraft treten sollte, war, als würde man vor einem Zeitzünder stehen und nicht sehen, dass er scharf ist.

Feg packte, sichtlich enttäuscht über so viel Dummheit, seine Sachen zusammen und machte sich auf den Weg zu Winters Zimmer, um sie zum Frühstück abzuholen. Alles, was er mit international vernetzten Kollegen auf die Bahn gebracht hatte, alle Empfehlungen an die Aufsichten waren in den Wind geschlagen worden.

Winter war gerade im Begriff, ihren Koffer zu schließen, als ihr Handy wieder ertönte. Die Nummer war unterdrückt. In der Regel nahm sie solche Anrufe nur ungern an.

»Ja, bitte?«

»Rebecca, ich bin es, dein …«

In ihr kroch Wut hoch. Ihr Vater! Nach über zehn Jahren. Seine Stimme klang gebrochen, alt, fast hätte sie sie nicht erkannt. Ihr erster Impuls war, sofort aufzulegen, aber dann siegte die Neugier.

»… Papa. Ich muss mit dir reden. Es ist so viel Zeit vergangen. Und ich möchte doch so gerne wissen, wie es dir ergangen ist und was du gerade machst.«

Winter fühlte sich so vor den Kopf gestoßen, dass sie für einen Augenblick nicht wusste, was sie sagen sollte. Woher hatte er ihre Nummer? Von Allington oder jemandem im Büro? Sehr unwahrscheinlich.

»Lass mich in Ruhe und ruf mich nie wieder an«, brüllte sie schließlich und schmiss das Handy aufs Bett.

Feg stand vor der Tür und wunderte sich über das Geschrei, das aus Winters Zimmer drang. Er klopfte.

Als sie die Tür aufriss, stand sie mit wutverzerrtem Gesicht vor ihm. Hätte sie nicht so bitterböse ausgesehen, hätte er schallend gelacht. Der Unterschied zwischen dieser Furie und der Frau von gestern Abend war schon bemerkenswert. »Lassen Sie mich raten! Ein verflossener Liebhaber?«

Winter griff sich ihren Mantel. »Das geht Sie gar nichts an!« Sie versuchte sichtlich, die Fassung wiederzuerlangen. »Wir gehen jetzt frühstücken, und dann fliegen wir nach Monaco!«

»Wie Sie wünschen, und darf ich auch erfahren, warum?«

»Wir haben Dan Former oder zumindest seine Jacht gefunden. Ich bekomme gleich einen Durchsuchungsbefehl.«

Nun wusste Feg, dass ihr Geschrei eindeutig nicht beruflicher Natur gewesen war, denn sonst wäre sie ihm vor Freude vermutlich um den Hals gefallen.

»Ach, noch etwas«, fuhr Winter fort, »Ich soll Ihnen von Bharat Sarif ausrichten, dass die Datei, die Sie ihm gestern geschickt haben, nicht authentisch ist. Muss ich da etwas mehr wissen?«

Scheiße, dachte Feg. »Nicht jetzt«, sagte er.

FÜNFUNDDREISSIG

BRÜSSEL – MONACO, 1. NOVEMBER

Das Frühstück bestand aus einem schnellen Kaffee und einem Toast mit Lachs, für mehr war keine Zeit. Nach ihrer Ankunft am Flughafen in Nizza hatte sich Winters Laune wieder gefangen. Sie nahmen ein Taxi, um in das rund 30 Kilometer entfernte Monaco zu reisen. Dort wurden sie bereits von der monegassischen Polizei erwartet. Allington hatte alles in die Wege geleitet, und dennoch war es erstaunlich, dass Interpol das Ganze hier so schnell bereitgestellt hatte.

Winter hasste solche Orte, in denen es den Bankern relativ gleichgültig war, woher dubiose Geldströme kamen. Auf den gerade mal zwei Quadratkilometern Monacos residierten rund 40 Banken. Sie profitierten von der monegassischen Rechtsprechung. Denn das Gesetz ignorierte im Ausland begangene Steuerhinterziehung. Weil sie also für dieses Delikt nicht zuständig war, verweigerte die monegassische Justiz die Rückverfolgung anrüchiger Überweisungen. Das Fürstentum versuchte, die Geldwäsche und die damit einhergehende Mafiagefahr nach Möglichkeit herunterzuspielen.

Rebecca Winter hatte Monaco noch nie gesehen. An fast

jeder Straßenecke standen Polizisten, nirgends lag Müll, kaum ein Mittelklassewagen war auf den wenigen Parkplätzen vor dem Hafen zu finden, der Hunderte prachtvolle Jachten beherbergte. Frauen mit großen modischen Sonnenbrillen flanierten am Quai. Alles wirkte ruhig und gelassen, selbst den Polizisten schien eher langweilig zu sein. Angst vor Straßenkriminalität kannte man vermutlich nicht.

Während der Taxifahrt vom Flughafen hatte sich Winter im Netz ein wenig mit dem Zwergstaat beschäftigt: Monaco verfügte über eine weltweit einmalige Polizeidichte. 500 Ordnungshüter bewachten die gut 36 000 Einwohner, das waren 14 pro Tausend. Polizeiliche Eingreiftruppen übten als Scharfschützen und Gebäudestürmer regelmäßig den Ernstfall. 100 öffentliche und über 400 private Videokameras machten Monaco zum bestüberwachten Staat der Welt. Die Bilder von Fußgängerzonen, Unterführungen und Aufzügen wurden nonstop auf 44 Bildschirme im Polizeipräsidium übertragen, teilweise mit Ton. Jeder Film wurde mindestens 14 Tage lang aufbewahrt. Datenschutz auf monegassische Art. Die von einem Franzosen geleitete Polizei war die modernste und effizienteste in ganz Europa.

Das alles hatte seine Wirkung. Tatsächlich war nirgends ein Bettler zu sehen, Bettelei war gesetzlich verboten. Wer mit allzu nachlässiger Kleidung anreiste, wurde vermutlich gar nicht über die Grenze gelassen. Nur wer genug Geld hatte, konnte es hier mittels eines offiziellen Wohnsitzes in Sicherheit bringen.

Menschen, die sich alles leisten können, wollen nur noch eins: Sicherheit, dachte Winter. Sie konnte die innere Verachtung für diesen Ort kaum unterdrücken: So viele Menschen auf der Welt mussten leiden, während andere gleichgültig in einem völlig unnötigen Überfluss lebten. Im Nachhinein war sie froh, dass sie früh aus dem Wohlstand herauskatapultiert worden war, wenn auch unter Umständen, die ihr sehr wehgetan hatten, aber das, was ihre Mutter nach der Scheidung als Armut bezeichnet hatte, waren für sie völlig ausreichende Lebensumstände gewesen. Es gab gutes Essen, Medizin, Kleidung, ein kleines beschauliches Zimmer mit Hinterhofromantik, und im Studium fiel es ihr leicht, nebenbei zu arbeiten und die Mutter zu entlasten. Nicht auszudenken, was aus ihr geworden wäre ohne diesen Abstieg.

Sie erreichten den Quai Antoine 1er, einen großen Parkplatz direkt am Port Hercule, auf dem bereits ein Polizeihelikopter mit dem Wappen des monegassischen Kleinstaats wartete.

»Bonjour, Madame Winter, Monsieur Feg. Ich bin Victor Bédarieux. Ich werde Sie mit dem Piloten begleiten«, sagte ein vielleicht gerade mal 1,65 Meter großer Mann mittleren Alters und stellte sich als zuständiger Kriminalpolizist vor, der Interpol vertrat.

»Na, da haben wir ja einen echten Kraftbolzen an unserer Seite«, murmelte Feg und kletterte auf die Rückbank.

»Keine Sorge. Wir bekommen noch Verstärkung«, meldete sich der Polizist, der Fegs Bemerkung offenbar gehört hatte.

»Ich danke Ihnen für Ihre schnelle Reaktion.« Winter drückte dem Mann die Hand, setzte sich neben Feg und sandte ihm einen strafenden Blick.

Der Helikopter hob ab und zog über den Hafen. Feg verschlug es die Sprache angesichts der vielen Luxusjachten, die hier lagen. Wie in einem Rauschzustand schienen die Menschen hier zu leben. Wohl kaum einem der Sonnenanbeter, die er von oben erkennen konnte, dürfte bewusst sein, auf welch schmalem Grat sie wandelten und auf wessen Kosten. Das war genau der Grund, warum er Idealisten wie Winter eher skeptisch gegenüberstand. Ungerechtigkeit war systemimmanent und würde nie aufhören und immer wieder eskalieren, bis kleine Reformen oder gar Revolten den Armen dieser Welt eine kleine Atempause verschafften, bevor die Sklaverei von vorne begann. Der Mensch wurde für Feg in den letzten 30 Jahren nach dem Wunsch der Wall Street und der Weltkonzerne geprägt, deren Ideologie der allumfassenden Leistungsmaximierung wie eine Rakete in die Gesellschaften Europas eingeschlagen war. Die Besten der Besten – was sie nur für ein paar Jahre blieben – hatten im günstigsten Falle keine eigene Persönlichkeit, keine gesellschaftspolitische Allgemeinbildung, keine politisch kritische Haltung, um keine falschen Fragen zu stellen, sondern nur verwertbares Wissen, die Gier und einen unnachgiebigen Instinkt zur Macht. Feg nervte die Entpolitisierung vieler junger Menschen, die sich gegen nichts mehr zur Wehr setzten. Egal, ob es um die Machtübernahme der Konzerne, um Kriege, die totale Überwachung, die Konzentration der Massenmedien oder die Ungerechtigkeiten des Wirtschaftssystems ging, das Milliarden Menschen keine Hoffnung ließ.

Manchmal fühlte er sich wie mit fünfzehn, damals schon meinte er erkannt zu haben, wie wenig ein Einzelner ausrichten konnte gegen eine Welt, in der nur das Geld regierte. Damals hatte er die Bücher von Erich Fromm verschlungen, sich regelmäßig nachts mit seinem besten Freund nach einem Joint über die Politik erzürnt – doch hatte er die Hoffnung gehabt, dass es sich lohnte, für eine bessere Welt zu kämpfen. Die Desillusion war schnell und unaufhaltsam gekommen. Schon in der Schule waren die wenigen, die ihre Persönlichkeit durch eigenes Denken zum Ausdruck gebracht hatten, als Verlierer und Außenseiter abgestempelt worden. Und so wäre es auch fast ihm geschehen, wenn er nicht durch seine Neugier selbst zu einem verwertbaren Spezialisten geworden wäre.

Es hatte lange gedauert, bis Feg gemerkt hatte, dass er nur

noch damit beschäftigt war, seine Frustrationen mit Drogen und Exzessen zu kompensieren. Anstatt einen Ausweg zu suchen, war er am Ende genauso tatenlos geblieben wie jene Menschen, die er für ihre apolitische Trägheit seinerzeit verachtet hatte.

Nach gut zehn Minuten erschien unter ihnen eine Jacht, deren Größe mit kaum einer der Jachten im Hafen zu vergleichen war. Feg blickte Winter an und wusste, dass sie in diesem Augenblick die gleichen Empfindungen hatten. »Madame, wir landen!«, rief der Pilot und zog den Helikopter nach unten.

Von oben konnten sie beobachten, wie einige Männer und Frauen aufgeschreckt an Deck umherliefen. Einige bewaffnete Bodyguards umstellten den Landeplatz auf dem Achterdeck. Ihr Begleiter von der monegassischen Kriminalpolizei nahm ein Mikrofon in die Hand und forderte die Männer auf, die Waffen niederzulegen. Als diese das Emblem am Hubschrauber erkannten, folgten sie umgehend der Aufforderung.

Der Pilot landete die Maschine sanft. Seine Fluggäste stiegen langsam aus. Einer von Formers Sicherheitsmännern steuerte auf sie zu. Winter präsentierte das Papier, das die Durchsuchung des Schiffes anordnete. Sekunden später kamen zwei Männer in Anzügen hinzu, die sich als Formers Anwälte vorstellten, und schauten sich das Papier an. Former traf die Aktion offenbar nicht unvorbereitet.

»In Ordnung, wir werden die Durchsuchung beobachten«, sagte einer der Anwälte kühl.

»Vielleicht nimmt sich Herr Former einfach etwas Zeit, und wir können die Durchsuchung auf das Wesentliche beschränken«, sagte Feg und stupste Winter von hinten unauffällig an.

Noch bevor der Anwalt reagieren konnte, erschien Dan Former und ging auf die beiden zu. »Was verschafft mir denn die Ehre? Wie Sie wissen sollten, haben die Staatsanwaltschaft und ich uns geeinigt.«

Winter sah in die Augen des Mittsechzigers. Sie zeigte ihm den Durchsuchungsbeschluss und signalisierte, mit der Arbeit beginnen zu wollen. »Ihre Mitarbeiter Jarod Denver und Bill Naravan wurden ermordet. Von Denver wissen wir, dass er versucht hat, Sie zu erpressen, das macht Sie zu einem der Hauptverdächtigen«, sagte Winter kühl.

Feg war verwundert, wie professionell sich Winter verhielt. Sie zeigte keine unnötigen Emotionen und ging mit Former bestimmt, aber höflich um.

Der wiederum schien überhaupt nicht nervös zu sein. Er schüttelte den Kopf und öffnete die Tür zum Empfangssalon. Er hoffte, dass Lascaut recht behielt und man Winter nur mit den richtigen Informationen füttern musste. Und dass dieser Erik Feg dabei war, sollte auch nur nützlich sein. Es war die letzte und einzige Chance, ein Wunder zu vollbringen. So hoch hatte Lascaut noch nie gepokert, aber vielleicht konnte er mehr, als Former ihm zutraute.

Inzwischen war per Schiff Verstärkung durch die monegassische Polizei eingetroffen, die Beamten begannen, die gesamte Jacht nach Rechnern und Dokumenten zu durchsuchen, während sich die Gäste rundherum fast unbehelligt mit Wasserski vergnügten oder sich auf dem Oberdeck in der Sonne aalten, ohne sich vom Besuch der Polizei stören zu lassen.

»Sie haben es sich ja gemütlich gemacht in Ihrem Exil, so kann man Emigration sicher ganz gut aushalten«, bemerkte Winter und blickte sich im Empfangssalon um.

Former, wie immer in weißer Hose und einem Kaschmirpullover über einem offenen weißen Hemd, verzog keine Miene. Er bot Winter und Feg an, sich zu setzen, und nahm selbst auf dem ausladenden Sofa Platz. Winter folgte seiner Aufforderung, doch Feg blieb mit Blick auf Formers Schreibtisch stehen. »Ich kann mir nicht vorstellen, dass Sie von mir etwas bekommen, was Sie nicht schon haben.«

»Sie hatten von diesem Schiff aus Kontakt mit Bill Naravan, der mit Jarod Denver an einem wohl illegalen Handelssystem und kompromittierenden Informationen gearbeitet hat, und zwar kurz bevor er in London umgebracht wurde. Und Denver war einer Ihrer Mitarbeiter, der …«

»… nicht mehr für mich gearbeitet hat«, fiel ihr Former ins Wort. »Und Bill Naravan hat für mich einen Algorithmus programmiert, der unter anderem auf diesen Rechnern läuft, mehr nicht.«

Während er Former aufmerksam zuhörte, schritt Feg langsam im Raum umher. Was immer jetzt kommen würde – es sah nach einer perfekten Show des Hedgefondsmanagers aus. Feg schaute sich um. In einem Regal entdeckte er ein altes, leicht verblichenes Foto. Konnte das sein? Sah er gerade die jungen Gesichter von Dan Former und diesem Franzosen auf einer Examensfeier einer Universität? Unauffällig stellte er sich davor und ließ das Foto in seinem Sakko verschwinden.

Former fuhr fort, als spule er ein eingeübtes Programm ab, um Winter so schnell wie möglich loszuwerden. Was Naravan mit Denver vorhatte, könne er nicht genau sagen. Es sei um einen neuartigen Algorithmus gegangen, angeblich einen sehr mächtigen. Was auch immer danach passiert sei, sei im Grunde nicht seine Angelegenheit, denn er hätte sich geweigert, Denver weiter zu unterstützen. Sicher hätte er Motive, Denver an den Kragen zu gehen, schließlich habe der ihn Milliarden gekostet. Als Denver sich weigerte, ihm weiteres Geld für die Entwickler und Programmierer zu geben, wäre er durchgedreht. Er hätte Denver wegen der Ermittlungen gegen den Fonds vor über einem Jahr entlassen, nachdem er in der Hoffnung auf eine hohe Bonuszahlung hinter seinem Rücken diesen Insiderhandel betrieben hätte.

»Dann hat er anscheinend Naravan überredet, mich mit gefälschten E-Mails zu belasten.« Former ging zu seinem Schreibtisch und zog ein Dokument heraus. »Bitte sehr. Das ist eine Überprüfung seitens einer neutralen IT-Sicherheitsfirma. Sie konnten genau zeigen, wann und wie Mails auf meinen Account geschleust wurden, die ich entweder erhalten habe, die ich aber vor allem nicht gesendet oder geschrieben habe.« Er reichte das Dokument Winter. »Nach dieser Überprüfung hat die Staatsanwaltschaft in New York die Ermittlungen eingestellt, allerdings unter der Bedingung, dass ich den Fonds schließe und nicht mehr in Erscheinung trete.«

»Warum wollte Denver Sie auch noch unter Druck setzen, wenn er wusste, dass er Ihren Laden gesprengt hat?«, fragte Winter.

»Weil er komplett irre geworden ist und ich noch über Rücklagen verfüge«, entgegnete Former.

»Und warum haben Sie das nicht der Börsenaufsicht so gesagt?«

Former drehte sich zu Feg, der inzwischen herangetreten war und das Dokument prüfte. »Damit hätte ich zu einem sehr frühen Zeitpunkt öffentlich zugegeben, dass mein Fonds teilweise mit unsauberen Methoden gearbeitet hat. Das wäre das Ende gewesen. Ich habe den Behörden alles zur Verfügung gestellt, um nachzuweisen, dass ich Denver vor einem Jahr entlassen musste, da er hinter meinem Rücken sein Spiel getrieben hat. Ich hatte gehofft, noch mal mit einem blauen Auge davonzukommen. Deshalb wäre es mir am liebsten gewesen, Sie hätten ihn gefasst, bevor er das Zeitliche gesegnet hat.«

Mit diesen Worten hatte er sich wieder zu Rebecca Winter gewandt. »Nachdem Denver dann abgetaucht ist und komplett am Ende war, hat er versucht, mich mit angeblichen Beweisen unter Druck zu setzen. Er wollte es so aussehen lassen, dass ich ihn beauftragt hatte, jene Daten zu nutzen, die dem Fonds so große Vorteile brachten.

»Und hätte er das gekonnt?«, hakte Winter nach.

»Nein, wie gesagt, das können Sie dem Dokument entnehmen. Ich bin mir sicher, dass Naravan ihm dabei geholfen hat. Aber der hatte panische Angst nach dem Tod von Denver. Und warum hätte ich dann den Mann beseitigen lassen sollen, der mir quasi angeboten hat, mich zu entlasten?«

Feg hatte die Analyse der IT-Firma durchgelesen und an den Logfiles und den Serveranalysen des E-Mail-Providers erkannt, dass in der Tat der Account geschickt geknackt und Absender und Datum gefälscht worden waren. Durch ein Schadprogramm waren zudem Daten auf einige von Formers Rechnern geschleust worden, die nicht von ihm stammen konnten. Das war allerdings eine ziemliche Überraschung, und die Frage lag auf der Hand, wessen Interessen denn nun dieser Franzose vertrat. Er konnte Former jetzt nicht damit konfrontieren, ohne endgültig Winters Vertrauen zu verlieren, die ja von der Begegnung noch immer nichts wusste. Aber wann sonst? Eines war ihm deutlich geworden: Kein Geld der Welt würde ihn dazu bringen, diesen Leuten zu helfen. Das roch nach Knast, alles war viel zu undurchsichtig, unberechenbar. Dafür hatte er keine Nerven mehr.

»Haben Sie keine Idee, wer dahinterstecken könnte?«, fragte Winter.

Former blickte aus einem Fenster. »Da draußen gibt es jede Menge Leute, die mir schaden wollen, so läuft das Spiel. Mir einen Mord anzuhängen, ist allerdings grotesk«, sagte er, nahm eine Wasserflasche vom Tisch, die neben einem Korb mit frischem Obst stand, und trank daraus. »Sehen Sie denn nicht, was im Moment geschieht? Nicht nur wer Geld fälscht, wird künftig bestraft, sondern auch, wer es bei der Zentralbank parkt«, seufzte Former und bekundete seine Überzeugung, dass der Markt gar nichts von alleine klären würde. Nur Institutionen und Gesetze könnten den Abgleich der Interessen regeln. Es gebe etliche Leute seines Standes, die dafür sorgen wollten, dass die Stunde Europas richtig schlüge, doch die Politik müsse sich ihren Platz von den Kraken zurückerobern, und da die meisten Menschen zu schwach oder unwissend seien, wolle er mit seinen Mitstreitern für Aufklärung sorgen. »Ich bin weiß Gott der falsche Adressat für Ihre Verdächtigungen!«

»Mag sein«, sagte Feg und ging auf einen Schreibtisch zu, auf dem Formers Rechner standen. »Öffnen Sie bitte Ihre Handelssysteme.«

»Ist alles offen«, kommentierte Former gelassen.

Former war auch darauf gut vorbereitet. Zu gut, dachte Feg, setzte sich an den Tisch und machte sich daran, seinen Rechner mit Formers zu verbinden, um die Quellcodes der Algorithmen, die man bei Denver gefunden hatte, miteinander zu vergleichen. Er fragte, ob Denver Zugang zu jenem Code hatte, der Goldman Sachs geklaut worden war, während Winter aufmerksam beobachtete, wie Feg sich am Rechner zu schaffen machte.

»Dieser Code wird völlig überschätzt. Lesen Sie keine Zeitung?« Former öffnete auf seinem Smartphone einen Bericht der *New York Times*. Der enthielt eine Überraschung: Aleynikov hatte gerade mal 32 von 1224 Megabyte dieses Codes abgesaugt.

Das ist nur ein Pressebericht, dachte Feg, und er widersprach der Darstellung seines Kollegen aus Berlin, dem er absolut vertraute.

Sein Programm hatte die Analyse unterdessen abgeschlossen. Es war nicht ein Funken von dem Algorithmus zu finden. Feg zog die Stirn in Falten, machte sich daran, den nächsten Rechner zu untersuchen, und signalisierte Winter mit einem ratlosen Kopfschütteln, dass er keine Ahnung hätte, wie es jetzt weitergehen sollte.

»Wo waren Sie am 22. Oktober?«, begann Rebecca Winter nun ihre Routinebefragung.

Former blieb seelenruhig. »Hier.«

»Wer kann das bestätigen?«

»Rund 60 Leute, die auf diesem Schiff arbeiten.«

Winter blickte zu Feg, deutlich verunsichert.

»Kann es sein, dass Sie, sagen wir mal, die Seiten gewechselt haben?«, fragte Feg, um sie zu unterstützen.

Während Winter sich zurückzog und im Raum umsah, machte Feg keine Anstalten, lockerzulassen. Er spürte instinktiv, dass hier etwas bis zum Himmel stank, aber was und warum? Er setzte seine Fragen fort: Warum Denver mit Former seine obskuren Recherchen über die weißen Ritter geteilt hatte, über die Hintergründe der Finanzkrise, das Ausmaß der Verantwortung von Banken und Politik für die Krise, die durchaus brisanten Verflechtungen vom Hedgefondsgiganten BlackRock und zu vielem mehr, was noch nicht entschlüsselt war.

Formers Gesichtsausdruck blieb ein reines Pokerface. Er schien das Verhör eher als eine Aufgabe zu betrachten, die erledigt werden musste, denn als Bedrohung. Es war schwierig, ihn zu lesen. »Es ist nicht schön, wenn man von seinesgleichen verstoßen wird, nur weil man über eine Eindämmung des Kapitalmarktes sprechen wollte«, sagte er, nahm sich aus dem Obstkorb auf dem Couchtisch einen Apfel und biss hinein.

In Winter brodelte es, sie spürte dieses abgrundtiefe Misstrauen und Verachtung für die Selbstherrlichkeit von Former. Wie konnte er es wagen, von Eindämmung zu sprechen, während er in Wirklichkeit für die Pleite von Tausenden Menschen verantwortlich war? Völlig egal, ob er seinen Hals aus der Schlinge gezogen hatte – er war mitverantwortlich. »Wie meinen Sie das? Haben Sie Robin Hood gelesen und Gefallen daran gefunden?«, fragte sie.

Former lächelte. »Auch Robin Hood war nicht so selbstlos, wie viele glauben. Anerkennung als Wohltäter ist auch ein schönes Gefühl, vielleicht ein heilsames.« Er erklärte weiter, dass er im Laufe der Ermittlungen gegen ihn müde geworden sei und es leid wäre, jeden Morgen an diesen Krieg um immer mehr Gewinne zu denken. In seinem Geschäft hieße es seit Jahrzehnten nur noch »friss oder stirb!«. Man musste die Märkte nicht nur beherrschen, sondern die Konkurrenten vernichten. Das Vokabular eines Händlers oder Unternehmers wäre immer vom Krieg geprägt. Wenn er morgens vor dem beginnenden Handelstag seine Leute in Motivationssitzungen eingepeitscht hatte, dann habe er immer eines gesagt: »Wir sind die Raubtiere. Die Konkurrenten sind unsere Feinde, und wir die Krieger. Wir killen sie. Drescht weiter auf sie ein, auch wenn sie schon am Boden liegen. Schlagt ihnen die Schädel ein!«

Former schüttelte den Kopf. Hinter welchen Masken sich all diese Leute auch verstecken mochten, sie triebe nur die Gier und die Sucht nach Erfolg an. Das Problem wäre, dass Frankenstein mit der Deregulierung der Banken und dem Hochfrequenzhandel unerkannt seinem Schöpfer entronnen sei und nun mit dieser Killermentalität auch all jene Institutionen infiziert hätte, die eigentlich dem Wohl der Menschheit dienen sollten. »Sie sehen doch selbst, wie sich die mächtigsten Staaten der Welt dem Diktat der transnationalen Finanzgesellschaften beugen oder der Weltbank und dem IWF. Tun sie es nicht, werden sie mit Kapitalflucht und steigender Arbeitslosigkeit bestraft.«

Winter traute ihren Ohren nicht, blickte Feg an und wurde nun zusehends verärgert. Glaubte ihr Kollege etwa dieses Geschwafel von einem Sinneswandel? »Sie konnten eine Menge Geld für sich retten. Warum entschädigen Sie jetzt nicht Ihre ehemaligen Kunden?«

Former schwieg. Das tue ich, aber auf meine Weise, dachte er.

Feg stand auf und ging zu einem goldverzierten Servierwagen, auf dem etliche Sorten feinster Spirituosen standen. »Darf ich?«

»Nur zu!« Former wandte sich wieder Rebecca Winter zu. »Hören Sie, Sie müssen mir nicht glauben, aber jedes Jahr sterben durch die Politik der Weltbank in einem Jahr mehr Menschen an Seuchen und an vom Westen geschürten Konflikten, als in den sechs Jahren des Zweiten Weltkrieges. Und daran möchte ich mich nicht mehr beteiligen.«

Feg setzte sich mit einem Glas Brandy in der Hand wieder an den Schreibtisch und beobachtete Winter. Er hatte das Gefühl, sie würde Former am liebsten an die Gurgel gehen.

Und in der Tat nahm sie sich nur noch mühsam zusammen. »Gut, wenn Sie Denver nicht umgebracht haben – wer dann?«

Former riss die Augen auf. Eine erste Gefühlsregung?, fragte sich Feg. Dass er ihn persönlich umgebracht hatte, ist ohnehin auszuschließen, dachte er.

»Denver hatte doch längst nichts mehr in der Hand, um mich zu erpressen, da klar war, dass die Staatsanwaltschaft die Ermittlungen gegen mich einstellt. Er stand unter einem wahnsinnigen Druck, und hat sicherlich mit all seinen durchaus guten Kontakten versucht, selbst Druck auf jene auszuüben, von denen er in seinen Wahnvorstellungen überzeugt war, sie hätten ihn fallen lassen. Und das waren eine Menge Leute«, erklärte Former.

»Aber was ist mit Ihnen, hat man Sie nicht auch fallen lassen?«

»Nein, und ich habe auch nicht alles verloren!«

Winters Blick sagte alles. Sie war still und blass geworden. Als würde sie diese Konfrontation als eine große persönliche Niederlage empfinden. Feg war klar, dass sie hier nicht weiterkämen, da Former perfekt vorbereitet war. Er konnte sich denken, von wem.

Der Hedgefondsmanager stand auf und deutete eine Verbeugung an. »Wenn Sie mich jetzt entschuldigen. Ich habe, wie Sie sich vorstellen können, noch zu tun. Aber Sie können sich gerne noch weiter umsehen.«

Zwei Polizisten kamen in den Empfangsalon und meldeten, dass sie nichts weiter gefunden hätten, lediglich alte Akten, die sie sichergestellt hätten. Winter ging hinaus und sah, wie die ersten Beamten bereits wieder aufs Schiff stiegen.

Feg war sich sicher, dass hier ein abgekartetes Spiel bester Sorte gespielt wurde. Er musste Winter jetzt in die Sache mit dem Franzosen einweihen, er hatte gesehen, wie sie innerlich fast zerbrochen war. Doch sie wirkte genau in diesem Moment authentisch – als wäre eine Maske von der sonst so coolen Scotland-Yard-Beamtin gezogen worden.

Er ging Former nach. »Sie können Ihrem französischen Freund sagen, dass ich ihm schon bald einen Besuch abstatten werde!«

»Ich habe keine Ahnung, von wem Sie sprechen«, entgegnete Former, doch sein Blick verriet das Gegenteil. »Machen Sie, was Sie wollen, aber geben Sie sich die Mühe, hinter die Fassaden zu schauen. Ich bin nicht verantwortlich für das, was da auf den Märkten los ist, aber einige Leute in der von Ihnen so verhassten Finanzbranche wissen, wer es ist, und wir stehen kurz vor dem Platzen der größten Blase aller Zeiten! Daran sollten Sie denken bei allem, was Sie jetzt tun, sonst treffen Sie die Falschen!«

»Für Sie ist das alles ein Spiel, Mr Former, nur ein Spiel, aber offenbar haben Sie den Einsatz nicht mehr unter Kontrolle«, sagte Feg und ließ Former gehen.

Der drehte sich noch einmal um. »Sind abermals 70 Billionen Dollar Schulden für alle Staaten noch ein Spiel?«

»Was?«, fragte Feg, doch Former ging weiter. 70 Billionen. Das war genau die Summe, von der auch Roche gesprochen hatte. Das würde die Staaten in die Knie zwingen.

Er ging hinaus an Deck zu Winter und ergriff ihren Arm. »Kommen Sie mit, ich muss Ihnen etwas erzählen, was ich bisher zurückgehalten habe, weil es nicht in die Ermittlung passte«, sagte er, während sie sich dem Helikopter näherten. Mit leisen Worten berichtete er ihr von der Begegnung mit dem Franzosen und dessen Behauptung, dass die Daten gefälscht seien, aber einigen Leuten dennoch schaden könnten. »So, wie es jetzt aussieht, halte ich alles für möglich.«

»Wieso haben Sie das die ganze Zeit verschwiegen?!«, fuhr Winter ihn an. »Ich kann es nicht fassen! Wie oft haben Sie mich eigentlich schon angelogen?«

»Weil ich Ihnen nicht vertrauen konnte. Aber jetzt glaube ich, dass ich diesen Mann auf einem Foto in Formers Büro erkannt habe.«

Winter blieb stehen. »Sie arrogantes Arschloch! Ausgerechnet Sie reden davon, mir nicht vertrauen zu können, nach all dem, was Sie gemacht haben?«

Feg ignorierte ihre Unflätigkeit. »Die Frage ist, ob er von Former geschickt wurde oder nicht? Ich kenne ja noch nicht mal seinen Namen. Es gibt nur eine Telefonnummer.«

»Wieso haben Sie ihn das nicht gefragt? Wurden Sie bestochen oder warum haben Sie mir das verschwiegen?« Wütend funkelte sie ihn an. Sie hatte völlig vergessen, dass sie hier an Bord nicht alleine waren.

Feg verdrehte die Augen. Sei verdammt noch mal zufrieden, dass ich es offenbart habe, dachte er. Ich habe gerade auf eine einmalige Chance verzichtet, mich freizukaufen.

»Darüber können Sie ja nachdenken, bis Sie selbst darauf kommen. Sie wissen es jetzt. Das sollte Ihnen reichen«, sagte er und fügte mit beschwichtigender Stimme hinzu, dass er den richtigen Zeitpunkt finden werde, um mehr über diesen Mann herauszubekommen. »Jetzt sollten wir zurück nach Brüssel. Ich möchte noch einem Tipp von Roche folgen.«

»Kann ich mich darauf verlassen, dass Sie jetzt mit offenen Karten spielen?«

»Ja, wenn Sie ihr notorisches Misstrauen aufgeben!«

Winter schaute Feg mit offenem Mund an.

»Was denn? Wer hat denn damit angefangen in Cheltenham? Ich?« Aus Fegs Stimme klang Empörung.

Winter stöhnte und schüttelte mit einem verzerrten Lächeln den Kopf.

»Also gut! Ich geb mir Mühe!«, brüllte Winter in den just einsetzenden Rotorenlärm und stieg in den Helikopter.

Dan Former blickte dem Helikopter hinterher. Einer seiner Anwälte kam auf ihn zu. Wie versteinert stand Former vor ihm, als würde er durch ihn hindurchschauen. So hatte der Jurist ihn noch nie gesehen. Sein Gesicht hatte jeden Ausdruck verloren, die Wangen hingen, der Mund war leicht geöffnet, seine Tränensäcke waren angeschwollen.

»Sir, geht es Ihnen nicht gut?«

»Ach, halten Sie einfach die Fresse!«

Der Helikopter landete wieder auf dem Quai Antoine 1er. Beim Aussteigen blieb Winter so mit ihrem weiten Mantel hängen, dass eine Tasche zerriss und ihr Blackberry herausfiel.

Feg fing es auf. »Vielleicht sollten Sie doch mal auf engere Kleidung zurückgreifen, zumindest im Dienst. Was meinen Sie?«

Winter blickte an sich hinunter. Dieser Mantel hatte in der Tat seine beste Zeit hinter sich, so gerne sie ihn auch trug. Auf der anderen Seite der Hafenstraße erspähte sie eine Boutique.

»Kommen Sie mit, Sie Modeberater.«

Winter betrat den Laden. Sie platzierte Feg auf einem Stuhl und schaute sich um. Die Verkäuferin hatte offenbar sofort erkannt, dass sie keine Beratung wünschte. Es dauerte nur einen Moment, dann schnappte Rebecca Winter sich eine taillierte schwarze Lederjacke, dazu eine enge schwarze Stoffhose. Zuletzt zupfte sie sich eine weiße Bluse von einem Bügel und verschwand in der Umkleidekabine. Kurze Zeit später stand sie wie ausgewechselt vor der Kasse, zahlte und ließ den Rest ihrer alten Kleidung einfach dort.

»Für den gleichen Betrag war ich mal drei Wochen in Kuba«, stöhnte sie auf. »Ich hoffe, es gefällt Ihnen.«

»Jetzt sehen Sie wenigstens aus wie ein richtiger Bulle«, grinste er. »Former hat übrigens vorhin gesagt, dass die größte Blase aller Zeiten bald platzen würde. Ich habe Daten darüber von einem Kollegen vom BND, die ich nur über meinen Rechner abrufen kann. Kommen Sie, beeilen wir uns!«

»Moment. Eine Frage habe ich noch. Sie haben vorhin angedeutet, dass diese Enthüllungen auf Denvers Festplatte doch gefälscht sein könnten. Was denn nun? Können Sie sich mal entscheiden?«

»Nein, genau das kann ich noch nicht. Sie etwa?«

SECHSUNDDREISSIG

BRÜSSEL, 1. NOVEMBER

Es war eine interne Warnung an die Händler des Hedgefonds BlackRock, die ihm von seinem Kollegen aus Berlin zugespielt worden war. Feg saß an einem kleinen Schreibtisch in seinem Brüsseler Hotelzimmer und klopfte mit den Fingern auf dem Holz herum. Es wurde dunkel, sein Magen knurrte.

Was zum Teufel braut sich da zusammen?, fragte sich Feg.

Das Brisante daran war, dass man beim BND dem Verdacht nachging, dass BlackRock und andere Global Player vorab von Plänen der Federal Reserve Bank und der Europäischen Zentralbank darüber informiert worden sein könnten, dass das Ende der lockeren Geldpolitik nahte. In dem internen Memo des weltgrößten Hedgefonds hieß es weiter, dass man sich auf einen gezielten und geschickten Ausstieg aus den globalen Aktienmärkten vorbereiten müsse. In den nächsten vier Wochen könne man aus Risikoanlagen sicher noch was herausholen. Doch dann sollte man bereit sein, auf Gewinne zu verzichten. Die Anleger in der ganzen Welt hätten darauf gesetzt, dass die Strategie von gestern, die Märkte einfach mit Geld vollzupumpen, auch morgen wieder gewinnen würde. Doch die schwindende Liquidität könnte bald zur Falle werden. Die Weltwirtschaft sei viel zu schwach und weit von einer Erholung entfernt. Die Wall Street stecke in der größten Blase ihrer Geschichte.

Winter hatte sich für einen Moment in ihr Zimmer zurückgezogen. Während Feg weiterlas, versuchte er Devona Müller zu erreichen, diese ehemalige Investmentbankerin, von der Roche gesprochen hatte. Bisher vergeblich. Er schaute auf die Uhr. Der Tag ging seinem Ende zu, und er war lang gewesen. Erschöpft las er weiter in der Analyse des BND.

Zu hohe Bewertungen zusammen mit geringer Volatilität sind eine tödliche Mischung, dachte Feg. Er war sich absolut sicher, dass in diesem Umfeld jede Aktion durch einen absichtlich herbeigeführten Crash zu einer Explosion führen müsste. Ihm brannte die Neugier unter den Nägeln, was Roche mit dieser Gruppe gemeint hatte. Wollten diese Leute dem ganzen Treiben einen Strich durch die Rechnung machen? Wenn Dokumente wie diese und auch die Zusammenhänge, die dieser Denver zusammengetragen hatte, im richtigen Augenblick an die Öffentlichkeit gerieten, wären sie nicht nur die Beweisgrundlage für einen gigantischen Insiderhandel, sondern ein Fanal für einen totalen Zusammenbruch der Märkte. Er war sich sicher, dass Roche mit seinen Recherchen auf der richtigen Spur war. Bei einem Kursbeben, das sich klar kalkulieren lassen würde, könnte der Gigant BlackRock mit seinen vier Billionen Dollar kräftig billig einkaufen und seinen Einfluss ins Unermessliche ausweiten, mutmaßte Feg und strich sich über sein stoppeliges Kinn. Wieder nahm er sein Handy in die Hand und wählte die Nummer.

Mit dem Anspringen der Mailbox warf er das Telefon aufs Sofa und setzte seine Recherche fort. Sarif hatte für Winter und Feg neue Dokumente von Denver entschlüsselt. In einem Dokument ließ Denver sich heftig über den Einsatz von Black-

Rock für die US-Regierung aus. Kaum eine Rettungsaktion, bei der BlackRock nicht mit von der Partie gewesen war. BlackRock hatte den US-Notenbankern bei ihren Milliardendeals mit Hypothekenpapieren geholfen und höchst sensible Aufträge ohne öffentliche Ausschreibung erhalten. Feg konnte es nicht fassen, das war selbst ihm entgangen. Wie konnte ein Unternehmen im öffentlichen Auftrag notleidende Vermögenswerte zum bestmöglichen Preis verkaufen und dieselben Vermögenswerte im Auftrag seiner privaten Kunden erwerben?

»Das kann doch nicht wahr sein!«, schrie er fassungslos. Er blickte auf die Randnotiz eines BND-Agenten.

Die haben Zugang zu Informationen, wann und für wie viel die Federal Reserve Bank verkaufen will, der potenzielle Interessenkonflikt ist einfach zu groß und nicht zu überwachen.

So ein gottverdammter Wahnsinn, wenn das stimmt, können die wirklich manchen, was sie wollen!

Doch die letzte Info übertraf für Feg alles, was er zuvor gelesen hatte: BlackRocks internes Handelssystem. Früher liefen täglich Abertausende Transaktionen über Banken und Börsen ab, die dafür natürlich Gebühren in Rechnung stellten. Nun aber konnte BlackRock mit seinem gigantischen Kapitalvolumen Käufe und Verkäufe von Aktien im Wert von Hunderten Milliarden Dollar unter Ausschluss der Öffentlichkeit selber durchziehen. Der größte *Dark Pool*, die größte private Handelsplattform der Welt, ein Gigant! Doch keiner tat etwas dagegen, um sich nicht andere lukrative Geschäfte mit dem neuen König der Wall Street zu verderben. In einem weiteren Memo warnte der BND vor den Folgen eines Zusammenbruchs des Kolosses, da BlackRock-Chef Laurence Fink es mit seinen Verbindungen geschafft hätte, dass er sich nicht der gleichen Aufsicht wie die Großbanken unterwerfen musste. Was für ein fataler Fehler!, dachte Feg.

Ein letztes Mal, bevor ihn der Hunger ins Restaurant ziehen würde, versuchte er, die Investmentbankerin zu erreichen.

»Müller.«

Feg hörte eine leise, fast gebrochene Stimme mit einem leichten Schweizer Akzent.

»Guten Tag. Philippe Roche hat mir Ihre Nummer gegeben. Ich möchte am Telefon nicht viele Worte verlieren und würde Sie bitten, mich und eine Kollegin zu treffen.«

Feg vernahm ein Schweigen, das etwas länger andauerte.

»Sind Sie ein Freund von Roche?«

»Ja, sonst hätte er mir nicht Ihre Nummer gegeben.«

Die Dame hustete, schien erkältet oder rang nach Luft. Es dauerte wieder, bis sie antwortete.

»Gut, kommen Sie in einer halben Stunde ins *A la Bécasse* in der Rue de Tabora 11. Ich werde mich mit Herrn Roche noch vorher in Verbindung setzen. Ich schulde ihm ohehin einen Anruf, ich habe ihn versetzt.«

Für Feg klang das eher nach einer Rückversicherung, was ihm aber egal war. Er packte seinen Rechner in den Safe und machte sich auf den Weg zu Rebecca Winters Zimmer. Seine Kollegin hatte sich nach den aufreibenden Tagen endlich etwas Ruhe gegönnt. Er klopfte leise an ihre Tür, hörte aber nichts. Er zückte sein Handy.

»Wo sind Sie? Ich dachte, Sie wollten sich ausruhen?«

»Ich bin in der Lounge.«

»Ich habe die Frau. Bestellen Sie schon mal ein Taxi.«

Um in das Lokal in der Brüsseler Innenstadt zu gelangen, mussten sie durch einen schlauchartigen Gang ins Innere einer Häuserburg laufen. Dann standen sie vor einem mittelalterlich anmutenden Gebäude. Vor dem Eingang war ein großer Vogel aus Messing in den Boden eingelassen, der auf Bierkrügen herumstakste. Innen glich der Raum fast einem alten englischen Pub. Rundum mit Holz vertäfelt, darüber eine Balkendecke.

In einer hinteren Ecke sah Feg eine dunkelhaarige Frau, etwa Mitte 30 alleine in eine Zeitung starren. Ansonsten war nur ein Dutzend Menschen damit beschäftigt, bei einem Krug Lambic Doux, Käseplatten oder Zwiebelsuppe, die einen entsprechenden Geruch verbreitete, vergnügt zu quatschen. Es war für Feg kein wirklich geeigneter Ort, um über das zu sprechen, was ihn seit gestern nicht mehr zur Ruhe kommen ließ. Langsam wurde aus dem Dickicht an Informationen endlich so etwas wie ein konkreter Verdacht.

Feg und Winter gingen auf die einzelne Frau zu.

»Bonjour. Madame Müller?«

Die Frau, blass, mit zusammengebundenem Haar und Ringen unter den Augen, blickte hoch, senkte die Zeitung und signalisierte, dass sich beide setzen möchten. Postwendend kam ein Kellner, und Feg bestellte, ohne zu fragen, zwei Kaffee. Die Frau wirkte wie ihre Stimme am Telefon. Niedergeschlagen, fast ängstlich starrte sie beide an.

»Also, Philippe Roche hat mir gesagt, Sie könnten uns etwas über eine Gruppe sagen, die …«

Die Frau hob eine Hand.

»Das sind nur Gerüchte. Das habe ich Roche klar gesagt. Ja, es gibt Leute, die dafür verantwortlich sind, was in den letzten Wochen so alles durchgesickert ist. Und das ist auch gut so. Ich hoffe, dass die ganze Wahrheit die Welt im Mark erschüttern wird. Ich gehöre zu einer anderen ›Gruppe‹, wie Sie es nennen. Nur, uns sollte man vermutlich in Den Haag als Verbrecher gegen die Menschlichkeit anklagen …«

»Wie bitte?«

SIEBENUNDDREISSIG

MONTE CARLO, 1. NOVEMBER

Das über dem Mittelmeer gelegene *Hôtel Hermitage* in Monte Carlo zelebrierte Eleganz in Reinform. In der intimen, luxuriösen und ungezwungenen Atmosphäre dieses Palastes der Jahrhundertwende fühlte sich Dan Former ausgesprochen wohl. Überall und ständig verfügbar liefen Bedienstete in weißer Kleidung und schwarzen Schürzen herum, eine internationale Küche bot rund um die Uhr Speisen von höchster Qualität, Bars und Ruhezonen luden zum Entspannen ein. Nach der langen Zeit auf seinem Schiff genoss Former diesen Luxus an Land, und doch schwang die Befürchtung mit, dass das nur ein kurzzeitiges Intermezzo war.

Seit Stunden wartete er bei Wein und Käse auf der beleuchteten Terrasse der Luxusherberge mit Blick über den Hafen auf Lascaut. Er war sich relativ sicher, dass sie zu hoch pokerten. Wenn die Ermittlungen nicht irgendwie abgewendet oder in eine andere Richtung gelenkt werden könnten, würde Scotland Yard durch Denvers Daten wohl schon bald mehr entdecken. Auch wenn er und die *Herren* am Ende noch so sehr überzeugt waren, das Richtige versucht zu haben – sie würden alle ihre Jobs und Existenzen verlieren, als Verräter gebrandmarkt, und das nur, weil er Denver diese sensiblen Informationen anvertraut hatte.

Was tat er eigentlich? War er nicht selbst dabei, Unrecht zu begehen, um die Welt von Parasiten zu befreien, die alles an sich reißen wollten? Was gab ihm das Recht dazu? Aber er tötete niemanden. Seine Aufgabe war unblutig, die anderen mordeten in ihrer Gier mit Waffen, Drohnen, Rohstoffhandel und Daten in Computerprogrammen und Algorithmen, von denen er längst nichts mehr verstand. Alles hing jetzt von Lascauts Beziehungen ab, und Former wusste, dass er kaum einen besseren Partner finden könnte. Wenn Lascaut auch über seine Herkunft ungern sprach, hatte er im Laufe der Jahre einiges offenbart; ein Teil seiner Härte und Entschlossenheit war immer noch seiner nicht gerade behüteten Jugend zu verdanken.

Lascaut hatte einen Aufstieg hinter sich, der seinesgleichen suchte. Kaum jemand aus der Banlieue konnte seinem sozialen Milieu entkommen. Lascaut stammte aus Clichy-sous-Bois, jenem Ort, der 2005 durch massive Unruhen Berühmtheit erlangte, nachdem Polizisten zwei jugendliche Migranten bei einer Verfolgungsjagd in den Tod getrieben hatten. Seit den 1960er-Jahren waren die Neubausiedlungen immer mehr zu einem Getto für Immigranten aus den ehemaligen französischen Kolonien Marokko, Tunesien und Algerien verkommen. Die Integration der Einwanderer war nie gelungen. Lascaut hatte sich früh aus diesem Moloch befreien können, bevor die zweite Generation der Einwanderer – von Armut, Rassismus, Perspektivlosigkeit, Resignation und Bandenkriminalität durchdrungen – das Gebiet für Weiße immer gefährlicher machte. Diese Herkunft hatte Lascaut geprägt.

Er war auch später immer der Auffassung gewesen, dass jeder die Chance hätte, sich emporzuarbeiten, Mitleid helfe niemandem und Sozialleistungen würden demotivieren. Der Mensch müsse seiner Natur entsprechend kämpfen, sonst würde er zu schwach werden.

Doch als die Finanzkrise in Europa, besonders im Süden, alles veränderte, waren zu viele betroffen. Egal, ob Immigranten oder bestens ausgebildete junge Franzosen, Spanier, Griechen oder Italiener – eine ganze Generation stand vor dem Nichts. Diese Entwicklung hatte auch an Lascauts Überzeugungen genagt. Former konnte sich gut erinnern, wie stolz Lascaut ihm seine Geschichte erzählt hatte, als sie sich kennenlernten. Er, der Sohn eines meist arbeitslosen Handwerkers, verließ mit 17 das Elternhaus. Mit dem Schrecken seiner rauen Kindheit, ständigen Prügeleien auf den Straßen, umgeben von Bandenkriegen und Drogendealern, fasste er den Entschluss, mehr aus seinem Leben zu machen. Er begann eine Banklehre in London, denn Geld war für ihn das einzige Mittel, um mit seiner ärmlichen Vergangenheit zu brechen. Er lebte spartanisch in einer Wohngemeinschaft in einer heruntergekommenen Siedlung eine Stunde vor London und riskierte früh seinen Lohn an der Londoner Börse. Nächtelang studierte er die besten Strategien, um erfolgreich mit Aktien zu handeln. Dabei zitierte er immer gerne das Motto seines Vorbildes, Jacob Rothschild: *Verkaufe immer frühzeitig und kaufe, wenn in den Straßen das Blut fließt.*

Ein Vorstand der kleinen Bank in London wurde auf den akribischen Lascaut aufmerksam und ließ ihn nach der Lehre während des Studiums an der LSE im Devisenhandel arbeiten. Für einige Jahre stieg er später als Investmentbanker in die kleine Privatbank ein. Lascaut traute sich auch an die seinerzeit zunehmend riskanteren Hebelprodukte heran und strich binnen weniger Jahre konstante Gewinne ein, bis er ein so großes Vermögen erwirtschaftet hatte, dass er mit Mitte 30 die Bank verließ und sein erstes Unternehmen, einen Lieferanten für Autozubehör, übernahm.

Die boomende Industrie brachte ihm schnelle Erträge und neue Unternehmen, die er immer profitabler machte. Doch die kleine Privatbank hatte seinen ersten Lebensabschnitt als Banker nachhaltig geprägt. Anstatt mit übertriebenen Steigerungen zu locken, war er darauf bedacht gewesen, das Vermögen seiner Kunden mit konservativen Anlagen zu schützen, langsam zu vermehren und die Exzesse der Großbanken an den internationalen Märkten zu meiden.

Diese Strategie, die schon bald Firmenkultur geworden war, überzeugte Jahre später auch Former, und er wurde Kunde dieser Bank. Leute wie er wurden vom Vorstand persönlich empfangen, waren nicht selten gute Freunde des Hauses. Bevor man über Geld sprach, wurde bei Tee und exquisitem Gebäck geplauscht. Vertrauen und eine transparente Entlohnung der guten Beratung waren selbstverständlich. Gab es mal Verluste, hielten die sich in so kleinem Rahmen, dass kein Drama daraus gemacht wurde. Diese Kunden waren klug genug, um die relativen Schwankungen bei seriösen Geldanlagen zu kennen und nicht zweistellige Renditen zu erwarten.

Über Jahrzehnte war es ein ruhiges, beständiges Geschäft, bis die Märkte durch Börsencrashs in immer kürzeren Abständen unberechenbarer wurden und alle Anlageformen bedrohten. Das Vertrauen und die persönliche Beziehung zu dieser Bank brachten ihn dazu, ihr als Unternehmer treu zu bleiben, und so parkte er einen großen Teil seines privaten Vermögens in dieser Bank. Eine kluge Entscheidung, angesichts des letzten Crashs 2008, bei dem viele über Nacht im zweistelligen Prozentbereich verloren und sogar Totalverluste hinnehmen mussten. Dennoch waren auch hier hohe Verluste unvermeidlich, dafür ging der Absturz einfach zu schnell.

Schwere Schritte kündigten Lascauts Erscheinen an. Er klopfte Former auf die Schulter, der gerade sein letztes Stück Camembert verspeiste und ließ sich neben ihn in einen Sessel fallen.

»Dan, wir müssen eine Entscheidung treffen«, begann er ohne Umschweife. »Du musst jetzt in die Offensive gehen, oder unser Vorhaben ist zum Scheitern verurteilt. Du bist zu sehr im Fokus der Behörden!«

Lascaut fürchtete, dass seine Forderung verhallen würde. Seinen Kopf hinzuhalten, war nicht die Art seines alten Weggefährten.

Former knallte sein Glas auf den Tisch. »Und was ist mit deinen tollen Kontakten? Du und Simon? Okay, von dieser schleimigen Missgeburt habe ich nichts anderes erwartet, aber von dir schon! Du und deine Menschenkenntnis, jetzt, wo es wirklich drauf ankommt …«

Lascaut hob die Hand. Wäre er jünger, würde er seinem Freund vielleicht eine reinhauen. Kraftworte war er von Former ja gewohnt, aber die Zweifel an seinen Fähigkeiten hatten ihn zutiefst getroffen. »Was glaubst du, wer du bist, Dan? Der Sonnenkönig?«

»Du hast gesagt, dieser Mann vom BND wäre in deinen Händen. Und wieso versuchst du nicht, Neil Winter noch mal zu kontaktieren? Da muss doch noch was zu machen sein!«

»Dan, hör auf. Es ist vorbei. Simon könnte dich vielleicht ans Messer liefern. Er hat mir gedroht. Du hast mir immer gepredigt, dass man auch verlieren können muss. Jetzt musst du diese Sache auf deine Schultern nehmen, nur dann kann ich vielleicht noch was retten, uns vor weiteren Ermittlungen schützen, indem wir ihnen das geben, was sie brauchen, zumindest einen Teil davon. Es ist noch nicht alles verloren, aber uns bleiben nur noch Stunden oder ein paar Tage. Und ich muss vorbereitet sein, falls du in den Knast wandern solltest.«

»Und wie stellst du dir das vor?«

»Gib mir die Liste deiner Helfer. Ich werde, wenn es noch möglich ist, dafür sorgen, dass sie rechtzeitig in die richtigen Hände kommt. Du bist zu sehr unter Beschuss.«

Former schüttelte den Kopf. Diese Liste mit all den Leuten, die ihm geholfen hatten und bereit waren, sich weit darüber hinaus zu engagieren, wenn sie unerkannt bleiben konnten, war das Herzstück seiner Idee.

Lascaut sah trotz Formers abwehrender Haltung, dass er langsam begriff, dass Scotland Yard ihn nicht mehr aus den Augen lassen würde. Das erste Mal erblickte er in dem Gesicht seines Freundes Hilflosigkeit und Angst.

»Wessen Hände sind denn das?«, fragte Former. »Mensch, Patrice, haben wir denn überhaupt noch Aussicht auf Erfolg? Bei dem, was Scotland Yard vermutlich schon alles weiß.«

»Dan, ich nutze die Liste nur, wenn mein Plan funktioniert. Ich bin der Einzige, der noch alle Figuren bewegen kann, wenn du dich rausziehen musst«, versuchte Lascaut, ihn zu beruhigen. Er brachte das lang aufgebaute Vertrauen ins Spiel und versicherte, dass er noch einen Weg sehen würde. »Immerhin ist es dein Fehler gewesen, Denver zu nutzen. Nun musst du dafür leider die Verantwortung übernehmen und darfst nicht alles hinschmeißen.«

»Was ist das für ein Weg?«, hakte Former nach.

»Absolut sichere Dementis. Vertrau mir, oder wir lassen es!«

Former war klar geworden, dass es nur noch ein kleines Zeitfenster gab und dass seine Gegner versuchen würden, mit allen Mitteln an seine Mitstreiter im Hintergrund heranzukommen.

»Okay, ich weiß, ich bin am Ende mit den Nerven. Tut mir leid. Fahren wir aufs Schiff.«

ACHTUNDDREISSIG

BRÜSSEL, 1. NOVEMBER

Devona Müller machte den Anschein, jeden Augenblick zusammenzubrechen. Winter ergriff ihre zitternde Hand, um sie irgendwie zu beruhigen. Doch was dann kam, sorgte auch bei ihr für Emotionen, die sie nur schwer zurückhalten konnte.

»Leute wie wir sind im Grunde für den Tod von Millionen Menschen verantwortlich, vielleicht für mehr als alle Diktatoren des letzten Jahrhunderts. Und was geschieht mit uns? Uns stellt man nie vor Gericht!«

Winter schaute in die Augen der Frau und sah ihre Verzweiflung. Sie spürte, dass jedes Wort ein Ausdruck tiefster Scham war, dass sie ihr vertrauen konnte, denn so jemand hatte nichts mehr zu verlieren. Sie war offenbar an einem Punkt angelangt, den nur selten ein Hedgefondsmanager oder Banker erreichte, da die damit einhergehenden Schuldgefühle so harte Konsequenzen fordern würden, dass sie alles infrage stellen müssten. Jetzt begriff Winter, dass die Selbstmordserie der Banker tatsächlich ganz für sich allein stand. Motive gab es für diese Leute genug.

Devona Müller begann, über ihre Beweggründe zu reden,

der Branche den Rücken zu kehren. Allein der Maispreis habe sich durch die Spekulation der Banken für die Menschen in Somalia mehr als vervierfacht. So verloren nur durch ihr Team 40 Millionen Menschen ihre karge Selbstständigkeit. Das alles wurde durch die Weltbank und den IWF gedeckt. Aber für sie waren das Schicksal dieser Menschen ja nur Punktlinien auf dem Bildschirm. Und die Preise würden weiter steigen, da die Politik nichts dagegen unternahm.

»Wenn wir richtig gut waren, verdienten wir im Jahr zweistellige Millionenbeträge nur durch die Spekulationen in der Agrarwirtschaft«, sagte sie, und Winter ließ ihre Hand wieder los.

Müller verstand nicht, warum die Gesellschaft kein Interesse daran hatte, Menschen wie sie zur Rechenschaft zu ziehen. Je erfolgreicher sie waren, desto schneller sahen sie die Hungerkrisen im Fernsehen. Am Anfang hatte sie das gar nicht wissen wollen, sie hatte in Kauf genommen, dass ihr Privatleben vor die Hunde ging, und war in der Bank aufgestiegen. Der Erfolg hatte sie süchtig gemacht, aber irgendwann, als sie alleine in einem Hotelzimmer lag und nicht mehr schlafen konnte, war der Tiefpunkt gekommen. Auf einmal waren ihr all die Bilder durch den Kopf geschossen, die sie so lange ignoriert hatte, von Hungersnöten in Äthiopien, Somalia und all den anderen Krisengebieten. Sie hatte die Zusammenhänge begriffen und gewusst, dass sie das nie wieder loswerden würde, auch wenn sie den Fernseher abschalten und keine Zeitung mehr lesen würde.

»Das Gewissen bleibt an.« Devona Müller starrte vor sich hin. »Wie kann man den Tod eines Stars beweinen, aber Millionen von Hungertoten beiseitedrängen?« Sie beklagte die Selbstbezogenheit der Menschen, die alles zerstöre. Aber es gebe eine Gruppe von Leuten, die das System in die Knie zwingen wollten – Leute, die es wirklich könnten. »Irgendwann werden wir sonst alle daran zugrunde gehen, als Zombies und Sklaven, das sage ich Ihnen!«

Winter war sprachlos. Sie blickte in das Gesicht dieser Frau und spürte eine Mischung aus Mitleid und Abscheu. Ihre Zweifel verstärkten sich, ob sie mit ihren Ermittlungen auch nur annährend etwas dazu beitragen könnte, dieses entfesselte Monster wieder einzufangen. Sie verstand in diesem Moment Erik Feg vielleicht besser als er sich selbst. Anscheinend trug er dieses ganze Wissen schon lange mit sich. Hatte er diesen Termin nur vereinbart, um ihr vor Augen zu führen, dass der Kampf dagegen aussichtslos sei?

»Sagen Ihnen die Namen Jarod Denver, Dan Former oder Bill Naravan etwas?«, fragte Winter, um Sachlichkeit bemüht.

»Nein. Außer Former natürlich. Wer kennt den nicht?«

»Worum sollte es in dieser Gruppe, die Sie gerade erwähnten, gehen, und von wem wissen Sie das?«

Devona Müller berichtete, dass sie ein Franzose kontaktiert hatte, nachdem sie, ähnlich wie Greg Smith, Goldman Sachs öffentlichkeitswirksam den Rücken gekehrt hatte und mehr über ihre Erlebnisse erzählen wollte. Sie hatte Philippe Roche angerufen, um ihm Informationen darüber zukommen zu lassen, was in ihrer Abteilung ablief.

»Moment, der Franzose hat Sie kontaktiert, *nachdem* Sie Philippe Roche angerufen hatten?«, fragte Feg. Wenn die Dame vor ihm erst dann Zugang zu dieser mysteriösen Gruppe bekommen hatte, würde das nicht bedeuten, das Roche davon schon länger wusste? Gar Unterstützer dieses Zirkels wäre? Er kannte Roche zu gut – er würde ihn nicht hintergehen. Offenbar hatte er Angst. Für einen Moment war sich Feg nicht sicher, ob der Franzose vielleicht Roche angesetzt hatte, um ihn und Winter mit seinen Erkenntnissen zu beeindrucken, sozusagen

Werbung für die angeblich guten Ziele der Gruppe zu machen. Wenn dem so wäre, dann war ihm das gelungen.

»Ja«, sagte Müller und erklärte, dass der Franzose einen sehr ruhigen und erfahrenen Eindruck gemacht hatte. Dass es Zeit wäre zu handeln, hatte er sie beschworen. Eine Gruppe von Gleichgesinnten würde daran arbeiten, das System von innen, mit seinen eigenen Waffen zu zerstören, und dass sie dafür so viele Kompetenzen zusammenziehen müssten wie möglich. »Er bot mir an, mich mit einem ersten Zirkel von Leuten zusammenzubringen, die Informationen sammelten, bevor er mich den, ja, er nannte sie einfach die *Herren,* vorstellen wollte.«

»Den *Herren*? Na schön. Hat er einen Computervirus oder Code erwähnt?«

»Nein, daran kann ich mich nicht erinnern. Es ging nur darum, die Medien zu einem bestimmten Zeitpunkt mit so vielen Informationen wie möglich zu versorgen, um Druck auszuüben, dass ein international agierender Kreis nicht weiter sein Unwesen treiben kann«, sagte Devona Müller. Erste Tränen rannen über ihr Gesicht.

Feg wurde nachdenklich. Zu einem bestimmten Zeitpunkt – davon war auch bei Denver und Naravan die Rede gewesen. War der Code am Ende nur ein Ablenkungsmanöver?

»Und sind Sie mit diesen Leuten in Kontakt getreten?«, wollte Winter wissen.

Devona Müller schüttelte den Kopf, wischte sich die Tränen aus dem Gesicht und erklärte, dass man ihr vor Kurzem mitgeteilt hätte, dass die Gruppe in Auflösung sei, da ihr Plan nicht aufginge, und dass sie zu der Überzeugung gelangt seien, dem Machtzirkel aus Politik und Wirtschaftsbossen nicht beikommen zu können, ohne ihr Leben zu riskieren. Sie selbst habe den Glauben daran verloren, etwas bewegen zu können, solange die Bevölkerung selbst nicht bereit wäre, für mehr Gerechtigkeit zu sorgen, und vor allem, solange die kleine Schicht von megareichen Menschen nicht erkennen würde, dass Krieg und Elend in ihrer Verantwortung lägen, da sie ja davon profitierten.

Winter wusste nicht, was sie von dieser Frau halten sollte. Wenn sie sich selbst in einer solchen Situation befinden und ihre Verantwortung erkennen würde, dann würde sie die Schuld nicht wieder bei anderen suchen. Aber genauso feige war auch ihr Vater gewesen, den sie als kleines Mädchen abgöttisch geliebt hatte und der sie später, als er sie im britischen Eliteinternat Malvern College untergebracht hatte, wie eine Aktie behandelte, deren Wert stetig steigen musste. Im März 2000 platzte die New-Economy-Blase und damit auch ihre vom Vater geplante Eliteausbildung. Das elterliche Vermögen von 18 Millionen Pfund war verloren, da der Vater den Verlust mit waghalsigen Derivaten in die Höhe schnellen ließ, bis er am Ende völlig überschuldet war.

Doch damit nicht genug. Eine Woche nach der Zwangsversteigerung des Landsitzes erfuhr die Mutter, dass ihr Mann sie über Jahre hinweg betrogen hatte. Damit explodierte die zuvor scheinbar so perfekte Familie. Ihr Vater ließ sie im Stich, und ein anderes Leben begann für Rebecca Winter und ihre Mutter, die dank ihrer Liebe zum ehemaligen Garten einen Job als Floristin in einem kleinen Blumenladen ergatterte. Dann, vor zwei Jahren, stürzte ihre Mutter so unglücklich, dass sie noch am gleichen Tag im Krankenhaus verstarb. Vom Vater keine Spur. Und nun dieser Anruf! Wäre da wenigstens der Versuch gewesen, Reue zu zeigen – vielleicht hätte sie nicht aufgelegt. Stattdessen war da nur dieser dubiose Versuch gewesen, sie zu kontaktieren.

Doch einen Vorteil hatten ihre bitteren Erfahrungen: Sie hatte gelernt, mit wenig Geld auszukommen, und wusste, dass Reichsein nicht glücklich macht.

Sie stand auf und ging aus dem Lokal, um sich Devona Müllers weiteres Gejammer zu ersparen. Vor allem konnte sie nicht erkennen, welchen Wert dieses Gespräch noch haben sollte.

Feg schaute ihr etwas verwirrt hinterher und entschuldigte sich für sie bei der ehemaligen Investmentbankerin, die das brüske Verhalten allerdings nicht zu treffen schien.

»Sie sagten, die Gruppe löst sich auf. Wer hat Ihnen das mitgeteilt? Philippe Roche oder der Franzose?«

»Ich habe nur eine SMS bekommen.« Müller strich sich eine Haarsträhne aus dem geröteten Gesicht.

»Können Sie mir den Franzosen beschreiben, der Sie einweihen wollte?«

Müller tat es. Doch Fegs Hoffnung zerschlug sich innerhalb einer Sekunde. Schon die Haarfarbe verriet, dass es sich nicht um den gleichen Franzosen handelte, der ihn in Hamburg abgepasst hatte. Merkwürdig, dass der nie wieder aufgetaucht war. In dem Moment fiel ihm ein, dass er seit seiner Begegnung mit ihm immer an der Seite von Winter unterwegs gewesen war. Es war Zeit, diesem Mann auf den Zahn zu fühlen.

»Hier ist meine Karte«, sagte Feg. »Sollte Sie dieser Mann noch einmal kontaktieren, lassen Sie uns das bitte wissen. Wenn Sie Angst haben, schützen wir Sie!«

Devona Müller sah ihn betrübt an. »Sie können mich nicht schützen. Schützen Sie sich besser selbst!«

Feg hatte verstanden. Dieser Frau konnte er bestimmt nicht helfen und auch nichts mehr von ihr erwarten, sie war ausgebrannt. Er reichte ihr die Hand und ging hinaus. Es schüttete in Strömen. Er zog sich seinen Mantel über den Kopf und suchte in der Dunkelheit nach Winter.

Er entdeckte sie nur 100 Meter weiter vor einem Imbiss im Regen sitzend, völlig durchnässt und reglos vor sich hin schauend. Er ging zu ihr, zog seinen Mantel aus, legte ihn um sie und nahm sie in den Arm. Sie blieben eine Weile so sitzen, bis auch Feg völlig durchnässt war.

Er erspähte ein Taxi und winkte es heran.

»Kommen Sie. Noch geben wir nicht auf!«

»Daran denke ich gar nicht. Ich habe diese Frau in ihrem gescheiterten Ego und ihrem Schmerz erlebt, aber auch sie hat sich letztendlich herausgeredet.«

Feg registrierte ihre Worte mit Genugtuung. Das hatte er erreichen wollen. Rebecca Winter fing an, die Dinge in dem Grau zu sehen, wie die Welt der Superreichen und ihrer Handlanger es war – so, wie die aller anderen Menschen auch.

»Schuld zu ertragen ist nicht jedermanns Sache, sie anzuerkennen der beste Weg, sie zu beenden, und ich glaube, dass wir auf noch mehr von diesen widersprüchlichen Menschen treffen werden.«

»Wie meinen Sie das?« Winter blickte ihn an.

»Wir werden jetzt meinem Franzosen auf den Zahn fühlen müssen!«

NEUNUNDDREISSIG

BRÜSSEL, 2. NOVEMBER

Er hatte in Wirklichkeit nichts in der Hand. Weder konnte er diesen Erik Feg unter Druck setzen – das versprochene Geld schien ihn einfach kaltzulassen –, noch Winters Vater einspannen oder Scotland Yard kontrollieren und die Daten als Fälschung diffamieren. Nichts war ihm bisher gelungen. Sein Spiel schien verloren zu gehen. Er hatte zu sehr darauf gesetzt, diesen Erik Feg richtig eingeschätzt zu haben, hatte gehofft, dass er erkennen würde, dass Former alles andere als jener unberechenbare, gierige Mann war, für den diese übermotivierte Scotland-Yard-Ermittlerin ihn hielt. Die Kunst des Schachspielers, den nächsten Zug seines Gegners voraussehen zu können, schien ihm langsam abhandenzukommen.

Former war offensichtlich am Ende seiner Nerven, und die Angst, dass die Namen aller bekannt werden würden, die in seinem System eine Rolle spielten, war inzwischen größer als das Gefühl, persönlich zu scheitern, wenn der Plan nicht mehr umsetzbar wäre. Er schien plötzlich nicht mehr Herr der Lage zu sein, verlor, wie Denver, Schritt für Schritt den Sinn für die Realität. Aber was würde geschehen, wenn er verhaftet werden würde? Wäre er noch imstande, eine Untersuchungshaft oder gar eine Verurteilung durchzuhalten? Er hatte dem System mit dem Todesstoß gedroht, was zu diesem Zeitpunkt wahrscheinlich noch niemand wirklich verstand. Es wusste auch niemand, was sein Plan, den auch Lascaut noch nicht ganz durchschaut hatte, am Ende wirklich auslösen würde.

Erste tiefere Zweifel kamen in Lascaut auf. Was wäre, wenn man Former Strafmilderung anbot? Wäre er wirklich standhaft genug, das auszuschlagen? Im Gegensatz zu ihm, Lascaut, hatte er nie wirklich kämpfen, keine einzige Schlägerei oder andere körperlichen und psychischen Herausforderungen durchstehen müssen. Er selbst hatte nicht vergessen, von wo er sich emporgearbeitet hatte. Former konnte spielen – aber konnte er auch kämpfen?

Lascaut starrte auf das Schachbrett vor ihm. Mit zittriger Hand nahm er eine Tablette aus einer vergoldeten kleinen Dose und spülte sie mit einem Schluck Tee hinunter. Sein Infarkt war gerade ausgeheilt, aber die Aufregungen der letzten Zeit waren alles andere als förderlich. Ständig schwang bei ihm die Furcht mit, dass ihm sein Herz einen weiteren Streich spielen würde.

Sein Telefon klingelte. Er stand auf und setzte sich an seinen Schreibtisch.

»Lascaut.«

»Hören Sie, Lascaut«, ertönte eine nervöse Stimme an seinem Ohr. »Ich steige aus. Ich kann nicht zulassen, dass ich weiter in diesen Sumpf von Verbrechen reingezogen werde. Was Ihre Gruppe da macht, ist Wahnsinn!«

Auch das noch! Lascaut stützte seinen Kopf in die Hand. Derek Simon war zwar schon immer ein Opportunist gewesen, aber dass er jetzt das Handtuch warf, war denkbar ungünstig. Drohte er ihm womöglich?

»Derek. Ich habe Ihnen gesagt, dass wir nichts mit diesen Morden zu tun haben – aber gut, steigen Sie aus«, antwortete Lascaut ruhig und sachlich, um Simon keine Nahrung für weitere Ängste oder Wut geben. Er musste ihn unbedingt davon abhalten, auch nur einen Funken seines Wissens weiterzugeben. Doch war das noch möglich? Er würde vielleicht nicht mehr verhindern können, dass Simon zu einem weiteren Leck werden würde, aber er könnte es vielleicht in einem letzten waghalsigen Schachzug nutzen. Würden die Behörden das Gefühl bekommen, genug über die Pläne zu wissen, und daran glauben, etwas verhindern zu können, gäbe es vielleicht noch einen Ausweg. Er musste Ruhe bewahren, sonst würden Former und eventuell alle *Herren* in Gefahr geraten.

»Sie müssen selbst wissen, was Sie tun und für notwendig halten. Former ist ohnehin am Ende mit den Nerven und wird sich zurückziehen«, erklärte er Simon.

»Das soll ich Ihnen glauben? In Wirklichkeit war er doch sicher dabei, mit diesem verfluchten Denver den Markt zu manipulieren. Ich hab meine Informationen aus erster Hand, wie Sie wissen sollten.«

»Gehen Sie mit Ihrem Halbwissen vorsichtig um. Sie sollten nicht davon ausgehen, dass ich mit allem einverstanden bin, was Former denkt und tut, Derek, aber Scotland Yard ist überhaupt nicht in der Lage …«

»Ach, darum geht es Ihnen«, unterbrach der Anwalt ihn. »Keine Sorge, ich werde Sie schon nicht hochgehen lassen!«

Lascaut war sich nicht sicher, ob es Simon damit ernst war. Juristen wie Simon kannten von einem bestimmten Punkt an keine ethischen Regeln, keine Freundschaft und kein Risiko, nur die gesetzlichen Grenzen, die ihr Handeln bestimmten.

»Machen Sie es gut, Derek!«

Lascaut lehnte sich zurück. Was sollte er nur mit Former machen? Er war plötzlich wie ausgewechselt. Sicher, er hatte Angst um seine Freiheit, sein Leben, Angst alles zu verlieren – ein Zustand, der für alle gefährlich war. Jetzt musste er alles auf eine, besser zwei Karten setzen. Er musste das Unvermeidliche tun. Lascaut stand auf und ging zum Schachtisch, zog den weißen Turm und brachte den schwarzen König in Gefahr. Ungewöhnliche Konstellation, dachte er und beugte sich über das Spiel.

VIERZIG

LONDON, 2. NOVEMBER

Direkt an der Themse lag das Hauptquartier des britischen Geheimdienstes MI6. Jack Connor, Leiter der Abwehr für Cyberkriminalität, schaltete nach einem langen Arbeitstag kurz nach Mitternacht seinen Rechner ein, biss in einen Donut, trank einen Schluck Kaffee hinterher und checkte vor dem Heimweg nochmals seine Mails. Plötzlich setzte er sich aufrecht hin, als wolle er dem Bildschirm so nah wie möglich sein, um die Nachricht genauer sehen. Er riss den Telefonhörer ans Ohr.

»Dave, ich brauche die Rückverfolgung einer E-Mail an meinen Account. Wie kommt da von außen jemand ran?«

Connor öffnete die Dateien und versuchte, sich ein Bild zu machen. Was er las, verschlug ihm die Sprache. Ein interner Kreis von Lobbyisten, Bankern und Unternehmern habe ein Projekt finanziert, um die Börsen am 9. November weltweit zu ihren Gunsten anzugreifen. Es fehle dem Informanten an der nötigen Kompetenz, die wirkliche Fähigkeit für diesen Anschlag einzuschätzen, daher übergebe er seine Unterlagen dem Geheimdienst.

Connor überlegte kurz, schaute auf seinen Wandkalender »Der will mich wohl verarschen, 11/9?«, sagte er zu sich und las weiter. Ein Anschlag am 9. November auf die Weltbörsen. Schon wieder so ein paar verrückte Hacker, dachte er. Gerade als er aufstand, um den Raum zu verlassen, klingelte ein weiteres Telefon auf seinem von Aktenbergen überladenen Schreibtisch. Er ignorierte es und ging in den einige Flure weiter gelegenen Operation Room. Hier liefen tagtäglich die Nachrichten zu den wichtigsten Ereignissen ein, aufgrund derer dann jeweils zu bestimmten Themenfeldern Lageeinschätzungen erstellt wurden, die postwendend an das Innen- und Verteidigungsministerium und an den Premierminister gingen. Je nach Einschätzung wurden anschließend auch militärische und zivile Strukturen informiert. Die Bedrohung durch Cyberterroristen hatte dabei in den letzten zehn Jahren einen so hohen Stellenwert eingenommen, dass der MI6 seine Fähigkeiten zur Spionage und Abwehr durch die Verknüpfung der Ressourcen mit den Government Communications Headquarters auf ein extrem hohes Niveau ausgeweitet hatte.

Daran konnten auch die Veröffentlichungen von Edward Snowden nichts ändern, dienten sie doch am Ende nur einer Überprüfung, wie weit die Menschen dieser Maßnahme angesichts der geschürten Ängste vor Terror noch wirklich widerstehen würden.

Connor steuerte einen Mitarbeiter an, der, seinen Mantel in der Hand, gerade im Begriff war, in den Feierabend zu ziehen. Als der kahlköpfige Mann mit Nickelbrille seinen Boss mit hochgekrempelten Ärmeln und zerzausten Haaren heraneilen sah, ahnte er schon, was ihm drohte, und warf den Mantel wieder auf einen Stuhl.

»Was ist es diesmal? Anonymous?«, fragte der Mitarbeiter und schob sich die Brille höher auf die Nase.

»Hier«, sagte Connor, »überprüfen Sie sofort, ob es in dieser Sache bei Scotland Yard oder in Cheltenham Daten gibt, die auf einen Angriff auf die Börsen hinweisen. Ich will das alles heute noch auf dem Tisch haben, und wenn die uns darüber nicht informiert haben, trete ich denen in den Arsch.«

»Gibt es einen Namen für das Ding?«, erkundigte sich der Kahlkopf

»Ja, allerdings. Total Crash!«

»Wie bitte?« Der Kahlkopf blickte seinen Chef müde und konsterniert an.

»Schauen Sie es sich an, dann wissen Sie, was ich meine!«

Als Connor in sein Büro zurückkehrte, hatte das Klingeln seines externen Anschlusses noch nicht aufgehört.

»Jack Connor, MI6?«

Er konnte den Mann nur schwer verstehen, die Stimme war elektronisch verzerrt. Connor schaltete an seinem Telefon eine Funktion frei, die automatisch versuchen würde, den Anruf zurückzuverfolgen.

»Haben Sie die Informationen erhalten und weitergeleitet?«, fragte die Stimme.

Jack Connor hatte sich zwar erst einen kursorischen Überblick verschafft, der aber war beeindruckend. Auf dem Monitor sah er, dass sein Computer in dem Augenblick, als er die Datei geöffnet hatte, eine Bestätigung rausgeschickt hatte, was normalerweise als Funktion nicht vorgesehen war. Wer zum Teufel konnte alle Sicherungen des internen Netzes umgehen? Eigentlich nur Regierungsanschlüsse. Mit wem sprach er da?

»Wer sind Sie?« Connor versuchte betont ruhig zu bleiben.

»Sagen wir mal, ein befreundeter Dienstleister, mehr müssen und werden Sie nicht über mich erfahren. Sie sollten die Sache ernst nehmen und die Börsen vorwarnen. Sie haben nur wenig

Zeit, bis es zu einem Angriff kommt, den vielleicht niemand mehr kontrollieren kann.«

»Wie kommen Sie an meinen internen Account?«, wollte Connor wissen.

Der Mann ließ sich nicht beirren und redete weiter. Niemand dürfe von dem geplanten Angriff etwas erfahren. Die Märkte seien schon nervös genug, und der MI6 solle nur die Leiter der weltweit fünf größten Börsen und die CIA informieren, die wüssten, was dann zu tun sei.

»Und Sie müssen eine Frau von Scotland Yard stoppen. Sie und ein Agent vom BND sind im Begriff, einen großen Fehler zu begehen, und Urheber dieser Aktion, die ich nicht einschätzen kann, ist der Hedgefondsmanager Dan Former!«

»Eine Scotland-Yard-Beamtin? Sonst geht es Ihnen gut?«

»Sie haben es erfasst, und ich denke, Sie werden schnell erkennen, dass dies ein Fall ist, der die nationale Sicherheit betrifft. Sie wissen, dass Sie dann sofort die Börsen schützen müssen. Stoppen Sie das um unser aller Zukunft wegen!«

Es knackte in der Leitung, die Verbindung war unterbrochen. Connor sah, dass der Anruf von einer öffentlichen Telefonzelle in Paris gekommen war. Für einen Moment war er wie vor den Kopf geschlagen. Es hatte keinen Sinn, ihn zu verfolgen. Verärgert schlug er auf seinen Schreibtisch. Dann suchten seine Augen wieder die Dateien auf seinem Monitor, und er las mit Schrecken, was da drohen könnte.

EINUNDVIERZIG

BRÜSSEL, 2. NOVEMBER

Die Informationen über den Giganten BlackRock gingen Feg nicht aus dem Kopf. Winter hatte sich im Hotel der nassen Kleidung entledigt und war nach kurzer Zeit wieder zu ihrem Kollegen ins Zimmer gekommen. Die Zusammenkunft mit dieser Händlerin hatte sie tiefer getroffen, als Feg erwartet hatte, ihre Augen waren leicht geschwollen, ihr Mund zugepresst und, wie schon zuvor bei dem Treffen mit dem Journalisten Philippe Roche, hatte er bemerkt, dass sie alles andere als unbeteiligt durch diese Ermittlungen ging. Irgendeine persönliche Betroffenheit erfüllte sie. Es fehlte dieses freche, selbstsichere Auftreten der ersten Tage, als sie Fegs Bemerkungen immer etwas entgegenzusetzen gehabt hatte. Es war eben etwas anderes, ob man einzelne Betrüger jagte oder eine ungeschönte Einsicht in das ganz große Spiel bekam, in dem Menschen auf den ersten Blick als große und einflussreiche Betrüger dastanden, in Wirklichkeit aber selbst nur eine ersetzbare Strebe in einem riesigen Rad waren. Das System war ein nicht zu durchbrechendes Perpetuum mobile von Interessen und Macht.

»Was ist los mit Ihnen? Sie sehen mitgenommen aus«, erkundigte sich Feg.

Rebecca Winter setzte sich aufs Sofa, legte die Arme auf die Lehne und stöhnte auf. »Geht schon, aber wie konnte diese Frau das jahrelang wissentlich tun?«

»Warum sollte es jemanden interessieren, wie viele Menschen durch seine Arbeit verhungern? Außerdem machen wir alle mit. Wir lassen das alle zu, jeder Konsument«, sagte Feg, zündete sich eine Zigarette an und erklärte Winter, dass die Medien zwar voll seien von Berichten über die gescheiterten Finanzmarktreformen, die meisten Menschen das jedoch ignorierten und weiter in ihren Hamsterrädern liefen, um ihren wie auch immer gearteten Wohlstand zu bewahren.

»Vielleicht verstehen Sie jetzt meinen Zynismus, ich arbeite hart daran, dass es keine allumfassende Verachtung wird.«

»Ach ja? So was Ähnliches spüre ich aber tagtäglich bei Ihnen«, erwiderte Winter, allerdings ohne den gewohnten Biss.

Feg warf ihr einen missmutigen Blick zu. Doch es nützte nichts, sie mussten weitermachen. Er setzte an zu einem Vortrag über die Hintergründe der jetzt drohenden Gefahr.

Winter seufzte, hörte ihm aber mit wachsender Konzentration zu.

»Diese geheime Warnung von BlackRock über einen einstürzenden Markt durch Zinserhöhungen, die mir von einem Kollegen vom BND zugeschanzt wurde, könnte ein Erdbeben ankündigen«, erklärte Feg, »und die Staaten könnten noch weiter in die Abhängigkeit einiger Giganten wie BlackRock, KKR sowie der Banken und Zentralbanken geraten.« Von den Menschen auf der Straße wäre kaum Widerstand zu erwarten, fuhr Feg fort, da sie die Zusammenhänge noch nicht verstünden. »Die Fragilität der Handelssysteme bietet große Möglichkeiten in einer solch kritischen Phase, dem System einen irreparablen

Schaden zuzufügen. Auch BlackRock ist angreifbar, und zwar durch Aladdin. Hinter dem 1001-Nacht-Namen versteckt sich das Geheimnis des Unternehmens. Es ist ein gigantisches Datenanalysesystem, das aus einem Heer von Analysten und rund 5000 Großrechnern besteht. Es verteilt sich auf vier Rechenzentren, deren Standorte geheim sind.« Feg zog an seiner Zigarette und sprach weiter. »Mit einer Kapazität von 200 Millionen Kalkulationen pro Woche kann Aladdin teilweise sogar sekündlich ausrechnen, welchen Wert die Aktien, Bonds, Devisen oder Kreditpapiere haben, die in den milliardenschweren Anlageportfolios liegen. Gleichzeitig durchleuchtet es, wie sich dieser Wert verändern dürfte, wenn sich das Umfeld verändert, die Konjunktur etwa, oder wenn die Währungskurse purzeln oder der Ölpreis klettert. Die Wertpapiere, mit denen Investmenthäuser und Anleger jonglieren, sind komplizierte Konstrukte. Deswegen war auch die Analyse der simulierten Angriffe von Quantum Dawn 4 auf die Börsen in Frankfurt und New York so wichtig. Man muss den Gegner studieren, um effektiv zuschlagen zu können.«

Rebecca Winter hatte Feg mit Interesse zugehört. Obwohl sie sich selber mittlerweile umfassend in das Thema eingearbeitet hatte, war sie insgeheim froh, mit ihm einen Mann an der Seite zu haben, der sich in diesem komplexen Feld bestens auskannte.

»Und was hat man herausgefunden bei dieser Analyse?«, wollte sie wissen.

»Seit Beginn der 90er-Jahre entfallen etwa drei Viertel des weltweiten Börsenumsatzes auf die insgesamt fünf führenden Handelsplätze«, setzte Feg seinen Vortrag fort, »und die umsatzstärkste Börse der Welt ist ausgerechnet die ausspionierte NASDAQ. Mit den gestohlenen Informationen, die wir bei der Übung in New York entdeckt haben, sind die Börsen quasi für eine Zeit einem Angriff schutzlos ausgeliefert gewesen. Wir wissen, dass es möglicherweise sogenannte fortgeschrittene Bedrohungen gibt, die vielleicht schon über Jahre unbemerkt in den Netzwerken lauern und Informationen sammeln, um in den Handelssystemen eine Zeitbombe zu platzieren. Dann haben mögliche Angreifer nicht nur Zugang zu den Handelssystemen, sondern kennen deren Architektur und brauchen sich theoretisch nicht einmal mehr einzuhacken, um das System zu sabotieren.«

Feg sah Winter an, die es sich mittlerweile auf dem Sofa in seinem Hotelzimmer bequem gemacht hatte. Irgendetwas arbeitete in ihm.

»Aber das ist noch nicht alles. Irgendetwas fehlt«, grübelte er und begann, an seinem Rechner auf etlichen Charts und Börsendaten nach Spuren zu suchen. Ihm war bei seiner Erzählung eingefallen, dass in den letzten Wochen ultraschnelle Ausschläge, die Mikrocrashs an den Börsen, immer häufiger auftraten. Es könnte mit dieser dunklen Prognose BlackRocks zusammenhängen.

Feg strich sich über das Gesicht. »Ich bin mir jetzt relativ sicher, dass die Massen von Algorithmen sich gegenseitig abtasten. Die Maschinen kommunizieren quasi miteinander und werden abgehört.« Er blickte Winter an, sie hatte ihre Augenbrauen hochgezogen. »Eine Ursache des Problems ist, dass die Handlungsmöglichkeiten der Algorithmen weniger vielfältig sind als die des Menschen, auch wenn sie Massen von Informationen verarbeiten können. So kommt es immer wieder dazu, dass plötzlich viele Computer zur gleichen Zeit den gleichen Befehl geben. Und so bildet sich ein sogenannter Cybermob, der einen bestimmten Teil des Marktes attackiert. Diese superschnellen Handelsroboter kann man gewissermaßen mit Raubtieren vergleichen, die das ganze System aus dem Gleichgewicht bringen können, weil die Beute ihnen nichts entgegenzusetzen hat. Anders gesagt: Der Räuber handelt sozusagen, bevor die Beute überhaupt weiß, dass er da ist.«

»Ja, aber was ist mit den automatischen Handelsunterbrechungen? Ich meine, so wie bei dem Crash vom Mai 2010?«, fragte Winter. Seither waren die Regeln verschärft worden, wie sie wusste. »Sobald eine Aktie mehr als zehn Prozent in kurzer Zeit verliert, ist doch erst mal Schluss, oder?«

»Kann schon sein«, antwortete Feg, »aber die Regeln sind an jeder Börse anders, und wenn die Stimmung am Markt passend gemacht wird, und ich meine wirklich: *passend gemacht* wird, hilft das nicht. Der Handel kann nicht ewig ausgesetzt werden!«

Er holte seine Aktenmappe, die auf dem Nachttisch neben seinem Bett lag, und suchte den Zettel, auf dem der Franzose nur seine Telefonnummer mit der Vorwahl eines französischen Handys hinterlassen hatte, darunter eine Adresse: *Hôtel Metropole*, Place de Brouckère in Brüssel, aber keinen Namen.

»Sie glauben diesem Former also tatsächlich?«, wollte Winter wissen.

»Es geht nicht darum, was ich glaube. Kommen Sie, gehen wir was essen. Das Hotelrestaurant hat auch nachts noch offen. Ich versuche morgen, Formers dunklen Lord zu finden«, sagte Feg und nahm sein Jackett.

Auf dem Weg zum Lift redete er unablässig weiter, spekulierte, was wäre, wenn Former oder diese dubiose Gruppe tatsächlich mit all den Informationen und dem Schadcode versuchen wollten, diese Struktur von 150 global aktiven Superkonzernen und ihren verbündeten Finanzgiganten effektiv zu bedrohen, und was wäre, wenn Denver wiederum versucht hatte, den Plan an die Gegner zu verkaufen.

»Scheiße, dann hätten wir wieder ein Motiv!«, entfuhr es Winter.

»Ja, aber das muss nicht für Former gelten. Ich denke eher, dass er selbst in Gefahr sein könnte. Sie müssen sich von Ihren Vorurteilen lösen, wir haben es hier nicht mit klaren Fraktionen in Schwarz und Weiß zu tun, meine Liebe«, sagte Feg und rieb sich seinen Dreitagebart. »Sicher ist es selten, dass Menschen ihren Charakter so weit hinterfragen, dass sie alte Gewohnheiten und Denkweisen über Bord werfen, aber es gibt solche Menschen, und eines sollten Sie nicht vergessen: Former kann in diesem Szenario immer noch seiner größten Leidenschaft folgen. Er kann spielen, dabei zwar ein unermessliches persönliches Risiko eingehen und sogar seine Freiheit verlieren, aber wenn er am Ende einen so großen Coup landet und diese Mächte in den verdienten Abgrund führt, wäre er nicht mehr aus der Geschichte zu streichen, er würde unsterblich werden. Das ist vielleicht sein Antrieb.«

»Scheußlich, dass Menschen sich so entwickeln«, sagte Winter, als sie um die Ecke des Hotelflurs bogen.

»Wir kommen alle gierig zur Welt und je nach Erziehung leben wir diese Gier aus oder beschränken sie so weit, dass wir anderen nicht schaden und zur dunklen Seite der Macht wechseln«, sinnierte Feg.

»Na, dann bin ich ja gespannt auf Ihren Darth Vader«, sagte Winter und sah, als Feg den Liftknopf drückte, dass seine Hände zitterten. »Es geht Ihnen nicht gut, oder?«

»Nein, aber das ist nichts, was ich jetzt lösen könnte«, antwortete Feg, und er schien selbst überrascht zu sein, so viel preisgegeben zu haben. Auch seine Fassade bekam Risse.

»Sie sind Alkoholiker, stimmt's? Was hat Sie dazu werden lassen?«

»Ich bin ein Trinker, kein Alkoholiker. Und wenn Sie's genau wissen wollen – die Erkenntnis, dass nichts, was wir auf diesem Planeten machen, für mich wirklich noch von Bedeutung ist, die ist es, die mich gelegentlich zur Flasche greifen lässt!«

»Gelegentlich? Ich hoffe, dass Sie das irgendwann in den Griff bekommen!«

»Vielen Dank für Ihre Anteilnahme an meinem Privatleben. Und wo wir gerade bei unbequemen Wahrheiten sind: Sie sollten sich mit dem Gedanken anfreunden, dass die Menschen, die wir jagen, selbst gejagt werden – und damit auch wir.«

ZWEIUNDVIERZIG

VOR PORT HERCULE, 2. NOVEMBER

Dan Former las gerade die Nachrichten an seinem monumentalen Schreibtisch im Privatraum seiner Jacht. Der Wohnraum war rundherum mit Mahagoni verkleidet. Bücherborde waren in Messing eingelassen, und hinter ihm blinkte golden das Logo *Former Global Investment*, das sorgsam in das Edelholz eingelegt worden war. Sein Tisch aus hellem Tropenholz war neben dem Laptop nur mit einem Halter für einen Montblanc-Füller und einige Kugelschreiber versehen.

Auch wenn der Raum sehr repräsentativ, ja fast herrschaftlich eingerichtet war, empfing Former hier fast nie jemanden. Es war sein Rückzugsgebiet, und jeder an Bord wusste, dass er hier ungestört bleiben wollte. Hier nahm er sich Zeit, um auszuruhen und nachzudenken. Wer ihn hier störte, konnte damit rechnen, dass er seinen Job verlor.

Der blaue Teppich, ebenfalls mit seinem Firmenlogo verziert, war übersät mit Aktenordnern. In seinem weißen Standardoutfit saß Former in lockerer Pose am Tisch. Doch die Nachrichten aus Brüssel, die ein erneutes Aufkaufen fauler Kredite durch die Europäische Zentralbank ankündigten, trugen nicht gerade zu einer Verbesserung seiner Laune bei. Er lehnte sich zurück und lauschte dem sanften Rauschen des Meeres. Durch das geöffnete Fenster blickte er auf die nächtliche Skyline des Hafens.

Langsam, aber sicher resignierte er. Er strich sich durchs Haar und seufzte. Was habe ich am Ende von alledem gehabt?, fragte er sich.

Former schaute sich im Raum um. Das Gefühl ließ ihn nicht los, dass ihm alles über den Kopf gewachsen war. Lascaut hatte recht. Was würde jetzt werden? Würde er den Rest seines Lebens im Gefängnis verbringen? Konnte er wirklich noch das Ruder herumreißen?

In einer Hinsicht war Lascaut anders als er. Er war härter. Das hatte einen Grund, den er nie verstanden, über den Lascaut nie gesprochen hatte, der vielleicht einzige dunkle Fleck in seiner Biografie. Nachdem sie in den 90er-Jahren eine Zeit mit gemeinsamen Unternehmensbeteiligungen gutes Geld verdient und sich mindestens einmal in der Woche darüber unterhalten hatten, welcher Schachzug sie zu noch mehr Vermögen bringen würde, welche Aktien ihr Kursziel verfehlten oder welche Politik ihre Interessen berührte, war Lascaut eines Tages für fast drei Jahre wie vom Erdboden verschluckt gewesen. Er hatte binnen Wochen sämtliche Unternehmen verkauft oder in Formers Hände gelegt. Former hatte nie aus ihm herausgebracht, was er in der Zeit gemacht hatte. Er hatte aber nach seiner Rückkehr noch härter, zielstrebiger und mitunter auch rücksichtsloser gewirkt. Es war ein Geheimnis geblieben, und das eine oder andere Mal hatte Former schon daran gedacht, dass er vielleicht eine Gefängnisstrafe hatte verbüßen müssen, da Lascaut nicht immer mit lauteren Mitteln arbeitete, Schmiergelder einsetzte, um Aufträge zu bekommen, Informationen nutzte, die eigentlich haarscharf am Insiderhandel vorbeiliefen. So hatte er stets kritisiert, dass ein wahrer Erfolg solche Tricks nicht bräuchte, ein auf diese Weise errungener Triumph für ihn einen zu schalen Geschmack hinterlassen würde.

Former verspürte plötzlich das Bedürfnis nach einem Gesprächspartner, wünschte sich sogar, dass einer seiner Bediensteten an die Tür klopfen würde. Er hatte sie nie schlecht behandelt, war immer zuvorkommend und dankbar, dass sie ihn umsorgten, dass er das Glück hatte, so viel Reichtum angesammelt zu haben, um ihnen Arbeit geben zu können. Das Geld muss unter die Leute, predigte er.

Und nun? So, wie seine Ansammlungen von Holdings und Stiftungen weltweit verstreut waren, mit Stammsitzen in den Steueroasen Liechtenstein und in der Karibik, lebten auch seine Exfrauen und Kinder fern von ihm. Drei Frauen und fünf Kinder hatte der Patriarch wohlversorgt an verschiedenen Orten hinterlassen. Jetzt vermisste er sie.

Wieder blickte er in seinen Rechner. Das war es dann also, alles geht so weiter, und wir müssen einfach zusehen. Mann, Lascaut, alter Freund, lass dir was einfallen! Er blieb an einem Memo hängen, das einer der *Herren* ihm geschickt hatte. Demnach waren die zuständigen EU-Kommissare endgültig vor der Lobby der Banken eingebrochen. Die präsentierten Regulierungsentwürfe zum Trennbankensystem waren ein weiterer Beleg für die Unfähigkeit der europäischen Institutionen, Banken und Finanzmärkte wirksam zu regulieren. Jede steuernde Maßnahme musste daran gemessen werden, inwieweit es gelang, die Größe und Verflechtung der Großbanken zu reduzieren. Das, was jetzt aufgetischt wurde, hatte nicht im Ansatz die Kraft, die Risiken für das Finanzsystem und die Steuerzahler zu beseitigen. Das Prinzip der Trennbanken wurde wieder verworfen, das Verbot des Eigenhandels viel zu schwach formuliert. Es fehlten weiterhin Konzepte, um marode Banken abzuwickeln und die größten Institute zu verkleinern. Das Schlimmste aber war das Verschweigen der Unsummen in den Schattenbanken, den Bad Banks, die Hedgefonds still und heimlich aufkauften, um damit die Banken zu entlasten. Und wenn es zum Knall käme, wären die Anleger wieder geprellt und die Rentenfonds wieder um Billionen erleichtert.

Dan Former wusste, dass man die riskante Geschäftspolitik der Banken nur durch ein strenges Verbot des Banken-Eigenhandels, des Handels mit Instituten, die ihren Sitz in Steueroasen hatten, sowie bestimmter spekulativer Wertpapiere in den Griff bekommen würde. Aber er wusste auch, dass dafür die falschen Leute an der Macht waren. Solange es Banken in der bekannten Größe gab, war der Schutz der Bürger vor weiteren Machtergreifungen der Raubritter eine verdammte Illusion.

Nur wenige, wie Former, waren genau darüber informiert, dass die Banken allein in Europa noch Billionen an giftigen Papieren im Keller hatten, die sie versuchten loszuwerden.

Der Hedgefondsmanager stand auf. Er hatte genug. Ein noch nie gedachter Gedanke kroch in ihm empor: ein kompletter Rückzug. Irgendwo in einer bescheidenen Finca auf einer der Kanarischen Inseln mit landwirtschaftlicher Infrastruktur, unabhängig von einem System, in dem der Zinseszinseffekt immer wieder zu Blasen führte, die explodierten.

Er erhob sich und ging hinaus in die Dunkelheit, zum Vorderdeck. Es war ruhig an Bord, die meisten schliefen schon. Former schaute auf den entfernten Hafen. Die Lichter Monacos glitzerten über das Wasser – ein schöner Anblick, und doch war auch er nur eine Illusion der Wirklichkeit. Er war müde. Die letzten zwei Jahre, in denen man ihn fast ins Gefängnis befördert hatte, die drohende Eskalation an den Märkten, die Grenzen dieser Wachstumsideologie, die einfach keiner wahrhaben wollte, die harte Arbeit, um an die geheimenen Algorithmen der Gegner heranzukommen – all das hatte ihm seine ganz persönlichen Grenzen aufgezeigt. Alt werden ist nichts für alte Säcke, dachte er.

Er ging bis an den Rand des Vorderdecks und stützte sich auf der Reling ab. Mit einem tiefen Seufzer schaute er in die Sterne und sah die Milchstraße, die schon lange nicht mehr so klar am Himmel zu sehen gewesen war.

Gerade als er zurückgehen wollte, sah er in der Nähe ein kleines Boot auf dem dunklen Wasser treiben. Der erste Schuss durchbohrte lautlos seine Schulter, der zweite sein Herz.

Dan Former fiel kopfüber ins Meer.

DREIUNDVIERZIG

BRÜSSEL, 3. NOVEMBER

»Verdammte Scheiße, heb schon ab, du Sack!«

Erik Feg war in der Lobby des *Le Châtelain* und versuchte, den Franzosen zu erreichen. Winter hatte sich nach dem Frühstück in ihrem Zimmer eine Pause gegönnt, zumindest dachte Feg dies. Doch jetzt sah er sie mit wehenden Locken und blassem Gesicht die Treppe herunterrasen. Atemlos blieb sie vor ihm stehen.

»Was ist Ihnen denn über die Leber gelaufen?«

»Interpol hat gerade gemeldet, dass in Monaco die Leiche von Dan Former aus dem Hafenbecken gefischt wurde. Er wurde mit zwei Schüssen erledigt!«, informierte sie ihren Kollegen, noch immer atemlos.

Feg blieb äußerlich ruhig. Seine Vorahnung, dass Former selbst in Gefahr war, wurde nun brutal bestätigt. Damit wären ja alle bisherigen Spuren und Verdachtsmomente für die Katz gewesen. Seine schlimmste Befürchtung war eingetreten: Jetzt hatten sie keinen konkreten Verdächtigen mehr, der hinter diesen Morden stehen könnte. Und wer, zum Teufel, war ihnen bei ihren Ermittlungen auf der Spur? In diesem ganzen Fall ging es einfach um zu viel. Es wussten offenbar zu viele Gegner Bescheid, entweder durch Denvers Erpressungsversuche, Winters Ermittlungen oder die Geheimdienste. Alle einte die Angst, dass das globale Finanzsystem zum Einsturz kommen könnte. Mit einer Ausnahme – und das waren die Kreise um den ominösen Franzosen, die anscheinend genau auf diesen Zusammenbruch setzten.

»Kommen Sie, wir setzen uns erst mal. Ihr Hauptverdächtiger, Ihr persönliches Feindbild, wurde also erschossen. Zeit für Sie, mal nachdenklich zu werden.«

»Was soll das heißen?«, fragte Winter argwöhnisch.

»Egal. Lassen wir das jetzt.«

Feg konnte seinen fatalen Gedanken nicht verscheuchen. Im Grunde genommen waren zumindest die Morde an Naravan und nun an Former doch erst durch Winters Ermittlungen ausgelöst worden. Wenn es vonseiten dieser dubiosen Gruppe, deren Handlanger der Franzose war, einen Plan gab, das ganze System durch brisante Insiderinformationen auffliegen zu lassen, dann war dieser Plan von Jarod Denver und die von seinem Tod ausgelösten Ermittlungen bedroht gewesen. Gegner wie Mitwisser wollten anscheinend mit allen Mitteln an die Festplatten von Denver und dem Programmierer kommen.

»Ich habe Sie gewarnt. Wir pfuschen in Dingen herum, die ganz andere Mächte aufscheuchen!«

Winter erschrak. Sie hatte mit allem gerechnet, aber der Tod Formers brachte die Ermittlungen zum Einsturz. Ihr Hauptverdächtiger war nun selbst tot. Wer aber, wenn nicht Former, konnte dann hinter dem Mord an Denver stehen? War alles ganz anders, als sie die ganze Zeit gefolgert hatte? Feg hatte sie in der Tat nur kurze Zeit nach ihrer ersten Begegnung gewarnt, alle Perspektiven im Auge zu behalten. Hätte sie Feg mehr zugehört und Formers Geschichte auf dem Schiff mehr Glauben geschenkt, wäre dann der Mord zu verhindern gewesen? Hatte Dan Former tatsächlich wegen der Machenschaften im globalen Finanzsystem begonnen, altruistische Ziele zu verfolgen? War an seinem Sinneswandel doch was dran? Das waren bohrende Fragen. Schuldgefühle und Versagensängste krochen in ihr hoch.

Feg hatte unterdessen schon wieder sein Handy am Ohr.

»Ah, endlich erreiche ich Sie. Sie sind in Brüssel, nehme ich an? – Gut. Nennen Sie mir einen Treffpunkt. Es eilt!« Er hörte, dass die Stimme des Franzosen bei Weitem nicht mehr so selbstsicher klang wie noch bei ihrem ersten Treffen in Hamburg. »In Ordnung, ich komme in einer halben Stunde.«

Winter war inzwischen etwas zur Ruhe gekommen und blickte Feg fragend an.

»Sie müssen sich keine Vorwürfe machen, aber lernen Sie dazu. Lassen Sie Ihr Handy und alles andere hier. Auch Ihre Kreditkarten, der Chip darauf ist wie eine Wanze.«

»Der Chip auf der Kreditkarte …? Was befürchten Sie?«, fragte Winter.

»Alles zu seiner Zeit, aber bitte versuchen Sie, mir trotz aller, na ja, sagen wir mal, Startschwierigkeiten wirklich mehr Vertrauen entgegenzubringen!«

»So was geht nicht auf Bestellung.«

»Hören Sie … Sie sind eine bemerkenswerte junge Polizistin. Aber das, was wir hier versuchen rauszubekommen, ist kein kleiner Betrugsfall an der Börse. Wir sind mitten in einen Krieg, dessen Ausmaße Sie mittlerweile doch selbst schon einschätzen können, oder?«

»Jetzt hören Sie aber …«

»Schon okay. Kommen Sie mit«, milderte Feg den drohenden Konflikt ab und erklärte, dass der Franzose eingewilligt hätte, sich in der Bar des *Hôtel Metropole* im Zentrum Brüssels an der Place de Brouckère zu treffen, aber er sei vermutlich der Letzte, der ihnen etwas liefern könnte. »Eine Bitte allerdings: Lassen Sie mich bei dem Treffen das Ruder übernehmen. Ich muss da mit mit meinen Methoden vorgehen. Es ist zu Ihrem eigenen Schutz.«

Winter willigte mit einem Nicken ein, da Feg mit einer Festigkeit und Überzeugung gesprochen hatte, die alles andere als paranoid wirkten.

Langsam fängt er sich an zu mausern, getrunken scheint er auch noch nichts zu haben, dachte sie.

»Regel Nummer eins: Sie halten sich ab jetzt zurück, verstanden?«, erklärte Feg. »Für einen Mann dieses Kalibers fehlt es Ihnen bei allem Respekt einfach an Erfahrung!«

Für diese Bemerkung hätte sie ihn schon wieder an die Wand nageln können, ließ ihn aber gewähren.

Nach einer halben Stunde hatten sie das Hotel erreicht. Gott, was für ein Luxus, dachte Winter. Schon im Eingangsbereich fühlte sie sich erschlagen von den monumentalen Marmorsäulen, den barocken Stuckbögen. Über ihnen schwebte eine Glaskonstruktion, die durch ziselierte Stahlträger getragen wurde, der Boden war aus Marmor und die schweren Teppichläufer mit Wappen verziert, dazu Fenster, die von ihren Ausmaßen fast an die Fenster einer Kathedrale erinnerten. Alles in allem ein überragender Eindruck von Reichtum, den sie, abgesehen von den verblichenen Erinnerungen ihrer Kindheit, bisher nur bei der Verhaftung eines Managers im legendären Londoner *Savoy* Hotel gesehen hatte, das vor Jahren für 220 Millionen Pfund saniert worden war. Wieder durchschritt sie eine Stätte, in der die Illusion von Glück durch Reichtum und Luxus suggeriert wurde.

Sie gingen Richtung Bar, und für einen kurzen Moment

fühlte sich Winter deplatziert, angesichts der überstylten Frauen und Männer, die sie auf ihrem Weg musterten. Aber die neu erworbenen Klamotten aus Monaco müssten eigentlich alles rausreißen.

Feg geleitete sie zu einem Tisch in der Bar, die eine noch größere Opulenz ausstrahlte als das schon fulminante Foyer. Ein Flügel in der Mitte, Mahagonimöbel, wo man nur hinschaute, umsäumt von weißen Ledersesseln und ein alles überstrahlender Kronleuchter, der den Raum kunstvoll erleuchtete. Sie mochte sich nicht vorstellen, wie in diesem Hotel die Zimmer aussahen und vor allem, was sie kosteten.

Ein freundlicher älterer Herr blickte ihnen aufmerksam entgegen, er hatte offenbar schon auf sie gewartet. Seine Kleidung – Maßanzug mit Weste und Seidenkrawatte, dazu das passende Ziertaschentuch im Jackett und eine vergoldete Brille – passte nur zu gut in dieses Ambiente.

»Nehmen Sie doch bitte Platz«, sagte er.

Feg wartete, bis Winter sich gesetzt hatte, und pflanzte sich dann neben sie. »Darf ich vorstellen – Inspector Winter, Scotland Yard, und für wen ich arbeite, scheinen Sie ja sehr schnell herausbekommen zu haben.«

Er schaute sich den Franzosen sehr genau an. Er machte zwar nach außen immer noch einen souveränen Eindruck, doch Feg kannte diese Art von Pokerface. Hatte er damit gerechnet, dass er ihm nicht helfen würde? Es schien ihn auch nicht sonderlich zu bewegen, dass er die ermittelnde Polizistin im Schlepptau hatte. Es gab also keinen Grund, lange mit dem Offensichtlichen zu warten. »Ist es nicht langsam an der Zeit, dass Sie sich vorstellen?«, forderte Feg. »Waren *Sie* es, der Dan Former so gut auf uns vorbereitet hat?«

Ein Kellner erschien auf leisen Sohlen und nahm die Bestellung auf.

»Monsieur Feg, wie ich sehe, sind Sie einen erheblichen Schritt vorangekommen und sorgen für reichlich Unruhe«, wich der Franzose aus. »Ich weiß zwar nicht, wie Sie mich mit diesem Mann in Verbindung bringen, aber das spielt hier keine Rolle!«

»Oh, ich denke schon!«

Feg zog das Foto von Former und Lascaut aus der Tasche, das er auf der Jacht eingesteckt hatte, und legte es auf den Tisch. Es musste jetzt schnell gehen. Der Druck musste aufgebaut werden, um diesem Mann zu entlocken, was er wusste und welches Spiel er trieb. Es hatte Wirkung.

Das Gesicht des Franzosen fiel kurz zusammen, schnell versuchte er, seine Fassung wiederzufinden. »Also gut, dann kommen wir zur Sache«, sagte er und tischte seine Geschichte auf. Er mache sich Sorgen um seine und Formers Sicherheit, da Jarod Denver mit extrem sensiblen Daten hantiert habe, die Former und er über einen intensiven Prozess sich zu eigen gemacht hätten. Er kenne nur einen Teil dieser Fakten, aber der alleine wäre so brisant, dass es etliche Leute in der Finanzwelt gebe, die durch diese Informationen belastet würden, und das zu Recht. Aber nicht nur das – es ginge um Pläne, die die Welt immer weiter in eine Art Wirtschaftsdiktatur treiben würden. Er könne sie nicht zwingen, seine und Formers Motive als aufrichtig zu sehen, vielleicht wären sie es auch nicht, aber eine Menge ehrenwerter Familien, die Zehntausenden Menschen sichere Arbeitsplätze gäben, seien in der Krise fast ruiniert worden, und das dürfe sich nicht wiederholen, da dann kaum noch eine Möglichkeit bestünde, die Macht der international vernetzten Finanzwelt zu beschränken. »Nachdem auch noch dieser junge Programmierer Bill Naravan umgebracht wurde, ist Former quasi innerlich zusammengebrochen. Er hatte fast sein ganzes Vermögen investiert, um die Systematik der internationalen Handelssysteme der Banken, ihren Betrug, zu offenbaren. Aber dieser Denver wollte mehr …«

»Was wollte Denver mehr?«, unterbrach ihn Feg. »Dieser Code ist weder vollständig noch zu irgendetwas zu gebrauchen.«

Der Franzose senkte den Kopf, stützte ihn mit der Hand ab und schaute auf das vergilbte Foto, schilderte, dass Denver daran gearbeitet hätte, das Finanzsystem zu entblößen, aber auch anzugreifen, und da war Naravan mit einem Team von Programmierern offenbar schon sehr weit gekommen. Mehr wisse er nicht.

Doch, du weißt mehr, das spüre ich, dachte Feg.

»Und jetzt, nachdem diese Männer beseitigt worden sind, sind wir sicher, dass uns Leute auf den Fersen sind, die alles andere als zimperlich handeln«, sagte Lascaut, und Rebecca Winter bemerkte, dass seine Hände zitterten.

Sie wusste nicht, warum, aber plötzlich sah sie in diesem Mann jemanden, der vielleicht wirklich nicht mehr hinter seinen alten Einstellungen stand. Er machte einen glaubwürdigen Eindruck. Aber vielleicht hatte er diesem Treffen nur zugestimmt, um seine Hände in Unschuld zu waschen. Ganz wollte Winter ihm die Gutmensch-Story noch nicht abkaufen.

Lascaut erzählte weiter, dass er über Jahre beobachtet habe, wie die größten Banken und Hedgefonds ihre Leute in Brüssel, der Weltbank, dem IWF, der Federal Reserve Bank und in politischen Schlüsselpositionen platziert hatten, und dass es so am Ende möglich gewesen wäre, die Verursacher des letzten Crashs zu schützen und obendrein Reformen zu verhindern.

»Warum haben Sie behauptet, die Daten und Enthüllungen von Denver seien eine gefährliche Fälschung?«

Lascaut schwankte etwas, er atmete einmal tief ein. »Wir wollten Zeit gewinnen und herausbekommen, wer Denver auf dem Gewissen hat. Abhängig davon, was Sie finden würden, wollte Former entscheiden, ob wir die ganze Sache abblasen.«

»Was abblasen? Einen Angriff auf die Börse? Das ist doch lächerlich«, sagte Feg.

»Das erkläre ich Ihnen, wenn ich mehr Vertrauen zu Ihnen gewonnen habe! Sie haben nichts gegen mich in der Hand, also kooperieren Sie, oder das Treffen ist beendet!«

»Dan Former ist …«, begann Winter.

Feg trat ihr mit ziemlicher Wucht auf den Fuß. Sie kniff die Lippen zusammen und warf ihm einen bösen Blick zu. Er ahnte, was nach diesem Gespräch zwischen ihnen beiden folgen würde.

»Gut, dann sprechen wir über Ihre Motive, einen Krieg gegen eine Elite zu führen, der Sie selbst angehören, wie ich doch vermuten darf«, sagte Feg mit eindringlichem Blick.

Lascaut zog ein Buch aus einer messingverzierten Ledertasche, die neben ihm auf dem Sessel lag.

»Hier, das zum Beispiel hat vielen von uns die Augen geöffnet«, sagte Lascaut und legte ein Buch von Jean Ziegler auf den Tisch. *Die neuen Herrscher der Welt* – ein Titel, der Feg bekannt war. Der Mann, der es geschrieben hatte, war Schweizer und weltweit in einem informierten Zirkel von Menschen als einer der kompetentesten Kritiker des Raubtierkapitalismus bekannt.

Der Kellner unterbrach kurz das Geschehen und stellte die Getränke ab.

Lascaut versuchte, Former weiter zu verteidigen. Er gehöre zur alten Sorte. Er hätte sicher viel Geld gemacht. Sein Spielsystem hätte bis vor einigen Jahren aber nur darin bestanden, unterbewertete Unternehmen aufzukaufen, sie in rentablere Stücke zu zerschlagen, damit sie unabhängig voneinander mehr Geld verdienten, um sie dann wieder mit Gewinn zu verkaufen. Er war begnadet darin, Marktlagen richtig einzuschätzen, und kümmerte sich auch um den Verbleib entlassener Mitarbeiter. Sicher hätte er auch einen Killerinstinkt, aber als er seinen Fonds mit dem Algotrading immer mehr den neuen Realitäten anpassen musste und gierige Grünschnäbel wie Jarod Denver Einzug hielten, bekam er nicht nur Skrupel, es ekelte ihn zusehends an.

Feg hatte bewusst mit der alles entscheidenden Nachricht gewartet, doch nun schien es ihm an der Zeit, auszutesten, ob sein Gegenüber über Formers Tod informiert war.

»Sie wissen es nicht, oder?«

»Was weiß ich nicht?« Lascaut blickte ihn an.

Winter sah in die Augen des Mannes. Der Franzose hatte offensichtlich keine Ahnung. Da war nichts an Skrupellosigkeit, Gewalt oder Falschheit zu erkennen. Oder zeigte er doch nur sein Pokerface, wie Feg sagen würde?

»Was meinen Sie?«, hakte Lascaut nach.

»Dan Former ist tot.«

Jetzt war sich Winter sicher. Dieser Blick, wie schockiert der Mann diese Nachricht aufnahm, war nicht gespielt. Ende! Sie hatten keinen Ansatz mehr, keine weiteren Verdächtigen, und mussten vielleicht ganz von vorne anfangen.

Lascaut nahm sich mit Mühe sein Glas und trank einen Schluck. Schweißperlen traten auf seine Stirn. Feg sah, wie Lascauts Hand an seine Brust wanderte. Er wühlte eine vergoldete Dose aus der Tasche seines Sakkos und schluckte hastig zwei Tabletten. Er rang um Fassung, mit seiner Gesundheit stand es offenbar nicht zum Besten.

»Wo waren Sie gestern Nacht, und wann haben Sie Dan Former das letzte Mal gesehen oder gesprochen?«, fragte Winter.

Lascauts Gesichtsfarbe wurde zunehmend blasser. »Ich habe ihn noch am späten Nachmittag in einem Hotel in Monaco besucht und bin gegen 18 Uhr wieder nach Brüssel geflogen«, sagte er und trank einen weiteren Schluck Wasser. »Hören Sie, Dan Former war ein komplizierter Mensch, ja, aber er war auch ein sehr guter Freund für mich. Ich habe ihn gewarnt.«

»Angenommen, wir glauben Ihnen. Bleibt trotzdem die Frage, wer ein Interesse daran hatte, bisher drei Menschen umzubringen«, sagte Winter.

»Drei? Ha! Wissen Sie, die Menschheit hat schon immer Krieg geführt. Das ist die Konstante«, entgegnete Lascaut und gab nun seine Weltsicht preis. Krieg sei von jeher das ordnende Prinzip der menschlichen Kultur. Wissen und Unwissen existierten schon immer nebeneinander. Bald würden harte Entscheidungen getroffen, der geplante Finanzkollaps wäre nur der Anfang. »Die Regierungen und die Eliten haben immer nur ungezügelt ihre Interessen verfolgt, und die Medien haben ihnen die Macht verliehen, die Menschen zu manipulieren. Und das Zeitalter der Informationstechnik hat die Macht, sie komplett zu überwachen und zu selektieren. Deswegen haben sie den Terror und die Finanzkrise erfunden, denn Angst ist der Motor der Veränderung.«

Lascaut nahm einen weiteren Schluck aus seinem Glas. Rebecca Winter sah ihn erbost an, doch Lascaut fuhr ungerührt fort.

»All das hat den neuen Eliten den Überwachungsstaat und die Machtbasis gegeben, um bald notwendige Veränderungen in der Gesellschaft voranzubringen. Sie umgehen die ineffektiven Apparate der Demokratie. Viele dieser stillen Machthaber glauben daran, dass ein weiteres unkontrolliertes Anwachsen der Weltbevölkerung jedes System bedroht. Diese abgehobene Elite glaubt, dass, wenn sich die Zahl der Menschen nicht um 80 Prozent verringert, es keine lebenswerte Zukunft mehr geben wird, und sie könnte recht haben. Was sind unter diesen Bedingungen drei Menschenleben wert? Was würden Sie denn lieber sehen?«, wandte Lascaut sich nun an Winter. »Das Elend? Den totalen Zusammenbruch, eine Rückkehr zum Gesetz des Dschungels? Wir sind schon fast dort, Madame. Wer möchte da wirklich hinsehen?«

Gespannt auf seinen Kommentar blickte Winter zu Feg.

»Zu wenige!«, entfuhr es dem BND-Mann resigniert.

Winter entschuldigte sich für einen Moment. Sie wollte auf die Toilette, auch um ihre Gedanken zu ordnen. Winter konnte kaum noch ihre Gefühle kontrollieren. Im WC angekommen sah sie in den Spiegel und begann tief durchzuatmen. Alles, was sie eben gehört hatte, war nicht nur die Meinung eines Mannes, es war vielleicht das Denken einer ganzen Generation von Entscheidungsträgern. Und so abgründig es sich anhörte, so unwiderruflich logisch erschien es ihrem Verstand angesichts der ganzen globalen Lage. Waren sie wirklich schon an diesem Punkt? Dass Menschen solche Gedanken über ein Zuviel an Menschen hatten? Schweißperlen bildeten sich auf ihrer Stirn. Sie atmete, atmete und atmete.

Kaum hatte Winter sich entfernt, zog Lascaut etwas aus seiner Tasche. Es war ein kleiner schwarzer USB-Stick.

»Das ist der zweite Teil des Codes. Er enthält Anweisungen, wie das ganze System funktioniert.« Ohne Naravan würde das Programm nicht mehr schnell genug zum Einsatz kommen können, ergänzte er, und er wüsste niemand anderes, der das vielleicht noch bewerkstelligen könnte, als Feg. »Es ist jetzt wahrscheinlich sowieso zu spät, aber so haben Sie, egal was Sie denken, zumindest das Material, mir zu vertrauen!«

Verunsichert starrte Feg auf den Stick. Vielleicht war gerade dieser Mann der Fadenzieher und doch für die Morde verantwortlich, schließlich war Former offensichtlich die größte Gefahr für diese dubiose Gruppe geworden – eine Gefahr, die Jarod Denver ausgelöst und Winters Ermittlungen verschärft hatten. Dass der Franzose ihn so unmittelbar nach seiner Reise nach London und den ersten Ermittlungsfortschritten ausgemacht hatte, war ein Beleg für seine besten Verbindungen.

»Wie haben Sie so schnell von mir und den Ermittlungen von Scotland Yard erfahren?«, fragte Feg.

»Ich habe durchaus meine Beziehungen, Monsieur Feg, aber die werde ich nicht auch noch preisgeben!« Lascaut schaute ihm mit unbewegter Miene in die Augen.

»Wir könnten Sie auch verhaften lassen«, sagte Feg.

Lascaut faltete die Hände zusammen. »Viele werden im Gefängnis landen, wenn das auffliegt, aber nicht, weil wir uns bereichern wollten. Schauen Sie sich diese Algorithmen und das ganze System, das Former sich mit Denver ausgedacht hat, genau an. Ich bin zu alt dafür und habe auch keinen technischen Hintergrund, aber Former hat mir versichert, dass es gebaut wurde, um einem absichtlich ausgelösten Erdbeben zuvorzukommen«, sagte er, und es war zu sehen, dass es ihm nicht leichtfiel, diese Informationen mitzuteilen. Feg war sich nicht schlüssig, ob der Mann aus Verzweiflung handelte oder in der tief verankerten Überzeugung, das Richtige zu tun. »Sie aber können das mit Ihren Fähigkeiten zusammenfügen und werden sehen, welchen Zweck es wirklich erfüllt.«

»Ich glaube, da bin ich schon nah dran, aber das System kann nicht aus sich selbst heraus das anrichten, was Sie sich vielleicht erhoffen, das ist technisch nicht möglich. Die Börsen …«

Lascaut beugte sich über den Tisch und flüsterte eindringlich: »Lassen Sie niemanden davon wissen! Und noch was«, seine Stimme senkte sich noch weiter, »es bleibt nicht mehr viel Zeit, um das umzusetzen, wovon Former und die *Herren* träumten. Angesichts Ihres Wissens und Ihrer Erfahrung sollten Sie erkennen, dass ich kein doppeltes Spiel mit Ihnen spiele.«

Er beschwor Feg, dass er, sobald er alles verstanden habe, es mit seinem eigenen Gewissen vereinbaren müsse, welches der nächste Schritt sei. Er selbst könne kaum noch etwas unternehmen, ohne in Gefahr zu geraten. »Wenn Sie es verstanden haben und bereit sind, uns dabei zu helfen, sehen wir uns wieder, andernfalls warten Sie eben ab und sehen zu, was beim nächsten Crash passiert«, sagte Lascaut etwas pathetisch. »Überzeugen Sie Ihre Kollegin, uns in Ruhe zu lassen, oder Sie werden beide bereuen, eine große Chance verpasst zu haben!«

»Jetzt könnten Sie mir ja auch Ihren Namen verraten.«

»Patrice Lascaut. Ich war ein seriöser Investmentbanker und Unternehmer. Ich habe unter anderem eine Zeit lang EU-Politiker beraten, bis es 2008 zum Knall kam. Former hat mir die Hintergründe klargemacht. Er hat mich eingeweiht in die globalen Pläne einer Superoligarchie, wenn Sie so wollen. Bitte verstehen Sie mich nicht falsch. Auch wir zählten uns einmal zu den ganz Großen, aber bei dem, was jetzt läuft, sind wir nur noch kleine Fische. Wir haben in einer Zeit unser Vermögen gemacht, wo es sich noch nach unten verteilt hat und nicht alles in einem Raubzug endete. Hier ist meine Karte – aber bitte behalten Sie alles für sich!«

»Okay. Da ich selbst an den Sicherheitsstrukturen an den Börsen mitgearbeitet habe, und in den kommenden Wochen international abgestimmte Schutzmaßnahmen für den Hochfrequenzhandel zum Tragen kommen, kann ich Ihnen versichern, dass demnächst kein Virus und kein Algorithmus noch einen großen Schaden anrichten können – davor aber schon.« Feg fand, dass allein die Informationen, die diese *Herren* oder wer auch immer, gesammelt hatten, bereits ein Erdbeben auslösen könnten, wenn sie alle entschlüsselt wären. Er reichte Lascaut eine Visitenkarte von Philippe Roche. »Wenn Sie noch was auf die Beine stellen wollen und Zugang zu mehr haben, als wir bisher entschlüsseln konnten, dann ist es auch dort gut aufgehoben.«

»Nein, nein. Das würde wieder nur zu ein paar Verhaftungen und kosmetischen Korrekturen führen. Jetzt schauen Sie sich doch bitte erst mal alles an!«, sagte Lascaut, stand abrupt auf, und verabschiedete sich.

Feg blickte ihm nach. *Was* würde wieder nur zu ein paar Verhaftungen führen? Was zum Teufel meinte der Mann damit?

Winter betrat die Bar und blickte dem davoneilenden Franzosen hinterher. »Was ist los? Sie lassen ihn einfach gehen?«

Feg schob den USB-Stick durch seine Finger und gab ihr die Visitenkarte von Lascaut. »Wir haben nicht viel Zeit, aber der Mann hat ernsthaft Angst um sein Leben, und das vielleicht mit Recht«, sagte er und stand auf. »Kommen Sie, ich denke, wir haben genug Informationen, um in eine ganz andere Richtung zu gehen.«

Winter machte ihrem Unmut Luft, dass Feg den Mann einfach hatte laufen lassen, ohne auch nur im Ansatz geklärt zu haben, ob er mit Denvers und Naravans Tod etwas zu tun hatte.

»Was zum Teufel sind ein paar Menschenleben wert im Vergleich zu der Chance, dem System, das so viel Leid produziert, endgültig den Saft abzudrehen?«, entgegnete Feg.

»Moment. Sie wären bereit, Leuten zu helfen, die Morde begehen, nur …« Das war wieder die Seite von Feg, die sie abstieß, ja sogar beängstigend fand.

»Nur?« Feg war von seinem Sessel aufgesprungen. »Verdammt, was ist los mit Ihnen? Haben Sie in den letzten Tagen nicht genug erfahren? Was brauchen Sie denn noch?«

Darauf hatte sie keine Antwort.

»Der Mann weiß zu viel«, erklärte Feg, »da kann man schon

mal ein wenig paranoid werden, aber dass dieses Denken in manchen Köpfen besteht, liegt doch auf der Hand, so wie der Planet aussieht. Wenn ein Rettungsboot zu voll wird, schmeißt man eben welche über Bord.«

Winter starrte ihn an. In ihrem Kopf schwirrten Gedanken an Slums, geschürte Kriege, Ausbeutung von Arbeitern und Spekulationen mit lebenserhaltenden Gütern. Schweigend wandte sie sich wieder zum Gehen.

»Hier, damit Sie mir nicht wieder misstrauen. Das ist der Schlüssel für das Schließfach in der Belgischen Nationalbank.« Fegs Stimme klang fast feierlich. »Und ich kümmere mich darum, dass wir mehr über diesen Mann erfahren, damit wir – na? Genau! – keine vorschnellen Entscheidungen treffen!«

VIERUNDVIERZIG

NASDAQ, NEW YORK, 3. NOVEMBER

»Ich bitte um Aufmerksamkeit, meine Herrschaften! Wir haben eine Warnung des britischen Geheimdienstes vor einem Angriff auf unsere Systeme erhalten«, brüllte Tom Greifswald, Leiter der New Yorker Börse NASDAQ, durch das Büro. Rund 60 Mitarbeiter saßen vor ihren Monitoren, und als sie Greifswalds Ankündigung hörten, klatschten sie fassungslos in die Hände, senkten die Köpfe oder kommentierten ihren Frust lauthals, denn die letzte Übung gegen Cyberangriffe auf die Börse war gerade erst absolviert worden und hatte über das wohlverdiente Wochenende gedauert.

»Sie alle wissen, was das bedeutet, also an die Arbeit!«

Der Aufruf kündigte eine lange Nacht für die Mitarbeiter an. Nun ging das Ganze von vorne los, nicht wenige im Raum stöhnten vor ihren Monitoren, sie wussten, dass sie die nächsten Tage mit nur wenig Schlaf und mächtig Überstunden verbringen würden.

Das Heimatschutzministerium, das FBI, die SEC, etliche Banken und Handelsplätze mussten unterrichtet werden, die NSA natürlich und vor allem auf direktem Weg das Weiße

Haus. Seit dem Ausbruch der Krise und noch mal verschärft seit dem Flash Crash von 2010 stufte das Weiße Haus die Finanzbranche als Frage der nationalen Sicherheit ein. Damals war der Kurs des Standardwerte-Index Dow Jones an der New York Stock Exchange binnen Minuten um rund 1000 Punkte gefallen. Computerprogramme von Hochfrequenzhändlern hatten eine Verkaufskaskade ausgelöst.

Tom Greifswald wanderte zurück in sein Büro und wusste, dass es noch ganz andere Schwächen an der NASDAQ gab, und die Nachricht, die ihm gerade vom FBI zugespielt worden war, ließ nichts Gutes verheißen. Der englische MI6 hatte das FBI über einen möglichen Angriff informiert, aber seine Experten würden ihm am Ende wieder mal sagen, dass es derzeit nicht gelingen könnte, die NASDAQ anzugreifen. Die Systeme würden den Handel aussetzen, die Geschäfte korrigieren und nach Absprache mit den Marktteilnehmern wieder geordnet in den Handel starten. Dieses Versprechen hallte in immer kürzer werdenden Intervallen in seinen Ohren. Er setzte sich an seinen Schreibtisch und griff zum Hörer.

»Tom Greifswald, NASDAQ. Verbinden Sie mich mit Ron Gordon vom Secret Service.«

»In Ordnung, warten Sie einen Moment«, sagte eine Dame.

Er hatte keine Ahnung, was ihm diesmal drohen würde, aber das FBI und das Heimatschutzministerium würden alles Personal auf die Beine stellen, um auf einen Angriff vorbereitet zu sein.

Die Einschläge kommen näher, dachte Greifswald und strich sich mit einem Seufzer über die Stirn. Nichts ist sicher.

Erst im Mai war die Chicagoer CME, die größte Terminbörse der Welt, wiederholt Opfer einer Cyberattacke geworden. Bei solchen Angriffen drohten nicht nur Verluste wegen der von den Hackern ausgelösten Transaktionen, sondern auch Panikreaktionen anderer Marktteilnehmer, die auf Hacker, also auf falsche Signale, reagieren würden. Was Greifswald am meisten Sorgen machte, war, dass es den Hackern bei den letzten beiden Angriffen gar nicht um Geld gegangen war. Nein, es war purer Zerstörungswille gewesen, wie auch bei den falschen Twitter-Nachrichten von April 2013, in denen die Agentur AP gemeldet hatten, Präsident Obama sei bei einem Anschlag im Weißen Haus verletzt worden. Der Kursabsturz war bis zum Dementi horrend gewesen. Später hatte sich die Syrian Electronic Army zu der Aktion bekannt, eine Art Cybertruppe, die sich für Syriens Präsidenten Baschar al-Assad einsetzte und zwischenzeitlich auch noch die Website der *New York Times* gehackt hatte.

Noch mehr Sorgen hatte Greifswald der letzte Angriff auf das Directors Desk bereitet, auf dem NASDAQ-notierte Unternehmen Informationen über geplante Übernahmen oder über Geschäftszahlen austauschten. Mit solchen Insiderinfos ließ sich der Markt hin und her manipulieren. Doch wieder hatten sich die Cyberkrieger auf der Plattform nur umgeschaut. Der Secret Service hatte die Attacke mit der SEC untersucht, das Weiße Haus war informiert worden. Würde unmittelbar nach der letzten Attacke wieder ein Angriff stattfinden, könnte es ihn den Job kosten.

Da draußen sind zu viele Menschen mit zu viel Wissen, dachte Greifswald. Wie sollte er dafür noch die Verantwortung tragen können? Wer überhaupt wollte sich das noch antun, es war der Ritt auf dem Vulkan – gespenstisch. Und mit jedem Tag, der verging, stieg das Risiko, die Kontrolle zu verlieren. Wie konnte sich die Welt in eine solche Abhängigkeit bringen? Irgendwer bereitete da etwas ganz Großes vor. War es jetzt so weit? Was das FBI ihm auf den Tisch gelegt hatte, kam aus einer

Richtung von Tätern, die er nicht auf der Rechnung gehabt hatte, die anscheinend alle Schwachstellen kannten. Es war ein grauenvoller Tag, so erdrückend wie die dicke Wolkendecke, die seit Tagen über New York hing.

»Greifswald. Was ist es diesmal?«, fragte Ron Gordon vom Secret Service. »Die Chinesen? Sie halten uns langsam ganz schön auf Trab!«

»Ich denke, wir müssen uns diesmal Gedanken über ganz andere Kreise machen«, entgegnete Greifswald.

»Wie bitte?« Gordon klang konsterniert.

»Die Briten nennen die Operation ›Total Crash‹!«, erklärte der NASDAQ-Chef.

»Toll, klingt ja richtig beruhigend!«

FÜNFUNDVIERZIG

BRÜSSEL, 3. NOVEMBER

Feg bedauerte ein wenig, dass er sich so brüsk über das Ableben von Denver, Naravan und Former geäußert hatte, aber seine Einstellung zu derartigen Schicksalen war nun mal anders. Feg steuerte sein Zimmer an, Winter folgte schweigend. In seiner Laufbahn hatte er die Auswirkungen der Weltbank und ihrer Machenschaften mehr als genug erlebt. Genauso wie die Drecksarbeit der Schakale der CIA, die regelmäßig in den Sturz von Regierungen verwickelt waren, wenn sich Staatsoberhäupter weigerten, zur Regulierung ihrer Schulden bei der Weltbank ihr Land und ihre Menschen zu Dumpingpreisen zu verkaufen. Das endete in Bürgerkriegen mit zahllosen Toten. Warum konnten diese Leute immer weitermachen? Die Hintergründe über die Verbrechen von Geheimdiensten, die im Auftrag ihrer Regierungen gegen jede Form von Menschenrechten verstießen, waren doch bekannt! Was für Monster sind wir in unserem Wahn nach Wohlstand geworden, dass wir das Leid vieler anderer dafür in Kauf nehmen?

Wenn sich tatsächlich herausstellen würde, dass sich aus dem Inner Circle eine Opposition gebildet hatte, dann böte das vielleicht eine historische Chance, deren Ausmaß er sich in seinen kühnsten Träumen nicht ausgemalt hätte. Das musste Winter doch begreifen, ebenso, wie gefährlich ihre Arbeit jetzt war.

Er erinnerte sich an einen Spruch, der den Gebrüdern Rothschild zugerechnet wurde. »*Die wenigen, die das System verstehen, werden so sehr an seinen Profiten interessiert oder so abhängig sein von der Gunst des Systems, dass aus deren Reihen nie eine Opposition hervorgehen wird. Die große Masse der Leute aber, mental unfähig zu begreifen, wird ihre Last ohne Murren tragen, vielleicht sogar ohne zu mutmaßen, dass das System ihren Interessen feindlich ist.*«

Tja, vielleicht habt ihr euch doch geirrt!, dachte Feg.

Er schloss seine Zimmertür auf und ließ Winter den Vortritt. Drinnen fuhr er die Rechner hoch. »So, jetzt wollen wir doch mal sehen, was in dem Stick steckt.«

Winter hatte nach dem Treffen mit Lascaut nicht viel gesagt. »Meinten Sie das vorhin ernst?«, fragte sie nun.

»Ob es mir egal ist, wenn ein paar Menschen dran glauben müssen, um etwas Größeres zu erreichen? Ja. Aber ich würde es selber wahrscheinlich nicht tun können. Jemanden zu töten, ist sicher kein Kinderspiel, aber wenn es ein Tyrann ist?«, sagte Feg und berief sich auf die Erklärung von Former, wonach Millionen von Menschen in Europa für Freiheit und Demokratie ihr Leben gelassen hatten und nun zu blind waren, zu erkennen, dass man ihnen die sozialen und politischen Errungenschaften gerade klammheimlich wieder abnahm, und dass Millionen Menschen an anderer Stelle ihr Leben verloren, weil die anderen auf deren Kosten lebten.

Aber eigentlich hätte er ihr die Wahrheit sagen sollen: Dass er den Tod eines Menschen zu verantworten hatte, dass ihm diese Sekundenbruchteile nie aus der Seele wichen, dass es das Grausamste sei, wissentlich am Tod eines Menschen beteiligt zu sein, egal wie, ob am Schreibtisch oder mit dem Joystick, der eine Drohne dirigierte.

Feg wusste langsam nicht mehr, zum wievielten Mal er den Code öffnete. Auf dem USB-Stick, den Lascaut ihm zugeschanzt hatte, entdeckte er ein kleines Programm und öffnete es. Schlaues Kerlchen, dachte er, als er sah, dass es dazu diente, alles wie einen Reißverschluss zusammenzufügen. Feg sah sich das Ergebnis an und öffnete eine weitere Software, die ihm aufzeigte, dass hier etliche Strategien miteinander verknüpft waren.

»Das ist ja unglaublich!!«

»Was ist?«, fragte Winter, die sich einen Sessel herangerückt hatte und aufmerksam zusah, was Feg an seinem Rechner vollzog.

»Sie kriegen jetzt eine kleine Einführung in die Welt der Quants und Flashboys«, triumphierte er.

Er stand auf, ging zur Minibar, griff zu einer kleinen Whiskyflasche, zögerte und nahm sich schließlich ein Wasser. Dann begann er, seine Vermutungen zu erläutern. Demnach wäre an den Börsen das Duell der Geldmaschinen in vollem Gange. »Programmierer speisen in die Handelscomputer täglich immer neue Strategien ein, die aber in sich ein hohes Risiko bergen. Es gibt sogenannte *Sniffer,* die versuchen, andere Algorithmen aufzuspüren und sie auszubooten, indem ein Anleger eine große Kauforder, die den Kurs nach oben bewegt, platziert. So ein Algorithmus versucht blitzschnell, Aktien, die noch nicht im Preis gestiegen sind, als Erster zu kaufen. Steigt der Kurs, verkauft der Computer die Aktien rasch mit einem Minigewinn. Um das zu verhindern, teilen institutionelle Anleger die Orders auf. Wer jedoch kleine Stückzahlen nach festem Muster handelt, wird von einem fremden räuberischen Algorithmus erkannt und ausgetrickst. Die Trader programmieren Algorithmen so, dass die mit sich selbst hin und her handeln. So täuschen sie Umsatz vor. Springen andere Marktteilnehmer darauf an, verkauft der Algorithmus ihnen die Papiere mit Profit.«

Feg nahm einen Schluck aus der Wasserflasche. »Und dann gibt es noch einen Trick, nämlich Leitungen zu verstopfen. Dabei sendet ein Algorithmus so viele Anfragen ins System, dass die Leitung dicht ist. Jedenfalls kann nicht jede Börse die Geschwindigkeit der Orders verarbeiten.« So würde sich der Datenfluss verlangsamen und der Trader versuchen, mit Algorithmen am Unterschied zwischen dem alten und dem schnell ermittelten aktuellen Preis zu verdienen.

»Leichter kann man sein Geld wohl kaum scheffeln«, warf Winter kopfschüttelnd ein.

»Tja, die Börsen wehren sich zwar mit Filtern und lassen pro Zugang eines Händlers nur noch 150 Orders in der Sekunde zu. Das nützt aber nichts, denn jeder kann mehrere Zugänge bestellen. Und dann gibt es noch Strategien, auf die auch die meisten Banken und Hedgefonds setzen, und die sind nach den Einbrüchen an den Börsen und bei anderen Händlern durch Hacker am meisten gefährdet – nämlich der Handel aufgrund von Nachrichten. Die Systeme werden mit Nachrichten von Reuters, Bloomberg, der Deutschen Börse oder dem Dow Jones gefüttert. Aktienkurse reagieren gewöhnlich mit heftigen Kursausschlägen auf die Einkaufsmanagerindexe oder Unternehmensnachrichten, Krisen, Skandale oder ähnliche Meldungen von psychologischem Wert. Aber eine der am weitesten verbreiteten Strategien, die auch viele computergesteuerte Fonds nutzen, die an Private verkauft werden, sind Trendfolgen. – Was ist? Sie sind ja so still?«, wunderte sich Feg.

»Nur weiter. Das ist Ihre Welt. Ich höre Ihnen einfach nur zu!«

»Also, Trader programmieren ihre Maschine so, dass sie Trends folgen. Steigt zum Beispiel die Aktie von Goldman Sachs plötzlich innerhalb von drei Sekunden um mehr als ein Prozent, kauft der Algorithmus automatisch diese Aktien, bis der Trend stoppt. Der Algorithmus fängt dann an, sofort wieder zu verkaufen.«

»Dann braucht es ja gar keine Menschen mehr«, unterbrach ihn Rebecca Winter.

»Darauf läuft es hinaus«, antwortete Feg. »Der absolute Clou ist tatsächlich die künstliche Intelligenz. Wer den besseren Algorithmus hat, kann auf den Kampf um die letzte Millisekunde verzichten. Der Computer lernt ständig dazu. So ein Programm analysiert mithilfe von Algorithmen Tausende von Aktien auf Basis von Daten, beispielsweise der letzten zehn Jahre, und berechnet jeden Tag, wie wahrscheinlich es ist, dass die Kurse binnen 24 Stunden steigen oder fallen.«

Feg verstummte und konzentrierte sich wieder auf den Code. Winter schaute ihm gespannt zu. Plötzlich fuhr er hoch.

»Wow! Was Sie hier sehen, ist kein Programm, es ist ein Virus, der alle Arten von Algorithmen, alle Strategien nutzt, um sich quasi anzupassen und den Handel entsprechend zu manipulieren oder einfach zu verändern«, sagte er und klatschte in die Hände. »Sie müssen nur noch bestimmen, wem es schaden soll. Aber damit nicht genug. Die Programmierer wussten, dass alle Strategien nicht so gut sind, wenn nicht die Komponente Mensch dem Ganzen zur Perfektion verhilft. Wenn dieser Algorithmus in die Handelssysteme von relevanten Playern eingeschleust werden kann, geht die Party los!«

Feg beschäftigte sich erneut mit dem Code.

»Aha, man braucht noch etwas, das einen negativen Trend dauerhaft unterstützt, um dieser Superstruktur einen echten Schlag zu versetzen. Der Algorithmus muss richtig gefüttert werden.« Er wusste, dass inzwischen fast 30 Prozent der Bankaktien wieder bei privaten Anlegern waren, die bei einem Negativtrend radikal die Papiere abstoßen würden. »Wenn ich recht habe, braucht es noch flankierende Unterstützungen, weitere Ereignisse, die den Trend unumkehrbar machen, und dann gibt es einen Kaskadeneffekt, der nicht mehr aufzuhalten wäre. Was für ein geiles Gemisch«, setzte er hinzu, und seine Vorahnungen pressten noch mehr Adrenalin in seine Blutbahn. »Mein Gott, dann würden nicht einmal Handelsunterbrechungen etwas bringen!« Er schlug sich aufgeregt auf die Schenkel.

Winter hatte das Gefühl, dass Feg zunehmend einem Spieltrieb verfiel. »Was ist, wenn das Morden noch kein Ende hat?«, versuchte sie ihn die Wirklichkeit zurückzuholen.

Er verdrehte die Augen. »Sie haben doch Devona Müller gehört. Ich hatte das Gefühl, sie hat Sie am richtigen Punkt getroffen.« Er schaute Winter an. »Sagen Sie mir jetzt nicht, dass diese Menschen es verdient hätten, am Leben zu bleiben, wenn sie aus genauso egoistischen Gründen einen Plan vernichten wollten, der die Welt vielleicht schneller von diesem Wahnsinn befreit, als wir es auch nur im Ansatz könnten.«

»Ich traue diesem Lascaut nicht!«

Winter konnte sehen, wie Fegs soeben noch aufgekratzte Stimmung schlagartig umschlug. »Ich bin überzeugt, dass Lascaut sauber ist«, sagte er mit Nachdruck. »Und Sie sind einfach zu feige, über ihre eigenen Grenzen zu gehen. Ihre Eltern wären vielleicht sogar stolz auf Sie, wenn Sie Ihre Verbohrtheit aufgeben würden. Welche Polizistin bekommt schon die Chance, die ganz großen Verbrecher zu stoppen?«

»Meine Eltern? Was geht Sie denn meine Familie an? Wie … wie kommen Sie überhaupt darauf? Mein Vater hat meine Familie zerstört mit genau dieser Gier, diesem Wichtiggetue, diesem Verlangen nach Macht und Herrschaft. Er war ein absoluter Egoist. Ich kann diesen Leuten einfach nicht vertrauen, verdammt!«

Oh, das war dann wohl ein Volltreffer, dachte Feg. Im selben Augenblick tat es ihm leid, einen wunden Punkt getroffen zu haben, obwohl er endlich wertvolle Informationen über sie erfahren hatte. »Dann vertrauen Sie sich selbst. Sie sehen doch, was wir hier haben. Die Mörder könnten aus allen Richtungen kommen.«

Winter starrte vor sich hin. Erwartete er etwa ernsthaft, dass sie einem Anschlag auf das Geldsystem tatenlos zusehen würde und das auch noch um den Preis von Menschenleben? Was würde dann geschehen, was wäre mit der Geldversorgung, der ganzen Infrastruktur? Sie befürchtete, das Ganze nicht zu durchschauen. Was wäre, wenn diese Leute es wirklich ehrlich meinten, etwas verhindern wollten, das sie noch gar nicht begriffen hatte? Welche Verantwortung hatte sie jetzt? Was, wenn ein viel größerer Betrug verhindert werden könnte? Es würde doch ein totales Chaos ausbrechen.

Feg fuhr sich mit seinen Händen über das Gesicht und raufte sich die Haare.

»Was ist los?«

»Sie erinnern sich doch noch an dieses Dokument von Denver? Es ging da um 150 Unternehmen und dass sie starten würden, wenn sie alle Leute zusammenhätten? Und ich habe da so einen Verdacht«, sagte er und erzählte von einem Kollegen, der vor ein paar Jahren bei einer Ermittlung gegen einen Drogenhändlerring dabei gewesen war. Die Bande hatte wissen wollen, wo im Hafen ihre Container mit den Drogen standen. Sie hatten sich Hacker gekauft, die erst über E-Mails Trojaner auf den Computern der Reedereien platziert hatten. Doch die hatten die Schadsoftware entdeckt und ihre Sicherheitssysteme verbessert. Also war die Bande in die Büros eingebrochen und hatte die Computer einfach mit Schnüffelhardware versehen, die es ihnen erlaubt hatte, die Arbeit auf den Rechnern mitzuverfolgen.

»Und was hat das mit Ihrem Verdacht zu tun?«, fragte Winter.

»Ich glaube, dass die Algorithmen keinen Wert haben, wenn nicht an entscheidenden Stellen Menschen sitzen, die da mitspielen …«

SECHSUNDVIERZIG

CHELTENHAM, 3. NOVEMBER

Bharat Sarif war auf dem Weg aus seinem Büro. Lässig, zwei Ledertaschen um die Schultern geschwungen, wollte er seinen lang ersehnten Urlaub bei seinen Eltern in Delhi antreten, nachdem er seinen Kollegen für die nächsten 14 Tage in die anliegenden Arbeiten eingewiesen hatte.

Als er den Flur der Auswertungszentrale betrat, erblickte er zwei Männer, die eilig auf ihn zukamen.

»Folgen Sie uns bitte!«, rief der Ältere von ihnen.

Sarif hatte keine Ahnung, was sie von ihm wollten. Er fügte sich, ohne eine Frage zu stellen. Die Umgangsformen waren selbst bei leichten Sicherheitsüberprüfungen immer etwas rau, und so vermied er es, die Kontrolleure unnötig zu reizen. Seit dem NSA-Skandal waren die Kontrollen ohnehin extrem verschärft worden. Es war ausgeschlossen, Datenträger oder Handys auch nur in die Nähe des Geheimdienstgebäudes mitzunehmen, und bei jedem Ein- und Austritt wurde man durch einen Scanner getrieben. Das ganze Gelände war mit Störsendern ausgestattet, die es unmöglich machten, über Funkverbindungen in das interne Netzwerk einzudringen.

Nach zwei Minuten standen sie vor dem Büro des Leiters für internationale Einsätze. Ein kurzes Klopfen, und Sarif blickte auf einen drahtigen Briten mit Hornbrille, hochgekrempelten Hemdsärmeln und Headset. Er telefonierte und bedeutete Sarif, sich zu setzen.

»Gut, hab verstanden. Wir werden sehen, was sich da noch machen lässt, bis dann.« Er schaute kurz aus dem Fenster, stützte seine Hände in die Hüften und drehte sich zu Sarif.

»Troy Goodman. Setzen Sie sich, Mr Sarif. Ihr Aufenthalt in Delhi wird sich etwas verlängern«, sagte er in einem Ton, der Sarif verdeutlichen sollte, dass es hier keiner Fragen und Diskussionen bedurfte. Der Leiter für internationale Einsätze, den Sarif bisher nur aus dem Organigramm kannte, reichte ihm ein paar Unterlagen. Sarif schaute sie sich an und war verwirrt. Er sollte an der Börse in Delhi ein Sicherheitstraining beaufsichtigen, nach Auffälligkeiten suchen und nach Personen Ausschau halten, die sich bei einer Übung unangebracht verhielten.

»Sir, ich …«

»Sie haben außerdem volle Kontakt- und Informationssperre zu dem BND-Agenten Erik Feg und Scotland-Yard-Inspector Rebecca Winter. Der MI6 ist nicht sonderlich begeistert von Ihrer Zusammenarbeit mit Scotland Yard. Haben Sie zugelassen, dass Inpector Winter den Datenträger wieder mitgenommen hat?«

Jetzt wurde es Sarif mulmig, denn er sah keinen Grund, warum er einer Scotland-Yard-Beamtin nicht ihre eigenen Ermittlungsgrundlagen überlassen sollte. Was geschah hier?

»Ja oder nein?«

Sarif verzog den Mund. »Ja, warum auch nicht? Ich hatte keinerlei Anweisungen, etwas anderes zu tun. Sie hat die Festplatten wieder mitgenommen. Wir haben aber Kopien.«

Goodman drehte seinen Laptop zu Sarif. Der Inder sah eine

Logdatei und schluckte. Feg hatte doch tatsächlich Analyseprogramme abgesaugt, die ihm zur Entschlüsselung dienen konnten. Offenbar hatte man beim BND nicht die Möglichkeiten wie hier. Er musste wohl den kurzen Moment genutzt haben, in dem er durch Rebecca Winter abgelenkt gewesen war, überlegte Sarif und zog innerlich den Hut vor Feg. Schweigend ließ er den Wortschwall Goodmans über sich ergehen, der ihn bohrend fragte, wie es Feg trotz aller Kontrollen schaffen hätte können, einen Datenträger herauszuschmuggeln, und ihm Konsequenzen in Aussicht stellte. Dann sagte er etwas, das Sarif nicht im Ansatz glauben wollte.

»Erik Feg könnte zu diesen Leuten übergelaufen sein!« Goodman knallte ihm eine Akte des BND auf den Tisch und erklärte, dass Feg nicht nur ein notorischer Trinker und Lebemann sei, sondern auch im Verdacht stand, in der Vergangenheit im linksextremen Umfeld agiert und sogar digitale Anschläge geplant zu haben. Er erfülle von seiner früheren Gesinnung her alle Voraussetzungen für eine Doppelrolle. »Auch wenn das lange her ist, so etwas schlummert wie eine Zeitbombe in einem weiter, wie bei einem Schläfer, dessen Programm bei der richtigen Gelegenheit gestartet wird. Und die Scotland-Yard-Beamtin könnte von ihm infiltriert sein.«

»Sir, beim besten Willen. Ich denke, Erik Feg macht einen sauberen Job. Ich hätte ihn nicht empfohlen, wenn ich ihn nicht kennen und ihm vertrauen würde«, sagte Sarif und schob die Akte beiseite.

»Einen sauberen Job? So, finden Sie? Der Mann spaziert hier einfach rein und beklaut uns …«

»Vielleicht hatte er einen Anlass, an unseren Methoden zu zweifeln, Sir.«

»Blödsinn. Wir werden der Sache jetzt auf den Grund gehen. Das war es für Sie. Sie können gehen, und sollten Feg oder

Winter mit Ihnen Kontakt aufnehmen, melden Sie das. Sie und Ihr Handy werden bis auf Weiteres auch in Ihrer privaten Zeit überwacht.«

Sarif erhob sich und ging hinaus. Einen Moment lang stand er mit seinen Taschen orientierungslos vor der Tür. In den weiten Fluren war niemand zu sehen. Er hatte gelernt, keine unnötigen Fragen zu stellen, aber hier war etwas faul. Was hatte Feg da wieder angerichtet? Sarif wusste ganz genau, dass jetzt eine Maschinerie anlaufen würde, in deren Räderwerk Feg nicht mehr sicher war. Er konnte nichts mehr für ihn tun. Wahrscheinlich ahnte er das längst, aber sich der Überwachung zu entziehen, würde nicht leicht werden.

SIEBENUNDVIERZIG

LONDON, 3. NOVEMBER

»Darf ich bitte wissen, was hier vorgeht?«

Robert Allington kam gerade aus der Teeküche, als er sein Büro betrat, wo zwei Männer auf ihn warteten. Verwundert über den unangemeldeten Besuch, hängte er seinen Mantel an den Haken hinter der Tür. Das hatte nichts Gutes zu bedeuten, und die ernsten Mienen sprachen Bände.

»Thomas Norris, MI6. Wir müssen mit Inspector Winter sprechen.«

Allingtons Unbehagen verstärkte sich. Irgendwie hatte er immer befürchtet, dass Winter sich eines Tages in ernste Schwierigkeiten bringen würde. Sie hatte sich in der Vergangenheit in ihrem Übereifer schon öfter über Dienstvorschriften hinweggesetzt, und in einem gewissen Maß konnte er dem sogar etwas abgewinnen, aber in diesem Moment, wo der MI6 vor ihm stand, wusste er, dass eine Grenze überschritten war, und machte sich Vorwürfe, Winter nicht mehr in allen ihren Schritten kontrolliert zu haben. Sie hatte sich in den Fall Denver so dermaßen verbissen, dass er schon länger befürchtete, sie würde vor lauter Idealismus ihren Job und den Rahmen der Gesetze vergessen. Zugegeben, an der ganzen Sache war inzwischen weitaus mehr dran, als er anfangs gedacht hatte.

»Tut mir leid, ich habe keine Ahnung, wo sie sich im Moment aufhält. Jedenfalls ist sie nicht in London. Aber eigentlich müssten Sie doch besser wissen, wo sie ist.«

Der für einen Agenten etwas ungepflegt wirkende Mann hatte anscheinend keine andere Antwort erwartet, stand auf und zog sein verknittertes Sakko zurecht. »Geben Sie mir ihre Telefonnummer!«

»Die haben Sie auch nicht? Na ja …« Mit einem verächtlichen Blick schmiss Allington dem Beamten sein Handy zu. In seinem Kopf rasten die Gedanken, wie er Winter jetzt am besten helfen könnte, bis er sie selbst zur Rede stellen konnte. »Oben, die erste Schnelldurchwahl!«

Der Mann tippte die Nummer in sein Telefon ein und rief sie an. Schon nach zwei Sekunden verzog er die Mundwinkel. »Mailbox! Gut, wie Sie meinen. Wir entziehen Ihnen die Ermittlungen im Fall Jarod Denver. Sie haben uns sämtliche Ermittlungsakten und Daten auszuhändigen und öffnen mir das Büro von Inspector Winter. Mein Kollege wird Sie begleiten.«

Allington war sprachlos. Offenbar hatte man ein hohes Interesse daran, den Fall zu übernehmen. Hier musste mehr im Spiel sein! Er zweifelte keine Sekunde mehr daran, dass hier schon bald eine große Vertuschungsaktion stattfinden würde.

»Ich glaube kaum, dass Inspector Winter sich etwas hat zuschulden kommen lassen.«

»Wie wär's mit Unterschlagung von relevanten Beweismitteln? Nun, das können wir diskutieren, wenn sie schnellstens hier aufläuft und für Aufklärung sorgt. Der Fall berührt die nationale Sicherheit. Das hätten Sie erkennen müssen, Chief Inspector Allington!«

Der Klassiker, dachte Allington, quasi der Baseballschläger, mit dem man alles kurz und klein drosch. Brutal und ohne jegliche rechtliche Handhabe. Er schaute den Mann einen Moment prüfend an. In was hatte sich Winter da bloß verwickelt? »Sie sollten doch wissen, dass Inspector Winter sofort die Government Communications Headquarters beauftragt hat.«

»Ich sag Ihnen nur so viel: Wenn Ihnen das Leben Ihrer Mitarbeiterin am Herzen liegt, nehmen Sie sie vom Spielfeld.«

Allington wusste nicht, ob er das als Drohung oder Warnung gemeint hatte. Zwei weitere Männer betraten sein Büro und teilten ihm mit, dass sich der MI6 hier so lange aufhalten würde, bis man Winter gefunden hätte und befragen könnte. Außerdem verlangten sie, dass Allington sein Handy anzapfen ließ und auch die Telefone aller Kollegen. Sollte etwas nach außen dringen, könnten ihnen Landesverrat und Gefährdung der nationalen Sicherheit vorgeworfen werden, was eine langjährige Gefängnisstrafe nach sich ziehen würde.

»Ich hab schon verstanden. Ich werde sie nicht warnen«, sagte Allington und hatte innerlich das Gegenteil schon beschlossen. »Haben Sie diesen Erik Feg auch auf der Rechnung, der sie bei den Ermittlungen unterstützt? Vielleicht ist *er* das Problem. Ich meine, Inspector Winter ist eine der loyalsten Ermittlerinnen, die ich je hatte.«

Der Ungepflegte öffnete eine schwarze Ledertasche und zog einen Umschlag heraus. »Das genau ist das Problem. Er könnte sie manipuliert haben – leichte Sache bei ihrer Biografie und Unerfahrenheit! Hier, Sie werden das unterschreiben. Und sobald alles erledigt ist, sind wir nie hier gewesen, verstanden?«

Gegen 18 Uhr verließ Allington sein Büro. Er wurde sicher auch jetzt schon privat beobachtet. Also musste er einen Weg finden, Winter zu warnen. Lange genug hatte er mit angesehen, wie Ermittlungen in diesem Umfeld genau an jenem Punkt abgewürgt wurden, wo er und andere engagierte Ermittler wie Winter die Wurzel des ganzen Übels packen könnten. So anstrengend Rebecca Winter durch ihr Überengagement auch war, sie hatte den richtigen Riecher, und sie hatte es verdient, den ganz großen Fall zu lösen. Hier in London war ihm die Finanzindustrie ohnehin viel zu mächtig, mit ihrem weltweiten Schutz von Strukturen, die zutiefst undemokratisch waren. Er hatte sich bisher nicht eingestanden, dass Winter ihn in den letzten Monaten schrittweise aus einer Lethargie geholt hatte, die ihm jetzt wie eine Käseglocke erschien. Mut, Enthusiasmus und Freude an seiner Arbeit waren ihm in den letzten Jahren abhandengekommen, doch jetzt brodelte es in ihm. Er grübelte über eine Lösung. Sollte sie tatsächlich so viel riskiert haben, musste er ihr zumindest Zeit verschaffen, das Spiel aber mitspielen. Er ärgerte sich, dass er Winter nicht besser kontrolliert hatte. Schlimmer aber war die Ungewissheit, was der MI6 wirklich wollte und ob er am Ende nicht vielleicht sogar für ihre Sicherheit sorgen würde. Die arrogante Art dieser Kerle in seinem Büro hatte womöglich für einen Moment seinen Verstand getrübt.

Unsicher über die richtige Entscheidung, wanderte er die Straße entlang. Niemand schien ihm zu folgen.

ACHTUNDVIERZIG

BRÜSSEL, 4. NOVEMBER

Nach einigen Versuchen hatte Feg am Morgen den Franzosen erreicht und konnte Winter am Frühstückstisch davon überzeugen, dass er Lascaut alleine aufsuchen wollte. Gegen 10 Uhr war er wieder ins *Hôtel Métropole* geeilt. Er suchte ihn vergeblich in der Lobby und ging weiter in die Bar. Lascaut saß zurückgelehnt unweit des Flügels bei einem Tee und lauschte mit in sich gekehrtem Blick dem Geklimper eines Pianisten. Als er den BND-Mann erblickte, veränderte sich seine Körperhaltung, er faltete die Hände und blickte Feg erwartungsvoll an.

Feg setzte sich zu ihm und bestellte ein Glas Wasser.

»Wollen Sie nicht noch was anderes?«, erkundigte sich Lascaut.

»Nein, ist gerade ein guter Zeitpunkt, einen klaren Kopf zu behalten.«

Der Franzose rückte an seiner Krawatte.

»Nun, wie bewerten Sie das, was Sie gesehen haben? Ist das einen Mord wert?«

Feg bekam diesen Mann einfach nicht zu fassen, er sandte irgendwie nicht die Signale, die ihm helfen würden, seine Motive, seine Wahrhaftigkeit zu erkennen. Einzig sein Bekenntnis, dass er in seinem Alter nicht in der Lage sei, die technischen Möglichkeiten einzuordnen, hielt er für glaubhaft. Aber Lascauts Frage war so überflüssig wie Mücken am See.

»Natürlich ist es das! Was möchten Sie eigentlich erreichen? Ich meine, Sie können doch nicht ernsthaft glauben, dass ich oder Inspector Winter Ihnen dabei helfen. Alleine für den Versuch, mich dazu zu bewegen, müsste ich Sie hochgehen lassen!«

Lascauts Gesichtsausdruck blieb weiter ruhig, aber Feg konnte an den trüben Augen erkennen, dass es ihm nicht gut ging. Was wussten Leute wie er noch alles? Welchen Zugang zu geheimen Plänen der Regierungen hatte er vielleicht? Gab es noch mehr Fakten, von denen er und Winter gar nichts ahnten? Wissen, das diese *Herren* dazu gebracht hatte, ihre Position, ihre Existenz und gar ihr Leben zu riskieren?

»Ich habe keine Erwartungen. Ich gebe Ihnen eine Chance, etwas zu erkennen und Formers Motive ins richtige Licht zu rücken, seine Idee zu verstehen«, sagte Lascaut und beteuerte, dass er selbst nicht wüsste, wie das Ganze ablaufen würde, und dass die Gruppe kein Interesse hätte, sich daran zu bereichern. Ganz im Gegenteil – die meisten hatten, wie Former, viel in die Beschaffung von brisanten Informationen und die Algorithmen investiert. »Wenn Sie der Meinung sind, dass es ein Verbrechen ist, die wahre Manipulation zu stoppen, dann habe ich Ihnen alles gegeben, um es zu verhindern. Was brauchen Sie noch als Vertrauensvorschuss? Ich bin jetzt völlig machtlos.«

Feg dachte nach. Wie auch immer er und Winter sich verhalten würden, es konnte nicht schaden, Lascaut das Gefühl zu geben, dass sie ihn nicht bedrohten. Feg war hin und her gerissen. Er konnte dem Sog, dieser Gruppe zu helfen, kaum widerstehen. Er hatte in den letzten beiden Jahrzehnten einen Job gemacht, der mit seinen einstigen Idealen nichts mehr zu tun hatte. Vor ein paar Tagen hatte er noch Winters Idealismus, ihren Einsatzwillen belächelt, und nun, je mehr er glaubte, die Pläne der *Herren* zu verstehen, spürte er selbst erstmals seit Jahren wieder eine Euphorie, etwas Großes bewegen zu können. Ja, vielleicht könnte er, wenn er diesem Enthusiasmus folgte, sein zerrissenes Leben wieder in Ordnung bringen. Er überlegte, wie es ihm gelingen könnte, Winter auf seine Seite zu ziehen.

»Was ist mit Ihrer Kollegin?«, fragte Lascaut in diesem Augenblick.

»Können Sie Gedanken lesen? Ich weiß es nicht, und ich kann auch nicht sagen, was ich von Ihnen und der ganzen Sache halten soll, aber ich sehe, dass es fast funktionieren könnte.« Feg packte seinen Laptop aus der Tasche und zeigte Lascaut ein Dokument aus Denvers Nachlass. »Kann es sein, dass gegen diese 150 Unternehmen Angriffe geplant sind?«

»Nein, nein! Das haben Sie völlig falsch verstanden, nicht gegen die Unternehmen, sondern gegen ihre Eigner.«

»Die Eigner der Banken?«

»Und der Hedgefonds und gegen einzelne Personen.« Lascaut beugte sich vor und machte deutlich, dass es der Gruppe nicht darum ginge, Unternehmen zu schädigen, die wirkliche Werte produzierten. Im Gegenteil. Wäre diese korrupte Finanzschicht erst mal am Boden, würde nicht der Kapitalismus sterben, aber das nie zu sättigende Raubtier wäre erlegt. Doch mit dem Tod Formers hätten einige Leute nun wahrscheinlich sowieso kalte Füße bekommen. Former hatte sie fürstlich für ihre Hilfe und absolute Verschwiegenheit entlohnt und das ganze System über Jahre mit der gleichen Methode aufgebaut, wie die Banken, die die Politik unterwandert hätten. Dass Former einen so hohen Preis dafür zahlen musste, sei einzig und allein Jarod Denvers Schuld. Former hatte gewusst, was in Brüssel und Washington lief, und wollte schlicht und einfach, dass der unabwendbare Crash diesmal zu einem anderen Ergebnis führte. »Wenn Sie das nicht endlich erkennen, dann weisen Sie mir ein persönliches Verbrechen nach und lassen mich verhaften!«

»Sie haben mir in Hamburg gesagt, dass man manchmal nur warten muss, bis andere die Informationen auftreiben, die man selbst erfolglos sucht. Nun, ich nehme an, Sie haben mir noch etwas vorenthalten«, sagte Feg und hielt ihm seine geöffnete Hand entgegen.

Mit einem tiefen Seufzer zog Lascaut einen weiteren Datenstick aus seiner Tasche. Das sei quasi der Heilige Gral Formers, der Millionen verschlungen hätte. »Analysieren Sie, bis …«

»Bis was?«

»Bis Sie sich entschieden haben«, sagte Lascaut und machte deutlich, dass er sich jetzt zurückziehen wollte. »Wie gesagt, Herr Feg, ich bin zu alt, um das umzusetzen, und meine Gesundheit hat auch schon bessere Zeiten gesehen«, murmelte er und untermauerte seine Offenbarungen damit, dass es nun Fegs Entscheidung sei, ob er alles hochgehen lassen würde oder nicht, aber es sei niemandem damit geholfen, wenn die *Herren* im Gefängnis landeten. Es wäre schlicht nicht gerecht. »Ich habe gehofft, in Ihnen vielleicht einen Mann zu finden, der mir vertrauen kann und der sich nicht blind an Regeln hält.«

Feg ging in sich, immerhin hatte er selbst versucht, Winter mit genau dieser ethischen Frage zu ködern, ihre blinde Loyalität infrage zu stellen, das Undenkbare einmal durchzuspielen.

»Vertrauen? Sie haben mir gedroht. Schlechte Basis für Vertrauen.«

»Nein. Ich habe Ihnen etwas angeboten. Tut mir leid, wenn ich mich in Ihnen geirrt habe.«

Lascaut wollte aufstehen, doch Feg beugte sich über den Tisch und drückte ihn wieder in seinen Sessel. Er erhaschte einen ängstlichen Blick dieses Mannes. Irgendetwas stimmte mit ihm nicht. Er zeigte überhaupt keinen Widerstand mehr.

»Ich werde sehen, was ich tun kann, sofern Sie kein doppeltes Spiel spielen. Das ist für den Moment alles«, sagte Feg, zog den Schlüssel zu dem Schließfach in der Bank aus seiner Tasche und hielt ihn Lascaut vor die Nase. »Ich vertraue Ihnen nicht, aber ich sehe auch, dass vieles von dem, was Sie sagen, meiner, sagen wir mal, Überzeugung entspricht!«

Lascaut blickte etwas resigniert um sich, dann schaute er Feg in die Augen. »Das heißt, Sie helfen uns?«

»Ich? Sie sind komplett verrückt! Vielleicht vervollständige ich Ihren kleinen Baukasten, mehr aber nicht«, sagte Feg und steckte den Schlüssel wieder ein.

»Ich werde Sie nicht hängen lassen, wenn Sie die richtige Entscheidung treffen und in Schwierigkeiten geraten sollten! Aber eines muss ich Ihnen noch sagen: Die Behörden sind vorgewarnt. Wir haben ein Leck in der Gruppe. Also passen Sie auf sich und Ihre hübsche Kollegin auf. Zeit bleibt nicht mehr viel! Sie sind jetzt im Besitz des ganzen Systems!«

»Warum ich?«, wollte der BND-Mann wissen.

»Spielen Sie Schach, Mr Feg?«

»Ja, allerdings.«

»Nun, dann wissen Sie ja, dass man manchmal mehr als einen Bauern opfern muss, um die Partie noch zu gewinnen. Sie haben das Wissen und die Eier dazu in der Hose.«

Feg erkannte, wie ernst Lascaut es meinte. Offensichtlich war niemand mehr in der Gruppe in der Lage, diesen Plan mangels technischer oder auch anderer Kenntnisse umzusetzen, jetzt wo Naravan, Denver und Former ausfielen. Lascauts Hilferuf erschien ihm immer plausibler und die Motive, ihn und

Winter einzuspannen, schlüssig, wenn auch völlig waghalsig. Aber genau dem konnte er etwas abgewinnen. Es musste ihm jedoch klar sein, dass Winter diese Partie nicht mitspielen würde. Er musste sich was einfallen lassen, um sie abzulenken. Wenn die Behörden wirklich schon so viel wussten, wären ihre Ermittlungen am Ende. Und Winters Karriere? Würde er sie weiter reinziehen, könnte es schlimmer enden, als es allen gerade bewusst war. Er musste eigene Wege gehen.

»Gut, wenn ich schon den Läufer für Sie spiele, brauche ich einen Wagen, um das Land sicher verlassen zu können. Sobald ich ihre Bombe zusammengebastelt habe und weiß, was sie kann, treffe ich eine Entscheidung, und Sie bewahren uns für alle Fälle eine Kopie der Enthüllungen«, forderte Feg.

Lascaut hob die Augenbrauen, griff in die Tasche seines Sakkos und warf Feg einen Schlüssel zu. »Betrachten Sie das als kleine Belohnung. Er steht gegenüber vom Hotel.« Ächzend stand er auf und ging.

Patrice Lascaut trat vor das Hotel und ging mit hängenden Schultern die Straße entlang. Die Gedanken rasten in seinem Kopf. Er holte sein Handy hervor und wählte eine Nummer. Sollte er Feg wirklich beschatten lassen? Unbekannte Skrupel stiegen in ihm auf. Dieser Mann würde ihm vielleicht helfen, aber er war auch völlig unberechenbar. Und würde er schweigen, wenn er eine andere Entscheidung träfe, gar das Land mit den Daten verließe?

»Jean, ich möchte, dass du jemanden für mich im Auge behältst. Treffen wir uns!« Lascaut ließ das Handy sinken. Hatte er sich mit allem völlig verkalkuliert?

Feg blieb einen Augenblick in der Hotelbar sitzen und dachte nach. Er fühlte sich nicht gut. Sein Kopf schmerzte und die

Glieder zogen, es schien sich eine Erkältung anzubahnen. Er packte seinen Laptop ein und ging zur Telefonzelle in der Lobby. Feg rief über diese unverfängliche Leitung seinen Kollegen Jacobs in Berlin an. Der kannte wie er die Unwägbarkeiten des Geschäftes und hatte bereits zwei interne Ermittlungen gut überstanden.

»Hallo Frank, Erik hier. Kannst du mir helfen und alle Infos zu einem gewissen Patrice Lascaut, etwa Ende 60, aus Brüssel recherchieren?«

»Klar, kann ich machen. Aber Erik, hier läuft noch etwas im Hintergrund!«, entgegnete Jacobs.

»Ist die Leitung gerade sicher?«

»Ja, ja, keine Sorge«, versuchte seine einzige wirkliche Vertrauensperson beim BND ihn zu beruhigen und erklärte, dass soeben für die fünf größten Börsen der Welt Sicherheitsalarm ausgelöst worden war. »In New York wurde die nächste Übung, Quantum Dawn 5, initiiert. Und dein Abteilungsleiter braucht dich für den Einsatz. Der sucht schon nach dir, glaube ich. Du sollst dich sofort melden. Hat das was mit euren Ermittlungen zu tun? Erik, pass auf, da läuft was.«

Feg fing an zu schwitzen. Wer war das verdammte Leck? War es schon zu spät? Er musste sich schnell etwas einfallen lassen. Was würden die Behörden brauchen? Könnte man sie vielleicht mit etwas ablenken?

»Sag ihm, dass ich krank bin, und das ist nicht mal gelogen.«

»In Ordnung, ich stell dir auch nicht die Frage, wo du bist.«

Ich stell dir nicht die Frage, wo du bist? Feg ahnte, was er damit meinte. »Mist, stell mir die Daten einfach ins Darknet. Ich bin dann mal für eine Zeit weg.«

Er verließ das *Métropole* und staunte nicht schlecht, als er das Logo auf dem Autoschlüssel sah und gegenüber dem Hotel einen schwarzen Bentley. Er ging über die Straße und stieg ein.

Im Wagen fläzte er sich in den weichen Ledersitz und zog den Laptop aus der Tasche, um sich noch einmal die Liste der angeblichen Verschwörer anzuschauen. Er kopierte sie und hielt kurz inne. Na klar, das ist die einzige Lösung, dachte er. Mit einem breiten Grinsen startete er den Wagen, gab Gas und steuerte erneut die Belgische Nationalbank an.

Rebecca Winter hatte einige Stunden geschlafen. Sie war gespannt, was Feg von diesem Patrice Lascaut noch an Hinweisen bekommen würde. Sie reckte ihre Arme hoch, stand auf und stellte ihr Blackberry an. Nur eine SMS. Sie öffnete sie und sah, dass sie von einer unbekannten Nummer gesendet worden war.

Ihr Inhalt löste Hitzewallungen aus, sie atmete tief durch, spürte, wie eine Mischung aus Ratlosigkeit und Wut in ihr aufstieg. Sie schaltete das Handy sofort aus und ging zum Fenster. Wie konnte man das tun? Was hatte sie verbrochen, dass man ihr dermaßen den Boden unter den Füßen wegzog?

Als Feg das Hotel betrat, kam ihm Winter aufgelöst und offenkundig den Tränen nahe entgegen.

»Ich muss Sie sofort sprechen!«, sagte sie und zog ihn aus der Lobby auf die Straße. In einem Tempo, dem Feg kaum folgen konnte, ratterten die Sätze aus ihr heraus.

»Man hat mich hintergangen. Die ganze Zeit. Alles soll vertuscht werden. Der MI6 sucht mich. Die haben alle Daten … Verdammt! Langsam glaube ich, dass Sie recht hatten. Hat der BND da seine Finger im Spiel? Oder wurde dieser Lascaut überwacht?«

Feg schaute sich um. Mit einem fordernden Blick bat er Winter, ihm zum Wagen zu folgen.

»Also, jetzt mal ganz langsam der Reihe nach. Scotland Yard hat Ihnen den Fall entzogen oder wurden Sie suspendiert?«

Winter atmete stoßweise.

»Ich weiß es nicht. Allington hat mich nur informiert, dass der MI6 unsere Abteilung besetzt hält, alle unsere Ergebnisse und Daten einkassiert hat, Sie und ich sollen sofort alles, was wir hier haben, rausrücken und auf der Stelle zurückkommen!«

Adrenalin verdrängte Fegs Erkältungssymptome. »Lassen Sie mich bitte kurz nachdenken!«

Das Leck rund um Lascaut hatte offenbar schon seine Wirkung gezeigt, aber was zum Teufel lief da ab? Dass Lascaut ihm alles überlassen hatte, war kein Vertrauensbeweis, sondern ein reiner Akt der Verzweiflung. Er und Winter müssten jetzt nur noch in den Flieger steigen, alles übergeben, und sie wären aus dem Schneider. Aber wenn Lascaut in allem die Wahrheit sagte – und die Lage an den Börsen wie auch die Beweise über die Machenschaften der Finanzindustrie sprachen dafür –, würden sie etwas aus der Hand geben, was diesen Leuten Einhalt gebieten könnte. Sie waren nicht die Einzigen, die begannen, vieles zu verstehen. Eine Reihe von Bankern hatte es sogar in den Selbstmord getrieben. Die einzige Chance, alles noch hinauszuzögern und weiterzuermitteln, war eine Täuschung.

Er musste sich rasch von Winter trennen, um sie zu schützen. Lascauts Pläne würde sie, so moralisch richtig sie vielleicht auch wären, ohnehin nicht mittragen, solange der Verdacht im Raum stand, dass Lascaut oder unbekannte Helfer bereit waren, dafür Morde zu begehen. Aber genau das war ja gar nicht sicher. Es könnten genauso gut fremde Geheimdienste oder mächtige Banker dahinterstehen. Irgendwer spielt da ein finsteres Stück, dessen Regisseur schwer zu fassen war. Aber spielen kann ich auch, dachte Feg.

Er setzte sich mit ihr in den Bentley, den er um die Ecke geparkt hatte. Ohne auf ihren verblüfften Blick einzugehen, öffnete er wieder seinen Laptop und die Liste der Helfer von

Former, jener Leute, die offenbar bereit waren, am Tag X zu handeln. Er rieb sich die Hände, jetzt konnte das Spiel beginnen. Feg steuerte etliche Websites von Banken und Fonds an, suchte sich die Namen irgendwelcher Mitarbeiter in den Handelsräumen, Administratoren, Medien, Börsenaufsichten und Banken heraus. Das würde diesen Unschuldigen zwar einiges an Ungemach bringen, aber man würde bei Ihnen nichts entdecken und vielleicht sogar daran glauben, dass alles nur ein Fake, ein billiger Erpressungsversuch sei. Oder man würde sich einfach in Sicherheit wiegen, den 9. November abwarten, die Leute präventiv beobachten oder sogar verhören, wie auch immer. So konnte er Zeit gewinnen. In Windeseile tauschte er einen Namen der Helferliste nach dem anderen aus und speicherte alles auf dem Stick.

Rebecca Winter beobachtete Feg von der Seite. Eigentlich hatte sie ein paar hilfreiche Worte erwartet und nicht, dass er sich hinter seinem Rechner versteckte. Wie würde Allington sich jetzt verhalten? Sicher würde er sie nicht einfach hängen lassen. Wollte der MI6 wirklich nur die Daten? Hatte man mitbekommen, dass Feg nicht willens war, diese *Herren* bedingungslos auszuliefern? Hatte man sie die ganze Zeit beschattet? Feg tendierte inzwischen anscheinend zu der Auffassung, dass diese Leute mit ihren Plänen das Richtige vorhatten. Und sie musste sich eingestehen, dass sie selbst nicht sicher war, was hier richtig und falsch war. Wenn die *Herren* wirklich in der Lage wären, die wahren Strukturen offenzulegen, hatten sie wahrscheinlich so viele Feinde wie kaum jemand auf dieser Welt. Während ihre Aufgebrachtheit sie mental noch über Wasser hielt, wuchsen ihre Zweifel. Feg hingegen ging mutig und in Ruhe vor. Es war, als würde sich gerade alles umkehren und sie selbst zu jenem zerrissenen Menschen werden, den sie anfangs in Feg zu erkennen geglaubt hatte. Aber sie spürte auch, dass er genau als ein solcher Mensch nicht gesehen werden wollte, er nahm sich immer weiter mit seinen provokanten Bemerkungen zurück, versuchte offensichtlich, sie aufzubauen.

»So, jetzt noch mal genau«, riss er sie plötlich aus ihren Überlegungen. »Hat Ihr Vorgesetzter Sie davor gewarnt, zurückzukommen, oder nur, dass der MI6 dran ist?«, fragte Feg, während er an seinem Laptop mit zwei Datensticks hantierte.

»Nein, er hat nur mitgeteilt, dass der MI6 das Büro besetzt hat und alle Beweismittel haben will, das hab ich doch schon gesagt!«

Feg nickte und sah im selben Augenblick, dass ihm Jacobs ein Dossier über Lascaut geschickt hatte. Er öffnete die Datei. Patrice Lascaut war demnach ein Emporkömmling aus sehr einfachen Verhältnissen, aber er war nie aktenkundig geworden. Er war dem Geheimdienst nur wegen seines Einflusses als Unternehmer und Lobbyist bekannt, über solche Leute wurden immer Informationen gesammelt. Der Mann war bereits 69 Jahre alt und herzkrank. Kaum würde so jemand mal eben ein paar Leute um die Ecke bringen können. Aber er hatte früh gute Freunde um sich geschart, ungewöhnliche Freunde, und es gab da eine Lücke in seinem Lebenslauf. Was Feg jetzt las, behielt er besser für sich, Winter würde sonst sicher durchdrehen. Lascaut und er waren sich weitaus ähnlicher, als er gedacht hatte, nur hatte Feg keine so ungewöhnliche militärische Ausbildung. Er löschte einen Teil der Akte und speicherte sie unter einem neuen Namen ab.

Er fragte sich, was in London wirklich passiert war, dass Winter und er nun so unter Druck gesetzt wurden. War seine Aktion an Sarifs Rechner aufgeflogen? Er konnte nicht verhindern, dass Logdateien preisgaben, dass er sich geheime Entschlüsselungstechniken gestohlen hatte. Das würde ihn sofort in die Reihen der Verdächtigen katapultieren, wie einen Überläufer aussehen lassen, obwohl er es nur getan hatte, um herauszubekommen, ob nicht der britische Geheimdienst sein eigenes Süppchen kochte.

»Mist, ich habe mich anscheinend verkalkuliert, und Sarif hat jetzt wahrscheinlich Schwierigkeiten«, sagte Feg nachdenklich. »Das Beste wird sein, Sie fahren zurück nach London und ich nach Hamburg.«

»Nein«, widersprach Winter. »Ich komme mit. Solange ich nicht weiß, was mir in London droht, fliege ich auf keinen Fall zurück.« Sie hegte die Befürchtung, dass man ihr so etwas wie Unterschlagung oder Vereitelung vorhalten könnte, aber eigentlich hatte sie gar keine Ahnung, was sie wirklich erwartete. Was ihre Angst umso größer werden ließ.

»Sie kommen auf keinen Fall mit mir. Ich werde Sie auf die eine oder andere Art aus der Schusslinie nehmen. Den Bock hab ich geschossen. Schieben Sie alles auf mich, das glauben die Ihnen bei meiner Biografie sofort. Außerdem kann ich als Zielscheibe besser herauskriegen, wer wirklich hinter den Morden steckt. Es hat keinen Sinn, wenn wir beide daran scheitern. Ich brauche Sie vielleicht noch als Joker. Es geht jetzt nicht mehr nur um die Frage, ob wir Lascaut gewähren lassen, sondern darum, uns alle Türen offenzuhalten.«

»Ihn gewähren lassen? Sind Sie völlig verrückt?« Winter starrte ihn von der Seite an.

»Herrje, kapieren Sie es denn immer noch nicht? Dieser Plan hat in keiner Weise zum Ziel, dass sich einer dieser unbekannten *Herren* daraus einen persönlichen Vorteil verschafft. Rebecca, Sie haben mir in Cheltenham zu verstehen gegeben, dass Sie Ihren Beruf ausüben, um die Welt zu verändern, dass es da eine Protestgeneration gibt, an die Sie glauben. Aber die Welt zu verändern, ist noch nie durch reine Redlichkeit möglich gewesen, nur durch Mut und die Bereitschaft, Opfer in

Kauf zu nehmen. Ihre Protestler werden den nötigen Zuspruch erst bekommen, wenn es für alle eng wird. Wir müssen uns jetzt nur auf das konzentrieren, was möglich erscheint. Wenn Sie in London den Eindruck haben, dass nicht nur der Angriff abgewehrt, sondern auch alles andere vertuscht werden soll, dann lassen Sie Lascaut die Schlüssel zukommen. Ich hab den zweiten noch ein bisschen behalten. Sorry, mein Vertrauen in Sie war in einer Aufbauphase. Sie tun also in London nur so, als hätte ich Sie über den Tisch gezogen und wäre im Besitz der letzten Kopien. Wir brauchen vielleicht noch eine ganze Weile, um die Dokumente zu entschlüsseln und alles zu offenbaren. Das wird dem Journalisten Roche sicher Freude bereiten. Aber wir dürfen nichts mehr davon in unserem Besitz haben.«

Der meint das ernst, begriff Winter. Alles drehte sich in ihrem Kopf. Sie musste eine Entscheidung treffen.

»Und wenn Ihnen was geschieht?«, fragte sie schließlich.

»Sie machen sich Sorgen um mich?«

»Ich habe mich zweimal in Ihnen getäuscht«, sagte Winter, »das tut mir leid.«

Eine Entschuldigung aus Winters Mund war wirklich ungewöhnlich. Feg lächelte, gab ihr die Adresse von Susanne Wagner und erklärte, dass sie für den Fall, dass sie sich entschlösse, nicht nach London zu fliegen, unter keinen Umständen das Handy einschalten solle, erst recht nicht, bis er in etwa drei Stunden die deutsche Grenze überquert hätte. Es müsse ihr klar sein, dass man ab jetzt Sündenböcke suchen würde. »Ihre Chancen, bei Scotland Yard noch eine Karriere zu machen, schwinden mit jeder Stunde, in der Sie nicht zurückkehren und alles übergeben.«

»Und was haben Sie vor?«, überging Winter seine Warnung.

»Einen Köder legen, aber nicht alles offenbaren. Sagen wir mal so: auch ich kann Daten fälschen. Ich bin mir sicher, dass wir von Anfang an beschattet wurden, aber nicht von Lascaut. Er hat mir die zentralen Figuren für den Angriff auf die Börsen preisgegeben. Was immer passiert, halten Sie sich an ihn, bis …«

»Bis was?«

»Bis Sie wissen, was richtig ist!«, sagte Feg und gab ihr den zweiten Schlüssel zum Schließfach der Belgischen Nationalbank. »Jetzt haben Sie alles in der Hand. Wir haben viel zu lange nur an einen riesigen Betrugsversuch gedacht, aber die Mörder dürften längst wissen, welche Bombe da tickt, und wollten Sie und mich nur als Handlanger fungieren lassen. Jetzt, wo die vielleicht wissen, dass wir alles haben, sind Sie und ich in großer Gefahr. Es ist ein Virus, der, wie ich schon sagte, zu einem unaufhaltsamen Kaskadeneffekt führt, der lang anhaltende wirtschaftliche und gesamtgesellschaftliche Folgen haben kann. Der Markt wird danach vielleicht tot sein. So wie ich es sehe, wird der Plan dieser *Herren* einen Crash auslösen, aber nur dann seine Wirkung haben, wenn es eben vor dem Platzen eines von diesen Superoligarchen geplanten oder herbeigeführten Börsencrashs geschieht und dazwischen nichts vertuscht werden kann – nur dann tritt der Effekt ein, den diese *Herren* sich erdacht hatten, da die ausgemachten Gegner dann eben nicht darauf vorbereitet sind, und dann trifft es die wahren Verschwörer, und zwar mit einer solchen Wucht, dass der Kapitalismus, wie wir ihn heute kennen, danach keinen Nährboden mehr hat. Davon bin ich überzeugt, und deshalb verschaffe ich Ihnen die Luft, um alles zu überdenken. Warten Sie ab, was dann passiert, und vielleicht statten Sie Lascaut doch noch einen Besuch ab. Er weiß viel …«

»Ich soll ihn aufsuchen?«, unterbrach ihn Winter.

»Entweder wir sehen zu, wie die Blase platzt und es zum Chaos kommt, oder wir helfen Lascaut, sehen ebenfalls zu, wie die Blase platzt und ein anderes Chaos eintritt, haben dann aber dafür gesorgt, dass den Profiteuren die Luft ausgeht und sich die Machtverhältnisse völlig neu ordnen können. So sieht es aus«, sagte Feg.

»Ich soll ihm dabei helfen …?!«, empörte sich Winter.

»Denken Sie nach, Ihre eigenen Leute haben Sie doch betrogen! Am Ende werden Sie zu dem Schluss kommen, es zu tun.«

»Das kann ich nicht!«

»Doch, Sie werden es können!« Feg lächelte müde.

»Sie irren sich, Erik. Aber nur mal angenommen: Was sollte ich denn tun, wenn ich es mir tatsächlich anders überlegen würde?«

Feg stieg aus, ging um den Wagen und öffnete die Beifahrertür. »Cool bleiben, das Schließfach leeren und zur Post gehen.«

»Zur Post?«, fragte Winter verwirrt.

»Ist alles vorbereitet. Die Spieler brauchen nur noch ihre Anweisungen. Wir sehen uns!«, sagte Feg und half ihr aus dem Wagen.

In Winters Kopf schwirrte es. Sie ging zurück zum Hotel und dachte dabei an Allington. Auch wenn er sie immer mal wieder aufzog, sie wäre ein humorloser Eisblock, den man auftauen müsste, stand er doch hinter ihr. Sie entschloss sich, nach London zu fliegen und abzuwarten, was da auf sie zukommen würde.

Kaum hatte sie das Hotel erreicht, empfing sie eine Nachricht über Google Alert.

Die SEC macht Ernst mit ihrem Kampf gegen Foulspiele im Börsenhandel und stellt neue Vorschriften für den Aktienhandel in Aussicht.

Anleger und staatliche Unternehmen profitieren in großem Maße von stabilen und widerstandsfähigen Märkten, sagte die

Leiterin der U.S. Securities and Exchange Commission (SEC) auf einer Pressekonferenz in New York. Man habe lange an dem Vorhaben gearbeitet und die Vorwürfe geprüft, denen zufolge Hochfrequenzhändler den Markt manipulieren. Um in Zukunft illegale Insidergeschäfte verhindern zu können, werde der elektronische Handel nun reformiert, um etwa bei Marktturbulenzen besonders aggressives Geschäftsgebaren zu unterbinden. Ebenfalls im Blickfeld der SEC sei der Handel in sogenannten Dark Pools. Anbieter solcher anonymen außerbörslichen Geschäfte würden ins Visier genommen. Genutzt wird dieser Schattenhandel besonders von institutionellen Investoren, die unbemerkt vom Rest der Welt große Aktienpakete kaufen oder verkaufen.

Das ist es, dachte Winter. Feg hatte doch in Cheltenham von einem Zeitfenster gesprochen, in dem ein solcher Algorithmus einen Schaden anrichten könnte, bevor Systeme installiert wurden, an denen er selbst mitgearbeitet hatte. Kündigte die SEC gerade den Countdown an?

NEUNUNDVIERZIG

LONDON – MI6, 4. NOVEMBER

Der Leiter der Londoner Börsenaufsicht Prudential Regulation Authority, Tom Garden, betrat gemeinsam mit dem Chef der IT-Abteilung das Büro von Jack Connor, das in ein helles, aber warmes Halogenlicht getaucht war. Neben dem Eingang hingen große alte Messinguhren, die die Zeit der wichtigsten Weltmetropolen anzeigten.

»Guten Morgen, nehmen Sie Platz«, sagte der Leiter der Cyberabwehr des MI6.

Beide nahmen auf Bürostühlen Platz. Tom Gardens Blick fiel auf ein Regal hinter dem dunkel gebeizten Schreibtisch, auf dem einige afrikanische Holzfiguren standen. Die Wände waren schalldicht, mit hellem Leder überzogen, und der Boden mit einem, wie er fand, hässlichen ockerfarbenen Teppich bedeckt.

»Also, Sie haben einen Überblick über das, was da droht. Was gedenken Sie zu unternehmen?«, fragte Connor.

»Ich bin langsam etwas frustriert, dass die meisten einfach nicht kapieren, dass es einen evolutionären Sprung bei diesen Angriffen gibt«, ergriff der Leiter der IT-Abteilung schnell das

Wort und ergänzte, dass die jetzigen Täter absolut nicht detektierbar seien und damit auch nicht abzuwehren. »Die meisten Bedrohungen haben wir in letzter Zeit nur durch Zufall entdeckt. Mit der massiven Vernetzung der Börsen haben wir in Wirklichkeit keine Chance, Attacken abzuwehren, zumindest nicht auf Verdacht. Wir müssten sie live erwischen. Sie müssen begreifen, dass wir davon ausgehen, dass der Gegner ohnehin schon lange in unserem System ist. Wir können nur versuchen, ihm wenigstens ein paar Optionen zu nehmen«, fuhr er fort und ließ einen Versuch, ihn zu unterbrechen, nicht zu. Für ihn war gerade der ganze Finanzmarkt verwundbar, da man eine Verschlankung und Entnetzung auf ein erträgliches Maß nicht zugelassen hatte. »Bis heute ist nicht klar, wie das zu lösen ist. Alle Industrien und Consultants, die in den letzten Jahren in die Bresche gesprungen sind und Lösungen angeboten haben, sind Scharlatane. Der Angriff könnte ganz einfach mit einem USB-Stick oder einer fingierten Austauschkomponente ablaufen.« Profis wüssten, dass das Internet allein einfach kein relevanter Angriffsvektor mehr sei. »Seit Jahren weise ich darauf hin, dass die IT viel grundsätzlicher überdacht und überarbeitet werden muss. Die Insiderabwehr hätte längst forciert und die Entnetzung viel rigoroser betrieben werden müssen«, erklärte der junge Mann und legte nach, dass die Börsen mit vielen eingebauten und konventionell nicht lösbaren Sicherheitsproblemen behaftet seien. »Da werden auch Ihre Abwehrzentren nicht viel dran ändern.«

»Na, bravo! Und was sollen wir jetzt machen?«, fragte Connor, sichtlich beeindruckt von diesem ernüchternd ehrlichen Vortrag des jungen Mannes. Offenbar war er seinem Vorgesetzten gerade in den Rücken gefallen und vielleicht schon von Kündigung bedroht, denn Tom Garden schaute ihn an, als würde er ihn am liebsten aus dem Fenster in die Themse werfen.

»Sie müssen nach den Insidern suchen«, redete der ITler unbeirrt weiter. »Alles andere wäre sinnlos, und die Liveüberwachung zu dem Zeitpunkt, zu dem der Angriff befürchtet wird, müssen Sie dramatisch forcieren.«

Connor war sich nicht sicher, ob die betroffenen Insider überhaupt von ihrem Glück wussten. Nicht selten hatten Angreifer ihre Ziele in sozialen Netzwerken ausspioniert und schickten ihre Manipulationssoftware gezielt an Mitarbeiter in Schlüsselpositionen. Der einzige, aber unglaublich aufwendige Weg erschien ihm im Augenblick, diese Liste des anonymen Informanten abzuarbeiten und die dort genannten Leute komplett zu überwachen. Sollte auch nur einer etwas damit zu tun haben, könnte man alle anderen sofort präventiv verhaften.

Der Chef der Londoner Börsenaufsicht strich sich durchs Haar und konnte zu der Debatte kaum etwas beisteuern.

»Wie sollen wir binnen einer Woche weltweit die Überwachung von Tausenden Händlern und Börsenmitarbeitern organisieren?« Jack Connor stand auf und ging mit verschränkten Armen durchs Büro. »Kaum machbar! Wenn dieses Szenario eintritt, könnte es das Ende der uns bekannten Zivilisation bedeuten!«

Garden hob die Hände. »Jetzt übertreiben Sie aber!«

Connor setzte sich wieder, spielte mit einem Bleistift herum und starrte vor sich hin. Dann straffte er seine Schultern. »Es wird ein Vermögen kosten, aber wir werden das Risiko eingehen«, sagte er. »Ich bin dafür, die fünf wichtigsten Börsen am 9. November zu schließen. Sie machen einen außerordentlichen Börsenfeiertag.«

Tom Garden lachte kurz auf, als würde er nicht für bare Münze nehmen, was ihm Connor da gerade aufgetischt hatte.

»Was soll das bringen? Und wenn diese Leute einfach später zuschlagen?«

Connor sah ihn verständnisvoll an und öffnete eine Mappe mit Unterlagen, die alle mit Topsecret-Stempeln versehen waren. »Wir gewinnen Zeit und verunsichern die möglichen Täter. Wir spielen mit offenen Karten und erhöhen so ihren Handlungsdruck. Die Initiatoren dieser ganzen Sache sind vermutlich sowieso alle umgebracht worden. Ich an deren Stelle würde mir Gedanken machen, ob ich überhaupt noch an diesem Spiel teilhaben möchte«, sagte Connor und übergab Garden eine Klarsichthülle mit Pressemeldungsentwürfen. »Wir werden uns mit dem FBI und den Aufsichten der Börsen abstimmen. Aber vielleicht ist das alles schon morgen Makulatur. Wir haben zwei Zielpersonen im Visier, die uns vermutlich alle relevanten Daten und Pläne ausliefern werden. Dann hätten wir noch mal Glück gehabt, aber trotzdem wird das Konsequenzen haben müssen. Es darf nicht sein, dass ein paar Terroristen das ganze System mit einem Algorithmus oder Virus bedrohen können!«

Tom Garden warf einen Seitenblick zu seinem jungen IT-Chef der keinerlei Widerspruch gegen eine so drastische Aktion verlauten ließ. »Das ist Wahnsinn! Es könnte das Vertrauen der Öffentlichkeit in die Märkte erst recht erschüttern und zum Rückzug vieler Anleger von den Börsen führen!« Er schleuderte die Klarsichthülle auf den Schreibtisch.

Connor schlug angesichts dieser respektlosen Geste mit der Faust auf den Tisch. »Die Gesamtkosten eines solchen Angriffs von Cyberkriminalität werden auf drei Billionen Dollar geschätzt. Bei einem Kaskadeneffekt wird es das Hundertfache sein. Wollen Sie das verantworten?!« Connors Blick bohrte sich geradezu in sein Gegenüber, aber es folgte nur eisiges Schweigen.

»Kommen Sie, Garden, selbst die Bank von England wertet die Gefahr einer solchen Attacke inzwischen höher als das

Risiko der Eurokrise«, lenkte er ein und erklärte, dass sich in zwei Tagen 50 führende Finanzunternehmen, darunter auch die größten US-Banken, mit Vertretern der Börsen und Aufsichtsbehörden treffen und einen mehrstündigen Cybergroßangriff simulieren würden. Darüber hinaus müssten die Regierungen endlich mit einem Notfallplan betraut werden, der global funktionieren würde. »Ansonsten können Sie schon mal die Koffer packen, in den Metropolen wird es wohl ziemlich hoch hergehen, wenn die Geldautomaten nichts mehr ausspucken, die öffentlichen Verkehrsmittel stillstehen, die Nahrungsmittelversorgung zusammenbricht und die Polizei den Mob in Schach halten muss.«

Der junge IT-Experte äußerte seine Befürchtung, dass man sowieso über kurz oder lang scheitern würde, da sich die Banken nicht nur Hunderten von Programmierern gegenübersähen, die ganze Server und Systeme übernehmen könnten, sondern von innen sabotiert würden. »Das System hat inzwischen zu viele Feinde aus den eigenen Reihen.«

Garden lächelte verkrampft. »Dann liegt das Schicksal unserer Wirtschaft also in Ihren Händen. Wir werden die Schließung der Börsen in unsere Überlegungen einfließen lassen«, sagte er und stand auf.

Connor zog aus der Mappe weitere Dokumente hervor und bedeutete Garden, sich wieder hinzusetzen.

»Wir haben noch etwas zu klären. Diese neuen Informationen über die Verstrickungen und Verfehlungen der Banken, um es sanft zu sagen … Was ist da dran?«

»Wir arbeiten das seit Jahren ab und versuchen zu regulieren. Sie sehen doch, wie die Banker in der letzten Zeit nur so von den Dächern fallen. Noch mehr Öffentlichkeit bringt noch mehr Unruhe. Das wird wohl keiner von uns wollen.«

Connor hatte verschwiegen, dass die Regierung ohnehin schon angeordnet hatte, die Daten unter keinen Umständen zu verwenden und sie zu vernichten, aber er wollte hier in diesem abgeschotteten Raum die Wahrheit wissen. Schließlich hing zu viel davon ab. »So, so, Sie arbeiten das ab? Sie meinen, Sie wälzen in den kommenden Jahren 70 bis 80 Billionen Dollar schrittweise auf die Steuerzahler ab, bis die Bilanzen der Banken wieder sauber sind?«

»Woher haben Sie diese Zahl?«, fragte der Börsenaufsichtsleiter scharf.

»Ach, Mr Garden. Ich mach hier nur meinen Job, und ich habe eine Tochter und einen Sohn, die auf eine Zukunft vertrauen, die ich ihnen sichern möchte.«

»Da wir jetzt so persönlich geworden sind, kann ich Ihnen ja auch mein Problem anvertrauen, Mr Connor. Wir stehen vielleicht so oder so vor einem Crash, wenn auch nur im Ansatz weitere Informationen durchsickern oder ein Hackerangriff für Unruhe sorgt. Sie müssen das stoppen!«

FÜNFZIG

BRÜSSEL, 4. NOVEMBER

Um jeden Verdacht zu entkräften, musste Winter sich, wie Feg empfohlen hatte, schnell und souverän bei Scotland Yard melden. Sie schaltete ihr Handy an und wählte Allingtons Nummer. Eine dunkle Stimme meldete sich.

»Robert?«

»Inspector Winter?«, fragte die Stimme nach.

»Ja. Ich wollte eigentlich meinen Vorgesetzten sprechen.«

»Wo sind Sie?«

»Darf ich fragen, mit wem ich spreche?«

Winter schluckte, als sich der Mann als Mitarbeiter des MI6 vorstellte. Jetzt gab es kein Zurück mehr. Mit betont ruhiger Stimme erklärte sie, in Brüssel zu sein und unbedingt Chief Inspector Allington sprechen zu wollen. Prompt wurde sie unterbrochen und mit der Frage konfrontiert, ob sie und Feg im Besitz weiterer Daten rund um den Fall Jarod Denver wären. Winter atmete ein.

Jetzt musste sie lügen, wie sie es noch nie getan hatte. Sie hatte Angst davor – Angst, einen verhängnisvollen Fehler zu machen.

»Deswegen rufe ich ja an. Es war verdammt kompliziert, da ranzukommen«, sagte Winter.

»Wo ist Erik Feg?«

Die Frage kam unpassend, aber so, wie Feg es hatte durchklingen lassen, sollte sie an diesem Punkt eine besondere Lüge auftischen. »Er ist in Deutschland, um die Tragweite dieser Daten weiter zu analysieren, aber er könnte in Gefahr sein! Unterrichten Sie umgehend die deutschen Behörden, dass man ihn schützt!«

Sie hörte ein Getuschel, für einen Moment wurde das Mikro abgedeckt. Nach ein paar Sekunden wurde sie angewiesen, zum Brüsseler Flughafen zu fahren. Dort würde sie aus Sicherheitsgründen von zwei Beamten erwartet und nach London begleitet. Sie erschrak. Konnte es sein, dass sie überhaupt nicht hintergangen wurde? Der Ton des Mannes klang in keiner Weise anklagend oder bedrohlich. Hatte Feg Spuren hinterlassen, als er die Software von Sarif gestohlen hatte? Oder wusste der Geheimdienst vielleicht, wer hinter den Morden stecken könnte? Waren Feg und sie auf dem falschen Dampfer unterwegs und wirklich in Gefahr? Dieser Code hatte schon zu viele Menschenleben gekostet, und ihre Angst, dass es nun auch sie oder Feg treffen könnte, stieg. Schließlich hatte Feg gleich zu Beginn ihrer Recherchen davor gewarnt, dass sie nicht nur ein paar Wertpapierbetrüger jagen würden, sondern Menschen, die das ganz große System zur Zielscheibe hatten.

»Hallo, Inspector Winter, haben Sie mich verstanden? Setzen Sie sich in ein Taxi und fahren Sie ohne Umwege zum Flughafen!«

»Bin schon unterwegs.« Rebecca Winter bemühte sich, souverän zu klingen.

Fegs Plan war Wahnsinn. Doch sie musste das jetzt tun – für ihn.

EINUNDFÜNFZIG

HAMBURG, 4. NOVEMBER

Am frühen Abend stand Feg vor dem Apartmenthaus, in dem Susanne Wagner wohnte. Den Finger am Klingelknopf, schaute er sich um, ob ihn irgendjemand beobachtete. Einem plötzlichen Impuls folgend ließ er die Hand sinken. Schon wieder kam er mit Problemen zu ihr, aber diesmal würde er sie vielleicht gefährden. Er drehte sich um und ging zurück zum Auto, holte seinen Rechner und eine Ledertasche heraus und lief in Richtung Wagners Elternhaus. Der Bentley sollte da bleiben, wo er stand, um so wenig Aufmerksamkeit wie möglich zu erregen.

Für einen Moment konnte Feg abschalten, er atmete tief durch und spürte wieder die Sehnsucht nach Ruhe, nach einem Entkommen aus diesem Hamsterrad, in dem er steckte. Er drehte sich noch einmal um und sah entfernt das Licht in Wagners Wohnung. Nur zu gern hätte er sich zu ihr ins Bett gelegt – nur, um ihre Wärme zu spüren.

Die letzten Tage mit dieser jungen Frau hatten Spuren hinterlassen. Er hätte sie vielleicht von Anfang an mehr schützen müssen, ihrem Vorgesetzten sagen sollen, was da auf dem Spiel stand. Hätte er nicht zwischendurch den Überblick verloren, getrieben von der Chance, sich durch diesen Code ein Stück vom Kuchen abzuschneiden, hätte er bestimmt anders gehandelt. Im Grunde genommen hatte er Rebecca Winter in Teufels Küche gebracht. Sie war eine sehr starke und eigensinnige Frau, die vor lauter Enthusiasmus bereit war, Fehler zu machen, ihr fehlte alles Berechnende – ein Charakterzug, der sie sympathisch machte. Ihr Antrieb blieb ihm zwar weitestgehend verborgen, aber sie hatte einen Gerechtigkeitssinn, den er einst auch von sich gekannt hatte. Es war richtig, sie nun zu schützen.

In ihm kroch der Wunsch empor, sich endlich wieder öffnen zu können und seinem Leben eine Wende zu geben. Und genau da schien er sich mit ihr zu treffen. Was ihren Schmerz und ihre Erfahrungen angingen, war sie genauso verschlossen wie er. Aber alles andere an ihr war anscheinend von einer unerschütterlichen Überzeugung und Willenskraft geprägt.

Was wäre gewesen, wenn ich im Leben immer so eine Frau an meiner Seite gehabt hätte?, dachte Feg.

Jetzt ging es nur noch darum, Schaden von ihr abzuwenden. Er musste am nächsten Morgen den Behörden eine glaubwürdige Geschichte auftischen, die Winter vollkommen entlastete. Es würde behaupten, dass er die Übergabe der Ermittlungsergebnisse verzögert habe, um die Täter aus der Reserve zu locken, und dass Winter von seinen rüden Methoden nichts wusste. Gleich morgen würde er seine Daten dem BND übergeben und eine letzte falsche Fährte legen, danach wäre es an ihr und Lascaut.

Kurz vor Wagners Elternhaus schaute er sich noch einmal gründlich um. Doch er konnte weder in den parkenden Autos noch auf dem Fußweg jemanden entdecken. Es war eine fast gespenstische Ruhe, die nur von der fernen Geräuschkulisse des Hafens untermalt wurde.

Feg stellte seine Tasche ab und öffnete leise die Tür. Im selben Moment sah er einen Schatten in der Diele. Ein Knall folgte. Der Spiegel am Ende des Flures zerbarst. Ein Mann mit gezogener Waffe stürzte auf ihn zu. Feg riss die Tür wieder ins Schloss. Drei Schüsse durchbohrten das Holz. Er schrie auf, spürte in der linken Schulter einen brennenden Schmerz. Voller Panik lief er zurück auf die Straße.

Seine Beschattung war nun seine Rettung, sie waren sofort bei ihm, wo auch immer sie sich vor ein paar Momenten noch verborgen hatten, Blaulicht umhüllte die Häuser, Männer des Hamburger Sondereinsatzkommandos stürmten zum Haus, traten die Tür ein. Damit war endlich klar, dass seine Gegner nicht aus den eigenen Reihen kamen. Es folgte ein Schusswechsel, offenbar im Garten der Villa, dann ein Schrei. Hatte man den Täter gefasst? Er musste am Leben bleiben. Um Gottes willen, er muss am Leben bleiben, beschwor Feg. Das wäre die vielleicht einzige Chance, an die wahren Mörder oder Auftraggeber heranzukommen. Ein Beamter kam zu ihm, er trug einen Ausweis des BKA am Sakko und hatte Fegs Tasche bei sich. Ein Mann aus der internen Abteilung des BND, den Feg oberflächlich kannte, folgte ihm.

»Habt ihr ihn? Wer hat da auf mich geschossen, verdammt?«, keuchte Feg, die rechte Hand auf seine linke Schulter drückend. Der Schmerz war unerträglich, das Blut tropfte aus dem Hemd. War eine Aterie getroffen worden? Der Schweiß lief ihm über das Gesicht. Er hatte nur einmal in seinem Leben in den Lauf einer Waffe gesehen und in der Angst einen großen Fehler begangen.

Als der Mann vom BKA Fegs Wunde sah, orderte er einen Krankenwagen. »Ja, wir haben ihn. Keine Papiere, nichts. Diese Tasche stand vor der Tür«, sagte er, und bevor sie ein weiteres Wort wechseln konnten, schnappte sich der BND-Beamte Fegs

Tasche, die dieser in seiner Panik an der Haustür hatte stehen lassen. »Der Festgenommene ist übrigens ein Schwarzer.«

»Danke, Kollege. Und hier dürften dann ja wohl die Ergebnisse Ihrer Ermittlungen drin sein«, wandte er sich an Feg.

Er nickte. Trotz der rasenden Schmerzen hatte er etwas mehr Klarheit. Hinter dem Anschlag auf ihn steckte also nicht der britische Geheimdienst, geschweige denn der deutsche. Nie würden die einen Schwarzen für eine Liquidierung engagieren. Der Täter war von den Leuten angeheuert worden, die vermutlich auch Denver, Naravan und Former auf dem Gewissen hatten. Nun wäre Lascaut sicher der Nächste. Und was war mit Winter? Oder hatte sie etwa den BND entgegen ihrer Vereinbarung gewarnt?

»Woher wussten Sie …?« Feg stöhnte auf.

»Wir haben eine Warnung aus London bekommen, dass man Sie im Visier haben könnte. Sie haben sich selbst in Gefahr gebracht. Können Sie nicht einmal nach unseren Regeln spielen?«, fragte der Kollege vom BND. »Und wenn ich richtig informiert bin, sind Sie im Besitz der letzten Kopien? Sie haben es übrigens Inspector Winter zu verdanken, dass Sie noch am Leben sind. Sie ist in Sicherheit, und ich hoffe, sie wird Sie entlasten. Die Briten werfen Ihnen nämlich Spionage vor.«

ZWEIUNDFÜNFZIG

LONDON, 4. NOVEMBER

Noch am Abend wurde Winter von einem Beamten des MI6 im Büro ihres Vorgesetzten damit konfrontiert, dass Erik Feg sie hintergangen hätte. Im Schein von Allingtons gelblich leuchtender Schreibtischlampe ging ein kräftiger und besonders großer Mann des MI6 Winter scharf an. Sie hatte sich vor dem Tisch hingesetzt und versuchte Ruhe zu bewahren.

Der Geheimdienstler erklärte, man habe sich alle Daten und Hintergründe dieses Mannes vom BND besorgt und sei zu dem Schluss gekommen, dass er mit ziemlicher Sicherheit bestochen worden sei, um die Ermittlungen im Interesse von Terroristen zu unterlaufen, die einen gezielten Anschlag auf die internationalen Börsen geplant hätten. Erst durch einen unbekannten Informanten sei man auf die Dimension des Falles aufmerksam geworden.

»Was für ein Blödsinn. Von einem Diebstahl weiß ich nichts. Ich war die ganze Zeit bei ihm. Erik Feg hat mir vielmehr geholfen, die Daten richtig einzuordnen, aber uns fehlte bis dato der entscheidende Hinweis, worum es sich bei diesem Programm handelt oder was es am Ende wirklich bewirken kann.

Er hatte vielmehr die Befürchtung, dass diese Terroristen, wie Sie sie nennen, für uns zur Gefahr werden könnten!«

Mit einem bestürzten Gesichtsausdruck kam Allington in sein Büro und verzog den Mund, als er den Mann vom MI6 auf seinen Platz sitzen sah. »Wir haben keine guten Nachrichten, Rebecca. Wir wurden eben vom BND darüber informiert, dass Erik Feg in Hamburg niedergeschossen wurde. Die Warnung an die deutschen Behörden kam wohl zu spät. Verdammt, Rebecca, was habt ihr euch dabei gedacht?! Es muss euch doch klar gewesen sein, dass man euch mit den Daten im Visier haben würde!«

Winter war wie paralysiert. »Wie geht es ihm?«, brachte sie schließlich heraus.

»Er wird durchkommen.«

Winter blickte Allington prüfend an, sie kannte ihn lange genug. Er wirkte in seiner Betroffenheit irgendwie nicht echt. Wer steckte nur hinter all den Intrigen und Morden? Ein ausländischer Geheimdienst? Lascaut? Oder ihre eigenen Leute, die ihr gerade diese Geschichte über Feg verkaufen wollten? Sie musste wieder an dessen Worte denken, was ein paar Menschenleben wert wären, wenn dafür ein höheres Ziel erreicht werden könnte. Nun hatte ihn diese Einstellung selbst eingeholt, und sie fragte sich, ob Feg diesen Standpunkt immer noch vertreten würde. Aber eines wurde ihr in diesem Moment auch klar. Sie musste die letzte Option behalten und mehr über Lascaut herausbekommen, über seine Motive, seine Herkunft, seine Authentizität. Dem MI6 traute sie keine Minute über den Weg. Sie hatte mit Fegs waghalsiger Aktion, sich als Zielscheibe zu verwenden, egal wie be- oder unbewusst er das Risiko eingegangen war, tatsächlich Zeit gewonnen. Mit dem Tod Formers und dem Zugriff auf die Daten würden sich nun alle in Sicherheit wiegen, den Anschlag verhindern zu können. Irgendwie fühlte sie sich Feg verpflichtet.

»Zu welchen Personen hatten Sie zuletzt Kontakt?«, fragte der Mann vom MI6 mit sonorer Stimme. Allington hatte sich inzwischen mit Blick auf Winter auf einen weiteren Stuhl vor einen Aktenschrank gesetzt. Offenbar wollte er sie jetzt nicht alleine lassen.

»Das Letzte, was wir erfahren haben, war der Tod von Dan Former, kurz nachdem wir ihn verhört hatten. Wir haben bei ihm den Rest der Daten gefunden«, log sie.

»Und sonst war da niemand?«, hakte der MI6-Mann nach.

»Nein.«

»Sie wissen ganz genau, was dieses Programm kann.«

»Nein.« Dies ist kein Gespräch, dies ist ein Verhör, dachte Winter. Was passiert hier?

»Warum haben Sie Erik Feg geholfen?«

»Was? Er hat *mir* geholfen!«

Allington machte eine beschwichtigende Handbewegung, um Winter zu beruhigen. Sie spürte, dass er sich große Sorgen machte.

»Wer hat Sie mit ihm zusammengebracht?«, wollte der Mann wissen.

»Wie bitte? Na, Sie, der britische Geheimdienst, hallo?!«

Der Geheimdienstmitarbeiter ließ sich nicht aus der Ruhe bringen. »Wie sind Sie an die vollständigen Daten gekommen? Sie müssen einen weiteren Informanten aus dem Kreis dieser Leute haben.«

Winters Hirn raste, jetzt wurde sie in die Mangel genommen. »Hab ich doch schon gesagt. Wir haben alles bei einer Durchsuchung der Jacht von Dan Former gefunden.«

»Wie viele Kopien haben Sie von den Daten angefertigt?«

»Keine«, sagte Winter und wusste, dass sie spätestens jetzt ihre Karriere und ihre Freiheit aufs Spiel setzte, noch vor ein paar Tagen eine unvorstellbare Option.

Der Mann vom MI6 hatte einen nicht zu deutenden Gesichtsausdruck. Es war offen, ob er ihr glaubte oder nicht.

Winter bemühte sich, so souverän und gelassen zu bleiben, wie es ihr nur möglich war. »Das heißt, Mr Feg hat natürlich noch Kopien.«

»Ja, klar, das wissen wir schon vom BND. Gut, dann sind wir für den Moment hier fertig. Das nächste Mal schalten Sie uns bei so einer Gefährdungslage früher …«

»Sir, bei allem Respekt«, unterbrach ihn Winter. »Ich bin nach dem Fund einer Festplatte in Jarod Denvers Wohnung sofort zur Auswertung nach Cheltenham gefahren, dort verwies man mich an den Experten Erik Feg, und so ging es weiter! Suchen Sie die Verantwortung für was auch immer bei sich selbst. Ohne die Hilfe von Erik Feg hätten Sie von den Daten nichts verstanden, wenn ich das richtig sehe.«

»Wie bitte?« Der Geheimdienstler schien nicht gewohnt zu sein, dass man so mit ihm sprach.

»Was ist mit den Ermittlungen, die nun anstehen, immerhin geht es ja nicht nur um diesen Code oder Algorithmus, sondern um Beweise, die …«

»Sie hatten nie irgendwelche Beweise, sondern nur Fälschungen, ist das klar? Sie werden nun diese Verschwiegenheitserklärung unterschreiben, und damit ist das Kapitel für Scotland Yard im Interesse der nationalen Sicherheit beendet!«

»Es gehört zur nationalen Sicherheit, dass ein gigantischer Betrug der Finanzindustrie nicht aufgedeckt wird?« Rebecca Winter war fassungslos.

Der MI6-Mann stützte sich auf dem Tisch ab. »Sagen Sie mal, wollen Sie Ihre Karriere so schnell beenden?« Er schüttelte den Kopf. »Das alles wird noch ein internes Nachspiel haben. Danke für Ihre Kooperation, Inspector Winter, und ich entschuldige mich für unseren massiven Eingriff, Chief Inspector

Allington«, fügte er hinzu und verließ mit einem knappen Kopfnicken den Raum.

Winter blickte ihren Chef mit einer Mischung aus Wut und Angst an. Beide schwiegen. Schließlich ging Allington zur Tür und schaute in den Flur.

»Komm mit!«, forderte er sie auf.

Sie musste nicht lange überlegen, was Allington wollte. Sie liefen zum Lift, fuhren in den ersten Stock und gingen über die Treppe hinunter zu einem Seiteneingang. Allington prüfte, ob die Luft rein war, bevor sie die Straße betraten.

»Lass dich nicht täuschen, Rebecca. Wir alle werden weiter rund um die Uhr beschattet«, sagte er nach einer Weile, wohl wissend, dass Winter nicht alle Karten auf den Tisch gelegt hatte.

Sie war erstaunt, offenbar hatte er zu seiner Nervensäge doch mehr Vertrauen, als sie dachte. Einweihen würde sie ihn nicht können, noch nicht, und aufgeben mochte sie auch nicht. Bei allen Zweifeln war sie es Feg schuldig. Außerdem war die Drohung des MI6 eine Überschreitung aller Grenzen, eine Aufforderung, ihren Job an den Nagel zu hängen. Allington hatte also recht behalten. Staatsräson!

»Kannst du mir irgendwie helfen, dass ich wenigstens noch einmal unerkannt nach Brüssel komme? Ich muss da noch einmal jemanden treffen!«

Allington sah sie an. »Du hast eben den MI6 belogen?«

Er hatte nichts anderes von Winter erwartet, und dennoch war er fast erschüttert, dass ihre Hartnäckigkeit immer noch keinen nachhaltigen Dämpfer erhalten hatte. Aber sein eigenes Unbehagen ließ ihn seine selbst auferlegte Fürsorgepflicht vergessen, denn der Auftritt des Geheimdienstes war so heftig gewesen, dass er nicht nur sauer war. Winter hatte den richtigen Instinkt gehabt – hier sollte alles vertuscht werden, und es war an der Zeit, das zu verhindern.

Als ihm klar wurde, dass Rebecca Winter seine letzte Frage unbeantwortet lassen würde, sagte er mit gemischten Gefühlen und sorgenvoller Miene: »Gut, ich habe eine Idee. Aber was willst du dort?«

Winter zögerte, dann flüsterte sie Allington etwas ins Ohr.

»Bist du völlig wahnsinnig!«, entfuhr es ihrem Chef.

»Schau dir an, was wir alles zusammengetragen haben. Wir waren vielleicht immer auf der falschen Fährte, Robert. Er ist die einzige Quelle, die wir noch haben!«

Allington nahm ihre Hand. Erstmals ließ sie eine solch väterliche Geste von ihm widerstandslos zu.

»Es ist unsere letzte Chance, an die Hintermänner heranzukommen«, sagte sie. »Bitte vertrau mir. Ich weiß inzwischen, wie groß die Sache ist, und Erik Feg hat nicht sein Leben dafür riskiert, dass ich einfach aufgebe. Es ist nur eine Fahrt. Ich bin so schnell wie möglich wieder da!«

An ihren Fähigkeiten zweifelte er nicht, aber er wollte nicht ihr Leben aufs Spiel setzen. Er warnte sie, dass es zu viele Kräfte gäbe, die kein Interesse an einem Erfolg der Ermittlungen hätten. »Bist du sicher, dass du diesem Mann trauen kannst?«

»Natürlich nicht, aber ich habe seine Angst gespürt und seine Akte gelesen. Er wird mir bestimmt nichts tun, falls du das meinst. Der Mann hat seinen Zenit schon überschritten, Robert. Aber er weiß sehr viel!«

Winter schaute in Allingtons Augen. Sie waren müde, aber irgendetwas hatte sich in seinem Blick verändert, da war auch Traurigkeit. »Also, du hilfst mir?«

»Ich bin ein alter Sack, Rebecca, und ich beneide dich um deine Kraft«, sagte er, zog seine Geldbörse aus der Hose und holte ein Foto hervor. Es zeigte ihn als jungen Beamten mit seinen Kollegen. Forsch und voller Idealismus schaute er in die Kamera.

»Der da links in der Mitte, das war ich. Das Foto wurde an dem Tag gemacht, als ich zum Chief Inspector befördert wurde. Damals habe ich fest daran geglaubt, dass wir hier für das Gute kämpfen. Aber heute, wenn ich mir dieses Bild anschaue, wird mir klar, dass ich mittlerweile resigniert habe. Du hast ihn noch, diesen Enthusiasmus, und das schätze ich an dir. Wäre er mir geblieben, ich hätte viel mehr erreichen können … aber das ist jetzt egal.« Er ließ das Foto sinken und sah sie mit ehrlicher Besorgnis an. »Ich hoffe nur, dass du nicht zu viel riskierst, Rebecca. Was ist, wenn dieser Lascaut längst im Fokus jener Leute ist, die auch Feg töten wollten?«

»Ich werde aufpassen. Keine Sorge«, entgegnete Winter.

Allington spürte, dass da noch was war. »Du verschweigst mir etwas.«

»Ja. Und wenn ich wieder zurück bin, erzähl ich's dir. Das ist ein Versprechen!«

DREIUNDFÜNFZIG

LONDON, 4. NOVEMBER

Reuters *– Nach Angaben des* Wall Street Journal *verändern derzeit zahlreiche Banken und Hedgefonds ihre Strategie und wetten im großen Stil auf fallende Kurse. Auch die US-Börsenaufsicht bestätigte, dass es Hinweise gebe, dass sogenannte Short-Positionen auf den amerikanischen Leitindex S&P 500 auf 200 Prozent ausgebaut wurden. Short-Papiere sind Leerverkäufe, mit denen ein Anleger von fallenden Kursen profitieren kann. Im Falle eines Börsencrashs würden große Investoren um ein Vielfaches von diesem Einsatz profitieren.*

Dem widersprachen heute Analysten der Wall Street und warnten vor Panikmache. Ihrer Meinung zufolge stünde keine neue Krise bevor. Richtig sei aber, dass viele Investoren den Börsenaufschwung der vergangenen Jahre für trügerisch gehalten hätten. Denn die Aktienkurse hätten sich zuletzt von der wirtschaftlichen Entwicklung der Unternehmen entkoppelt. Schuld an der Kursrallye seien den Analysten zufolge die Notenbanken. Sie hätten die Zinsen auf ein Rekordtief gesenkt und die Märkte mit billigem Geld geflutet. Hier habe sich aus Sicht der Wall-Street-Analysten eine Spekulationsblase gebildet, die bald

platzen könnte. Denn die US-Notenbank Fed habe damit begonnen, die Liquiditätsspritzen zu reduzieren.
Als weitaus dramatischer wurden heute von den Märkten Gerüchte aufgenommen, wonach der Hedgefondsgigant BlackRock und zahlreiche »Too-big-to-fail-Banken« Zugang zu geheimen Plänen der Zentralbanken gehabt hätten, die Leitzinsen zu erhöhen. Sollte sich dieser Verdacht bestätigen, wäre es der größte Insiderhandel der Geschichte und müsste nachhaltige Konsequenzen haben, sagte der Börsenkritiker Dave Moran.
Die U.S. Securities and Exchange Commission (SEC) wollte sich bisher nicht zu solchen Gerüchten äußern. BlackRock hatte bereits 2008 unter Verdacht gestanden, durch private Beziehungen zu leitenden Personen der Zentralbanken und der US-Regierung von Insiderinformationen profitiert zu haben. Zahlreiche private Anleger kehrten dennoch heute großen Finanzinstituten den Rücken, die Kurse gaben zum Teil um bis zu fünf Prozent nach. Der Pressesprecher von BlackRock wies die Vorwürfe als völliges Fantasiegebilde zurück.

Jack Connor schloss seinen Newschannel, stand von seinem Schreibtisch auf, ging ans Fenster und blickte nachdenklich auf die Themse. Die Warnung des Leiters der Londoner Börse hatte keinen prophetischen Charakter mehr, es braute sich wirklich etwas zusammen. Er war nur zuständig für die Sicherheit, gegen Spekulationen konnte er nichts tun. Ganz anders verhielt es sich mit dem geplanten Anschlag. Unfassbar, dass eine Scotland-Yard-Beamtin bessere Arbeit geleistet haben sollte als der Geheimdienst. Noch beunruhigender war die schonungslose Analyse des IT-Leiters der Londoner Börse. Man hatte mit dem Aufspüren des Algorithmus also nur Zeit gewonnen. Seine Experten waren mal wieder anderer Meinung, glaubten, nach

Analyse der Algorithmen sicher zu sein, dass man auch am 9. November auf Angriffe dieser Art vorbereitet sei, selbst für den Fall, dass der Code von unerwarteter Stelle eingesetzt werden könnte.

Die Liste der angeblichen Helfer Dan Formers wurde von einem Team des Geheimdienstes in Cheltenham in Zusammenarbeit mit dem MI6 abgearbeitet. Sie standen unter Beobachtung, ihre Rechner und Telefone wurden in Echtzeit überwacht. Aber keinem konnte irgendein Kontakt zu Former nachgewiesen werden. Darauf allein wollte sich Connor nicht verlassen, er hielt an seinen Plänen fest, die fünf größten Börsen an diesem Tag geschlossen zu halten. Auf Druck der Ministerien hatten die Aufsichten widerwillig zugestimmt. Und die Öffentlichkeit, Anleger und Journalisten reagierten ungewöhnlich gelassen auf die Pressemitteilungen einer notwendigen Übung. Ganz im Gegenteil – einige Medien sprachen von einer längst überfälligen Maßnahme, solch ein Manöver über alle wichtigen Handelsplätze hinweg spiegele nur die reale Gefahr wider. Einige US-Senatoren nutzten die Gunst der Stunde und verteidigten die Überwachungstechnologien der Geheimdienste, die sich nun abermals bewährten.

Connor ging wieder an seinen Schreibtisch, schenkte sich aus einer Thermoskanne frischen Tee in seinen Becher und studierte die Einsatzpläne für die kommende Woche, als sein Telefon klingelte. Es war der anonyme Informant.

»Wenn ich nicht dankbar sein müsste für Ihren Tipp, würde ich Sie jetzt jagen lassen. Wie ich sehe, sitzen Sie in Brüssel!«

Es war wieder schwierig, der verzerrten Stimme zu folgen.

»Sie werden mit den Maßnahmen den Einschlag nur verschieben. Sie müssen die Hintermänner finden!«

Connor trommelte genervt mit den Fingern auf dem Schreibtisch. »Hören Sie, es reicht. Wir sind Herr der Lage. Die

Börsen werden nach dem 9. November ganz normal wieder ihren Handel aufnehmen!«

»Sie verstehen nicht. Dan Former hat vor seinem Tod weltweit Leute in Stellung gebracht, um seinen Plan zu verwirklichen«, sagte die Stimme.

Connor wurde aufmerksamer, als er hörte, dass es eine Liste von Leuten geben müsse, die vor Ort in das Geschehen eingreifen und die Handelssysteme infizieren würden. Alle Verteidigungsmaßnahmen würden scheitern, würde man ihrer nicht habhaft werden. Er war sich trotz der Warnungen seines offensichtlich gut informierten Whistleblowers nicht im Klaren, was hier für ein Spiel ablief.

»Beruhigen Sie sich. Wir haben die Liste der Leute, und wir beobachten diese sehr genau. Wir gehen davon aus, dass ihre Rechner angegriffen wurden und man ihre Identitäten gestohlen hat und damit die Zugangsdaten zu den Handelssystemen.«

Es war still auf der anderen Seite.

»Hallo?«

»Sie haben die Liste?«

»Ja!«, antwortete Connor barsch.

Der Hörer wurde aufgelegt.

VIERUNDFÜNFZIG

LONDON, 5. NOVEMBER

Allingtons Plan war so schlicht, dass er funktionieren könnte. Vor ihrem Haus hatte Winter weder am Morgen noch an diesem Nachmittag bisher einen Wagen entdeckt, der ihr auffällig erschien oder in dem jemand saß und ihre Wohnung beobachtete. War man am Ende von ihren Erklärungen doch so zufriedengestellt gewesen, dass jeder weitere Verdacht sich erübrigt hatte? Ganz so, wie es Feg kalkuliert hatte?

Sie nahm aus ihrer Tasche eine Mehrfachsteckdose mit Zeitschaltuhr und schloss ihre Schlafzimmerlampe daran an. Nachts um eins würde sich das Licht abschalten. Um 20 Uhr würde sie über ihre Terrasse auf die Morant Street gelangen und von Allingtons Frau nach Dover gebracht werden. Die Fähre wäre in weniger als zwei Stunden in Calais. Dort hatte Allington ihr einen Mietwagen besorgt und ihr für alle Fälle die Kontaktdaten von Interpolkollegen gegeben, die sie im Notfall benachrichtigen könnte. Nach weiteren zwei Stunden wäre sie in Brüssel. Dort hätte sie nur wenig Zeit, um sich am nächsten Tag nach einem Besuch bei Lascaut auf den Weg nach Deutschland zu machen. Darauf hatte Allington bestanden, damit der Geheimdienst nur davon ausgehen würde, dass sie Erik Feg besucht hätte.

Das einzige Risiko waren die Passkontrollen zwischen der Insel und Belgien gewesen, auf deren Reisedaten die Geheimdienste ohne Weiteres zugreifen konnten, aber Allington hatte mit seinen Verbindungen dafür gesorgt, das nichts im System Alarm schlagen würde. Genauso massiv, wie die Kontrollen und Fähigkeiten der Geheimdienste im digitalen Zeitalter gewachsen waren, hatte die Bereitschaft in anderen Behörden zugenommen, sich gegenseitig bei prekären Ermittlungen zu helfen, um der eigenen Krake zu entgehen. Am Zugang zur Fähre würde Winters Pass nur kurz eingescannt. Nach ein paar Sekunden wäre alles erledigt. Nur in Brüssel dürfe sie nicht den Funken einer Spur hinterlassen, hatte Allington ihr eingeschärft. Ihr Diensthandy müsse eingeschaltet zu Hause liegen bleiben, und sollte sie Lascaut nicht in diesem engen Zeitrahmen treffen können, wäre ihre Reise beendet.

Sie packte ein paar Sachen zusammen, zog Patrice Lascauts Visitenkarte aus ihrer Geldbörse und prägte sich seine Adresse ein, als ihr die Schließfachschlüssel unbemerkt in den weichen Teppich fielen. Nur für einen Moment reflektierte einer das Licht der Deckenlampe. Zufällig sah sie ihn, stöhnte auf und fingerte die Schlüssel auf den Ring ihres Hausschlüssels. Das wäre es jetzt gewesen!

Noch blieb ihr etwas Zeit. Sie überlegte kurz, ob sie Ms Lohendry und Hannibal einen Besuch abstatten sollte, verwarf den Gedanken aber, holte sich stattdessen eine Packung Kekse aus dem Küchenschrank, setzte sich in den Ohrensessel und schlug noch einmal die Akte von Patrice Lascaut auf. Sie war beeindruckend – beeindruckend klein. Er hatte sich nie etwas zuschulden kommen lassen, nicht mal Verkehrsdelikte. Sein Vermögen hatte er sich anscheinend ohne große Betrügereien erarbeitet. Seine Person erschien kaum in den Medien, obwohl er über beste Beziehungen in die Machtzentralen in London, Paris und Brüssel verfügte. Seine Motivation, Former zu helfen, dürfte ehrlich gewesen sein, aber sie konnte sich nicht vorstellen, dass er sich so weit radikalisiert hatte, dass er Morde in Kauf nahm, um seine Ziele zu erreichen. Anscheinend ging es ihm eher darum, dafür zu sorgen, dass der Plan noch aufging, gerade weil er schon so viele Menschenleben gekostet hatte. Und wieder hatte sie die Tränen von Devona Müller vor Augen, die ihre Gewissensbisse bei dem Treffen in dem Brüsseler Lokal preisgegeben hatte und die Skrupellosigkeit, mit der in den Handelshäusern über das Lebensnotwendige für Millionen von Menschen entschieden wurde – Bilder, die sie bis in den Schlaf verfolgten, auch das hatte Feg ihr prophezeit. Aber es war trotz aller Zweifel eine waghalsige Aktion des alten Herren, Feg und sie einzuspannen. Das tat nur jemand, der auch zu mehr bereit war.

Es war klar, sie fuhr nach Brüssel, um eine Entscheidung zu fällen. Entweder würde sie Lascaut den Behörden ausliefern oder das für sie bis dato Undenkbare tun und ihm Zugang zum Schließfach der Belgischen Nationalbank gewähren.

Scheiße, ich hab keine Ahnung, auf was ich mich hier einlasse, schoss es ihr durch den Kopf.

FÜNFUNDFÜNFZIG

HAMBURG, 5. NOVEMBER

Ein Beamter des BKK bewachte das Einzelzimmer in der Eppendorfer Klinik, in dem Erik Feg lag. Es war ein beklemmendes Gefühl, nichts mehr tun zu können. Nur zu gerne hätte Feg mit Winter gesprochen. Wie war es ihr ergangen? Er hatte lediglich erfahren, dass sie sicher in London angekommen war. Jetzt lag alles in ihrer Hand. Für ihn war der Auftrag beendet. Zu seiner Überraschung hatte der BND ihm gegenüber den britischen Geheimdienst in Schutz genommen, ihm aber auch zu verstehen gegeben, dass seine Karriere nach all den Ungereimtheiten beendet sei. Feg schaltete den Fernseher ein, zappte sich durch die Kanäle und blieb schließlich bei einer Nachrichtensendung hängen.

> *… Nach Angaben der britischen Behörden werde derzeit geprüft, ob die Gefahr eines Angriffs auf die Börsen in New York, Frankfurt, Tokio, Schanghai und London wirklich abgewendet seien. Die Aufsichten halten weiterhin an ihren Plänen fest, die Börsen am 9. November mit einem außerordentlichen Börsenfeiertag zu schützen, sollten die Systeme bis dahin nicht von den*

Experten bereinigt worden sein. Die Ermittlungen rund um den ermordeten und lange Zeit wegen Betruges gesuchten Großinvestor Dan Former laufen derweil auf Hochtouren. Er steht im Verdacht, einen solchen Angriff vorbereitet zu haben.
Formers Motive könnten nach Angaben der Ermittler von Rachegelüsten getrieben sein, nachdem ihn die US-Börsenaufsichtsbhörde SEC zuletzt gezwungen habe, hohe Entschädigungen für einen nachgewiesenen Insiderhandel zu zahlen und seinen Fonds aufzulösen, sagte ein Sprecher von Scotland Yard am Rande einer Pressekonferenz in London.
Formers Anwälte bestreiten indes eine Verwicklung ihres ehemaligen Mandanten in diesen Fall und sprechen von einer Kampagne. Ihnen zufolge habe Former sich zuletzt redlich darum bemüht, Verstrickungen und Ursachen der Finanzkrise aufzudecken, um die verschleppte Regulierung des Bankensektors voranzutreiben. Die Anwälte kündigten hierzu für die nächsten Tage Veröffentlichungen des internationalen Journalistenkonsortiums an, was heute Morgen an den internationalen Börsen zu einem weiteren Einbruch bei den großen Bankinstituten führte, da immer mehr Marktteilnehmer weitere Regressforderungen gegen Banken und Versicherungen bei einer erneuten Welle von Enthüllungen befürchten …

Feg schaltete den Fernseher aus und schloss die Augen. Er war zum Zuschauer degradiert, aber der Countdown schien zu laufen. Langsam wurde ihm klar, dass Former auf mehrere Pferde gesetzt hatte, um das System nachhaltig zu zerstören. Diese Nachricht kündigte den Trend an, den Banken das Licht auszuschalten. Ferg fühlte sich schwach und unsicher. In welche Falle war er gelaufen?

SECHSUNDFÜNFZIG

CALAIS/BRÜSSEL, 5./6. NOVEMBER

Rebecca Winter war ohne Probleme durch die Passkontrolle gelangt und gegen 23 Uhr in Calais angekommen. Der Leihwagen stand bereit. Sie fuhr ins Hotel *Holiday Inn*, checkte unter falschem Namen ein und versuchte von ihrem Zimmertelefon, Lascaut zur späten Stunde zu erreichen. Nach nur einem Rufzeichen war er am Apparat.

»Kann ich Sie heute noch treffen? Ich komme nicht als Polizistin!«, sagte Winter, ohne ihren Namen zu nennen.

»Madame. Ich wüsste nicht, was ich noch beitragen kann, aber bitte. Ich schlafe ohnehin nicht gut.«

»Ich bin in etwa zwei Stunden bei Ihnen.«

Winter hatte zwar keine Angst, dennoch war es ein merkwürdiges Gefühl, ohne Waffe, Dienstausweis und irgendeinen Partner diesem Mann gegenüberzutreten, von dem sie nicht wusste, wem er sich verpflichtet fühlte. Gegen kurz nach halb zwei in der Nacht erreichte sie die Rue aux Laines und parkte ihren Wagen direkt beim Justizministerium. Angesichts Lascauts möglicher Verstrickungen kam es ihr wie Ironie vor, dass er ausgerechnet in dessen Nachbarschaft wohnte.

Sie stand vor einer fünfstöckigen weißen Großstadtvilla. Dem Klingelschild nach zu urteilen, bewohnte Lascaut offenbar die zweite Etage. Sie läutete. Die Haustür öffnete sich mit einem Surren. Rebecca stieg die massiven Steintreppen bis in den zweiten Stock herauf und erblickte Lascaut, der gebeugt vor ihr stand. Er bat sie höflich, aber mit sorgenvoller Miene herein. Schon im Entree hatte sie den Eindruck, die Vergangenheit zu betreten. Alte Perserteppiche, Mahagonikommoden, riesige antike Schränke, großformatige Fotos teils mit privaten Freunden, teils mit Politikern, alle in vergoldeten Rahmen präsentiert, Gemälde von Künstlern, deren Namen sie sicher schon mal gehört hatte, schwere Kerzenständer. Das Parkett knarrte unter ihren Schritten. Lascaut reichte ihr einen Kleiderbügel, der, mit rotem Samt und Messingnieten überzogen, sie kurz an ihren Ohrensessel denken ließ.

»Kommen Sie, setzen wir uns. Ich habe frischen Tee gemacht.«

Als sie in sein Arbeitszimmer geführt wurde, drang sie in das Leben eines altgedienten Machers ein, der sich schon über Jahrzehnte hier eingerichtet haben musste und den Rest seiner Tage nicht mehr ausziehen würde. An den Wänden Bücherregale, der massive Schreibtisch vollgeladen mit Papieren und Akten. Zahlreiche Messinglampen hüllten den Raum in ein warmes Licht. Eine schwere Ledergarnitur stand auf einem fein gemusterten Perserteppich, und auch hier hingen unzählige Gemälde an den Wänden. Neben dem Sofa stand ein Schachtisch, dessen Figuren auf ein unbeendetes Spiel deuteten.

»Ich muss mich für die leichte Unordnung entschuldigen, aber meine Haushälterin ist seit einer Woche krank, das bringt alles etwas durcheinander.«

Auch wenn Winter sich für einen Moment von den Äußerlichkeiten, die ihr gefielen, hatte ablenken lassen, überlegte sie, ob dieser Mann vielleicht wusste oder ahnte, wer auf Feg geschossen haben könnte.

»Also, was kann ich zu so später Stunde noch für Sie tun?«, fragte Lascaut und machte es sich in einem Sessel bequem, nachdem er auch Winter einen Platz angeboten hatte. »Sie haben doch alles erreicht. Ich hoffe, dass Sie, aber vor allem Ihr Partner, durch Ihre Entdeckungsreise zu anderen Schlüssen gekommen sind. Sonst wird alles einen Verlauf nehmen, den Sie vielleicht einmal sehr bereuen werden.«

»Mein Partner Erik Feg ist niedergeschossen worden, bevor Beamte sein Leben retten und die Daten sicherstellen konnten.«

Lascaut erschrak sichtlich.

»Ihr Partner hat mir versprochen, er würde alles sicher in Brüssel unterbringen. Das bedeutet, die Behörden haben jetzt auch noch Zugriff auf die Liste bekommen? Mein Gott, wissen Sie überhaupt, was Sie da angerichtet haben?« Er schaute Winter entsetzt an.

»Keine Sorge. Er hat die Liste, die jetzt zur Beruhigung aller bei den Behörden liegt, gefälscht.«

Lascaut dachte nach. Konnte das gut gehen? Wäre es nicht völlig gleichgültig, wenn man nun wüsste, dass der Angriff von innen erfolgen würde und alles andere ein riesiges Täuschungsmanöver war? War sein Schachzug zu riskant gewesen? Es war, als wäre er umringt von unkalkulierbaren Risiken und Optionen. Keine Aktie, kein noch so verrücktes Produkt an der Börse erschien ihm plötzlich so komplex wie diese Situation. Er hatte es mit der nicht zu kalkulierenden Matrix von menschlichen Verhaltensweisen zu tun. Auch wenn alle glaubten, diese inzwischen beherrschen, unser aller Verhalten berechnen und manipulieren zu können – Feg und Winter waren besonders harte Nüsse. Beide waren gerissen und vom Egoismus ihrer Vorstellungen getrieben, was richtig und falsch war oder wie etwas zu sein hatte. Es wurde Zeit, die Dinge zu einem Ende zu führen.

»Er hat die Namen ausgetauscht? Klug! Aber dass er sein Leben dabei riskiert hat, ist für einen Mann wie ihn ungewöhnlich.«

Winter nickte. »Er wollte mir Zeit verschaffen und sich alle Optionen offenhalten. Monsieur Lascaut, ich möchte von Ihnen wissen, wer hinter Ihnen her sein könnte, bevor ich mich entscheide, was ich als Nächstes tue«, sagte sie und erklärte, dass er es nur der massiven Drohung des MI6 gegen sie zu verdanken hätte, dass sie ihn nicht gleich den Behörden ausgeliefert habe, da Fragen und eine Menge Zweifel aufgetaucht wären.

»Ich habe wirklich keine Ahnung. Aber es gibt seit Wochen einen Maulwurf in unseren Reihen, so viel ist sicher, und das hat andere auf den Plan gebracht.« Es gäbe in Brüssel, an den Börsen, in den Banken und Hedgefonds und in den internationalen Finanzinstitutionen so viele Menschen, die Angst vor weiteren Veröffentlichungen hätten, dass er es aufgegeben habe, darüber nachzudenken. »Nach Formers Tod hatte ich eben die tollkühne Idee, die Hoffnung, dass Erik Feg, so zwiespältig seine Biografie auch sein mag, mehr verstehen und mir vielleicht helfen würde.«

»Wie haben Sie sich das eigentlich vorgestellt? Ich meine, wie soll das System ohne Banken auskommen?« Neugierig schaute Winter ihn an.

»Das ist nur ein Mantra, an das alle glauben«, antwortete Lascaut. »Die Gehirnwäsche besteht darin, dass viele glauben, dass es diese großen Banken braucht. Im Grunde bräuchte es nicht einmal den Zinseszins! Er ist die Perversion, die jeden privaten Schuldner zum Sklaven macht!« Lascaut fuhr sich mit der Hand über das Gesicht, atmete schwer. »Es geht um Weltherrschaft. Dazu muss man nur das Geld kontrollieren, und das geschieht. Ein paar wenige Giganten dominieren heute Energie, Nahrung und Gesundheit. Sie steuern natürlich auch, wer ein Milliardär werden kann und wer nicht. Das alles läuft über die Zentralbanken, wenige Großunternehmen, den IWF und die Weltbank.«

»Also sind die Leute, die jetzt auspacken, die Verlierer der letzten Krise. Dann hat es ja mal ein paar richtig Große getroffen«, folgerte Winter.

»Wenn Sie so wollen, ja. Das Internet hat viel dazu beigetragen. Die Angst vor weiteren, wie nennen Sie sie? ... Whistleblowern. Deswegen wird die Überwachung ständig erweitert, doch die Vernetzung ist noch angreifbar, und die Schuldigen, die zuletzt nicht im Knast gelandet sind, sind immer noch am Ruder!«

So etwas hatte auch der Ökonom der Weltbank gesagt, dachte Winter und ließ ihren Blick wandern. Ein Foto fiel ihr auf: der junge Lascaut in einer Militäruniform, flankiert von zwei Kameraden. Die Zugehörigkeitsabzeichen konnte sie nicht einordnen. Im Hintergrund war ein Schützenpanzer zu erkennen, der irgendwo an einer Küste stand.

»Na ja, wenn keiner die Wahrheit sehen will, muss halt für einen Zustand gesorgt werden, der keine andere Möglichkeit mehr zulässt. Das war unser ehrenwertes Ziel«, sagte Lascaut.

Schwerfällig erhob er sich und ging zu einem Bücherbord. Er zog ein altes Fotoalbum heraus, schlug es auf und gab es Winter. Während sie rätselte, was er damit bezweckte, sprach Lascaut von einer gemeinsamen Zeit an der London School of Economics. Plötzlich erkannte sie auf einem der Fotos ihren Vater. Lascaut sah ihren erstaunten Blick und erklärte ihr, dass sie keine dicken Freunde gewesen wären, sich aber immer unterstützt hätten, bis Neil Winter ihn im April 2000 anrief und um finanzielle Hilfe bat. Aber er konnte seinerzeit nichts für ihn tun, außer ihn daran hindern, sich möglicherweise umzubringen. »Ich weiß genau, wie man sich fühlt, wenn wegen Geldsorgen die ganze Familie auseinanderfliegt.«

Rebecca Winter war wie erstarrt. Wusste Lascaut schon länger über ihre Verwandtschaft Bescheid? Hatte er deshalb versucht, sie zu manipulieren und einzuspannen? Selbst wenn es so wäre – er war ja tatsächlich auf fruchtbaren Boden gestoßen, dachte sie verärgert, beugte sich vor und legte ihre Arme auf den Tisch.

Ihr Vater wäre mehr als geläutert, fuhr Lascaut fort, er habe ihm erst geholfen, als deutlich war, dass er der Spekulation ein für alle Mal den Rücken gekehrt hatte. »Er war der Einzige aus unserem Jahrgang, der so riskante Geschäfte gemacht hatte. Was glauben Sie, wie erstaunt er war, als er erfahren hat, dass seine Tochter ausgerechnet zu einer Spezialeinheit von Scotland Yard gegangen ist. Das sei dann wohl aber kein Zufall gewesen, hat er gesagt!« Lascaut machte eine Atempause und beugte sich ebenfalls nach vorne und schaute Winter in die Augen. »An Zufälle glaubt er nicht. In einigen Dingen, wie bestimmte Finanzderivate funktionieren, hat er uns sogar beraten.« Lascaut nahm Winters Hand. »Es ist nicht schön für einen Vater, egal, was er zwischenzeitlich getan hat, wenn sein Kind ihn ein Leben lang bestraft. Ich habe das Gefühl, dass Sie sich selbst damit bestrafen. Vergeben Sie ihm, und Sie können in eine andere Richtung gehen, glauben Sie mir«, sagte Lascaut und beteuerte, dass ihr Vater nicht allein an seinem Niedergang schuld gewesen sei, sondern die Bank, die ihm den Geldhahn völlig unnötig in einer vorübergehend schwierigen Situation zugedreht hatte, das könne beim Derivatehandel in Minuten das Ende bedeuten. »Wenn Sie weitere Menschen vor diesen Fehlern beschützen wollen, ist das hier Ihre Chance, und dann können Sie ihm vielleicht auch vergeben!«

Winter starrte auf den Schachtisch neben dem Sofa. Dass die Geschichte mit ihrem Vater noch mal auf sie zukommen würde, war wohl unvermeidlich, aber nicht jetzt und schon gar nicht von diesem undurchsichtigen Mann.

»Ich weiß nicht mal, wo er lebt«, flüsterte sie.

»Er ist in London in einer Anwaltskanzlei und berät Kunden bei Verfahren gegen Banken.«

»*Sie* stecken hinter seinem Anruf! Ich fasse es nicht!« Sie entzog Lascaut ihre Hand.

Lascaut zuckte die Achseln, erhob sich aus dem Sessel und ging zu seinem Schreibtisch.

Winter schwankte zwischen Lachen und Weinen. Vielleicht sollte sie sich wirklich einmal diesem dunklen Kapitel ihres Lebens stellen.

»Kommen wir zu etwas anderem«, sagte Lascaut. »Sie und Feg haben sicher immer noch Zweifel, wie das, was Former aufgebaut hat, funktionieren soll. Hier, nehmen Sie das.«

Er überreichte ihr das Memo eines Mitarbeiters des Internationalen Währungsfonds an ein Mitglied der Weltbank.

Die Strategie des IWF zur großen Enteignung geht auf. Mit dem Vorschlag, auf die Vermögen aller europäischen Haushalte eine Schuldensteuer von zehn bis 30 Prozent zu erheben, wurde ein Stein ins Wasser geworfen, um auszuloten, wie groß der Widerstand der Bürger sein würde. Experten behaupten, das Ganze werde nicht so heiß gegessen. Doch die giftige Suppe kocht bereits auf dem Herd. Wird sie ausgeschenkt, werden alle zur Kasse gebeten, es sei denn, es kommt vorher zum totalen Crash.

Winter ließ das Papier sinken und sah Lascaut fragend an. Er erklärte ihr, dass in Zypern die Umsetzung dieser Abgabe quasi getestet worden sei, um bei einem weiteren Crash mit der Einführung dieser Steuer eine gangbare Option zu haben, um die Schuldenkrise zu bewältigen. Unpopuläre Maßnahmen bräuchten eben immer zweierlei: Erstens eine Krise und zweitens einen Test. Ausgerechnet Jean-Claude Juncker, der Mann, der vor seinem Amtsantritt als Chef der EU-Kommission als ehemaliger Premier von Luxemburg mit verschachtelten Finanzkonstruktionen 340 Unternehmen half, ihre Steuerlasten drastisch zu verringern, hätte das Prinzip, wie man so etwas testet, einmal klar zum Ausdruck gebracht.

»Ich hab das noch genau in Erinnerung. Juncker sagte: ›Wir beschließen etwas, stellen es in den Raum und warten einige Zeit ab, was dann passiert. Wenn es kein großes Geschrei gibt, weil die meisten gar nicht begreifen, was da geplant ist, machen wir weiter.‹ So wie beim NSA-Skandal. Und heute wird die ganze Welt ohne relevanten Widerstand überwacht«, sagte Lascaut und strich sich über das graue Haar.

»Aber was …«, setzte Winter an.

»Warten Sie. Viele Bankmanager und Großinvestoren glauben, dass ihnen wieder aus der Patsche geholfen wird. Um 2008 den völligen Kollaps zu verhindern, wurden mehr als die Hälfte, etwa weitere 70 Billionen Schulden, bis heute verschwiegen und in Bad Banks versteckt!«

»Das hat auch Former behauptet.«

»Sicher hat er das!« Lascaut reichte ihr ein weiteres Dokument. »Deswegen und nur deswegen hat Former alles riskiert, und wenn Sie das jetzt alles verhindern, entkommen die wahren Täter, und es kommt zum größten Raubzug der Geschichte, Regierungen werden quasi entmachtet!«

Winter schaute sich das geheime Dokument der EU-Finanzminister an. Ein Vorschlag, der zwischen der EU und Washington beraten wurde. Sollte es noch einmal zu einer Erosion wie 2007 kommen, bliebe den verschuldeten Regierungen nur der Schritt einer weltweiten Verstaatlichung aller Banken und einer Währungsreform. Es wäre nicht das Ende des Kapitalismus, aber eine unumgängliche Zäsur.

»Es ist einfach ein Reset, aber ein geordnetes«, sagte Lascaut, setzte sich an seinen Schreibtisch und fuhr fort, dass die Politik nur so wieder dem Allgemeinwohl dienen könne. Es wäre die Chance, die menschenunwürdige Seite des Systems zum Scheitern zu zwingen. Erst dann würden auch jene hässlichen Fratzen einer neuen Renationalisierung wieder verschwinden. So, wie die unmenschlichen Auswüchse des Kommunismus von der Geschichte hinweggefegt worden sei, müsste jetzt das gleiche Schicksal dem Kapitalismus widerfahren, in der Mitte zwischen beiden Extremen läge vermutlich die Zukunft.

»Und wenn ihr Vater auch nur irgendetwas verstanden hat, was er Ihnen und Ihrer Mutter angetan hat, dann wird er auf Knien um Verzeihung bitten«, sagte Lascaut und wühlte in den Papieren herum. »Chaos. Jeder hasst das Chaos. Deswegen geschieht ja auch nichts. Ja, es wird das Chaos geben, so war es immer in der geistigen Evolution des Menschen, auf der individuellen wie auch der gesellschaftlichen Ebene. Doch die Welt hat sich immer weitergedreht, und die Opfer, die jetzt gebracht werden, sind das Saatgut für eine bessere Zukunft. Sind Sie eine Katze, die kratzen kann, oder ein Vogel Strauß, der seinen Kopf vor dem Unausweichlichen im Sand versenkt? Geben Sie sich einen Ruck und helfen uns, den Impuls für eine neue Generation zu geben, oder warten Sie das Ende der Demokratie ab!«

Rebecca Winter sah ihn mit wachsender Faszination an. Und doch war ihre Skepsis trotz dieses fulminanten Appells noch immer nicht gewichen.

»Was ist eigentlich ihr wirkliches Motiv?«, fragte sie.

»Kennen Sie den Kassandra-Komplex? Kassandra ist in der griechischen Mythologie die Tochter des trojanischen Königs Priamos. Der Gott Apollon gab ihr wegen ihrer Schönheit die Gabe der Weissagung. Als sie jedoch seine Verführungsversuche zurückwies, verfluchte er sie, auf dass niemand mehr ihren Weissagungen Glauben schenken sollte. Daher gilt sie in der antiken Mythologie als tragische Figur, die immer das Unheil voraussah, aber niemals Gehör fand. Vielleicht beschreibt das meine Lage am besten«, fügte er leise hinzu, während er aufstand und durch eine Tür am Ende des Arbeitszimmers in einen Nebenraum ging, um etwas in einem Archivschrank zu suchen.

Winter erhob sich, holte die Schlüssel zu dem Schließfach bei der Belgischen Nationalbank aus ihrer Tasche, ging zum Schreibtisch und legte sie in die Mitte vor die Tastatur eines Laptops. Sie wollte plötzlich mit dem ganzen Wahnsinn nichts mehr zu tun haben. Lautlos verließ sie das Zimmer, griff sich ihren Mantel und zog behutsam die Wohnungstür hinter sich ins Schloss.

Lascaut hatte den Zeitungsausschnitt, den er suchte, gefunden. Er hielt ihn hoch, doch die Polizistin war nicht mehr da. Suchend blickte er sich um und entdeckte mit einem erleichterten Gesichtsausdruck die Schlüssel. Er hielt kurz inne, ging dann zu seinem Schachtisch und setzte mit der Dame den König schachmatt.

Er blickte auf das Foto mit Dan Former an der Wand. »Du hast zu viele Fehler gemacht, mein alter Freund.«

Dann nahm er die Schlüssel, ging in den Flur, zog sich seinen langen Mantel über, band sich in aller Ruhe einen Schal um und verließ das Haus. Er konnte sich ein Grinsen nicht verkneifen. Aber dass Winter einfach so verschwunden war, hatte ihn überrascht. Wie auch immer, sie saß jetzt mit im

Boot. Wieder spürte er einen Stich im Herzen, sein Atem verkürzte sich.

Er drückte eine Kurzwahltaste auf seinem Handy und wartete ab.

»Die Herrenrunde ist aufgelöst. Wir starten wie geplant. Sagen Sie allen Bescheid, und dann heißt es abtauchen! Ich kann keine Garantie übernehmen, dass wir es noch hinbekommen. Wir haben zu viele Fehler gemacht. Aber dafür halte ich den Kopf hin!«

SIEBENUNDFÜNFZIG

CALAIS, 6. NOVEMBER

Winter war nach Calais in ihr Hotel zurückgekehrt. Morgens um halb sieben hatte sie das letzte Mal auf die Uhr gesehen. Es war ihr schwer gefallen, Schlaf zu finden. Es war Lascaut gelungen, ihre alte Wunde anzukratzen. Vielleicht hatte Erik Feg recht. Ihre persönlichen Gefühle hatten im Laufe der letzten Wochen ihre Objektivität durchkreuzt. In ihr nagten Zweifel, ob sie die richtige Entscheidung getroffen hatte, Lascaut den Zugang zum Schließfach zu gewähren, in dem das Herzstück von Formers Plan vielleicht doch noch auf seine Vollendung wartete. Und dann noch dieser verdammte Vater mittendrin. Ihn in London zu besuchen, war keine Option. So innig sie ihn als kleines Kind auch geliebt hatte. Nicht jede Wunde musste neu aufgerissen werden. Aber hatte sie sich jemals geschlossen?

Das Klopfen des Zimmerservices ließ sie hochschrecken. Es war bereits Nachmittag! In einer knappen Stunde fuhr ihr Zug. Sie raffte ihre Sachen zusammen, suchte ihr neues Blackberry, eilte in die Hotellobby und checkte aus.

ACHTUNDFÜNFZIG

BRÜSSEL, 6. NOVEMBER

Nach einem Termin im Brüsseler Justizpalast fuhr Derek Simon über die Avenue du Parc Royal zum Parc de Laeken. Obwohl es kalt und nass war, wollte er sich seinen gewohnten Spaziergang zur Liebfrauenkirche von Laeken nicht nehmen lassen. Der Park war für viele betuchte Leute ein beliebtes Ausflugsziel, gut bewacht von Polizei und Kameras. Die Sonne war bereits untergegangen, und die Dämmerung wich bald der Dunkelheit. Er betrat die Kirche. Hier fühlte sich der Liebhaber alter Architektur wohl – in der Umgebung alter Herrscher und deren Hang, ihre Größe in Monumente zu kleiden. In der neugotischen Liebfrauenkirche, die in der Regierungszeit des ersten belgischen Königs Leopold I. errichtet worden war, konnte er entspannen. Hinter der Kirche befand sich der mit kunstvollen Grabmälern verzierte Friedhof, der dem berühmten Cimetière du Père-Lachaise in Paris ähnelte. Simon mochte dieses riesige Areal, das aber nur zum Teil für die Öffentlichkeit zugänglich war. Die Erhabenheit dieser Umgebung passte in seine Vorstellung von Würde und Unnahbarkeit.

Er hatte viel gearbeitet. In den letzten Tagen hatten bei vielen Leuten in Brüssel die Nerven blank gelegen, angesichts der bedrohlichen Nachrichten, die gestreut wurden. Er hatte alles getan, um den Wahnsinn Formers in den Griff zu bekommen. Doch die Behörden fühlten sich mit dem, was sie hatten, einfach zu sicher. Dabei war er überzeugt, dass niemand im Moment prognostizieren konnte, was am Ende wirklich geschehen würde. Former war einer der ganz alten Hasen gewesen, hatte Verbindungen in alle Richtungen gehabt und Politiker, Bankmanager und die wichtigsten Männer in Aufsichtsräten und Regulierungsbehörden gekannt. Er hatte die Gabe gehabt, viele dieser Leute zu täuschen, ihnen vorzugaukeln, was immer sie gerade hören wollten, um seine Ziele zu erreichen. Doch den wenigsten, ja fast niemandem war aufgefallen, dass sich seine Ziele gegen sie gewendet hatten. Dass er einem System abschwor, von dem dieser elende Bastard Jahrzehnte profitiert hatte. Und ausgerechnet aus diesem Kreis sollte nun die stärkste Opposition gegen das Modell des freien Marktes emporkriechen.

In Simons Augen war Former nur auf Rache aus gewesen, weil man ihn in seiner Eitelkeit verletzt hatte. Es widerte den Anwalt an, für diesen Mann erfolgreich mit der SEC einen Deal ausgehandelt zu haben. Hätte er rechtzeitig gewusst, was Former und seine verabscheuungswürdigen Mitspieler riskieren wollten, keine Sekunde hätte er das Mandat behalten. Niemandem stand es zu, den Rettungsversuchen der Regierungen, egal, was sie am Ende damit auch verbergen würden, so entgegenzutreten und das Risiko eines Zusammenbruchs eigenmächtig zu entscheiden. Dafür hatte Former nun seine Quittung bekommen.

Mit einem tiefen Seufzer ging Simon aus der Kirche Richtung Park, zog sich den Kragen tief ins Gesicht. Das Wetter hatte die Anlage bereits leer gefegt, nur das Rauschen der Autos auf der nahe gelegenen Straße störte die Stille. Das Knacken eines Zweiges ließ Simon zusammenzucken. Er drehte sich um, doch er konnte niemanden entdecken. Vielleicht war er selbst auf etwas getreten. Kaum hatte er seinen Weg fortgesetzt, hörte er Schritte hinter sich. Er beschleunigte seinen Gang. Angst ergriff ihn. Er dachte an die vielen Todesfälle in der letzten Zeit. Hatte er den Behörden zu viel anvertraut?

Er blickte sich noch einmal gründlich um, und als er sich wieder nach vorn drehte, stand etwa 20 Meter vor ihm eine dunkle Gestalt. Simon erstarrte. Sein Blick irrte umher, suchte einen Ausweg. Die Gestalt kam näher. Er konnte sie nicht erkennen. Sie blieb vor ihm stehen.

Ein lautloser Schuss durchbohrte seine Brust. Mit weit geöffneten Augen sank Derek Simon zusammen. Er versuchte, sich wieder aufzurichten. Vergeblich. Der nächste Schuss beendete die steile Karriere des Anwalts.

NEUNUNDFÜNFZIG

HAMBURG, 7. NOVEMBER

Rebecca Winter schreckte hoch und rieb sich die Augen. Sie befand sich im Nachtzug nach Hamburg, ein wirrer Traum hatte sie aufgeweckt. Sie zog das neue Blackberry aus der Tasche. Langsam verlor sie den Überblick, wie oft sie die Nummern und Telefone in den letzten Tagen getauscht hatte. Dieses Verhalten passte eher zu dem einer Flüchtigen. So hatte es sich vielleicht für Jarod Denver und Bill Naravan angefühlt. Sie suchte über Google nach aktuellen Nachrichten, was die Presse von dem Fall bereits wusste. Winter scrollte an ihrem Handy herum. War jetzt wirklich alles vorbei? Was sollte Lascaut noch ausrichten können? An einer Meldung blieb sie hängen.

Nach Angaben der Behörden ist es besonders dem britischen und deutschen Geheimdienst zu verdanken, dass einer der gefährlichsten Angriffe auf die Weltbörsen abgewendet werden konnte. Im Rahmen der Ermittlungen rechnen Experten in den kommenden Tagen mit neuen Erkenntnissen, wer an den Planungen für den weltweit organisierten Angriff auf die Finanzwelt beteiligt war.

Die US-Börsenaufsicht wies in diesem Zusammenhang auf einer Pressekonferenz in New York darauf hin, dass am kommenden Wochenende die neuen Regeln für den Hochfrequenzhandel in Kraft gesetzt werden, die die Wirkung von Cyberattacken und Betrugsversuchen in Zukunft weiter erschweren bis ausschließen sollen.

Sie war empört. Das war also der Dank für ihre Arbeit und Loyalität – Scotland Yard nicht einmal zu erwähnen! Sie blickte aus dem Fenster, die morgengraue Landschaft flog an ihr vorbei wie die Zeit. Der Zug durchquerte einen Tunnel, im Fensterglas sah sie ihr enttäuschtes Gesicht und widmete sich lieber wieder ihrem Display.

Gegen acht Uhr fuhren sie in den Hamburger Hauptbahnhof ein. Eilig schwang Rebecca ihre Tasche über die Schulter und stieg auf den Bahnsteig. Reisende drängelten sich an ihr vorbei, niemand ahnte, was sich vielleicht bald ereignen würde, ihr Wissen gab ihr plötzlich das Gefühl, fremd und isoliert zu sein. Das wäre dann wohl Kassandras Komplex, dachte sie und stieg in ein Taxi.

Die Fahrt durch die Stadt ließ sie teilnahmslos über sich ergehen. Auf das Gequassel des Taxifahrers reagierte sie mit »Ja« und »Verstehe«, bis er vor dem Eppendorfer Krankenhaus stoppte. Beim Aussteigen blieb sie mit ihrer neuen Lederjacke in der Tür hängen. Oh Gott, nicht schon wieder! Kopfschüttelnd begutachtete sie ihr Missgeschick. Diesmal hatte sie Glück, die Jacke war heil geblieben. Sie ging zur Anmeldung, ließ sich Fegs Zimmernummer geben und steuerte es an. Ein junger Polizist saß vor der breiten Krankenzimmertür.

»Guten Tag. Inspector Winter, Scotland Yard. Ich möchte Herrn Feg besuchen.«

»Ihren Ausweis bitte.«

»Ich bin privat hier.« Den Dienstausweis hatte sie in London gelassen.

Der Beamte rügte sie, dass sie sich dann auch als Privatperson vorstellen sollte, und forderte sie auf, ihre Tasche zu öffnen und die Jacke abzulegen, als sie von drinnen Fegs Stimme hörte.

»Hey, das ist schon in Ordnung!«

Der Beamte öffnete die Tür. Feg saß an einem Tisch, sah blass aus, abgekämpft. Er winkte und blickte ihr mit einem Lächeln entgegen, das der Situation kaum Heiterkeit verlieh. Winter setzte sich zu ihm und drückte seine Hand.

»Und, was haben Sie unternommen?«, fragte er leise.

»Nichts.«

Feg betrachtete sie. Sie wirkte irgendwie älter, reifer und abgeklärter. Aber er sah auch, dass es ihr nicht gut ging.

»Nichts?«

»Ich hätte Sie nicht …«

»Nein, nein, keine Sorge. Das ist allein meine Schuld. Ich dachte schlimmstenfalls an einen Besuch vom BND oder dem britischen Geheimdienst. Ich wollte vermeiden, dass man Sie auseinandernimmt, dann hätte ich freiwillig alles rausgerückt und fertig. Ich werde eben zu alt für solche Dinge«, sagte er und bedankte sich für ihre Weitsicht, die deutschen Behörden zu warnen. Er zeigte auf eine gepackte Tasche in der Zimmerecke und fügte hinzu: »Dafür darf ich gleich hier raus.«

Winter nickte. Sie war froh, dass er seine Verletzung so gut verkraftet hatte. Bevor sie etwas sagen konnte, klopfte es, und der Beamte kam herein.

»Herr Feg. Wir gehen davon aus, dass Sie wissen, was Sie tun. Aber wir werden vor Ihrem Haus eine Streife postieren!«

Feg nickte und erhob sich. Er blickte Winter etwas hilflos an. Sein Arm war fest an den Körper gebunden, um die Wunde zu schonen. Gemeinsam gingen sie zum Schwesternzimmer, um die vorzeitigen Entlassungspapiere entgegenzunehmen. »Kommen Sie. Ich will nur noch …«

»Ja?«

»Nach Hause.«

Winter blickte in die Augen Fegs und ahnte, dass es ein Zuhause für ihn in Wirklichkeit nicht gab. Auch wenn er durch diesen Schuss ganz offensichtlich etwas schwach auf den Beinen war und deshalb auch unsicherer als sonst wirkte, lief da doch eine völlig andere Person neben ihr. Er hatte in den letzten Tagen nicht mehr getrunken, seine harte Seite war einer nachdenklichen, für seine Verhältnisse fast warmherzigen gewichen. »Soll ich Sie zu Ihrer Freundin begleiten?«

Er verzog ein wenig das Gesicht, als er den Kopf schüttelte. Aber die Wunde war weitaus weniger dramatisch, als er zuerst befürchtet hatte, der Wundschmerz erträglich. Eigentlich hatte der Arzt empfohlen, wenigstens noch zwei Tage im Krankenhaus zu bleiben, aber der Drang, hier wegzukommen, war stärker.

Bis sie den Ausgang erreicht hatten, schwiegen beide. Winter hielt Feg die Tür auf. Sie traten auf die Straße, um sich ein Taxi heranzuwinken.

»Ich habe viel nachgedacht«, sagte er unvermittelt. »Lascaut hat mit uns ein waghalsiges Spiel gespielt – Ihr Ehrgeiz und meine Erfahrung. Er hat kalkuliert, dass die Behörden sich nun in Sicherheit wiegen. Doch ich bezweifle, dass er und seine Helfer mit einem Angriff auf die Börsen noch Erfolg haben werden. Es steht zu viel auf dem Spiel, die Börsenaufsichten und Sicherheitsdienste werden sicher alles daransetzen, um die Kaskade zu stoppen.« Er lächelte sibyllinisch. »Ich denke, Roche und seine Kollegen würden sich aber sicher über neue Beweise über die Machenschaften der Finanzgiganten freuen, die Denver und Former so akribisch gesammelt haben. Die allein sollten reichen, diese Superoligarchie in die Knie zu zwingen. Unter keinen Umständen dürfen die Dokumente im Giftschrank der Geheimdienste verschwinden, sonst wäre jedes Risiko, das wir eingegangen sind, umsonst gewesen.«

»Aber Roche ist doch nur ein Journalist«, wandte Winter ein.

»Wir brauchen jetzt die Öffentlichkeit. Wir dürfen keine eigenen Schritte mehr machen, sonst geht's ab in den Knast!«

Winter biss sich auf die Unterlippe, dann platzte es aus ihr heraus: »Ich habe Lascaut beide Schlüssel dagelassen.«

»Himmel! Was hat Sie denn *dazu* getrieben?«

»Ich weiß es nicht. Ich war plötzlich völlig verunsichert, ich wollte nur noch weg.« Winter war den Tränen nahe. »Haben Sie denn keine Kopien mehr?«

»Nein, wie kommen Sie darauf? Das Schließfach war doch unsere letzte Absicherung. Ich musste davon ausgehen, dass sowohl ich als auch Sie völlig auf den Kopf gestellt werden. Lascaut hatte versprochen, für alle Fälle eine Kopie zu hinterlassen.«

»Es tut mir leid.«

»Tja, Lascaut hat eben gepokert und gewonnen. Er hat uns alle einfach wie auf einem Schachbrett hin und her geschoben. Alle eingespannt, die ihm auf seinem Weg nützlich sein konnten, nachdem er ohne die Programmierer, diesen Denver und seinen Freund, kaum in der Lage gewesen wäre, den Plan der *Herren* umzusetzen.«

Ein Taxi hielt vor ihnen.

»Aber ist er dann nicht doch der Einzige, der noch als Auftraggeber für die Morde infrage kommt?«

»Was, der alte Mann? Glaub ich nicht. Wir werden es vielleicht nie herausbekommen. Der Mann, der mich über den

Haufen geschossen hat, schweigt. Für Lascaut gab es aber ein noch viel bedrohlicheres Leck. Wohl deshalb hat er uns eingeweiht«, sagte Feg, während der Fahrer seine Tasche im Kofferraum verstaute. »Ich bin mir übrigens sicher, dass er sich gut über uns informiert haben muss, über unsere Zweifel am Finanzsystem, unsere Biografien …«

»Er kannte meinen Vater …« Rebecca Winter sah zu Boden.

»Wie bitte?«

Sie stiegen ein, und Feg nannte dem Fahrer das Ziel.

»Erst wollte ich es auch nicht glauben, aber …«, nahm Winter den Faden wieder auf.

»Warten Sie«, unterbrach Feg, fummelte umständlich ein Foto aus seinem Sakko und reichte es Winter. Es war das Foto, das er auf Formers Jacht eingesteckt hatte.

»Mein Gott, der da oben rechts! Lascaut hat versucht, sein Verhalten zu verteidigen. Wo haben Sie das denn her?«

»Spielt keine Rolle. Also konnte er sich sogar ziemlich sicher sein, dass Sie, dass *wir* ihm helfen. Schlauer Hund!«

Nach einer halben Stunde hatten Sie Susanne Wagners Elternhaus erreicht. Winter half Feg aus dem Wagen und signalisierte dem Fahrer, dass er Fegs Tasche vor die Eingangstür stellen solle, in der noch die Einschusslöcher zu sehen waren. Vor der Gartentür blieben beide noch einmal stehen.

»Ob er uns nun als Schachfiguren benutzt hat oder nicht, ich halte dennoch etwas von den Plänen dieser *Herren*. Machen Sie sich bitte keine Vorwürfe! Es tut mir leid, dass ich Sie anfangs, na ja, nicht so ernst genommen habe und dass ich Sie mit Lascaut belastet habe. Nun liegt es an ihm.«

»Warum haben Sie denn Lascaut nicht geholfen, wenn Sie so sicher sind, dass der Plan richtig ist?«, fragte Winter.

»Hab ich doch. Wir beide haben ihm Zeit und Deckung

verschafft. Wir müssen jetzt einfach abwarten. Ich werde mich mit Roche treffen. Vieles können wir sicher noch rekonstruieren, aber mehr bleibt uns nicht.«

»Ist schon in Ordnung, hab verstanden. Ich heiße übrigens Rebecca.«

»Ja«, lachte Feg und drückte ihr die Hand. »Ich heiße Erik, und du bist eine sehr mutige Frau und so jemanden wie mich muss man auch erst mal aushalten«, fügte er grinsend hinzu.

»Ich denke, wir haben uns beide aushalten müssen. Sag mal, als du den Algorithmus am Markt hast testen lassen, hattest du da wirklich keine Hintergedanken?«

»Da nicht, aber später in Cheltenham, als ich es mir angesehen habe, na ja, da schon. Aber ich konnte der Verlockung, wenn auch schweren Herzens, widerstehen«, sagte Feg und zwinkerte mit dem rechten Auge.

»Wusste ich es doch«, sagte sie und umarmte ihn kurz. Mit einem Lächeln ging sie zum Taxi. »Erholen Sie, ähh, erhole dich!«

Was immer Erik Feg in seinem Leben widerfahren sein mochte, für den Moment glaubte sie zu erkennen, dass sie sich beide weitaus ähnlicher waren, als sie es bisher hatte wahrhaben wollen. Widerstrebend musste sie sich eingestehen, dass sie oft genauso rücksichtslos war wie er, um sich ja nicht ihre Schattenseiten anzusehen. Feg konnte sie nicht ausweichen. Nach ein paar Metern blieb sie stehen und formte ihre Hände zu einer Flüstertüte. »Es ist wichtig, dass wir eine Zeit keinen Kontakt miteinander haben«, raunte sie ihm zu.

Wem sagst du das, dachte Feg und nickte. Seine anfänglichen Zweifel waren einer großen Achtung gewichen. Nie hätte er damit gerechnet, dass Rebecca Winter so mutig sein würde, aber die Fakten dieses globalen Wahnsinns und seiner Mitspieler hatten ihre Wirkung wohl nicht verfehlt. Ihre

Motive waren sicher nicht nur durch ihre Familiengeschichte geprägt, niemand konnte so einen Job so gut machen, wenn nicht eine aufrichtige Überzeugung dahinterstand. Aber war ihr eigentlich wirklich klar, was sie aufgedeckt hatte? Wenn Lascaut die Bombe noch zünden könnte, wäre sie die heimliche Heldin, und nur sie beide würden das wissen. Feg wollte gerade ins Haus gehen, als er Winter aufgeregt winken sah.

Sie eilte zu ihm. »Allington beordert mich sofort zurück nach London. Der Anwalt von Dan Former wurde in Brüssel erschossen! Es ist noch nicht vorbei!«

»Ich kann dir da nicht mehr helfen.«

»Schon klar. Ich melde mich irgendwann, wenn alles vorbei ist«, sagte sie und lief wieder zum Taxi.

Feg schaute nachdenklich in die graue Wolkendecke und verharrte eine Weile. Vor seinem Haus wartetete ein Wagen mit zwei Zivilpolizisten. Er wollte gerade hineingehen, als sein Handy klingelte.

Ein Beamter des Bundeskriminalamtes stellte eine Frage, die Feg aufschreckte. »Der Mann, der auf Sie geschossen hat, stammte aus Algerien. Können Sie damit etwas anfangen?«

»Nein. Nein, beim besten Willen nicht!«

»Gut, wenn doch, melden Sie sich in Berlin.«

Feg hatte keine aktuelle Nummer mehr von Winter. Er suchte mit seiner freien Hand nach der Durchwahl von Scotland Yard.

»Hallo, verbinden Sie mich sofort mit Chief Inspector Allington!«

SECHZIG

NEW YORK, 7. NOVEMBER

»Erzählen Sie mir nichts, was ich nicht schon weiß!«, blaffte NASDAQ-Chef Tom Greifswald einen dürren Berater des Heimatschutzministeriums in einem Konferenzsaal an, der ihm die aktuellen Ergebnisse der Abwehrübungen in die Hand drücken wollte. Er stellte seinen Kaffee ab und sah sich die Unterlagen argwöhnisch an. »Wenn diese Säcke zugeschlagen hätten, wären wir alle unseren Job los!«

Draußen regnete es in Strömen. Sturzbäche ergossen sich über die Wall Street. Greifswald und seine Mitarbeiter bei der Börsenaufsicht waren seit dem frühen Morgen mit den Vorbereitungen für einen weiteren simulierten Angriff auf die Börsen beschäftigt, nachdem ihnen vom britischen Geheimdienst alle relevanten Daten und Formen des geplanten Angriffs zur Verfügung gestellt worden waren. Wie schon vor über zwei Wochen wurden zeitgleich die Cyberabwehrübungen in London, Tokio, Schanghai und Frankfurt gestartet, während der ganz normale Handel weiterlief. Rund 1000 Beamte und Experten beobachteten weltweit zudem die Handelssysteme und jene Leute, die nach Information des britischen Geheimdienstes unter Verdacht standen, mögliche illegale Eingriffe vorzunehmen. Der MI6 behält vielleicht recht, dass nur eine schnelle und geordnete Schließung der Märkte ein geeignetes Mittel gegen die virtuelle Bedrohung ist, dachte Greifswald. Die Öffentlichkeit war darauf eingestellt. Selbst die Experten der Securities Industry and Financial Markets Association waren an diesem Morgen erstaunt, wie leicht es sein könnte, die Systeme gegeneinander auszuspielen und den Markt zu manipulieren. Dutzende IT-Experten hatten den Saal mit ihren Rechnern eingenommen und arbeiteten fieberhaft an der Überwachung aller Systeme an der NASDAQ. Doch die führenden Börsenbetreiber, Goldman Sachs und die Bank of America hatten sich vehement dagegen gewehrt, auch ihre Systeme prüfen zu lassen. Es blieben also Unsicherheiten.

»Sie wissen ganz genau, dass eine Regulierung und Absicherung der Finanzmärkte und der bisherige Informationsaustausch zwischen Banken und Behörden nicht reichen werden. Es ist Ihre Entscheidung, ob Sie das dem Präsidenten mitteilen! Ich habe es Ihnen jedenfalls gesagt, und das bleibt dokumentiert!« Greifswald schob dem Mann vom Heimatschutzministerium eine Akte mit dem Vermerk *topsecret* hin.

Der Beamte rümpfte die Nase und nahm den Umschlag entgegen. »Gut, aber die Konsequenzen aus dem Ausgang der heutigen Übung können nicht in der kopflosen Ausweitung von Befugnissen bestehen, sondern in technischer Sicherung. Wir brauchen von Ihnen Strategien gegen neue Bedrohungen«, sagte der Beamte vom Secret Service.

Greifswald griff sich seinen Kaffeebecher wieder und trank den Rest in einem Zug aus. Er knallte den Becher auf den Tisch und öffnete eine Studie an seinem Rechner. »Letztes Jahr wurden über 50 Prozent aller Computer der Weltbörsen angegriffen. Das konnten wir noch handeln, aber was jetzt zutage tritt, sollte allen die Augen öffnen!«, hämmerte er dem Beamten ein und forderte bis Ende des Monats Infrastruktur- und Protokollverbesserungen, die aber Geld kosten würden – eine Menge Geld. »Was nützt es, wenn man aus Sicherheitsgründen Teile der Informatik an vier externe Anbieter auslagert, die aber alle beim gleichen Cloud-Anbieter die Daten lagern? So ein Schwachsinn!«

Der Beamte vom Ministerium stand auf. »War es das?«

»Ja, für den Moment.« Greifswald hatte eine Vermutung verschwiegen: Banken und Hedgefonds hatten zeitgleich ein ganz anderes Problem. Die Lage an den völlig überbewerteten Börsen wurde ausgerechnet jetzt ohnehin zu einem systemischen Risiko nie dagewesenen Ausmaßes. Einer Sache war sich Greifswald sicher. Wenn zeitgleich zur überfälligen Korrektur an den Märkten ein Angriff erfolgen würde, wäre das Chaos perfekt.

Er wusste wie alle anderen, dass nach der ersten Finanzkrise 2008 das klassische Bankgeschäft keine Rolle mehr spielte. Abgesehen von der Immobilienfinanzierung, waren die Kredite an den Mittelstand bei fast allen Bankinstituten unter zwei Prozent der Bilanzsumme gerutscht. Das Geschäft mit der Realwirtschaft brach weiter ein, obwohl genau das für eine funktionierende Volkswirtschaft von entscheidender Bedeutung war. Stattdessen hatten die Staaten die Banken mit billigem Geld versorgt, die Bilanzen wurden damit künstlich aufgeblasen, die Unternehmen gingen leer aus. An den Börsen wurde das Kapital der Banken hingegen wieder zum Zocken eingesetzt, und die Zentralbanken stützten die Fassade mit Aktienkäufen in zweistelliger Billionenhöhe. Die Politik der Notenbanken war, als würde man einem Junkie das Heroin zur Aufbewahrung anvertrauen.

Während um ihn herum IT-Experten und die Aufsicht in Diskussionen verfielen, wie man in Zukunft vorgehen sollte, blickte Tom Greifswald zum Fenster auf die Wassermassen, die an den Scheiben herabflossen.

Ein junger Mann der SEC erschien im Saal. »Sir, bisher konnten wir mit den Daten des MI6 alle Schwachstellen lokalisieren. Ich empfehle aber, eine gänzlich andere Strategie einzuschlagen. Das alles finden Sie in meinem Bericht. Wir sind nur für den Moment aus dem Schneider!«

»In Ordnung. Ich gebe dem Weißen Haus Entwarnung. Quantum Dawn 5 ist damit abgeschlossen und der totale Crash mal wieder eingefangen, als wenn ich es nicht besser wüsste. Diese Übungen bringen nach meiner Meinung einen Scheißdreck!«

An dieser Meinung konnte auch die Nachricht nichts ändern, die ihn vor einer halben Stunde vom Secret Service erreicht hatte – dass vermutlich alle Beteiligten, die dieses Attentat geplant hatten, bereits tot waren. Das konnte Greifswald nur bedingt beruhigen, die Börsen wurden weiterhin von zu vielen anderen Schwachstellen bedroht. Er schaute weiter in den Regen. Der Schrecken, Doomsday, war anscheinend noch einmal an ihnen vorbeigezogen.

EINUNDSECHZIG

LONDON, 7. NOVEMBER

Am frühen Abend kehrte Rebecca Winter aus Hamburg ins Hauptquartier von Scotland Yard zurück. Der MI6 hatte ihr Büro wieder freigegeben. Das Wissen, dass es komplett durchsucht worden war, verursachte ihr Unbehagen. Sie legte ihre Schlüssel auf den Tisch und ging in den leeren Flur. Ein dämmriges gelbes Licht schien durch die Jalousien von Allingtons Büro. Sie hörte, dass er telefonierte, und öffnete die Tür einen Spaltbreit. Er winkte sie herein und deutete auf den Stuhl vor seinem Schreibtisch. Auf einem Stapel Papiere lag ihr Dienstausweis.

Allington beendete sein Telefonat. »Scheint ja alles geklappt zu haben. Wie war es denn nun so mit diesem Lascaut?«, erkundigte er sich.

»Wie meinst du das?«

»Nun, wir haben inzwischen seine Akten überprüft. Es gibt da ein Problem oder, besser gesagt, eine sehr interessante Lücke. Er stand in den 70er-Jahren kurz unter Mordverdacht. Er soll einen italienischen Geschäftsmann nach einem Streit in dessen Büro in Mailand so zusammengeschlagen haben, dass der einige

Tage später an einem Schädel-Hirn-Trauma verstarb. Es kam nie zu einer Anklage. Und jetzt kommt es: Lascaut legte danach alle Geschäftsleitungen für drei Jahre in kommissarische Hände und verschwand.«

»Bist du sicher, dass wir vom selben Mann sprechen?«

»Dein so unschuldig wirkender Patrice Lascaut hat eine in Frankreich nicht seltene Lösung gefunden, um Gras über die Sache wachsen zu lassen.«

Ihr schoss das Bild in den Sinn, auf dem Lascaut stolz in Uniform posierte.

Allington drehte seinen Laptop zu ihr und zeigte ihr einige Bilder mit Uniformen. Winters Finger tippte sofort auf eine Abbildung.

»Légion étrangère, meine Liebe, die Fremdenlegion, und in diesem Fall eine der härtesten Abteilungen, das Detachement d'Intervention Opérationelle Subaquatique, eine Spezialeinheit des 1. Regiments. Kampfsschwimmer! Als Mitglied dieser Truppe zählt man zur absoluten Elite innerhalb der Elite und verfügt über beste Beziehungen auch für besondere Einsätze!«

»Wie bist du darauf gekommen?«, fragte Winter verblüfft.

»Erik Feg hat mich angerufen. Er wurde von einem Mann aus Algerien über den Haufen geschossen und hat daraus wohl seine Schlüsse gezogen. Vielleicht wusste der Hund das mit der Fremdenlegion sogar die ganze Zeit und hat es dir verschwiegen. Dann kam die Nachricht, dass man auch den Anwalt von Dan Former in Brüssel erschossen aufgefunden hat. Sein Name tauchte mehrmals in Denvers Mail auf, die wir gestern noch analysiert haben.«

Winter las die Erläuterung zu den Uniformen: Das unverwechselbare Erkennungszeichen der Fremdenlegionäre war das weiße Képi, welches jedoch nur von Mannschaftsdienstgraden getragen wurde. Die Barettfarbe in der Legion war grün, und das Barettabzeichen wurde rechts getragen. Das Wappen der Legion war eine siebenflammige Granate, die auf das unmittelbare Vorgängerregiment, das Regiment Hohenlohe, zurückging. Winter war sprachlos.

»Du kannst vielleicht von Glück reden, dass du noch am Leben bist«, sagte Allington, während er den Laptop wieder zu sich drehte.

»Wieso, was hab ich denn getan?«

»Glaubst du wirklich, ich weiß nicht, was los ist? Deckst du diesen Mann?«, brüllte Allington unvermittelt. Mit flackerndem Blick lud er ein Video hoch.

»Nachdem wir wussten, dass der Anwalt von Dan Former eben dieser Derek Simon war, bin ich stutzig geworden und habe bei der belgischen Polizei um Amtshilfe gebeten. Der Mörder schien nicht zu wissen, dass der Park mit Videokameras überwacht wird. Die belgische Polizei konnte den Täter wegen der schlechten Aufnahme noch nicht identifizieren, und nachdem ich die Biografie dieses Lascauts gelesen hatte, seine ruhmreiche Vergangenheit in der Fremdenlegion, die Tatsache, das Derek Simons Name auch im Umfeld von Jarod Denver auftauchte, mit Anmerkungen, dass man ihm nicht trauen könnte, will ich jetzt von dir wissen, was du hier siehst!«

Winter schaute sich das Video an. Sie sah nur eine schwer zu erkennende Silhouette und wie ein Mann zusammenbrach. Als der Täter sich umdrehte, wurde ihr schlagartig übel. Sie fühlte sich abgrundtief betrogen, hatte das Gefühl, jeden Instinkt, jede Menschenkenntnis verloren zu haben.

Dieser so beherrschte und gebildete Mann konnte so etwas tun? War sie am Ende sogar selbst in akuter Gefahr gewesen und nur durch ihren plötzlichen Entschluss zu gehen mit dem Leben davongekommen, da es keine Zeugen geben durfte? Ging es bei diesen *Herren* doch nur um Rache, würden sie am Ende von diesem Crash profitieren? Waren sie und Feg von vorne bis hinten mit falschen Spuren manipuliert worden, um ihnen Denvers, Naravans und Formers Vermächtnis zugänglich zu machen? Nein, nein, das konnte sie nicht glauben, ohne an ihren eigenen Fähigkeiten so sehr zu zweifeln, dass sie ihren Beruf an den Nagel hängen müsste. In ihre Konfusion mischte sich das Gefühl, dass Lascaut vielleicht selbst in ernster Gefahr war und dass er in Kenntnis seiner eigenen Bedrohung nur den Verräter der *Herren* ins Jenseits befördern musste. Es ging einfach um zu viel, und sie verstand mit einem Mal Fegs Härte bei der Frage, was ein Menschenleben in diesem Spiel noch wert wäre. Vielleicht hatte Lascaut sie aber nur verschont, weil sie die Tochter eines Mannes war, der einmal dazugehört hatte.

»Ist er das, dein Lascaut?«

»Ja«, antwortete sie leise. »Das muss ein Racheakt gewesen sein, vielleicht war dieser Derek Simon genau das Leck dieser Gruppe und hat den Geheimdienst auch auf uns gehetzt.«

»Nicht zu vergessen Jarod Denver und Bill Naravan – alles unliebsame Zeugen für diesen Lascaut! Genau wie du und Erik Feg! Dan Former mag Motive gehabt haben, Denver umbringen zu lassen, aber Lascaut wollte offenbar unter allen Umständen das Projekt mit all seinen Täuschungsmanövern realisieren. Jeder, der in den Fokus der Behörden kam, war für ihn eine Bedrohung. Er hatte sicherlich alle auf dem Gewissen und gleichsam die Möglichkeiten dazu.« Allington schlug mit der Hand auf den Tisch. »Ich hätte dich nie alleine dort hinfahren lassen dürfen. Los, ab ins Flugzeug! Ich will diesen Mann so schnell wie möglich hier haben!«

»Robert. Ich kann das nicht mehr. Ich bin zu tief in die Sache verstrickt.«

Sein Blick suchte einen Halt im Raum. »Gut. Dann müsste

ich dich eigentlich vom Dienst freistellen! Du hast wirklich mit dem Feuer gespielt! Offenbar gibt es noch mehr, was ich wissen sollte?«

»Nein. Hier ist seine Visitenkarte.«

»Danke«, sagte Allington, schmiss ihr ihren Ausweis entgegen und griff zum Telefonhörer. »Dara, buchen Sie mir zwei Flüge nach Brüssel und verständigen Sie Interpol, dass sie Patrice Lascaut sofort wegen Mordes festsetzen.«

»Nein! Warte. Lass das mit Interpol. Du solltest dir erst anhören, was er zu sagen hat!«, unterbrach ihn Winter.

Allington hielt die Muschel des Hörers verdeckt.

»Drehst du komplett durch? Du willst einen Mörder …«

»Die Leute, die dieser Mann bekämpft hat, haben vielleicht viel mehr auf dem Gewissen. Ich sag ja nicht, dass du ihn laufen lassen sollst.« Winters Gedanken überschlugen sich. Wie sollte Allington es verstehen, wenn sie ihn nicht an sein eigenes Ziel erinnerte, die großen Fische in den Knast zu bringen. »Diese *Herren* wollten Verbrechen aufdecken, die unsere ganze Abteilung nicht in Jahren ermitteln könnte. Und er hat die letzte Kopie der kompletten Algorithmen und der Enthüllungen, die noch verschlüsselt sind.«

»Du hast ihm das überlassen?! Sag mal, willst du die Welt anzünden?«

»Robert, hör auf! Sie brennt schon jeden Tag, und diesmal sollen die Verursacher …«

»Stopp. Er wird dafür bezahlen müssen, einer muss dafür ins Gefängnis, und zwar sofort!«, sagte Allington und nahm den Hörer wieder hoch. »Das mit Interpol erledige ich selbst, danke, Dara. Sie können jetzt endlich nach Hause gehen.« Dann wandte er sich zu Winter, die mit hängendem Kopf neben ihm saß. »Entweder du kommst jetzt mit, oder du machst Urlaub, Rebecca.«

Schweigend legte Winter den Ausweis zurück auf den Tisch und ging hinaus. Wie in Trance stieg sie in den Lift. Im Spiegel sah sie ihre Tränen. Sie hatte einen Fehler zu viel gemacht. Ihre Momente des Zweifels, die ganzen Tatsachen über die Machenschaften am Finanzmarkt, ihre Auswirkungen auf unsere Gesellschaft, die Begegnung mit der niedergeschlagenen Investmentbankerin und Fegs Art und Weise, wie er über den Wert von Menschenleben sprach, von schuldigen Eliten, die für weitaus mehr Elend in der Welt verantwortlich waren, als so mancher Diktator – all das hatte sie bewogen, Lascaut gewähren zu lassen. Die Angst vor weiteren Ermittlungen, die ihre Unterlassung offenbaren könnten, schnürte ihr die Kehle zu.

Auf dem Weg zu ihrem Wagen hörte sie schnelle Schritte. Es war Allington. Er hielt sie am Arm fest und drückte ihr den Dienstausweis in die Hand.

»Ich will die genauen Umstände gar nicht wissen, Rebecca, aber du machst einen Fehler, wenn du jetzt gehst. Ich werde dich schützen, so, wie es dieser Erik Feg offenbar auch getan hat.«

»Was?«

»Wenn wir Lascaut gefasst haben, besteht eine Chance, dass der MI6 Schwierigkeiten bekommt, alles unter den Tisch zu kehren.«

»Robert, das wird nichts bringen. Die Medien werden das runterspielen, es werden wieder ein paar Banker von den Türmen springen, und das war es! Die Menschen wachen nicht auf, ohne dass es den ganz großen Knall gibt!«

Allington schnappte nach Luft. »Und du glaubst entscheiden zu können, wann es Zeit ist, diese Zivilisation zum Teufel zu schicken?!«

»Ich? Ich schicke diese Zivilisation zum Teufel? Habe ich diese Droge Geld und Schulden an alle verteilt und sie zu dummen Schafen gemacht, die zusehen, wie eine Schicht von ein paar Tausend Menschen den Planeten ruiniert – sag mal, hast du sie noch alle?«, ihre Stimme hallte in der Tiefgarage laut wider.

Allington verkniff sich eine Retourkutsche. »Wie viele der Dokumente hattet ihr überhaupt entschlüsselt?«, fragte er stattdessen.

»Vielleicht gerade mal ein Drittel.«

»Wieso hast du dir keine Kopien gemacht?«

»Hab ich doch, aber konnte ich wissen, dass der MI6 mein ganzes Büro auseinandernimmt?«

»Gott, Rebecca, du musst noch viel lernen. Vielleicht war dieser Erik Feg wenigstens schlauer.«

»Ich glaube nicht«, sagte Winter und bekam im selben Augenblick Zweifel. Verschlagen genug wäre er ja.

»Los, wir werden das jetzt in Ordnung bringen!«, sagte Allington und zog sie am Ärmel zum Wagen.

ZWEIUNDSECHZIG

BRÜSSEL, 8. NOVEMBER

Mit einer Affengeschwindigkeit rasten die belgischen Polizeiwagen durch das nächtliche Brüssel, die Warnlichter blitzten in den menschenleeren Straßen.

Winter wusste, dass es für Patrice Lascaut nun das Ende sein würde. Vielleicht war er sich dessen bewusst. Er hatte auf sie wie ein Mann mit sehr festen Überzeugungen gewirkt, der bereit war, für begangenes Unrecht zu zahlen, wenn er dadurch größeres Unrecht bekämpfte. Ihre stille letzte Hoffnung war, dass er als Kronzeuge aussagen würde, die Informationen mit weiteren Beweisen untermauern könnte. Das gab ihr neuen Mut. So würde die Öffentlichkeit wenigstens mehr über das abgekartete Spiel zwischen Regierungen und Banken erfahren.

Kurz vor der Rue aux Laines schalteten die Beamten die Warnleuchten aus. Vor dem Haus kam der Wagen lautlos zum Stehen. Der Justizpalast gegenüber erhellte die Straße. Mit gezogenen Waffen stürmten zwei Sondereinsatzkräfte die Treppe hinauf, gefolgt von Winter, Allington und vier weiteren Polizisten.

Ohne zu zögern, traten sie die Tür zu Lascauts Wohnung ein. Sie schritten Raum für Raum ab. Im Arbeitszimmer blieben sie stehen und senkten ihre Waffen. Einer der Beamten rief Winter und Allington herbei. Sie blickten auf den leblosen Patrice Lascaut. Sein Oberkörper war in einen Sessel vor dem Schachtisch gesunken, die linke Hand ruhte auf dem Schachbrett und hatte fast alle Figuren umgeworfen, dazwischen lag eine halb geöffnete Pillendose. Rundum waren Papiere verstreut.

Ein Polizist inspizierte Lascauts Leiche. »Mal wieder ein Selbstmord eines Bankers?«

Winter konnte es nicht fassen, erinnerte sich, dass Lascaut schon bei ihrem ersten Treffen diese Tabletten eingenommen hatte. Die ganze Aufregung musste zu viel für ihn gewesen sein. Vielleicht war es sogar Mord. Mord an einem Mann, der in der Fremdenlegion sicher selbst das skrupellose Töten gelernt hatte. Hier hatte dieser Mann sein Ende gefunden – und damit war die letzte Chance vertan, die Verschwörung aufzudecken.

»Nein, er hatte Herzprobleme«, sagte sie leise.

»Tut mir leid, Rebecca, damit war es das.« Allington wandte sich ab.

Angespannt ließ Winter ihre Blicke wandern und erhaschte, halb verdeckt von einem Blatt Papier, die Schließfachschlüssel, die immer noch vor dem Laptop lagen. Sie lagen fast an der gleichen Stelle, an der sie sie abgelegt hatte. Hatte Lascaut die Tabletten wirklich in letzter Not versucht zu nehmen? Falls hier nicht doch jemand nachgeholfen hatte?

Während sie sich dem Schreibtisch näherte, beobachtete sie aus dem Augenwinkel die Beamten, die die Wohnung inspizierten, griff unauffällig nach den Schlüsseln und ließ sie schnell in ihrer Jackentasche verschwinden. Vielleicht sind wir doch noch nicht am Ende! Das wäre die Chance, das gesamte Material auszuwerten, zu ermitteln und an die Öffentlichkeit zu bringen. Der Algorithmus würde vielleicht keine Rolle mehr spielen, aber der Rest war immer noch eine Zeitbombe. Sie ging zu Allington.

»Ja, das war es dann wohl. Den Rest können auch die belgischen Kollegen erledigen. Ich bin hundemüde, suchen wir uns ein Hotel.«

Er wusste sofort, dass Winter etwas im Schilde führte, noch nie hatte sie einen Ort des Verbrechens so schnell verlassen wollen, war sonst immer diejenige, die gründlich alles durchsuchte oder hinterfragte. Er klärte mit dem leitenden Beamten kurz die Formalitäten und verließ mit Winter das Haus.

Es fiel kein Wort, bis Winter gute 100 Meter entfernt ein Taxi heranpfiff.

»Sagst du mir bitte, was los ist?«, fragte er sie, sobald sie im Fond des Wagens saßen.

»Gleich, Robert!«

In Windeseile recherchierte sie im Blackberry die Nummer der belgischen Nationalbank. Sie erreichte den Notdienst der Bank und verlangte nächtlichen Zugang zu den Schließfächern.

»Was ist denn in diesem Schließfach ... doch nicht etwa ... hast du mich etwa angelogen?«, fragte Allington, aber in einem Ton, der alles andere als vorwurfsvoll klang.

Es wirkte auf Winter, als wäre er geradezu stolz darauf, dass sie ihn hintergangen hatte, um sich durchzusetzen. »Schhh, ganz ruhig, Robert. Wir heben gleich einen Goldschatz.«

Der Fahrer erreichte das Gebäude am Boulevard de Berlaimont. Zwei Mitarbeiter der Bank warteten vor dem Eingang. Winter rieb ihre Hände, zog sich den Kragen hoch. Es war bitterkalt. Nach kurzer Überprüfung der Ausweise wurden sie in den Saal mit den Schließfächern eingelassen.

»309«, sagte Winter. Die Mitarbeiter hielten bei aller Neugier auf diesen nächtlichen Sondereinsatz diskreten Abstand. Winter drehte andächtig den zweiten Schlüssel um und öffnete die Tür.

Beide starrten ins Schließfach.

»Magerer Goldschatz«, ließ sich Allington schließlich vernehmen.

»Verdammt! Er hat es *doch* geschafft!«

»So sieht es aus! Und was passiert jetzt?« Er nahm sie am Arm, bedankte sich bei den Bankangestellten und führte sie hinaus. Auf der Straße blieb er stehen.

»Rebecca, ist dir eigentlich klar, was das für dich bedeutet? Du erfüllst den Tatbestand der Strafvereitelung, Unterschlagung und Beihilfe zu einer Straftat. Das hat noch keiner meiner Leute auf einen Schlag hinbekommen, alle Achtung.« Er packte sie an den Schultern. »Bist du von allen guten Geistern verlassen?! Wer weiß noch davon? Dieser Feg? … Gut, das dürfte wohl kein Problem sein. Herrje, es ist nicht zu fassen!«

»Robert. Was hättest du denn an meiner Stelle getan? Bei den Beweisen, die der MI6 einkassiert hat. Und wir haben gerade mal ein Bruchteil davon entschlüsseln können.«

»Was ich getan hätte? In deinem Alter?« Allington lachte kurz auf. »Wahrscheinlich das Gleiche. Sobald wir wieder in London sind, verschwindest du nach Hause, und ich tue, was ich kann, um noch was zu retten!«

Winter nahm Allingtons Hand.

»Danke, Robert. Ich weiß das zu schätzen, aber …«

»Halt die Klappe!«

DREIUNDSECHZIG

LONDON, CANARY WHARF, 9. NOVEMBER

Die Zentrale von Reuters in der South Colonnade kannte keinen Stillstand. Am Haus des Nachrichtenimperiums liefen Tag und Nacht internationale Börsennotierungen auf Flatscreens. Im Eingangsbereich über der Rezeption flimmerte von einem überdimensionalen Bildschirm das aktuelle Weltgeschehen. Krieg, Sport und Wirtschaft zur gleichen Zeit. Eine Milliarde Menschen erreichte der Nachrichtendienst jeden Tag. Über zweitausend Mitarbeiter in 131 Ländern arbeiteten für den Giganten. Das Nachrichtengeschäft, das Paul Julius Freiherr von Reuter 1850 mit einer 200-köpfigen Brieftaubenstaffel aufgebaut hatte, verlor zunehmend an Bedeutung. Richtig Geld verdiente Reuters in der Finanzwelt mit der Abschaffung von Raum und Zeit. Börsennotierungen wurden im Moment ihrer Entstehung weltweit in Millisekunden versendet und erreichten Broker und automatische Handelssysteme wie in einer vierten Dimension: einem ewigen Jetzt.

In der Realität handelte es sich dabei um ein ultraschnelles Kabelnetz, durch das der Konzern jeden Tag etwa 30 000 Nachrichten und Hintergrundinformationen zu mehr als 40 000 Unternehmen, Kauf- und Verkaufsorders, Börsennotierungen und alle relevanten Nachrichten für die Wertentwicklung einer Aktie jagte. Weltweit waren über 400 000 Broker mit dieser digitalen Rennbahn verbunden. Großbanken und Börsenhändler waren so zur gleichen Zeit an über 258 internationalen Handelsplätzen.

Der grenzenlose Appetit der Händler nach relevanter Information in Echtzeit würde nun einen Adrenalinkick wie bei einem Bungeesprung über den Niagarafällen bekommen, freute sich der junge Informatiker Jonathan Frazer beim Anblick des Umschlags, der ihn völlig unerwartet aus Brüssel an seiner Londoner Privatadresse erreicht hatte. Anscheinend ist die Gruppe trotz Formers Tod noch handlungsfähig, dachte er, während er das Kuvert öffnete. Als er den USB-Stick in der Hand hielt, begann sie zu zittern. Auch wenn er das Geld schon vor Wochen über einen Mittelsmann Formers in bar erhalten hatte, zuverlässig und üppig, kamen Zweifel auf. Würden alle anderen mitziehen? Konnten die Programmierer ihr Versprechen halten, dass es nicht nachvollziehbar wäre, wie und von welchem Rechner die Nachrichten in das System geschleust wurden?

Frazer hatte sein Honorar binnen Tagen über einen Strohmann in Immobilien festgelegt, alles Cash musste verschwinden, bevor es zum Crash kommen würde. Obwohl es keine Garantie gab, ob es wirklich funktionierte. Er steckte den Stick in den Server und wartete ab. Die ersten Dokumente öffneten sich. Die Quellen waren ein wahrer Knaller. Und doch war es nur ein Bruchteil dessen, was schon bald mit einer kleinen Verzögerung durchsickern würde – dann aber geballt, gnadenlos über den Globus verteilt, in Echtzeit im Jetzt: Eine Auflistung verbotener Absprachen, abgehörte Gespräche zwischen Zentralbankern und Managern von Hedgefonds, Namen, Summen und Methoden, wie Zinsen, Währungen und Goldpreise weiter manipuliert werden, Lobbyprotokolle, die Politiker als Handlanger entlarvten, alles, um die Anleger weltweit zu prellen.

Ein Stockwerk über Jonathan Frazer versah ein junger Redakteur die gefälschten Nachrichten mit einem Countdown, bevor er seinen Arbeitsplatz nie wieder betreten würde. Er öffnete den Newsdesk von Reuters und speiste die Meldungen ein. Für die ersten Nachrichten gab es Belege von äußerster Brisanz, niemand würde daran zweifeln, und die Stimmung würde in die gewünschte Richtung gehen. Zeitgleich würden die News von verschiedenen Stellen auf der Welt in die Echtzeitautobahn des globalen Netzes eingespeist. Danach könnt ihr so viele Börsenfeiertage machen, wir ihr wollt, ihr Penner!

VIERUNDSECHZIG

NEW YORK, 9. NOVEMBER

In der 52. Straße in New York schaute sich am Morgen ein Händler von BlackRock mehrmals um, bevor er den Stick unbemerkt von Dutzenden Kollegen in seinen Rechner schob. Die kleine Änderung des Planes der *Herren* würde nicht verhindern können, dass das infizierte Netzwerk von BlackRock bald durchdrehen würde. Was über Jahre klammheimlich vorbereitet worden war, bekam jetzt seinen letzten Impuls. Die Schläfer würden erwachen. Noch so viele Sicherheitsvorkehrungen gegen einen Angriff von außen würden nicht verhindern, was jetzt geschah, denn Geld war noch immer der beste Weg, um jede Loyalität zu unterlaufen. So riskant es war, erwischt zu werden, stellte der Händler sich gerade vor, wie die Handelssysteme, weltweit von innen infiltriert, losschlagen würden: Sobald der Markt mit den Daten der *Herren* geflutet war, würden die Handelssysteme anspringen. Der Händler nahm sein Sakko, steckte den Stick wieder in seine Tasche und räumte ein paar Habseligkeiten in eine Papiertüte.

»Ciao, Aladdin«, flüsterte er und verließ das Büro.

Er ging auf die Straße, und zog aus der Tüte ein Foto. Mit

einem Grinsen betrachtete er seine gerade erworbene Ranch in Colorado. Tja, wenn das Geld dann bald futsch ist, tauschst du halt Erdnüsse, dachte er und ging lächelnd an der Bank of America vorbei. Auf den Tickern hinter der Glasfassade liefen noch die Kurse vom Vortag. Der Börsenfeiertag wäre in einigen Stunden vorbei. Was dann folgen würde, läge nicht mehr in seiner Hand, der Plan hatte Schwachstellen, die Überwachung der Börsen durch die Behörden war ein nicht zu kalkulierendes Risiko. Aber auch darauf hatten sich die *Herren* offenbar vorbereitet.

Tom Greifswald saß alleine in seinem Büro. Die Behörden waren nach 18 Stunden Überwachung davon überzeugt, dass man die Lage im Griff hätte. Der Angriff auf die Systeme fand nicht statt. Langsam erhob er sich von seinem Stuhl, nahm sich seinen Mantel, ging zur Tür und schaltete das Licht aus. Was die Verschwörer an Daten zutage gefördert hatten, würde die Öffentlichkeit nie erfahren. Wer auch immer diesen Angriff geplant hatte, war für den Moment gescheitert. Nur an der Wall Street würden jetzt sicher Köpfe rollen.

FÜNFUNDSECHZIG

LONDON, 10. NOVEMBER

»Ich will dich hier nicht mehr sehen«, hatte Allington ihr nach ihrer Rückkehr aus Brüssel nochmals deutlich gesagt, nachdem er sie dabei ertappt hatte, dass sie bis spät in die Nacht an ihrem Rechner gesessen hatte. Sie hatte vergeblich auf Signale gewartet, die auf den Angriff gegen die Börsen hindeuten würden. Schließlich wurde es Allington zu bunt. Mit markigen Worten hatte er sie rausgeschmissen und ihr befohlen, den 9. November zu Hause zu bleiben und abzuwarten.

Den ganzen Tag war nichts geschehen. Obwohl ihr alle Geduldsfäden gerissen waren, war sie am Abend völlig übermüdet eingeschlafen.

Der erste Gedanke an diesem Morgen war die bohrende Frage, was denn nun von Lascauts Plänen, dem Angriff auf die Börsen, Banken und Hedgefonds noch Realität werden würde. Mit einem Tee in der Hand schaltete sie den Fernseher wieder ein und starrte regungslos auf den Bildschirm.

Nach Angaben von CNN sind erste Spuren aufgetaucht, die belegen, dass neben dem ermordeten Hedgefondsmanager Dan

Former eine Gruppe von Insidern der Finanzindustrie für die Streuung falscher Nachrichten und einen geplanten Angriff auf die Börsen am 9. November verantwortlich sind. Nach dem gestrigen außerordentlichen Börsenfeiertag reagierten die Märkte heute mit zum Teil heftigen Kurseinbrüchen in der Befürchtung weiterer Attacken. Teilweise musste der Handel in New York, Tokio und Frankfurt ausgesetzt werden. Nach Angaben von Experten der Wall Street ist der Einbruch an den Börsen aber auch mit der verfehlten Politik der Notenbanken und Regierungen zu erklären, die schon lange zu einer völligen Überbewertung von Aktien geführt habe, und dem Ausbleiben nötiger Reformschritte. Gerüchte, dass derzeit gegen mehrere Führungskräfte in Zentral- und Notenbanken ermittelt werde, da neue Informationen aufgetaucht seien, die ein betrügerisches Verhalten der Banken bei der Bewältigung der Finanzkrise belegen würden, wurden von den Aufsichtsbehörden in den USA und London umgehend dementiert. Ebenso zerstreuten die Behörden am Vormittag die Bedenken des internationalen Journalistenkonsortiums, dass weitere Billionen nötig wären, um die europäischen und amerikanischen Banken zu retten.

Winter ging zum Fenster und blickte nachdenklich in ihren Garten. Einen Teil der Daten hatten sie nie entschlüsselt und zu Gesicht bekommen. Sollte das etwa alles gewesen sein? Was hätte da alles noch zutage gefördert werden können. Ihr wurde klar, dass am Ende ein Zahnrad in das andere greifen musste, damit der Plan der *Herren* funktionierte. Dazu gehörten vor allem die Recherchen Denvers, die brisante reale Lage der Banken und des Finanzsystems und dass es für eine Superkrise keinen Plan B gab. Die Politik durfte sich nicht noch einmal von der Finanzindustrie erpressen lassen. Und das konnte nur funktionieren, wenn das System implodierte, dachte sich wohl die Gruppe um Former. Brauchte es wirklich diesen großen Schock, bevor sich etwas änderte?

Sie setzte sich in ihren Ohrensessel. Allington hatte ihr vorgestern nach seiner Standpauke zugesichert, dass niemand von ihm erfahren würde, ob sie Lascaut geholfen hätte. Eine Erleichterung. Im Grunde hatte sie keine Spur hinterlassen. Dennoch war ihr unwohl. Was war mit dem Angriff auf den Hochfrequenzhandel und warum war nur die Rede von Gerüchten? Hatte es nicht geheißen, dass sich das Fenster für einen erfolgreichen Angriff schon bald schließen würde? Wurde jetzt tatsächlich wieder alles vertuscht, würde einfach alles so weitergehen? Waren die persönlichen Risiken völlig vergeblich gewesen?

SECHSUNDSECHZIG

NEW YORK, WALL STREET, 10. NOVEMBER

Den Männern stand die Angst ins Gesicht geschrieben. Sie schrien durcheinander, Vorwürfe flogen durch den Raum, Fragen, welche Köpfe jetzt rollen müssten und wie man der Lage Herr werden könnte. Die Bankmanager aller Großbanken hatten sich am Nachmittag mit der Börsenaufsicht, zwei Mitarbeitern des Finanzministeriums, dem dazugehörigen Stabschef des Weißen Hauses und einem Beamten des FBI um einen massiven ovalen Tisch in einem Sitzungssaal der American Stock Exchange versammelt. Ein Grüppchen von Anlegern, das vor dem Gebäude lauthals die Schließung der Börsen forderte, hatte keine Ahnung, was sich hinter diesen Mauern abspielte. Nur eine erste Stellungsnahme des US-Präsidenten hatte eine Panik und einen womöglichen Sturm auf die Banken verhindert, den immer befürchteten *Bank Run*, indem er auch für den Fall eines Börsencrashs die Geldversorgung garantierte.

Im Sitzungssaal, dessen Wände mit den Porträts aller amerikanischen Präsidenten geschmückt waren, hatten sich die Teilnehmer inzwischen ihrer Sakkos und Krawatten entledigt. Die Getränke waren schon leer, neue wurden nicht serviert.

Der Stabschef des Weißen Hauses, der erst später hinzugekommen war, schaute sich die letzten Meldungen an, die ihm gerade gereicht worden waren, und klopfte energisch auf den Tisch, um die chaotische Versammlung endlich zur Ruhe zu bringen.

»Wir haben hier vor ein paar Jahren schon einmal gesessen, meine Herren«, erhob er laut und durchdringend seine Stimme. Er blickte in die Runde der Banker. »An diesen Vorwürfen, die uns die Geheimdienste von einem Informanten gesichert haben, ist zu viel dran! Wir schliddern haarscharf an einer Katastrophe entlang. Sie haben es nur den Geheimdiensten zu verdanken, dass …«

Ein etwas untersetzter Banker konnte sich nicht zurückhalten. »Wenn das öffentlich wird, sind wir alle weg«, fiel er dem Stabschef ins Wort.

»Halten Sie den Mund. Sie haben uns Jahre das wahre Ausmaß Ihrer faulen Kredite verschwiegen, trotz der massiven Staatshilfen!«

Der Untersetzte ließ sich nicht beirren und pochte darauf, dass man zuallererst die Gerüchte in den Griff bekommen müsse, mit Dementis und Sicherheiten. Man könne doch das ganze System nicht wegen ein paar gefälschter Nachrichten den Bach runtergehen lassen. Dann würden Anarchie und Chaos ausbrechen.

Der Stabschef schmiss die Papiere auf den Tisch. Durch die letzte Finanzkrise war der globale Schuldenberg aller Staaten von 43 Billionen in nur zwei Jahren auf über 100 Billionen und dann bis 2014 auf über 150 Billionen Dollar angewachsen. Es gab keinen Spielraum mehr. Die Regierungen hatten nach ersten Krisengesprächen nur die Wahl, bis zum nächsten Tag die Lage zu stabilisieren, um nicht bisher undenkbare Schritte gehen zu müssen.

»Niemand hat hier etwas dazugelernt«, nahm der Stabschef seinen Faden wieder auf. »Doch! Eines ist hängen geblieben: Wie man die Steuerkassen beliebig plündern kann, keine Konsequenzen befürchten muss und das Geld zu Spekulationszwecken über die Notenbanken dann auch noch fast kostenlos zur Verfügung gestellt bekommt!«

Er erregte sich darüber, dass die meisten im Raum wieder auf das *Bail-in*-Gesetz hofften, welches erstmals in Zypern ermöglicht hatte, im Notfall die Bankkunden für die Spekulation ihrer Bank haften zu lassen. »Die Krisenverursacher sind die Krisengewinner. Die Banken schreiben jetzt schon wieder Rekordgewinne und schütten mehr Boni aus als vor der Krise.«

Ein älterer Banker brüllte dazwischen. »Verkehrte Welt! Ihr alle seid perverse Hunde! Es ist die mangelnde Haftung! Die mangelnde Haftung beruht auf der lukrativen Drehtür, die auch ihr installiert habt. Posten und Ämter werden nur ausgetauscht und sich gegenseitig wieder zugeschanzt. Dadurch gibt es keine Änderung und keine Haftung. Man sägt nicht an dem Ast, auf dem man sitzt oder mal in Zukunft sitzen möchte, nicht wahr? Mich kotzt das hier schon lange an! Wir zählen zu den wenigen Banken, die auch ohne diese dreckige Gier seriöse Geschäfte gemacht haben, ihr verdammten Hunde!«

Mit abfälligen Blicken wandten sich alle von dem Mann ab.

Ein Leiter des Investmentbankings von Goldman Sachs ergriff das Wort und richtete sich direkt an den Stabschef. »Es kann nicht Ihr Ernst sein, dass Sie uns alle aufgrund von absichtlich gestreuten Gerüchten und unbewiesenen Anschuldigungen infrage stellen!«

»Nicht die Gerüchte sind das Problem, sondern die giftigen Papiere und die unsäglichen Manipulationen der letzten Jahre«, erwiderte der Stabschef. »Also, was ist dran an diesen Vorwürfen? Und Sie, Medox«, wandte er sich an einen glatzköpfigen

Mitarbeiter der SEC, »hätten uns früher informieren müssen!« Er bedauerte, dass es den Bankern einmal gelungen wäre, den Regierungen mit dem Ende des Systems zu drohen, wenn sie nicht mit Steuergeldern einsprängen, aber diesmal sei die Politik besser vorbereitet. Wer immer diesen Angriff geplant hatte, wüsste ganz genau, wen er warum treffen wollte. Diesen Leuten sei anscheinend nicht daran gelegen, das ganze System zu zerstören, sondern nur Banken und jene Mitwirkenden, die die Politik 2008 nicht aus dem Weg geräumt habe.

Mit hochrotem Kopf sprang ein Banker von seinem Sitz auf. »Sie sollten vielleicht mal in Erwägung ziehen, dass der Politik durchaus bekannt war, was wir geleistet haben, um das System 2007 nicht völlig explodieren zu lassen. Aber das wissen ja nur wenige!«

»Wie bitte?«, fragte der Stabschef mit hochgezogenen Augenbrauen. »Lächerlich!«

Erneutes Gebrüll. Trotz der Anklagen des Stabschefs forderte ein weiterer Manager lautstark, dass der Staat und die Banken gemeinsam eine Strategie bräuchten, um einen *Bank Run* auszuschließen.

Der Stabschef haute mit der Faust auf den Tisch. »Sie scheinen sich immer noch nicht Ihrer Lage bewusst zu sein, oder? Wenn sich diese Anschuldigungen bewahrheiten und mehr davon an die Öffentlichkeit geraten, glaube ich nicht, dass es noch lange eine private Bank in diesem Land gibt.« Schlagartig wurde es ruhig im Saal. »Wenn ich das Sagen hätte, würde ich Sie alle zur Verantwortung ziehen. Der Kapitalismus braucht keine privaten Banken, er braucht sauberes Geld, meine Herren. Sie haben sich alle gegenseitig protegiert – auf Kosten der Gesellschaft und der Demokratie!«

»Wie gut, dass Sie nicht das Sagen haben«, meldete sich der hochrote Kopf. »Sie haben doch keine Ahnung, was passiert, wenn das alles öffentlich wird. Es sind genug von uns aus dem Fenster gesprungen, es reicht!«

»Schuld sind wir alle, meine Herren!«, rief der ältere Banker. »Wir alle, die den Finanzhandel immer mehr von fundamentalen Zusammenhängen entkoppelt haben. Dafür können Sie nicht nur uns zur Verantwortung ziehen. Es ist Ideologie.«

Der Stabschef nickte, blickte resigniert in die Runde und war nicht mehr gewillt zuzuhören, er wollte zum Ende kommen. »Das war noch längst nicht alles, nehme ich an, und keiner von uns kann kalkulieren, wie es jetzt wirklich weitergeht! Aber wir werden das auf die eine oder andere Art wieder hinbekommen! Aber kaum einer von Ihnen wird hier dann noch eine Rolle spielen.«

SIEBENUNDSECHZIG

LONDON, 10. NOVEMBER

Die Nachrichten überschlugen sich im Sekundentakt. Es folgten Dementis, Korrekturen, Beschwichtigungen. Alles wurde als das Werk von Terroristen dargestellt. Sämtliche Regierungen rotierten zwischen hektischen Maßnahmen, die um jeden Preis bis zum nächsten Tag Ruhe in die Märkte und Bevölkerung bringen sollten. Winter konnte nicht glauben, dass die Rechnung von Lascaut nicht aufgehen würde. Oder hatte Erik Feg am Ende alle zum Narren gehalten und gar nichts im Schließfach deponiert? Zu gerne wäre sie in den Flieger gestiegen, um ihn zur Rede zu stellen.

Immr noch saß sie in ihrem Sessel vor ihrem Schreibtisch, neben dem Sofa lief der Fernseher. Sie schaute in ihre Mails und entdeckte verwundert eine Nachricht von Lascaut, die er kurz vor seinem Tod geschrieben haben musste.

Chère Madame Winter,
ich möchte Ihnen hiermit Ihre Sorgen nehmen: Die Menschen sind doch längst auf den inneren Zerfall vorbereitet. Jetzt müssen die Regierungen handeln und die wichtigste Infrastruktur

aufrechterhalten, bis es zu Reformen kommt. Wenn Sie die Welt weiter retten wollen, dann hätten Sie in den Bergen einen sicheren Platz. Ich kann einen Bürgerkrieg nicht ausschließen, und in den Metropolen wird es vielleicht wild hergehen, es sei denn, die Politik wird sich ihrer Verpflichtung wieder bewusst. In den Bergen von Kärnten können Sie in einer Almhütte die Zeit überbrücken. Die Schlüssel liegen bereit. Ich kann es Ihnen vielleicht nicht überzeugend rechtfertigen, was ich bereit war zu tun, um unsere Pläne durchzusetzen, aber ich hatte eine hohe Verantwortung, um viele gute Männer und Frauen zu schützen. Mein Leben ist verwirkt, mein Herz zu schwach, aber Sie haben noch alles vor sich. Und denken Sie an Ihren Vater! Er ist kein Verbrecher!
Au revoir

Darunter stand eine Adresse in Österreich. Wozu gehörte die, einer Weltfriedensstiftung?

Winter tippte den Namen eines Almdorfes in den Bergen Kärntens in ihren Computer, und tatsächlich, dort oberhalb eines Berges war eine wohl einzgartige Anlage enstanden. Ein bis ins kleinste Detail gebautes Almdorf, wie sie zu Beginn des 19. Jahrunderts errichtet wurden. Die International Peace Foundation hatte dort ihr Zentrum errichtet. Sieht aus, wie ein Davos für den Weltfrieden, statt für die Weltwirtschaft. Lascaut – ein Friedensengel? Wie viele Gesichter hatte dieser Mann eigentlich?

Diese Mail hätte er nicht geschrieben, wenn der Angriff nicht doch noch erfolgen würde. Aber wann, wenn nicht jetzt? Was war schiefgelaufen? Es hielt sie nichts mehr zurück. Eilig zog sie aus ihrem Kleiderschrank eine enge blaue Jeans hervor. Sie spürte Euphorie in sich aufsteigen, betrachtete sich im Spiegel, zog die neue weiße Bluse an und fing an zu lachen. Es war Zeit, sich endlich zu zeigen. Im Moment erwartete sie die unausweichlichen Veränderungen fast mit Spannung, auch wenn sie sich die Konsequenzen kaum ausmalen wollte. Wer konnte das schon? Sie war sich relativ sicher, dass ihr Coup mit Lascaut und Feg nicht mehr auffliegen würde. Was für eine Adrenalinbombe, zu wissen, dass sie dabei mitgewirkt hatte, vielleicht eine Zeitenwende einzuläuten! Die Börsen waren wieder geöffnet, aber wo blieb der Angriff? Brauchte es den vielleicht gar nicht mehr? Sie schnappte sich ihre Lederjacke, schloss die Tür, rannte zu ihrem Mini und fuhr ziellos durch die Londoner City.

Doch nichts war so, wie sie es erwartet hatte. Die Menschen zogen, wie jeden Tag, durch die Einkaufstraßen, die Geldautomaten funktionierten. Obwohl die bedrohlichen Nachrichten über die Ticker der Werbesäulen liefen, schien kaum jemand beeindruckt. Sie erinnerte sich an das, was Allington ihr prophezeit hatte, wenn diese Situation eintreten würde. Die meisten interessierten sich nicht dafür und vertrauten auf die Politik. Die Grundängste, die in jedem Menschen schlummerten, würden verdrängt. Man hoffte darauf, dass man sich schon irgendwie auch durch die nächste Krise wursteln könnte, da es beim letzten Mal ja auch weitergegangen war.

Als sie die Barclays Bank passierte, sah sie, dass sich nur vereinzelt erste Schlangen vor den Geldautomaten gebildet hatten. In ihrem Autoradio meldete die BBC, dass sich nur einige Hundert Menschen spontan vor den Bankhochhäusern versammelt hätten. War das etwa der große Proteststurm?

Der Nachmittag brach an. Es zog sie zurück nach Hause in ihre kleine heile Welt in der Saltwell Street. Aus der Ferne hörte sie Sirenen. Einen süßen Likör mit Ms Lohendry, das brauchte sie jetzt. Sie klingelte bei ihrer Nachbarin.

»Gott, Kindchen, da sind Sie ja endlich wieder! Und auch noch mit so was Knackigem am Leib!« Ms Lohendry zog sie in die Wohnung und platzierte sie in einen ihrer flauschigen Sessel, die sicher aus den 70er- oder gar 60er-Jahren stammten. Die Nachbarin zwinkerte ihr zu und holte die Likörflasche aus dem Schrank. »Und? Haben Sie alle bösen Buben eingesperrt?«

»Nein, ich hab sie diesmal laufen lassen.« Rebecca Winters Blick wurde von einem kleinen beleuchteten Aquarium angezogen, in dem ein Goldfisch inmitten von Wasserpflanzen seine Bahnen zog. »Haben Sie ihm etwa …?!«

»… ein fischgerechtes Zuhause gegeben. Ja, das habe ich«, sagte Ms Lohendry nicht ohne Stolz. Es folgte ein Vortrag über die Qualhaltung von Goldfischen in Gläsern. Rebecca nippte an ihrem Likör und hörte ihr zu. Es wäre völlig egal gewesen, was Ms Lohendry ihr erzählt hätte, ihre Stimme ließ sie an ihre Großmutter denken und für einen Augenblick die Welt draußen vergessen.

»Ich gucke immer um diese Zeit meine Nachrichten. Das stört Sie doch nicht?«, sagte Ms Lohendry und stellte, ohne Rebeccas Kopfschütteln zu beachten, den Fernseher an.

Es lief eine Sondersendung über neue Unruhen an den Märkten und welche Konsequenzen gezogen werden müssten.

»Mich würde es nicht wundern, wenn man weiter den weichgespülten Weg der Inflation nehmen will, in der die Frage nach Verursachung, Verantwortung und Verteilung so nicht gestellt werden kann«, sagte gerade eine Mitarbeiterin des Internationalen Währungsfonds. Sie plädierte für einen globalen Schuldenschnitt und eine Reform des Geldsystems.

Ein Politologe stellte in einem weiteren Interview sogar die Demokratie infrage:

Noch nie in der modernen Geschichte der Menschheit stand eine politische Ordnung aufgrund ihres systemimmanenten Zwangs zur Selbstzerstörung so nah am Rand des Abgrunds. Und es ist durchaus möglich, dass diese Krise erst mit dem Untergang des Systems der repräsentativen Demokratie endet. In den meisten Demokratien ist die Verschuldung der öffentlichen Haushalte in gut einem halben Jahrhundert ohne Sinn und Verstand in astronomische Höhen getrieben worden. Und die Demokratien sind damit immer handlungsunfähiger und zum Spielball der Finanzmärkte geworden. Selbst wenn sich die Lage diesmal wieder beruhigt, ist es höchste Zeit zu handeln, aber ich traue es den politischen Führungen nicht zu!

Ms Lohendry schaute in den Fernseher, als käme die Sendung von einem anderen Planeten. Sie verstand kaum ein Wort von dem, was da geredet wurde. Sie schaltete den Apparat wieder aus.

»Nach dem Zweiten Weltkrieg hat sich die Welt auch weitergedreht. Wir haben uns gegenseitig geholfen, bis es wieder Geld und Arbeit gab!«, sagte sie aufmunternd, als sie Winters besorgtes Gesicht sah.

Während sie sich noch Schreckensbilder ausmalte, was wäre, wenn etwa die Nahrungsmittelversorgung in den Städten zusammenbrechen würde, holte Ms Lohendry eine Stahlkassette aus dem Schrank und schenkte noch ein »Likörchen« nach. Dann nahm sie ein vergilbtes Foto aus der Kassette.

»Sehen Sie, das ist mein Vater als junger Mann. Fesch, nicht wahr? Er hat die Weltwirtschaftskrise von 1929 miterlebt«, sagte sie mit blitzenden Augen, die sie um Jahre jünger erscheinen ließen. Sie strich mit der Hand über das Foto und erklärte, dass ihr Vater ihr immer gepredigt hätte, keiner Bank zu vertrauen, dass die alle Verbrecher wären. Ihr Blick bekam etwas Verschwörerisches. »Deshalb habe ich meine Ersparnisse immer zu Hause behalten und in Goldmünzen angelegt. Und wenn das stimmt, was die da im Fernsehen erzählen, dann bringe ich uns zur Not beide durch!«

»Sie haben nicht nur einen Schatz, Sie *sind* einer!«

»Ach, übrigens bekommen Sie noch 50 Pfund von mir. Damit hat mir Ihr Bekannter neulich ausgeholfen, als meine Rente noch nicht eingetroffen war.«

Rebecca lächelte. »Die geben Sie ihm lieber selbst, wenn er mal wieder herkommt.« Sie stand auf, umarmte die zerbrechliche alte Dame und ging zum Fenster. Sie schaute in das gepflegte Gärtchen ihrer Nachbarin, in dem neben Blumen auch Kräuter und Gemüse wuchsen. Beim Anblick der herbstlichen Pflanzen wurde ihr die Vergänglichkeit bewusst. Was wir alles anstellen, nur um des Geldes und Erfolges wegen, während die Zeit, das Leben an uns vorbeirennt, dachte sie.

»Glauben Sie, dass wir mit zwei Gärten eine Zeit lang über die Runden kommen?

»Jetzt vor dem Winter? Wird es so schlimm?« Ms Lohendry blickte sie an.

»Ich weiß es nicht.«

ACHTUNDSECHZIG

HAMBURG, 10. NOVEMBER

Auf dem Weg zum Elbufer hatte Susanne Wagner vor Tagen zufällig gesehen, wie Feg mit einer Armbinde und einer dunkel gelockten jungen Frau vor ihrem Haus stand. Dass die junge Frau ihren langjährigen Freund umarmte, hatte ihr einen Stich versetzt. Anstatt ihn zu besuchen, war sie fern geblieben und hatte mit sich gehadert. Nachdem die Polizei sie über den Vorfall vor ihrem Elternhaus informiert hatte, wusste sie wenigstens, dass seine Verletzung zwar nicht harmlos, aber den Umständen entsprechend glimpflich gewesen war.

Nun stand er vor der Tür. Sie konnte es kaum abwarten, zu erfahren, was ihm passiert war und was es mit dieser jungen Frau auf sich hatte.

»Mein Gott, wie siehst du denn aus? Sag mal, kürzlich – war das deine neue Flamme? Ich hab euch zufällig gesehen …«

»Das war mein Jungbrunnen«, zwinkerte Feg, umarmte Susanne Wagner einarmig und küsste sie.

»Komm rein, du Idiot!«

Sie gingen ins Wohnzimmer und setzten sich gemeinsam auf das große weiße Sofa mit Blick auf die Hafenskyline.

»Und was zum Teufel habt ihr die ganze Zeit gemacht? Ich hatte schon den Eindruck, du wärst untergetaucht«, wollte Susanne Wagner wissen. Feg blickte auf seine Armbanduhr und schaltete den Fernseher ein. »*Das* haben wir gemacht.«

… Nach Angaben des US-Außenministers gebe es derzeit keinen Anlass, über eine erneute Verstaatlichung der Banken zu spekulieren. EU-Ratspräsident Loyer beruhigte die Bevölkerung, dass eine weitere Sozialisierung möglicher Bankenpleiten undenkbar sei und garantierte, dass es bei der Bargeldversorgung der Bevölkerung keine Probleme geben werde. Dennoch fühlen sich weltweit Kritiker bestätigt, die nach dem Ausbruch der Finanzkrise Reformen angemahnt hatten. Entgegen aller Beteuerungen der Politik berichteten heute mehrere Nachrichtenagenturen, dass in Kürze die vom IWF vorgeschlagene Schuldensteuer umgesetzt und der Kapitaltransfer außerhalb Europas und den Vereinigten Staaten bis auf Weiteres eingefroren werde. Betroffen seien aber lediglich Barvermögen über eine Million Euro, davon ausgenommen blieben Lebensversicherungen und andere Altersabsicherungen. Sämtliche Aktiendepots wären ebenfalls betroffen. Eine solche Maßnahme ließe sich jedoch nicht ohne weitreichende Konsequenzen rechtfertigen. Man müsse jetzt für Transparenz sorgen, damit falsche Nachrichten nicht zu Verwerfungen am Markt führten, sagte Loyer und appellierte an die Medien, mit diesbezüglichen Informationen sorgfältiger umzugehen.

Feg blickte vom Fernseher zum Hafen. Die riesigen Containerschiffe wurden wie immer be- und entladen. Der Wirtschaftsmotor lief einfach weiter, dabei waren auch ihm im Laufe der Ermittlungen die zahlreichen Selbstmorde von Bankern wie die Ankündigung des unausweichlichen Niedergangs erschienen. Diese Leute hatten gewusst, was sie angerichtet hatten, und es würden wohl nicht die Letzten gewesen sein, die aus ihrer Erkenntnis die Konsequenzen zogen. Aber der Countdown war abgelaufen. Der Total Crash war ausgeblieben. Lascaut hatte also doch versagt.

»Was geht denn da vor sich?«, fragte Susanne, die verwirrt in den Fernseher starrte.

»Ich dachte, du bist eine informierte Frau.«

»Quatsch. Guck dir das da doch mal an! Was wird denn das? Geht unser Geld jetzt flöten?«

»Schwer zu sagen, aber keine Sorge, ich hab was beiseitegeschafft. Ansonsten müssten deine Freier eben mit Naturalien bezahlen«, sagte Feg und fing ein Kissen auf, das Wagner nach ihm schmiss. »Wo ist der Wein?«

»Oh Gott, du änderst dich nie. In der Küche, wo sonst? Was beschäftigt dich denn so? Du kommt mir heute so abwesend vor.«

»Lass mal gut sein!«

Feg stand auf und holte eine Flasche aus dem Kühlschrank und ließ sich in einen Sessel ihr gegenüber plumpsen. Er war müde, schaute Wagner schweigend an, bevor er die Augen schloss. Es war vorbei. Er würde sich irgendeinen Job als Sicherheitsberater besorgen und hier ankommen. Auch wenn er sich in so eine Frau wie Rebecca Winter vor langer Zeit verliebt hatte – die Scotland-Yard-Beamtin war nicht Alice. Allerdings war sie so stark wie sie. Sie hatten beschlossen, sich eine Zeit lang nicht mehr zu sehen oder miteinander zu sprechen, um auszuschließen, dass man ihnen doch noch auf die Spur kommen würde. Es war merkwürdig, so ganz wollte er noch nicht glauben, dass das alles war. Dann hätte Lascaut recht behalten. Es käme wieder nur zu ein paar Verhaftungen, und alles ginge weiter wie gehabt.

Doch sie hatten es wenigstens versucht, mehr konnten sie nicht tun, sie hatten Glück, nicht im Knast zu sitzen, jetzt hieß es abwarten.

Wieder schaute er Susanne an. Er hatte sich jahrelang verschlossen, war hart geworden. Anstatt sich für etwas Neues zu öffnen, hatte er dieser einen Frau nachgetrauert. Es war die Sehnsucht nach einer ganz eigenen Qualität von Beziehung und Nähe, die er bisher nur bei Alice erlebt hatte. Doch Susanne Wagner war genau die Frau, auf die er sich immer hatte verlassen können. Es war Zeit, etwas zu wagen, auch wenn es vielleicht nicht ganz seinen ursprünglichen Vorstellungen und Erwartungen entsprach. Ein Freund hatte ihm vor Jahren genau das gesagt. Dass wir Bildern und Vorstellungen hinterherrennen, das erzeugen und festhalten, was uns vorgelebt wurde. Anstatt unsere Motive zu hinterfragen, stolpern wir immer wieder über die gleichen Steine, erwarten aus den immer gleichen Handlungen und Urteilen neue Ergebnisse. Du musst dringend dein Beuteraster ändern, sonst verrottest du, das hatte der Freund ihm eingeschärft.

»Glaubst du, dass wir …«, begann Feg.

Susanne Wagner blickte ihn an. »Frag nicht, mach es einfach!«

NEUNUNDSECHZIG

NEW YORK, 17. NOVEMBER

Die Tür knallte gegen die Wand. NASDAQ-Chef Tom Greifswald telefonierte gerade. Sein junger schlaksiger Assistent stand atemlos vor ihm. Hinter ihm stürmten mehrere augescheinlich aufgeregte Beamte der Börsenaufsichtsbehörde in den Raum.

»Tom, geh auf CNN!«

»Das können Sie alles in Ruhe mit dem Finanzministerium in der kommenden Woche …«, versuchte Greifswald das Telefonat diplomatisch zu einem Ende zu bringen.

»Tom!«

»Was zum Teufel?«, herrschte Greifswald seinen Assistenten an und legte wütend einfach auf.

Der hatte inzwischen den Fernseher eingeschaltet und so laut gestellt, dass alles zum Schweigen kam.

Ruckartig drehte Greifswald seinen Stuhl um.

… Nach Angaben des internationalen Journalistenkonsortiums, einem weltweiten Zusammenschluss von investigativen Journalisten, wurden die von bisher unbekannter Quelle bereitgestellten Daten über weitere massive Manipulationen am

Finanzmarkt analysiert. Es sei derzeit aber noch völlig unklar, inwieweit der Gigant BlackRock tatsächlich illegal an Informationen über eine geplante Zinserhöhung der Europäischen Zentralbank und der Federal Reserve Bank gelangt sein könnte, um seine Strategie anzupassen. Ebenfalls untersucht werden alle Beteiligungen des Hedgefonds an Banken in Europa, Asien und den Vereinigten Staaten. Ein Experte der US-Aufsichtsbehörde bestätigte am Morgen die Ermittlungen und betonte den Verdacht, dass BlackRock in jedem Land, an dem er Interesse hat, die Kurse und den Wert der Währungen bestimmen könne. »BlackRock hat mit einem Vermögen von über vier Billionen Dollar eine solche Marktmacht, dass das Unternehmen die Kurse quasi selbst machen kann. An der Börse geht es anscheinend nicht mehr um die Substanz eines Unternehmens, sondern darum, was BlackRock tut. Geht er rein, steigt die Aktie, geht er raus, fällt sie. Unternehmenszahlen sind nur noch Dekoration«, so der Kommentar des Analysten.
Wie gefährlich der Gigant sei, betonten auch mehrere Organisationen von Globalisierungsgegnern, die darauf verwiesen, mit welchen Methoden BlackRock bereits in der ersten Finanzkrise 2008 an Untergang und Aufbau der Wirtschaft gleichzeitig verdient hatte. Dies habe man schon an der Notlage in Griechenland und der Finanzkrise in den USA sehen können, wo BlackRock die Situation durch seine Spekulationen angeheizt hatte …

»Wer hat das herausposaunt?«, brüllte ein Mann der Börsenaufsichtsbehörde.

Greifswald kniff die Lippen zusammen.

»Das läuft über Reuters und Bloomberg an alle Medien und ist authentisch, soweit ich das beurteilen kann«, murmelte der eingeschüchterte Assistent.

Greifswald starrte auf die Kurse der Banken auf dem großen Monitor, der über dem Fernseher von der Wand ragte. Sie gaben stetig nach. All die Übungen waren eine Farce gewesen! Der Markt wurde im Sekundentakt mit Negativmeldungen überschüttet. Von wegen 9. November, dachte er und wischte sich mit einem Taschentuch das feuchte Gesicht ab. Was an dem Tag gestreut worden war, war nur eine Vorbereitung, eine perfide Ablenkung.

»Ich will jetzt wissen, was hier los ist! Verdammte Scheiße, seht ihr denn nicht, dass wir reingelegt worden sind! Die ganze Zeit haben wir nur versucht, den Angriff aus dem Cyberspace zu verhindern, aber das da zerschlägt jedes Vertrauen in den Markt!«

Jetzt würde vielleicht der Albtraum globale Ausmaße annehmen. Für einen solchen Angriff, der mit Falschinformationen den Markt in Panik versetzte, gab es ein Vorbild. Die Täter hatten sich einen Test erlaubt. In Bulgarien war es im Juni 2014 zu einem Kundenansturm auf zwei große Banken des Landes gekommen, nachdem ein mutmaßlicher Angriff auf die Bankenbranche bekannt geworden war. Nach Angaben von Regierung und Notenbank wollten Kriminelle mit über Internet und SMS-Botschaften verbreiteten Falschinformationen die Bürger dazu bewegen, ihr Geld abzuheben. Obwohl der Präsident des kleine Balkanstaates versicherte, es gebe keine Bankenkrise, hatten sich vor vielen Filialen und Geldautomaten des Landes Menschentrauben gebildet, die ihre Ersparnisse lieber unter das Kopfkissen legen wollten. Nur ein Kredit der EU hatte Bulgarien stabilisieren können.

Aber was hier gerade vor sich ging, war für Greifswald unfassbar. Würde es jetzt zum befürchteten Flächenbrand kommen? Offenbar hatten sich die Täter gut vorbereitet, sich über

Schmiergelder die Strategien der Handelssysteme der großen Player besorgt, um zu wissen, mit welchen Informationen sie den massenhaften Verkauf von Papieren auslösen konnten.

Gebannt blickte er auf den Monitor. Die Bewegungen am Markt explodierten, die Kurse stiegen und sanken im Sekundentakt. Die Maschinen spielten gegeneinander. Hedgefonds wie KKR, BlackRock und andere stützten offenbar die Unternehmensaktien gerade so, dass die Zehn-Prozent-Marke für das Aussetzen des Handels nicht überschritten wurde. »Was zum Teufel passiert da?«, stöhnte Greifswald.

Ein weiterer Mitarbeiter der NASDAQ stürzte ins Büro.

»In Frankfurt haben sich Angreifer mit gestohlenen Administratoren-Kennwörtern Zugang zu den Systemen verschafft, und von außen werden Abverkäufe von Bankaktien in Milliardenhöhe provoziert«, verkündete er atemlos und setzte hinzu, dass teilweise die Kommunikationssysteme der Banken und Regierungsstellen gestört seien und Marketmakern die Identitäten gestohlen wurden. »Alles deutet darauf hin, dass die Systeme längst unterwandert waren und ausspioniert wurden.«

Greifswald wischte sich erneut den Schweiß ab. Der Mitarbeiter fuhr fort, dass im Moment zeitgleich gefälschte Meldungen über weitere Verstrickungen der Banken in die Manipulation der Märkte, des Gold- und Devisenmarktes und der Zinsen seit 2010 verbreitet würden. »Die wichtigsten Onlineausgaben der Medien sind gekapert worden oder sie übernehmen die Meldungen ungeprüft. Zum Beispiel, dass die Zahl der giftigen Papiere, die die Banken noch im Keller haben, 70 Billionen Dollar übersteigen würden.« Er schnappte nach Luft. »Eine Zahl, die in diesem Zusammenhang besonders brisant ist, offenbart, dass Banken weltweit dabei behilflich waren, für Unternehmen und Privatpersonen über 580 Billionen Dollar Steuergelder am Fiskus vorbeizuschleusen. Eine genaue Liste der Konten wurde in den Umlauf gebracht. Bei der jetzt einsetzenden Panik kann man unmöglich zwischen falschen und echten Pressemitteilungen differenzieren.«

»Verdammte Scheiße! Diese Meldungen kommen zu konzentriert auf den Markt, jede einzelne schiebt dem Wertverfall der Aktien eine plausible Begründung hinterher. Es ist egal, was wir machen, der Verkaufsdruck wird in den nächsten Tagen explodieren«, stöhnte der Beamte der Börsenaufsichtsbehörde und schaute in das blasse Gesicht des Leiters der NASDAQ.

»Die Leute von dieser ominösen Liste allerdings, die wir unter Beobachtung hatten, haben zu keinem Zeitpunkt einen Virus eingespeist«, erklärte ein Mann des FBI.

»Das ist mir scheißegal! Haben Sie mal daran gedacht, dass diese Liste eine Fälschung war, Sie Idiot! Dass das alles längst in unseren Systemen schlummerte und wir verarscht wurden?«, schnauzte Greifswald.

Wieder schaltete sein Assistent den Fernseher lauter, eine Sprecherin der NBC brachte Gewissheit.

… Hacker haben heute Morgen und über Nacht mehrere US-Sender und die Nachrichtenagenturen Thomson Reuters und Bloomberg sowie weltweit Hunderte Onlinemedien gekapert. Zeitgleich hat ein bisher unentdeckter Virus die Handelssysteme der Weltbörsen manipuliert. Ob es sich dabei um den vor einer Woche sichergestellten Code handelt, der einer Aktivistengruppe um den verstorbenen Hedgefondsmanager Dan Former zugerechnet wird, ist derzeit unklar. Unzählige Meldungen über gefälschte Bankbilanzen, drohende Pleiten von Goldman Sachs und der Bank of America wurden weltweit über sämtliche Social-Media-Plattformen verbreitet. Besonders schwierig erweise sich die Situation, da auch richtige Meldungen über geheime Ermittlungserfolge der Behörden und neue Beweise gegen Ban-

ken die Runde machten, so ein Sprecher des FBI. Trotz mehrfacher Handelsaussetzungen und intensiver Dementis ist derzeit völlig ungewiss, was in den nächsten Stunden droht. Sollte sich die Lage nicht beruhigen, könnte der massivste Einbruch in der Börsengeschichte nur schwer verhindert werden, da die Panik auch in den nächsten Tagen und Wochen anhalten dürfte. Während die Zentralbanken im Laufe des Tages versuchten, die Lage mit Stützungskäufen zu retten, wurde soeben bekannt, dass die Handelssysteme mehrerer Hedgefonds ebenfalls von Hackern manipuliert wurden und dadurch den Trend zum Verkauf von Bankaktien weiter verstärkt haben. Während einer Krisensitzung im Weißen Haus drückten Politiker ihre Sorge aus, dass es in diesem Chaos zu keiner Beruhigung mehr kommen könnte. Erste Stimmen wurden laut, dass die Banken umgehend verstaatlicht werden müssten, um die Geldversorgung unabhängig vom Börsengeschehen aufrechtzuerhalten. Der US-Präsident sagte am Rande der Krisenkonferenz in Washington, sollten sich diese und andere Fakten erhärten, stünde die Welt vor einer weltweiten Zäsur und Korrektur des neoliberalen Wirtschaftssystems, die mit dem Zusammenbruch des Kommunismus vergleichbar wäre.

NASDAQ-Chef Greifswald war sprachlos. War die Panikmache vor einer Woche nur eine gigantische Ablenkung oder Teil des Planes gewesen? Er sah, wie alle Aktien immer weiter nachgaben, und vergrub sein Gesicht in den Händen.

»Okay, Schluss«, sagte er nach langen Sekunden. »Setzen Sie den Handel bis auf Weiteres aus. Ich nehme das auf meine Kappe. Ich informiere das Weiße Haus. Wir kriegen das noch in den Griff!«

»Aber Mr Greifswald, der Markt …!«

»Tun Sie, was ich sage!«

SIEBZIG

LONDON, 17. NOVEMBER

Tom Garden, der Leiter der Londoner Börsenaufsicht, starrte auf seine Monitore. War das der lang erwartete Crash, wurden die Handelssysteme manipuliert? Die Nachricht aus Frankfurt war eindeutig. Er stöhnte laut auf.

Als der Leiter der IT-Abteilung sein Büro betrat, erschrak er.

»Sir, eben sind neue Nachrichten von der deutschen und der französischen Nachrichtenagentur eingegangen. Angeblich wollen die Regierungen die Zwangsabgabe auf die Vermögen umsetzen!«

Garden fiel der Unterkiefer runter. Die Panik an den Märkten würde explodieren, wenn diese Meldung wahr wäre. Selbst ein Dementi der Politik könnte die Angst nicht mehr eindämmen!

»Oh Gott, ich frage im Finanzministerium nach. Das kann doch nicht wahr sein!«

Was immer hier geschah, musste unbedingt heute in den Griff bekommen werden, oder der nächste Tag würde der schwärzeste in der Börsengeschichte werden – und nicht nur das.

»Sir, DDoS-Attacken auf Regierungsseiten unterstützen die Unsicherheiten zusätzlich. Wir haben einfach zu viele Schwachstellen«, sagte der Netzwerkexperte. »Ich habe immer davor gewarnt, dass die beste Übung nichts bringt, wenn man sie in der Realität nicht umsetzen kann.« Im Moment wären vor allem die Abläufe und Befehlsketten im Krisenfall nicht ausreichend vereinheitlicht. »Wir hätten längst bessere Verfahren zum Informationsaustausch gebraucht«, klagte der junge Mann. »Jetzt bringen auch zeitweilige Handelsaussetzungen nichts mehr. Egal, was wir tun, der Trend wird weiter bestätigt werden.«

Garden zerbrach einen Bleistift. »Erzählen Sie mir was Neues!«, blaffte er den IT-Chef an, klemmte sich den Telefonhörer zwischen Schulter und Ohr und tippte wie wild in die Tasten seines Computers.

»Lilly, setzen Sie die Notfallpläne von Finanzministerium und Regierung in Kraft! Heute wird ein langer Tag!«

Eine dunkelhaarige Frau mit kleiner Brille und einem grauen Kostüm schaute aus dem Nebenraum zu ihrem Chef.

»Sind Sie sicher?«

»Ja, leider!«

Garden lehnte sich in den Sessel, schaltete den Fernseher ein, der an der Wand vor ihm montiert war, und blickte parallel auf die Monitore vor sich auf dem Schreibtisch, auf denen fast alle Kurse und Zahlen blinkten, was für eine extrem hohe Handelsaktivität sprach. Im Fernsehen überschlugen sich die Meldungen über den Absturz der Banken und die wiederholten Handelsaussetzungen an verschiedenen Börsen der Welt. Die Wall Street war mittlerweile ganz dicht. Die Nachrichten über faule Kreditvolumen der Banken, die absichtlich verschwiegen worden waren, und welche Konsequenzen zu erwarten seien, waren nicht mehr glaubwürdig zu dementieren.

»Mann, wir haben alle gewusst, dass das eines Tages passiert, so eine Scheiße! Aber wir kriegen das in den Griff, wir kriegen das in den Griff!«

In den Redaktionsräumen von Thomson Reuters in London war die Hölle los: Scotland Yard und Mitarbeiter des Geheimdienstes durchsuchten die Büros, Experten der Cyberabwehr verhörten Redakteure und versuchten, die Quellen der letzten Nachrichten herauszufinden.

Gerade als die Experten die ersten Websites von Regierungen, Banken und Nachrichtenportalen wieder in den Griff bekamen, prallten die nächsten News in die Märkte. Die Deutsche Presse-Agentur meldete, dass zwei französische Banken und die Deutsche Bank angesichts ihres Portfolios durch die aktuellen Turbulenzen und Nachrichten erheblich gefährdet seien. Nach Angaben der deutschen Finanzaufsicht wiesen alle drei Banken einen hohen Anteil von Papieren auf, die zum Verkauf stünden – Papiere, die die Banken eigentlich längst hätten loswerden wollen und deren kompletter Zerfall nun die wahren Schwächen der Bilanzen aufzeigten. Diese Banken seien innerhalb von Stunden zu den am schlechtesten kapitalisierten Instituten Europas herabgestuft worden und wohl die ersten Kandidaten für den europäischen Bankenrettungsfonds. Die Bankenaufsicht habe Zweifel, dass in dieser Lage die Kreditinstitute noch zu retten seien. Die europäische Bankenunion könne bei diesem Volumen unmöglich in die Rettung der Banken einsteigen, ohne dass es zu sozialen Unruhen käme, da die Bürger, insbesondere der reiche Norden Europas, erst jetzt begriffen, dass auch sie die Zeche zu zahlen hätten. Der Existenzvernichtung wäre Tür und Tor geöffnet.

In den europäischen Metropolen kam es zu ersten Massenprotesten. Polizei und Sondereinheiten des Militärs riegelten am Mittag vorsorglich die Finanzdistrikte ab.

EINUNDSIEBZIG

EIN TAG SPÄTER

BÖRSE NEW YORK

»No!!!«

Ein einstimmiger Aufschrei erfüllte den Saal. Wie aufgescheuchte Heuschrecken rannten Männer in ihren nummerierten Brokerwesten zu ihren Rechnern oder verfolgten mit Tränen in den Augen die fallenden Kurse. Das Geschrei wurde im Sekundentakt lauter. Auf sämtlichen Bildschirmen blinkten fast alle Kurse der Aktien im roten Bereich. An Telefonen hielten sich die Broker ein Ohr zu und brüllten mit Kunden um die richtige Strategie, versuchten verzweifelt zu beruhigen. Ein bulliger Händler schrie mit weit aufgerissenen Augen in die Menge: »Setzt verdammt noch mal den Handel aus, das ist doch Wahnsinn, was ist hier los?!?«

Auf dem Times Square erstarrten die Menschen vor den riesigen Bildschirmen. Die Nachrichten ließen sie die Hände über dem Kopf zusammenschlagen, andere rannten zu den Geldautomaten.

Tom Greifswald saß regungslos vor seinem Schreibtisch und starrte für einen Moment wie hypnotisiert auf ein Dutzend

Monitore, die die ganze Wand vor ihm einnahmen und entweder Nachrichten von Bloomberg, Reuters oder Börsenkurse anzeigten. Er hatte seit dem Vortag keine Minute geschlafen. Das war es! Der Wertverfall würde nicht mehr zu stoppen sein. Es war alles im freien Fall, kein Ende absehbar. Greifswald, umgeben von Gebrüll, reagierte nicht mehr. Seine Sekretärin schüttelte ihn an der Schulter.

»Mr Greifswald, der Präsident erwartet Vorschläge.«

Mit einem krächzenden Lachen stand der NASDAQ-Chef auf und ging zum Fenster.

BÖRSE HONGKONG

老天!!!

Die Händler fuhren von ihren Sitzen hoch. Die gigantische elektronische Tafel der Hongkonger Börse zeigte den Männern die unausweichliche Wahrheit. Einige Broker traten vor die Wand, wie paralysiert sahen sie die Kurse nur so purzeln. Ein paar Männer hielten sich die Augen zu. Andere setzten sich auf den Boden und versenkten ihre Köpfe zwischen den Armen. Wo sonst den ganzen Tag über Männer wild mit den Händen fuchtelnd durch den Raum brüllten und ihre Geschäfte tätigten, trat plötzlich eine gespenstische Stille ein.

»Das kann doch nur ein Softwarefehler des Handelssystems sein«, wimmerte ein Broker. Doch der Hongkonger Hang Seng Index sank vor seinen Augen im Sekundentakt. Die Notenbank verkündete, die Stützungskäufe zur Stabilisierung der Kurse einzustellen. Plötzlich hörte das Blinken der Charts auf. Ein Mann warf ein Bündel Papiere in die Luft und verließ den Handelsraum.

BÖRSE TOKIO

くそ!!!

Einige Händler rauften sich die Haare vor ihren Bildschirmen und Kurscharts, andere rannten wie nach einem Bombenalarm aus dem von Glas ummantelten Handelsraum der Tokioter Börse. Papiere, Handys und Schuhe flogen durch die Luft. Einige Broker schlugen aufeinander ein. Bildschirme wurden von den Tischen gerissen. Der Nikkei-Index schoss weiter nach unten. Die Gesichter der Händler erbleichten, alle wussten, das war erst der Anfang. »Das ist der schwärzeste Tag in der Wirtschaftsgeschichte unserer Zivilisation«, schrie ein Mitarbeiter fassungslos und warf seinen Brokerausweis auf den Boden.

Die Sprecher aller japanischen Rundfunkanstalten kündigten für den Abend eine Rede des Kaisers an. Ein Mann rannte aus dem Gebäude der Börse auf die Straße und schrie: »Das ist das Ende!«

Die Menschen in ganz Tokio blickten fassungslos auf die Nachrichtenticker. Einige falteten die Hände wie zum Gebet. Andere standen erschüttert vor gesperrten Geldautomaten und konnten ihre Tränen nicht zurückhalten.

Polizeieinheiten rückten vor die schließenden Bankinstitute.

BÖRSENAUFSICHT LONDON

»No!!!«

Tom Garden leerte seinen Schreibtisch und warf alles in einen Karton. »Lilly! Packen Sie Ihre Sachen und hauen Sie ab aufs Land. Hier wird es bald rundgehen!«

»Ach ja, und was glauben Sie, wo die Meute hinzieht, wenn sie hier nichts mehr zu essen hat?«, entgegnete seine Sekretärin.

Tom Garden riss die Augen auf. Die BBC meldete, dass alle Banken Großbritanniens schlossen. Die Geldautomaten waren gesperrt. Der Bezirk Tottenham meldete erste schwere Krawalle. Der Premier drohte bei weiterer Gewalt mit dem Ausnahmezustand und einer nächtlichen Ausgangssperre. Die Londoner Börse setzte den Handel komplett aus. Auf den Straßen kam der Verkehr zum Erliegen, die öffentlichen Bahnen und Busse stellten ihren Betrieb ein. Menschen hasteten durch die Stadt, versuchten, sich mit ihrem letzten Geld mit Lebensmitteln einzudecken, während sich die glitzernden Luxuskaufhäuser leerten.

BÖRSE FRANKFURT

»Nein!!!«

»Der Markt ist tot, Mann!«

Gebannt schaute ein Makler von seinem Handelsplatz auf die riesige Anzeigentafel im Handelsraum der Frankfurter Börse, dann wieder in seine sechs Bildschirme mit Daten der weltweiten Börsen und Aktienwerte. Auf einem Monitor betrachtete er mit offenem Mund, wie im Fernsehen Sondersendungen rund um die Welt den weltweiten Crash analysierten. Vor laufenden Kameras versuchten Politiker zu beruhigen, andere beschimpften sich lauthals. Der Deutsche Leitindex DAX sank weiter. Der Handel wurde ausgesetzt. Keiner im Raum machte sich noch Hoffnung.

Ein Broker schaute seinen Kollegen an. »Komm! Wir hauen besser ab, bevor die Menschen die Paläste stürmen!«

GA/11621

VEREINTE NATIONEN GENERALVERSAMMLUNG

Memo des Wirtschafts- und Finanzausschusses
der UN-Generalversammlung

Die Weltbörsen stehen am Abgrund. Die Zentralbanken sind nicht mehr in der Lage, der deflationären Spirale entgegenzuwirken.

Die Weltwirtschaft wird in den kommenden Wochen um 30 Prozent einbrechen. Das Leben und die sozialen Bedingungen Hunderter Millionen Erwerbstätiger in aller Welt sind zerstört.

Die Institutionen Weltbank und Internationaler Währungsfonds (IWF) werden den Anforderungen für eine nachhaltige Krisenbewältigung und Neuordnung des Weltwirtschaftssystems nicht mehr gerecht. Die Macht einzelner Konzerne und Finanzinstitutionen und die damit einhergehende Monopolisierung in der globalisierten Welt haben zu Verwerfungen geführt, die weder von Regierungen noch vom IWF weiter kontrollierbar sind. Der angekündigte Rücktritt der Präsidentin des IWF soll ein erster Schritt zur Neuordnung der Weltwirtschaft sein.

Als Hauptursachen für den Kollaps machen Experten den fehlenden Reformwillen der Politik, das Ausbleiben juristischer Konsequenzen im Finanzsektor und die leicht zu sabotierende Infrastruktur des Hochfrequenzhandels verantwortlich.

Dem Zusammenbruch des Weltwährungssystems und des Dollars werden steigende Warenpreise, eine explodierende Arbeitslosigkeit und etliche Staatsbankrotte folgen.

Für die westliche Welt besteht das Risiko einer völligen Destabilisierung der Gesellschaften.

Steigende Nahrungsmittelpreise, ein sinkender Lebensstandard und weitere Staatsbankrotte in zahlreichen Regionen der Welt können zu länderübergreifenden sozialen Unruhen und Bürgerkriegen führen.

Europa und den USA droht bei derzeitiger Lage eine Destabilisierung ihrer demokratischen Strukturen.

Infolge der globalen Krise werden nach ersten Schätzungen weltweit mindestens 300 Millionen Arbeitsplätze verloren gehen. Die mangelnde Grundversorgung der Bevölkerung führt schon jetzt zur Eskalation.

DANKSAGUNG

Zahlreiche Menschen, die mir bei der Umsetzung dieses Romans geholfen haben, kann oder darf ich nicht namentlich nennen, aber der Dank sei ihnen unbenommen. Mehrere englische und deutsche Finanzfachleute, darunter ein Hedgefondsmanager, haben mich während der Arbeit an diesem Buch in Hintergrundgesprächen mit wichtigen Details versorgt, auch ihnen danke ich anonym.

Bei der Arbeit an diesem Manuskript habe ich etliche Bücher, unzählige Zeitungsartikel und Webseiten gesichtet, um die realen Hintergründe und Personen zu erfassen, die zum Teil eine hohe Verantwortung für die Lage vor, während und nach der Finanzkrise tragen, dafür aber von der Politk nie zur Verantwortung gezogen wurden.

Wertvolle Hintergrundinformationen fand ich besonders in Büchern von Jean Ziegler und Noam Chomsky. Sie zeigen ungeschönt die Verwerfungen des Kapitalismus, der Finanz- und Schuldenkrise sowie die Fragilität der global vernetzten Weltbörsen auf. Sie ermöglichten mir, den Handlungsrahmen so authentisch und real wie möglich zu gestalten.

Ganz spezieller Dank gilt meiner Lektorin Christine Neumann besonders für die dramaturgische Beratung. Ebenso danke ich Ilka Heinemann, die das Manuskript in der Schlussphase an vielen Stellen wesentlich verbessert hat. Herzlichen Dank auch an das Team des Europa Verlages für ihre Freundlichkeit und Professionalität. Ganz besonders danke ich meinem Verleger Christian Strasser für sein Engagement und seine Bereitschaft, dieses Buch mit mir umzusetzen.

Ich danke Prinz Alfred von Liechtenstein für ein Refugium in einem wunderschönen Tal in der Steiermark, in dem ich die schwierigste Zeit bei der Umsetzung dieses Buches verbringen durfte. Auch danke ich ihm für die vielen Spaziergänge, in denen er mich an seinem Wissen und an seiner Vision für ein Weltfriedensdorf in Kärnten teilhaben ließ.

Nicht zuletzt möchte ich Tyark Thumann danken, der mir aufgrund seiner umfassenden Schreib- und Literaturkenntnisse bei zentralen Fragen ein unersetzlicher Berater war.